JN059189

Contemporary Asia
Issues and Debates

現代アジアをつかむ

社会・経済・政治・文化 35のイシュー

佐藤史郎／石坂晋哉 編

明石書店

まえがき

現代アジアは躍動性と多様性で彩られている。アジア経済はいま，新型コロナウイルスの感染拡大により，深刻な影響を受けている。その回復の見込みを立てることは容易ではない。とはいえ，アジア経済が世界経済を牽引するという趨勢に変わりはない。現代アジアは依然として躍動感に溢れており，その鼓動は世界で鳴り響いたままである。

また，現代アジアはその広大さゆえに，気候，生態，言語，宗教，文化なども大きく異なる。たとえば，言語についていえば，現代のアジアでは約2,300もの言語が使用されている。現代アジアは多様性に満ちているのだ。この多様性が多くの人たちをアジアに惹きつける。

しかし，その躍動性と多様性ゆえに，そしてそれらの特徴が絡み合う複雑性ゆえに，現代アジアを理解することはときに難しいのではないだろうか。たとえば，民主化を求める香港・タイ・ミャンマーの抗議デモは，アジアの民主主義という点で，どのように捉えることができるのだろうか。また，それは国際社会に対して，どのような影響を与えるのだろうか。

現代アジアについては，1つの国ないし地域に絞った書籍が多い。もちろん，アジア全域を対象とした本もある。けれども，その多くは1つのテーマやイシューに限定されがちである。現代アジアの社会・経済・政治・文化に関するテーマやイシューを網羅的に取り扱った学術書は，叢書として編まれたいくつかの書籍を除いて，ほぼ皆無といってよい。そこで本書は，現代アジアが直面する社会・経済・政治・文化をめぐる問題について，①どのような問題があるのか，②なぜそれが問題なのか，③その問題を考えるためにはどのような専門知識が必要なのか，④その問題に対してどのような見解や立場があるのか，⑤その問題を解決するための方向性とは何か，などを考える。これらを通じて，現代アジアに関する知識と見解を読者に提供していきたい。

本書の読者対象は，学生・研究者・社会人・一般の方々といったように，幅広く設定している。ただし，少し細かくいえば，学生は留学・語学研修・海外研修・インターンシップなどで東アジア・東南アジア・南アジアに行く人たちを主にイメージしている。また，社会人については出張・駐在で，一般の方々については観光で，東・東南・南アジアに赴く人たちを強く意識している。

現代アジアの諸相を「鷲(わし)づかみ」的に理解するためには，様々な専門分野の研究者たちが結集して協力し合うことが必要である。本書は，いま第一線で活躍する総勢35名の研究者が，それぞれの専門分野から執筆したものであり，加えて，その多くは学際性をもつ国際関係論もしくは地域研究を専攻する者である。さらにいえば，本書は人文科学と社会科学の協働作業でもある。

本書の「執筆者紹介」では，読者に向けた執筆者からのメッセージを載せている。ぜひご覧いただきたい。なお，メッセージの中には，日本とアジアを対比した記述がある。しかし，それは決して日本以外のアジアを「異質な他者」「劣った他者」として取り扱うものではない。さらに念のため，日本とアジアの関係性についていえば，アジアには当然，日本も含まれていることを申し添えておきたい。

本書を通じ，現代アジアの躍動性と多様性を知ることで，「アジアっておもしろい！」という心持ちに少しでもなっていただければ，嬉しいかぎりである。

それでは，現代アジア世界への扉を開いてみよう！

2022年3月　編者を代表して

佐藤 史郎

目　次

第 II 部　経　済

第III部　政　治

第IV部　文　化

序 章

現代アジア世界への扉を開く

私たちは現在，2019（令和元）年に発生したいわゆる新型コロナウイルス感染症（COVID-19）の世界的流行により，以前のように気軽には，アジア各地を訪れることができなくなってしまった。

しかしコロナ禍のなかでも，アジアは刻一刻と変化している。コロナ禍が収束し，アジア世界への扉があらためて開かれるとき，私たちはどのような心構えをしておくのがよいだろうか。アジア世界に対して，新たに，どのような姿勢で臨むのがよいだろうか。

本書は，現代アジアの社会・経済・政治・文化をめぐる現状と課題を「鷲づかみ」的に理解できるように編まれた。以下，この章では，コロナ以前の「日本とアジア」の関係がどのようなものであったかをふりかえり，コロナ後のアジア世界のありようについて巨視的観点から検討する。コロナ以前，「日本とアジア」の距離は，かつてないほどに，近づきつつあった。また，とくに若い人たちにとって，アジア世界の地理的なイメージは広がりつつあった。それと並行して，アジアの「位置づけ」は現在，劇的に変化しつつある。国際社会におけるアジアの比重は，当分のあいだ，ひたすら大きくなってゆくであろう。

日本からアジアへ

本書を手にする人たちは，アジアのどこかの国や地域を訪れたり，もしくは，住んだりしたことがある人たちかもしれない。または，観光，出張，駐在，研修，留学などの理由で，これからアジアに赴く人たちかもしれない。

日本人の海外出国者数は，格安航空会社（LCC）路線の拡充などにより，2019年に2,000万人を突破した。そのうち，「観光・レクレーション」を目的

表序-1　日本人の海外旅行者数（アウトバウンド数）と訪問先

順位	訪問先	旅行者数
1	米国	349
2	韓国	295
3	中国	269
4	台湾	197
5	タイ	166
6	ハワイ	149
7	香港	85
8	シンガポール	83
9	ベトナム	83
10	フィリピン	63

注：単位は万人。数字は概数（四捨五入）。シンガポールは829,676人，ベトナムは826,674人。
出所：日本交通公社（2020: 44）をもとに筆者作成。

とする人が1,425万7,000人，「出張・業務」が433万人，「帰省・知人訪問等」が149万4,000人であった（日本交通公社 2020: 41）。すなわち，出国する日本人の約70%が「観光・レクレーション」を目的としていたのである。

さらに興味深いのは，2019年の日本人の海外出国者数を性・年代別でみると，一番多く海外に出国していたのが，20代の女性という点である（日本交通公社 2020: 42）。実際，20代女性の延べ出国者数は244万5,000人で，1人あたりの旅行平均回数は0.4と高い。これに対して，2番目に多い40代男性の延べ出国者数は240万7,000人であるものの，1人あたりの旅行平均回数は0.27にすぎない。

ここで，日本人の海外旅行者数（アウトバウンド数）と訪問先に目を向けてみよう。**表序-1**は2018年の訪問先トップ10の国・地域を示している。1位は米国である。しかし，米国と6位のハワイを除けば，すべてアジア地域となっている。具体的にいえば，東アジアと東南アジアが訪問先の主要エリアとなっていることがわかる。

要するに，日本人の海外出国の目的で一番多いのは観光で，その訪問先のほとんどが東・東南アジア地域ということである。もちろん，いまの日本人の海外旅行者数が，新型コロナウイルスの感染状況の影響で，大幅に減少していることはいうまでもない。しかし，感染状況が収まるにつれて，国内はもちろん国際観光の需要は回復していくことであろう。人々の移動が止むことはないからである。また，アジア経済のさらなる発展に伴って，アジアの国や地域に留学，出張，駐在する日本人の数が増えていくことも容易に予想されよう。

さらに最近では，授業料などの安さから，フィリピンのセブ島でといったように，英語を東南アジアで学ぶ人たちが増えている。また，次に紹介するように，渡航費や滞在費などの安さという点で，海外研修やインターンシップを東・東南アジアで実施する大学が増えている。南アジアで研修をおこなう大学も出てきた。日本の若者のなかで，東・東南・南アジア地域という空間領域が「アジア」として強く認識されつつあるのだ。

若者たちのアジア体験

最近，アジアで／に学ぶ大学生たちが増えている。ここで，筆者（佐藤・石坂）の体験をもとに，東アジア，東南アジア，南アジアで海外研修やインターンシップに参加する大学生の様子を紹介しよう。

佐藤は，前任校の大阪国際大学で勤務した約7年のあいだに，東アジアでは香港・マカオに4回，東南アジアではベトナムに4回，インドネシアに1回，シンガポールに1回，それぞれ学生を引率した。石坂は，愛媛大学に着任してから約7年のあいだに，南アジアのインドに5回，学生を引率した。学生たちは，各地域に行くことで，考えるべきテーマや解決すべきイシューを学ぶ。たとえば，香港・マカオでは，一国二制度を実感することで，民主主義をあらためて考えたりする学生もいる。

また，ベトナムでは，日本語を一生懸命に勉強するベトナムの大学生と交流することで，大学で学ぶということはどういうことなのか，自らの大学生活を顧みる学生もいる。また，経済成長を遂げている光の部分をみると同時に，孤児院の子どもたちと交流することで影の部分もみる。1つのエピソードがある。コンクリートの庭で，孤児院の小学生と中学生たちがサッカーをしていた。ボールの空気は少し抜けていて，ボロボロであった。筆者（佐藤）が引率した大学生たちは，子どもたちと交流するために，サッカーの試合をすることになった。試合の途中，突如，大学生たちは靴と靴下を自ら脱ぎだした。孤児院の子どもたちが裸足でサッカーしていることに気がついたからである。また，他の大学生たちは，孤児院の小さな子どもたちの要求に応えて，追いかけっこしたり，おんぶをしたりした。困ったことに，孤児院を去る時間が迫っているにもかかわらず，背中にピッタリとくっついてなかなか離れようとしない。その理由が，親の愛情に飢えているからであると大学生たちは気づく。その日の夕食時，大学生たちの面持ちは重たくなっていた。貧困とは何かを考え始めたからである。

インド体験は，強烈である。もちろん昔から，インドやエジプトなどに惹かれてしまった「特殊」な若者は，バックパッカーとして南アジアや中東地域まで足を延ばしたりしていた。しかしいま，筆者（石坂）の大学では「普通」の大学生が，海外研修先の選択肢にたまたまインドが含まれていたので，とくに深い考えもなく，なにげなく，行ってみることにしたというケースが多い。そうした学生の1人は，インドでは，当たり前だと思っていたことを見直すきっかけが多くあったという。たとえば，乗り物に乗るとき，買い物をするときには毎回，値段交渉をする。はじめは面倒だと思い，だまされて嫌な思いをしたりしたが，やがて，実はインドの人たちが，値段交渉をしながら会話を楽しんでいるという面もあることを発見する。洗濯を洗濯機ではなく手洗いですると聞いたときは驚いたが，いざ現地で実際に手洗いでやってみると，意外と苦ではないことに気づく。インドに行かなければ気づくことのなかったそうした発見の瞬間，その学生は「ときめきを感じた」という。大学生たちはアジアで／に学んでいるのだ。

アジアから日本へ

では逆に，アジアから日本への人の流れの状況は，どのようなものだったであろうか。一言でいえば，日本に住む人たちは，東・東南・南アジアの人たちと接触する機会が増えている。具体的には，2つのレベルにおいて，接触する機会が増えている。

まず，日本に住むアジアの人たちが増加しているという点である。2020年6月現在，在留外国人数は約288万6,000人で，その内訳は「永住者」が約80万人，「技能実習」が約40万人，「特別永住者」が約31万人，「技術・人文知

表序-2　アジアからの訪日外客数（インバウンド数）

順位	国・地域	総数	観光客	商用客	その他客
	アジア	2,682	2,407	115	160
1	中国	959	856	37	65
2	韓国	559	504	31	24
3	台湾	489	467	12	10
4	香港	230	224	4	2
5	タイ	132	125	4	3
6	フィリピン	61	52	3	6
7	マレーシア	50	46	3	2
8	ベトナム	50	17	4	28
9	シンガポール	49	45	4	1
10	インドネシア	41	34	3	5
11	インド	18	8	6	4

注：単位は万人。数字は概数（四捨五入）。
出所：日本政府観光局（2020: 1）をもとに筆者作成。

識・国際業務」が約29万人，「留学」が約28万人となっている（出入国在留管理庁 2020）。そして，上位10か国・地域として，中国が一番多く，以下，韓国，ベトナム，フィリピン，ブラジル，ネパール，インドネシア，台湾，米国，タイと続いている（出入国在留管理庁 2020）。すなわち，東アジアと東南アジアからの人たちが多く日本に住んでいるのである。とりわけ最近では，「技能実習」という点で，ベトナムやインドネシアといった東南アジア諸国からの人数が増加している。

つぎに，日本へ旅行するアジアの人たちが増加しているという点である。日本政府観光局（2020: 1）によれば，2019年の訪日外客数（インバウンド数）は約3,188万2,000人で，そのうちの約2,682万人がアジアからの人たちである。つまり，訪日外客数の約84％がアジアから移動してきた人たちとなっている。また，在留資格別でみると，「観光客」が約2,407万人，「商用客」が約115万人，留学や研修などを目的とする「その他客」が約160万人となっている（**表序-2**）。すなわち，日本を訪問するアジアの人たちの約90％が観光を目的としているのだ。

それでは，具体的に，アジアのどこの国・地域の人たちが訪日しているのだろうか。**表序-2**で示されているように，トップ10は東アジアと東南アジアの国・地域で占めている。具体的には，中国・韓国・台湾・香港・タイ・フィリピン・マレーシア・ベトナム・シンガポール・インドネシアの順になっている。そして，11位はインドとなっている。このように日本における「アジア」は，従来の「アジア＝東・東南アジア」から，徐々に「アジア＝東・東南・南アジア」へと空間領域が拡大しつつある。

日本に住む人たちは，東・東南・南アジアの人たちと接触することで，その国の人たちの文化などに憧憬の念を抱くとともに，畏怖の念に打たれることもある。東・東南・南アジア地域の世界とは，それぞれどのような世界なのであろうか。そして，アジアとは，どのような世界なのであろうか。本書は，これらの問いを考える際の1つの機会となろう。

アジアとは

さて，そもそも「アジア（Asia)」という言葉は，どのような意味をもっているのだろうか。

アジアは「方向概念」(溝口ほか編 1993: i) として生まれた。すなわち，古代ギリシャ・ローマからみて「東方部」がアジアを意味していたのである。アジアの語源はアッシリア語の「アスー（assu)」で，その意味は「日の出」である。これに対してヨーロッパの語源は，「日没」を意味するセム語の「エレブ(ereb)」にまでさかのぼることができる。つまり，アジアはヨーロッパとの対概念として生まれたのだ (狭間 2001: 69)。

つぎに，学術書で示されているアジア像をみてみよう。たとえば，毛利和子は，アジアは6つの像で語られてきたと指摘する。すなわち，①構想・イメージ・記憶されてきた「虚構としてのアジア」，②政治的・国家的な「シンボルとしてのアジア」，③ヒト・モノ・財・情報などが動く「空間的な場としてのアジア」もしくは「動く場としてのアジア」，④文化の共通性などが根底で存在する「アイデンティティとしてのアジア」，⑤政治経済において意識的に創造される「機能的アジア」，⑥機能的アジアが発展した「制度としてのアジア」である (毛利 2007: 3-4)。アジアは様々な顔をもっているのである。

アジアは，東アジア，東南アジア，南アジア，中央アジア，西アジア（中

図序-1　本書が着目する「現代アジア」＝主に東・東南・南アジア

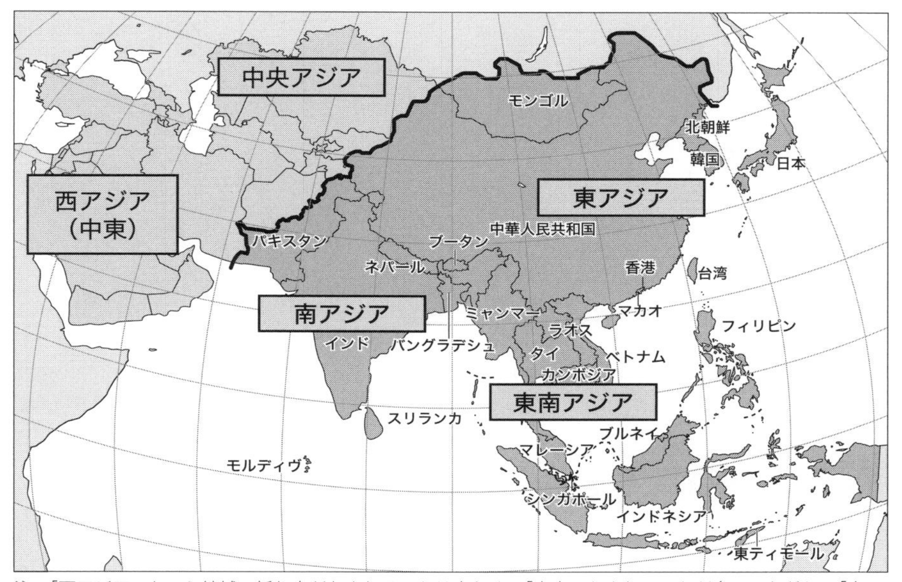

注：「西アジア」という地域の括り方がなされることは少なく，「中東」とされることが多い。ただし，「中東」には北アフリカも含まれるが，「西アジア」には含まれない。
出所：世界地図トレミーのアジア地図（http://atlas.cdx.jp/nations/asia/asia.htm）をもとに筆者作成。

東）からなる広大な地域である。本書ではこのうち，主に東アジア，東南アジア，南アジア地域の視点から，取り上げるべきテーマや解決すべきイシューを多く論じている（**図序-1**）。それは，上記のように，日本にとっての「アジア」の空間領域が，従来の「東・東南アジア」から，近年は「東・東南・南アジア」にまで拡大しつつあるという背景を念頭に置いているからである。そこから，以下のような2つの疑問点が出てこよう。

まず，本書では中央アジアと西アジア地域を軽視しているのではないか，という点である。アジアはまことに広く，多様ではあるが，気候・生態の面からみると，ほぼ南アジアを境にして，東側の湿潤地帯（モンスーンアジア）と，その西側にアフリカまで広がる乾燥地帯という2つのまとまりに大別することができる。東側のモンスーンアジアでは基本的に，モンスーン（季節風）による降雨の影響を強く受け水田水稲作を基盤とする農耕社会が形成されてきたのに対し，西側の乾燥地帯では，牧畜（遊牧）のウエイトが大きい（河野 2008: 1; 応地 1994: 189)。本書の執筆陣の多くは，ほぼこのモンスーンアジアと重なる地域，すなわち東・東南・南アジアの諸地域を主な研究対象としているが，読者が現代アジアの諸相を「鷲づかみ」的に理解できるよう，加えて，アジアにおける諸地域の有機的なつながりを描くことができるよう，中央・西アジア地域の視点をできるかぎり含めたうえで，各テーマやイシューを論じていく。

つぎに，東・東南・南アジアの地域を中心に「アジア」を論ずるという思考法は，いわゆる「大東亜共栄圏」の空間とそれがもつ政治性と重複しているのではないか，という点である。本書が対象とする「アジア」は，たしかにかつての大東亜共栄圏の空間と重なっている部分がある。けれども，その政治性を溶かし「現代アジア」という型に流し込むことで，新たな大東亜共栄圏的な空間を鋳造しようとしているのではない。かつての大東亜共栄圏は日本を中心とした覇権主義的で，かつ，同化主義的な「1つのアジア」を目指すという政治性を帯びていた（当時，岡倉天心が『東洋の理想』の冒頭で述べた「アジアは1つである(Asia is one.)」という言葉が，政治的スローガンとして利用されたことは有名である）。それに対し本書では，アジア各地の現地の人たちとの「相互理解」を掲げる地域研究の立場（石坂 2020）をふまえて，非覇権主義的な「アジア」理解をめざしている。

世界のなかのアジア

現代世界におけるアジアの際立った特徴の1つとして，人口が多いことがあげられる。

日本では，人口減少が問題となっている。国連経済社会局人口部の推計によると，日本では2009年の1億8,556万人をピークに，人口が減少し始めた。韓国では2024年をピークに，台湾・タイ・中国でも2030年頃をピークに，人口減少が始まると予測されている（United Nations 2019)。しかし実は，世界の人口も，アジアの人口も，全体としては依然として増加の一途をたどっていることを認識しておくことは重要であろう。

国連経済社会局人口部の推計によると，2000年時点の世界人口は61億4,349万人，アジアの人口は37億4,126万人（世界全体の61%）であった。2022年の世界人口は79億5,395万人，アジア人口は47億1,716万人（世界全体の60%）だと

図序-2　世界とアジアの人口変化

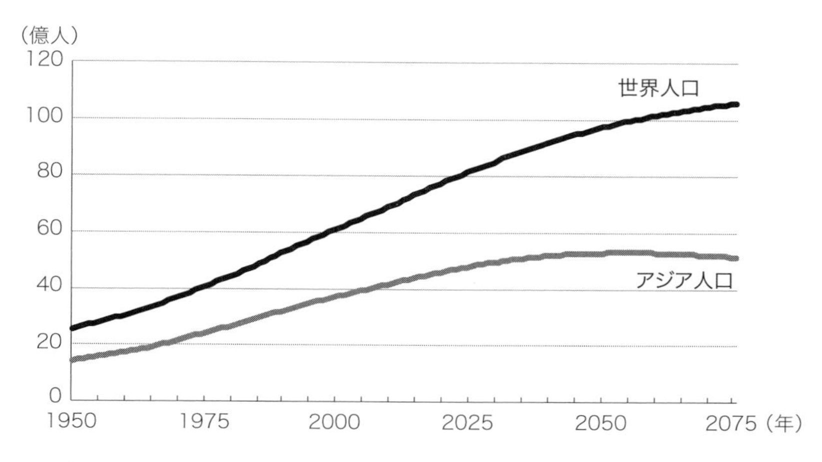

注：2019年までは実績値の推定，2020年以降は予測値の中位推計。
出所：United Nations（2019）をもとに筆者作成。

される。アジアの人口は今世紀の半ばまでは増加を続け，2055年の53億165万人をピークに，ようやく減少に転じると予測されている。なお，世界全体の人口はその後もアフリカを中心にさらに増加の一途をたどるが（峯 2019），2069年までは，世界人口の半数をアジア人口が占め続ける見込みである（United Nations 2019）（**図序-2**）。

つまり，当面のあいだは，人類の2人に1人以上が「アジア人」なのである。そしてアジアには，人数のボリュームだけでなく，成長の勢いがある。NIEs，ASEAN，中国などに続き，インドも現在急成長を遂げつつある。コロナ以前，筆者（石坂）は毎年数回インドを訪問していたが，訪問するたびに，空港から町の中心部に向かう途中の景色がガラリと変わっていたりして，インドの人たちの威勢のよさともあいまって毎回，圧倒される思いであった。かつては「停滞」の代名詞のようであったインドが，いまは「変化」の最前線にいる。インドだけでなく，アジアは全体として，躍動している。

また，アジアは「多様性」に満ちた地域でもある。気候面の多様性（湿潤地帯と乾燥地帯を含むこと）についてはすでに触れたが，とくにアジアの社会や文化を理解するうえでおさえておくべきなのは，宗教の多様性である。アジアの宗教というと，仏教やヒンドゥー教をイメージする人が多いかもしれないが，キリスト教が誕生したのもイスラームが興ったのもアジアであるし（現在のイスラエルも，サウジアラビアも，中東（西アジア）である），東南アジアや南アジアには多くのムスリムやキリスト教徒が暮らしている。そうした各宗教を信仰する人たちとの交流を深めるためには，それぞれの宗教についての知識が大いに役立つであろう。

本書の構成と概要

本書は，以下の構成で，現代アジアの社会・経済・政治・文化をめぐるテーマやイシューを考える。まず，第Ⅰ部は **社会** 分野である。ここでは，**人口・家族**，**シングルマザー・寡婦**，**ジェンダー**，**ケア**，**教育**，**移民**，**難民**，**人身売買**，**先住民族**，**社会運動**，**カースト**を扱う（**第1章～第11章**）。この第Ⅰ部を通して，アジア諸地域の社会のありようの多面性や，日本社会との相違点や類似点などについての理解が深まるであろう。

第Ⅱ部の **経済** 分野では，**経済成長**，**一帯一路構想**，**開発・貧困**，**資源・エネルギー**，**農業・食料**，**環境・公害**，**都市化**，**観光**を扱う（**第12章～第19章**）。これらのテーマやイシューをみることで，中国の存在が大きいことはもちろんのこと，アジア経済の躍動性と弊害性，アジアにおける時空間の圧縮性と脱時間性，人間空間の過密性と過疎性などを理解することができよう。

第Ⅲ部は **政治** 分野である。ここでは，**民主化・民主主義**，**香港・台湾**，**軍事化**，**核兵器・原発**，**平和構築**，**ASEAN**，**汚職・贈賄**，**感染症**，**災害・防災**を取り扱う（**第20章～第28章**）。この第Ⅲ部を通じて，民主主義と国際秩序が大きな挑戦を受けていること，アジアでは安全保障上の火種が多く存在していること，中国とは対立だけでなく共存の関係にあることなどを知ることで，アジア政治における異質性と同質性を深く理解することができよう。

第Ⅳ部の **文化** 分野では，**仏教**，**ヒンドゥー教**，**キリスト教**，**イスラーム**，**世界遺産**，**ポップカルチャー**，**路上文化**を扱う（**第29章～第35章**）。ここでは，私たちが抱いてしまいがちな先入観を離れて，アジア各地の人々の暮らしや政治・社会と密接な関係にある各宗教のありようや，グローバル化という共通の経験のもとでの様々な文化的事象の変容について，理解することができよう。

本書が，アジアについての知識を獲得していただくために役立つだけではなく，さらに，「アジアから学ぶ」という姿勢や，「アジアの人々と共に生きていく」という〈構え〉をいかにしてもつことができるかを考えていただくきっかけになれば，大変幸いである。

【佐藤史郎・石坂晋哉】

参考文献

石坂晋哉「南アジア世界の醍醐味」石坂晋哉・宇根義己・舟橋健太編『ようこそ南アジア世界へ』昭和堂，2020年，1-12頁。

応地利明「インド」矢野暢編『世界単位論』弘文堂，1994年，187-209頁。

河野泰之「変革を乗り越える人と自然の相互作用」河野泰之編『生業の生態史』弘文堂，2008年，1-7頁。

出入国在留管理庁「令和2年6月末現在における在留外国人数について」，2020年，http://www.moj.go.jp/isa/publications/press/nyuukokukanri04_00018.html，2021年3月4日アクセス。

日本交通公社『旅行年報2020』，2020年，https://www.jtb.or.jp/publication-symposium/book/annual-report/，2021年2月26日アクセス。

日本政府観光局（JNTO）「2019年　国籍別／目的別　訪日外客数（確定値）」，2020年，https://www.jnto.go.jp/jpn/statistics/tourists_2019df.pdf，2021年2月26日アクセス。

狭間直樹「初期アジア主義についての史的考察（1）序章 アジア主義とはなにか」『東亜』，2001年，68-77頁。

溝口雄三・浜下武志・平石直昭・宮嶋博史「刊行にあたって」溝口雄三・浜下武志・平石直昭・宮嶋博史編『アジアから考える［1］交錯するアジア』東京大学出版会，1993年，i-iv頁。

峯陽一『2100年の世界地図——アフラシアの時代』岩波書店，2019年。

毛利和子「総論『東アジア共同体』を設計する——現在アジア学へのチャレンジ」山本武彦・天児慧編『東アジア共同体の構築1 新たな地域形成』岩波書店，2007年，1-34頁。

United Nations, Department of Economic and Social Affairs, Population Division, *World Population Prospects 2019*, https://population.un.org/wpp/Download/，2021年9月17日アクセス。

文献紹介

①『アジアから考える』全7巻（東京大学出版会，1993～1994年）

②『アジア新世紀』全8巻（岩波書店，2002～2003年）

③『アジア学のすすめ』全3巻（弘文堂，2010年）

アジアの社会・経済・政治・文化に関するテーマやイシューを網羅的に取り扱った学術書としては，以上の3つの叢書がある。

これらは，約10年おきに刊行されているため，本書と併読することで，アジアの歴史的空間の伸縮状況と社会・経済・政治・文化をめぐる変容の諸相を深く知ることができる。

第 I 部
社　会

第1章 人口・家族

アジアにおける人口問題と身体をめぐる政治

"アジアの人口の現状と国家による家族への介入"

アジアの国々の多くは，第二次世界大戦後，人口を抑制するための家族計画を実施してきました。その一方で，日本をはじめとして少子高齢化が進み，人口減少社会を迎えている国もあります。人口の動態には，国家による家族への介入，リプロダクティブ・ヘルス／ライツ，さらには移民政策といった様々な問題が絡み合っています。子どもを産み育てるという個人の選択と，人口という数の論理はどのように関わっているのでしょうか。

キーワード 人口，家族主義，家族計画，リプロダクティブ・ヘルス／ライツ，ジェンダー
関連する章 第2章，第3章，第4章

はじめに

私たちは普段から，日本の**人口**は1億2,548万人，15 ～ 49歳の女性が生涯で産む子どもの数の平均である合計特殊出生率は1.36（2019年）で前年の1.42より低下した……といった数値をニュースなどで見聞きしている。私たちはこのような数値の集まりをもって，少子高齢化が進んでいるだとか，人口減少が著しいといった，目にみえず漠然とした「人口」という現象を理解している。だが，国や地域を構成する人間の総体としての人口という概念は，昔から変わらず存在していたわけでも，自明なものでもない。人口という概念の誕生と，それが国家の関心事となったのは，18世紀以降の国民国家の成立や，統計学の発展，および国勢調査（センサス）の導入などが大きく関わっている。

「数は力なり」という言葉があるように，国民国家の成立期には，人口はそれ自体が国家の富であり，かつ健康な国民の育成は，国家の発展のかなめであると考えられてきた。そのため，国民国家にとって，人口統計の収集は最初におこなうべき大事業だった。それが，国民の直接的な管理を可能にし，国家の財を運営する基盤となるものだからである。近代の国民国家は，住民の個別の身体ではなく，集合体としての人口とその規則性（出生率，死亡率，罹患率……）への関心と管理を高めていく。そのために活用された新しい統治の技術が，統計学をはじめとする近代科学であり，これらを通して国家は，統治の対象でもあり目的でもある人口を実体として作り上げていった（フーコー 2007）。その意味で，人口はただ人を集めただけではない。人口はつねに国家の関心事であり，国家による家族や個人の生殖への介入を誘発する出発点である。本章では，人口を手がかりとして，アジアにおける国家によるリプロダクション――性と生殖の実践――への介入や家族の変化を論じていこう。

本章の構成は以下のとおりである。人口問題には，過剰人口と人口減少という2つの極があり，アジアの国々はこれらの「問題」に対処するため，様々な政策をおこなってきた（たとえば，中国の「一人っ子政策」など）。第1節では，アジアにおける人口問題をリスクという観点から概観する。第2節では，人口抑制政策を実施している国々と，反対に人口増加政策をとるいくつかの国を取り上げて，人口の操作と家族への介入がどのようにおこなわれているのかを示す。そして第3節では，アジアにおける**家族主義**という特徴を説明し，近代化に伴うライフスタイルの変化と選択肢の拡大が，いかに扶養や相続，高齢期のケアといった従来の子どもの価値の転換をもたらしているのかを論じる。そして最後に，今後の展望を示して締めくくろう。

1　アジアにおける人口問題とリスク

アジアの人口動態の特徴

アジアには，世界人口（約70億）の60％もの人が暮らしている。中国とインドはそれぞれおよそ14億人と13億人であり，二国だけで世界人口の3分の1を占めている。**図1-1**をみると，両国ともに過去70年間，右肩上がりに人口が

図 1-1　中国とインドの人口動態

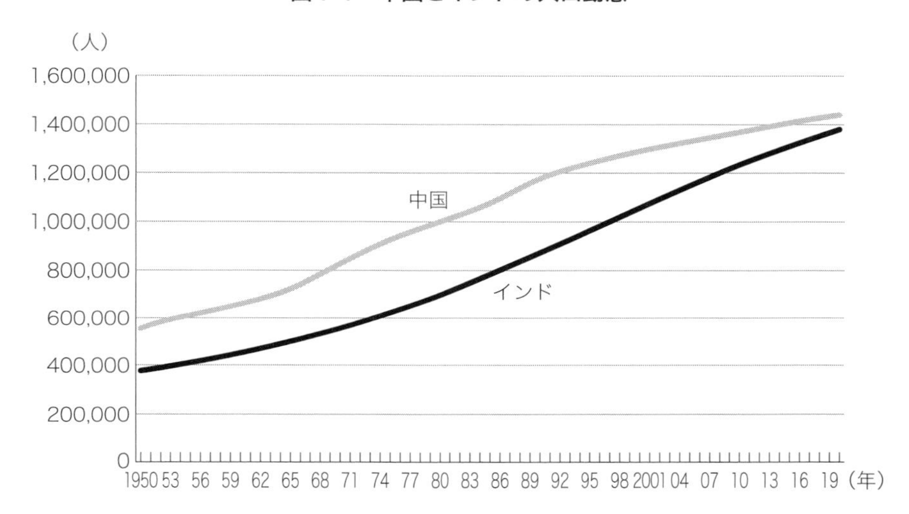

出所：United Nation Population Prospects（2019）をもとに筆者作成。

増え続けていることがわかるだろう。だが，よくみると，中国の人口増加は90年代後半以降緩やかになっているのに対して，インドは一直線に上昇し続け，その差が僅差になっている。このままいけば，インドは2027年には中国を抜いて世界一の人口大国となると推定されている。その一方で，日本や韓国，台湾などの東アジアの国々は，少子化が進み，人口減少が生じている。同時に，人口に占める65歳以上の高齢者の割合が21％を超える「超高齢化社会」に突入している。こうした人口の動態は，どのように生じるのだろうか。また，人口の増加や減少は，社会にどのような影響を及ぼすのだろうか。

ただ，ひとつ注意しなければならないのは，国として人口増加が続いていても，一人ひとりの女性が産む子どもの数は，実は過去数十年にわたって減少し続けているということである。それは合計特殊出生率（TFR: Total Fertility Rate）をみると，一目瞭然である（**図 1-2**）。1950年代のアジアの国々は，日本を除いてほぼ6人前後だったが，70年代から80年代にかけて下がり始め，2015～20年には日本，韓国，タイ，さらには人口大国のイメージがある中国でさえ1.5人前後と，人口置換水準（人口が増えもせず，減りもせず安定化する状態）である2.0

図1-2　アジア各国の合計特殊出生率（TFR）

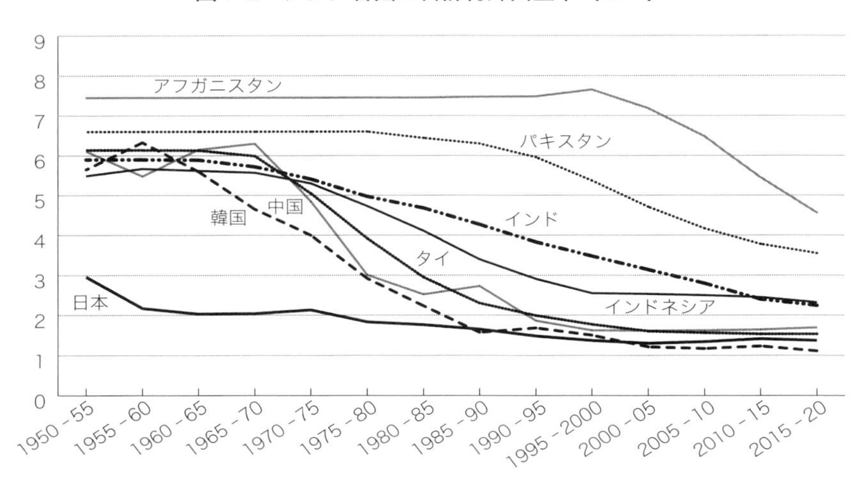

出所：United Nation Population Prospects（2019）をもとに筆者作成。

を大きく下回っている。アジアのなかでは，パキスタンやアフガニスタンが，3.5～4.5と依然として高い出生率を有しているが，それでもこれらの国を含むすべての国・地域で出生率は低下し続けており，かつてないほど子どもの数は減っているのである。

アジアの人口転換期

長期的な人口変動を説明するモデルとしてよく知られたものに，人口転換理論（Demographic Transition Theory）というものがある。それは，社会経済発展や近代化に伴い，多産多死から多産少死，そして少産少死の3段階に移行するという人口動態を意味する（河野 2007）。それぞれの時期は，たくさん子どもを産んでも死亡率が高いため，結果として人口が増加せず安定化するプレ人口転換期，死亡率が下がるものの出生率はそこまで下がらず，人口が急激に増加するが，いずれ出生率が下がり，人口増加が緩和され安定化する人口転換期，人口転換が完了したポスト人口転換期というフェーズに分けられる。日本では，第二次世界大戦が終了した直後の1947年に4.54だった出生率は，1950年代に入ると急速に低下し，わずか10年後の1957年には2.04まで下がって，1960年代にはポスト人口転換期に入った。それに対して，インドやバングラデシュ，パキスタンのような国々では，21世紀に入ってようやく人口転換期を迎えようとしている。

人口動態は，社会のありかたに大きな影響を与える無視しえない要因の1つである（モーランド 2019）。その1つが，人口ボーナスという考え方だ。人口ボーナスとは，総人口に占める生産年齢人口（15～65歳）の割合が高まり，従属人口（14歳以下の年少人口と65歳以上の老年人口の合計）の比率が低下し，経済成長が促されることをいう。人口ボーナス期には豊富な労働力を背景に消費が活発になる一方，高齢者や子どもが少なく社会福祉の負担が抑えられるため，経済が拡大しやすい。反対に，従属人口の比率が相対的に上昇することを人口オーナスという。

このように，人口の規模の大小だけでなく，人口構成も経済成長には大きく結びつくと考えられている。その点からいうと，国民の平均年齢（中央値）が48.4歳（2020年）と世界一高い日本を筆頭として，概ね40歳前後である東アジア地域に対して，南アジア地域は28.1歳（インド），24.6歳（ネパール），22.8歳（パキスタン），18.4歳（アフガニスタン）と，若者世代を中心とした国であることがわかる。こうした国々は，将来的に国内市場の拡大やさらなる労働人口の増加が見込まれており，グローバル経済の注目を集めていることは，周知のとおりである。しかし，人口の年齢構成が若年層を中心とする社会では，同時に，暴力や犯罪の多発など，社会的不安定さというリスクも抱える可能性も高い（モーランド 2019）。また，当然のことながら，人口の平均年齢が低いということは，死亡率が高くて平均寿命が短いということも表しており，必ずしも良い面ばかりではない。たとえば，0歳時点での平均余命である平均寿命は，日本では81.41歳（2019年）だが，アフガニスタンは64.49歳（2018年）である。

このように，人口は多くても少なくても，また高齢化が進んでいても若年層が多くても，「リスク」という視点とは切り離されて考えられないのである。そうした人口が抱えるリスクを何とかコントロールしようとする試みは，長らく国家によっておこなわれてきた。

2 人口政策と家族への介入

国家による家族計画——中国とインド

歴史的にみても，すべての国家にとって人口は富であり，多くの人口をもつ国は，他国との競争や戦争においておしなべて優位であると考えられてきた。第二次世界大戦前まで，ほとんどの国で中絶は堕胎罪として禁止され，避妊も推奨されてこなかったのは，こうした理由からである。日本も戦争中は俗にいう「産めよ増やせよ」という人口増加政策がとられ，女性たちはより多くの子どもを生むことが国家によって要請されていた。ところが，第二次世界大戦後には，新興独立国を中心に開発独裁とよばれる国家体制が敷かれ，国家の強いリーダーシップのもとに経済発展が推し進められた。その過程で，開発や経済発展の阻害要因として，過剰人口というものが70年代以降の資源の希少性への注目とともに問題視されるようになり，アジアの多くの国々では，国家政策として人口抑制政策，すなわち**家族計画**に取り組むようになった。日本でも戦後は一転して優生保護法という名のもとに中絶を合法化し，出産抑制へと舵を切った（田間 2006; 荻野 2008）。

こうした国家による人口政策として最も有名なものが，1979年から始まった中国の「一人っ子政策」とよばれる計画出産政策であろう。共産党政権下での中国は，モノの生産だけでなく，ヒトの再生産も計画的におこなうことで国家の発展が実現できるとし，政府による「計画出産」が50年代から推進されてきた（小浜 2020）。一人っ子政策は，それを全国の隅々にまで広げ，違反者には巨額の罰金や，公務員であれば罷免などの厳しい罰則を科したものだ。父系制社会である中国では，伝統的に多産が称揚され，女性は妻として嫁として，より多くの男児を生むことを期待されてきた。ところが，共産党政権が進める一人っ子政策は，労働力や跡継ぎとして男児を求める傾向がきわめて強かった農村においても，多少の例外を除いて強力に進められた。その結果，中国の出生率は急速に低下し，1995年以降は人口置換水準を大きく下回り，先進国並みの1.69となっている（2018年）。

だが，国家によって強権的に推進された一人っ子政策は，大きな歪みも生み出してしまった。よく知られているのが，とくに地方には，統計上には現れない多数の無戸籍者となる子どもたちが存在していることや，男児を望むために女児を中絶して，男女比が著しく不均衡になっていることなどである。また，少子化が続いた結果，年代別人口ピラミッドが，20歳以下が急激に減っている「つぼ型」へと変化している。これは，すでに中国社会が少子高齢化に突入していることを示しており，中国政府は2025年までに60歳人口は3億人を超えるとの予想を立てている。中国は，高齢化の開始は遅かったが，一人っ子政策による急激な少子化の影響により，日本や韓国以上の速さで高齢化が進展している。そのため，世界最大の人口大国は，近い将来，世界最大の高齢化社会を迎えることが予測されており，中国にはこうした急激な高齢化にどのように対処するのかという難しい課題が突きつけられている。

また，中国と並ぶ人口大国であるインドも，1952年から国家政策として人口抑制策を実施してきた。インドの場合は，一時的にインディラ・ガーンディー政権下の1977～79年に，都市貧困層や農村男性を対象としたかなり強権的な不妊手術がおこなわれた。しかし，ガーンディー政権が倒れると，それ以降は基本的には国家の主導による女性たちへの家族福祉サービスの提供が中心となっており，人々は自分たちで「選択」して家族計画を実施するのが望ましいとされてきた（松尾 2020）。ただし，実際には地域の保健センターには人口数に応じたターゲット（目標数）が定められ，そのターゲットを達成するために強硬的な手段がとられることも多かった。また，家族計画の手段として，現在おこなわれている避妊方法のうち約75％が女性の不妊手術（卵管結紮）であり，男性の不妊手術（精管切除）は1％にも満たないというように，家族計画は女性に大きく偏重しているという問題もある。不妊手術や避妊具（子宮内リングIUDやホルモン注射）が女性に与える副作用や健康被害も見逃すことはできない。また，避妊の失敗などによる予期せぬ妊娠の対処策として，女性の身体への負担も大きい人工妊娠中絶が調整弁の役割をはたしてきた。中絶を含めた広義の産児調整は，女性の負担のもとに実施されているのである（松尾 2021）。

リプロダクティブ・ヘルス／ライツの登場

このように，多くの途上国で人口を抑制するために国家が生殖という女性の身体の内部で起こる現象に介入し，管理しようとする政策は，様々な弊害も生み出している。国際社会では，こうした国家からのコントロールに対して，女性たちは抵抗の声を上げ続けてきた。それが結実したのが，1994年の国連のカイロ人口会議であり，そこで初めて「**リプロダクティブ・ヘルス／ライツ**(性と生殖に関する健康と権利)」という概念が採択された。リプロダクティブ・ヘルス／ライツとは，すべての個人とカップルに保障されるべき性と生殖に関する包括的な権利のことをいう。世界保健機関（WHO: World Health Organization）のよく知られた定義には，「生殖に関する権利は，すべてのカップルと個人が，出産する子どもの人数，間隔，時期を，自由に責任を持って決断することができる権利，そしてそのための情報と手段を持つ権利，およびできうるだけ最高水準の性と生殖の健康を手に入れる権利を認めることに関わる。それらにはまたすべての人が差別と強制と暴力をうけることなく生殖に関する決定をする権利も含まれる」というものがある。

国家による家族計画は，人々の生殖実践や家族形成という私的領域に半ば強制的に介入しようとする試みであったが，女性たちは単に上からの政策に翻弄されるだけの受け身の存在ではない。実際に多くの国々でこれほど出生率が下がっているのには，女性たち自身も積極的に家族計画を受け入れ，産まないということを選択してきた結果にもほかならない。多くのジェンダー研究は，いかに国家が推進する家族計画の言説や近代的避妊方法が，伝統的に女性に多くの子どもを産むことを期待してきた家父長制的家族の圧力に対して，女性たちに，少子出産を正当化させる交渉の手段となってきたのか，ということを明らかにしてきた（小浜 2020; 田間 2006)。女性たちは，国家の介入を受ける前近代の時代から，家族の介入のもとに生殖実践を行ってきたのであり，子どもを産み育てるということは，女性個人を超えたより広い家族・親族の関心や利益のもとに選択されてきた。また，先にみたように，生殖の管理や介入の対象は女性に偏重しているという，夫婦間での**ジェンダー**の非対称も存在する。リプロダクティブ・ヘルス／ライツという考え方は，こうした国家と家父長制家族という女性を取り巻く二重の権力に対して，生殖の決定権は女性にある，ということを宣言した決意表明だったのである。

3 アジア的家族主義の変化

少子化をもたらす要因

これまで，アジアにおける生殖は，家族主義（familialism）との関わりから理解されてきた。これは家長を中心とする階層的な家族関係や，性別・年代別分業制などを特徴とする。家族主義のもとでは，個人の自由や平等よりも，家族という集団の利益を優先する規範があり，扶養やケアなどが福祉国家というよりは，家族の成員，とくに女性によって担われることになる。こうした規範が強い社会では，すでに述べたように，女性の生殖も家族の大きな関心事となってきた。何人の子どもをいつ産むのか，という決定も年長者によって操作されることも，珍しいことではなかった。たとえば，インドでは幼児婚といって，女性は初潮を迎えると嫁ぐ習慣があったため，若いときは婚家では義母をはじめとする年長者の監督下に置かれるが，子ども（とくに男児）を産んで年齢を重ねると，次第に家庭内での立場を強めていくという地位の移行がみられた。しかし，近年では，近代化や社会変化，とくに女子教育の上昇や女性就労の拡大，結婚年齢の上昇とともに，個人のライフスタイルの流動性が高まり，伝統的な家族主義も大きく変わりつつある。結婚や子どもをもつ，もたないということが女性にとっても必然ではなく，選択のひとつとなりつつある。また，女性の高学歴化と晩婚化が子どもの数を有意に減少させることは，多くの社会に共通している。それは日本や韓国，シンガポール，香港，台湾のような経済的な先進国・地域でとくに顕著だが，インドを含む多くのアジア諸国でも同時進行的に進展している現象である。

このように，子どもを何人産むのかは，経済構造の変化や家族，結婚，ジェンダー関係の変化，さらには子どもの死亡率や子どもがもつ社会的価値の変化に左右される。とくに近代化が進み，学校教育が産業化された職業と結びつく社会では，子どもはもはや労働力としてではなく，より多くの教育投資をして階層上昇をもたらすことが期待される存在となっている。家計という有限の資源をより効果的に投資するためには，家族にとって子どもの数は少ないほうが有利であり，乳幼児死亡率が低下し子どもの生存確率が高まった社会では，出生力が低下し，やがて人口転換がもたらされるのである。だが，あまりに子どもをもつことの費用対効果が低くなりすぎると，子どもの数が人口置換水準を下回り，少子化が進展することになる。日本や韓国，台湾などの東アジアとシンガポールのような超少子化社会で起こっている現象は，まさにこれである。これらの社会では，未婚化と晩婚化が高まるとともに，夫婦の出生力の低下も生じている。

シンガポールの少子化政策

シンガポールは，1970年代以降少子化が急速に進み，現在，出生率は1.2前後と日本よりも低い水準にある。政府による様々な少子化対策にもかかわらず出生率が低い要因としては，上にあげた未婚化や晩婚化といったもの以外に，長時間労働や産休による女性のキャリア中断への恐れ，ケア労働の女性負担，といった様々な点が関わっている。とくに，シンガポールの特徴として興味深いのは，建国からの理念である，教育を媒介として能力ある人間を育成する能力主義（メリトクラシー）が規範化されており，それが子どもの教育への過熱を引き起こしているというものである。子どもの学業成果に対する親の関与と責任がきわめて高いため，高学歴で高キャリアの母親の一定数が，子どもの教育に集中するために離職するという事態を生み出しているとされる（中野 2019）。このように，社会や家族に関する規範は，出生率には大きく反映されるのである。

その一方で，シンガポールでは，1970年代後半から家事労働のための外国人労働者（FDW: Foreign Domestic Workers）制度が本格化し，フィリピンやインドネシアをはじめとする近隣諸国から外国人労働者を受け入れてきた。シンガポール政府人材省によると，2020年でFDW許可書をもつ労働者は24万7,000人で，シンガポール家庭の5分の1がこのFDWを利用している。このように，家事全般や子どもの世話というケア労働の外注化は，日本以上に進んでおり，キャリアと子育ての両立は容易になりつつあるようにみえる。しかし，このことが結果として少子化の解消に至っていないのは，上にあげたようなキャリア志向や能力主義によって，子どもをもつことの社会的，精神的，経済的コストが大きいということが考えられるのである。シンガポール政府は，少子化対策とともに積極的な移民受け入れもおこなっており，外国人居住者は167万人（2019年）にのぼり，同国の人口は570万人と微増傾向にある。このように，世界でも最低の出生率でありながら，外国人移民に広く門戸を開くことによって，人口を維持し続けようとする政策は，人口減少社会における1つの方向性として注目されている。

おわりに

本章では，アジアにおける人口動態を概観し，その変化について論じてきた。人口という集団を理解するためには，個人の生殖実践に作用する様々な要因——国家による介入，家族主義による管理，経済構造，教育や就労，ジェンダー規範，個人の希望，子どもの価値など——を理解する必要があるということがわかってもらえただろうか。人口のコントロールは，上からの人口抑制（家族計画）もあれば，出産奨励（少子化対策）もある。中国の一人っ子政策や，日本の戦時中の「産めよ増やせよ」政策のような，国家による強制的な生殖行動は，全体主義にもとづく不適切な政策であったことは，その後の歴史が証明しているといえるだろう。リプロダクティブ・ヘルス／ライツは基本的人権であるという宣言の意義は大きく，それが達成されていないということも含めて（たとえば，多くの社会では，現在でも中絶は堕胎罪として禁止されており，女性たちには中絶する権利は認められていない），これからも取り組むべき課題であるといえるだろう。

少子高齢化が，社会や家族のあり方が大きく変わった結果として生じていると同時に，またその変化をさらに推し進める起爆剤になることを思うと，それへの対策はたしかに喫緊の課題である。とはいえ，人口減少が社会の滅亡であるかのようにセンセーショナルに語られがちな昨今の日本において，人口の変化は誰にとってのどのようなリスクなのかを見定め，社会の未来像を想像する態度が私たちには求められているのではないだろうか。

【松尾瑞穂】

参考文献

荻野美穂『「家族計画」への道――近代日本の生殖をめぐる政治』岩波書店，2008年。
小浜正子『一人っ子政策と中国社会』京都大学学術出版会，2020年。
河野稠果『人口学への招待――少子・高齢化はどこまで解明されたか』中央公論新社，2007年。
田間泰子『「近代家族」とボディ・ポリティクス』世界思想社，2006年。
松尾瑞穂「ジェンダー――政治化される身体」石坂晋哉・宇根義己・舟橋健太編『ようこそ南アジア世界へ』昭和堂，2020年，181-199頁。
松尾瑞穂「日常世界における被傷性――リプロダクションの管理としての人工妊娠中絶」田中雅一・石井美保・山本達也編『インド・剝き出しの世界』春風社，2021年，34-60頁。
中野円佳「メリトクラシーと家族主義の矛盾――シンガポールにおける女性活躍の研究動向から」『東京大学大学院教育学研究科紀要』59号，2019年，13-22頁。
フーコー，ミシェル著，高桑和巳訳『安全・領土・人口（コレージュ・ド・フランス講義 1977-78)』筑摩書房，2007年。
United Nations Population Prospects 2019（国連人口推計），https://population.un.org/wpp/, 2021年4月20日アクセス。

文献紹介

① 河野稠果『人口学への招待――少子・高齢化はどこまで解明されたか』中央公論新社，2007年。

人口から日本社会の現状と未来像をたどる。入門書としてまず手にとってみたい。

② ポール・モーランド著，渡会圭子訳『人口で語る世界史』文藝春秋，2019年。

ローマ帝国から旧ソ連まで幅広く人口の視点から歴史をみる。なお，日本のことを知りたい人は**鬼頭宏『人口から読む日本の歴史』（講談社，2000年）**もあわせて読んでみたい。

③ 小浜正子・松岡悦子編『アジアの出産と家族計画――「産む・産まない・産めない」身体をめぐる政治』勉誠出版，2014年。

アジア各地の出産政策と人々のリプロダクションの変化を，統計だけでなくフィールドワークにもとづいて論じた入門書。いろいろな地域の状況が比較できる。

第 2 章 シングルマザー・寡婦

アジアにおける夫をもたない女性の貧困

“アジアにおける夫をもたない女性の貧困の現状と，
それを支える社会の仕組みとはどのようなものか”

「シングルマザー」と聞けば「貧困」という言葉を連想する人も多いでしょう。夫婦が揃った世帯に比べて労働力が少ない分，世帯の収入は当然ながら低くなります。経済分野や政治分野等において男性が優位な社会では，その貧困はさらに深刻になるでしょう。では実際，アジア各地域のシングルマザーは貧困で脆弱な存在なのでしょうか。この章では，夫をもたない女性たちの貧困の現状と，それを支える社会の仕組みについて考えていきます。

キーワード シングルマザー，寡婦，女性世帯主世帯，貧困，互助関係
関連する章 第1章，第3章，第14章

はじめに

親族・家族研究の分野では夫と妻がいる家族を社会のメインストリームとしてきたがゆえに，夫と死別あるいは離別した女性，そして未婚・非婚の母となった女性たちの存在は周縁化されてきた。そして，社会において実際に彼女たちが周縁的な存在であるがゆえに，社会学や開発研究の分野では主に“社会的弱者”として注目を集めてきたのである。

ここでは，まず日本の**シングルマザー**の**貧困**について触れていく。そして，アジアの夫をもたない女性の貧困について概観し，それぞれの社会に存在する，夫をもたない女性の貧困や様々なリスクを軽減するための慣習について，

いくつかの地域の例をあげながらみていきたい。

ところで，日本で使用される「シングルマザー」という概念は，“ひとり親として子どもを育てる女性”を指すが，世界的に広く使用されている概念とは言い難い。本章では，類似の概念として，主に開発論や貧困研究において用いられてきた「**女性世帯主世帯**（FHHs: Female-Headed Households）」を多国間での比較のために用い，「夫と死別または離別して再婚していない女性」を表す概念として「**寡婦**」を使用していく。

1　夫をもたない女性とその世帯の貧困

日本のシングルマザーの貧困

日本では，シングルマザーとその子どもの貧困が社会問題となって久しい。2019年度の厚生労働省「国民生活基礎調査」における意識調査によると，現在の生活について「苦しい」と答えている母子世帯は全体の87％にものぼる。実際，世帯の年間収入は「児童のいる世帯」全体で平均707.6万円であるのに対し，「母子世帯」では348万円，「児童のいる世帯」全体の収入の49.2％と半分にも満たない（厚生労働省 2017a, 2017b）。貧困率を比較してみても，日本全体の相対的貧困率が15.6％であるのに対し，ひとり親世帯の貧困率は50.8％と過半数の世帯が貧困ライン以下の生活を送っている。この貧困率は，OECD35か国のなかで34位，韓国についでワースト2位の値であり，日本は非常に厳しい状況にあることがわかる（OECD 2019）。

母子世帯になった理由は，「離婚」と「未婚の母」が増加傾向にある。母子世帯になった理由全体における「死別」の割合をみると，1983年には36.1％であったのが，2016年には8％に減少し，「離婚」が49.1％から79.5％に増加，「未婚の母」も5.3％から8.7％に増加している（厚生労働省 2017b）。配偶関係別の男女の貧困率の差は，有配偶者と未婚者ではそれほど差はないが，死別者，離別者で貧困率の男女格差が大きく，とくに離別女性の貧困率が男性および他の女性に比べても高くなっている（阿部 2011）。

つまり，日本における女性の貧困は婚姻関係と強く関係しており，近代化の過程で形成された「男＝生産労働／女＝再生産労働」という性別役割分業の構造と“子どもは母親によって育てられることが幸せだ”という強い母子のつながりの規範を1つの大きな要因として，現在もなお女性の非正規雇用の割合の高さや賃金格差，出産前後の年代で就業率が下がるM字型就労といった特徴を維持している。働く夫をもたない女性たちは，子どもを自分で育てなければならないうえに，充分な所得を得られる仕事もない，そして親族関係やコミュニティのつながりの希薄化により，周囲からの協力や支援も得難いという状況に陥ることになる。母子世帯で子どもの虐待や育児放棄が起こり，放置された子どもの死亡事件や虐待致死事件などのニュースを見聞きするのも珍しいことではない。日本のシングルマザーにまつわる社会問題は経済的な困窮や孤立などを背景に深刻化している。

開発論における女性世帯主世帯の貧困

1980年代後半から盛んに理論・実証研究がおこなわれてきた分野の1つに「貧困ターゲティング（poverty targeting）」がある。貧困ターゲティングとは，開発事業の便益を的確に貧困層に届かせることを目的とし，また予算制約のなかでいかに効率的に事業を策定・実施するか，という議論でもある。このような流れのなかで「誰が貧困なのか」を探求する動きが生じた。

また，一般的に教育，雇用，健康面で女性は脆弱な立場に置かれており，女性はより貧困に陥りやすい存在であるとして「貧困の女性化（feminization of poverty）」が1980年代後半から強調されるようになった。貧困削減政策の対象を定める貧困ターゲティングのなかで，女性個人のみならず世帯を単位とした貧困グループを特定するにあたり，女性が世帯主である世帯に焦点が当てられるようになったのである。

そもそも「夫を失くした女性たち」の貧困研究は，1970年代後半からアメリカで離婚，未婚の増加とその世帯の貧困化をめぐる議論により発生した（杉本 2003）。アメリカでは「女性世帯主世帯（FHHs: Female-Headed Households，以下FHHsとする）」という概念で表され，現在のアメリカでもFHHsの貧困状況は厳しく，夫婦世帯の貧困割合が4.7％であるのに対し，FHHsの女性の貧困割合は24.9％と高く，社会問題の1つとなっている（Census Bureau 2019）。

このアメリカを発祥とするFHHsの貧困研究は，国連主導で進められていた

「開発」問題に組み込まれ，「発展途上国」とされる国や地域にあてはめられた。女性が世帯主となる世帯は，男性世帯主世帯（MHHs: Male-Headed Households，以下MHHsとする）よりも貧困である，もしくは，より貧困に陥りやすい存在として認識され，貧困削減政策の対象とされたのである。

実際，南アジアやアフリカなど多くの国や地域でFHHsの貧困割合の高さが指摘された。女性たちの就労や教育を受ける機会，資産を保有する権利がかぎられていること，社会保障の未整備や離婚した夫からの養育費の不払い，支払い責任を規定する法の未整備などがその背景にある。しかし一方で，多くの地域のデータ分析から「FHHsがMHHsに比べて貧困とはいえない」という結果が提示され，「FHHs＝貧困」という見解には根拠がないという批判もすぐに出されていった。世帯主の性別だけで貧困者を確定するのではなく，それぞれの地域の特性や各世帯のライフステージ，世帯構成等を分析に加えていく必要性が指摘されたのである。

2 貧困のリスクを回避する仕組み

また一方で，夫という重要な男性労働力を失くし，男性よりも経済的に不利な状況に置かれる傾向にあるにもかかわらず，一定数のFHHsが貧困に陥らない状況にあることにも着目すべきだろう。

貧困とはいえない東南アジアのFHHs

アジアの諸地域の状況を見渡すと，FHHsの貧困の様相は様々であり，とくに東南アジア地域ではFHHsの貧困が顕在化するとはかぎらないことが示されている。FHHsとMHHsの貧困割合をそれぞれみてみると，カンボジアでFHHsの貧困割合が33.6％であるのに対し，MHHsの貧困割合は34.9%，以下同様に，ラオスで38.6％と46.5％，タイで9.5％と15.8％，フィリピンで17.0％と26.4％，ベトナムで32.4％と38.1％，東ティモールで29.7％と40.8％と，いずれの地域においてもFHHsの貧困割合はMHHsよりも低い。「FHHs＝貧困」という前提のもと実施された分析であったが，東南アジア地域では，それとは逆の結果が提示されたのである（Cambodia, Ministry of Planning 2006; The World

Bank 1995, 2001, 2003a, 2003b)。

ただし，これらの統計データの分析結果について，いずれのレポートもその理由を示すには至っていない。なぜこのような現状が示されているのかを知るには，各地域で実施される詳細なフィールドワークによる結果を待つしかないが，その成果は非常にかぎられたものになっている。

東南アジアは相対的に「女性の地位が高い」ことで知られてきた地域である。女性の積極的な経済活動への従事，妻方居住を基本とする婚姻慣行，女性の財産相続権などがその特徴である（Geertz 1961; Potter 1977など）。一方で，家事や育児は基本的に女性の仕事とされ，公的な政治や宗教の場では男性が支配的な役割を担っているという事実も，東南アジア地域で広範にみられる。

カンボジア農村の寡婦

カンボジア農村の寡婦が貧困に陥らない仕組みを描き出した佐藤（2017）によると，彼女らが貧困を回避できる要因として，資産の権利が確保されていること，女性に開かれた就労環境があること，そして寡婦を支える親族ネットワークの存在があげられている。カンボジアでは双系的な親族組織を有する他の東南アジア地域と同様に，男女差のない相続や妻方居住の傾向により，親世帯や自世帯における女性自身の責任が強く，家事や育児，家計の管理に加え，経済活動への参加も小売業などインフォーマルな商業分野を中心に活発におこなわれている。そして，夫を失くすというリスクに対し，親族の世帯とともに世帯構成を再編成することで労働力や家事労働力を補ったり，土地を共有したり，子どもを他の親族世帯へ一時的に移動させたり，必要な時に農作業や子守りなど家事を手助けしたりと，そのリスクの顕在化を親族ネットワークが柔軟に対応することで防いでいるのである。そして，そのような寡婦やその子どもたちの生の安全を保障する親族の**互助関係**は，親族で共有される子どものケアに代表されるような再生産の領域が核になっていると指摘している。

インドネシア東ジャワの寡婦

また，インドネシアの東ジャワ都市近郊地域における寡婦に対するサポートについて詳細に調査分析しているMarianti（2002）は，寡婦の生活は子や親，キョウダイや姪甥といった親族の支援により支えられていることを明らかにしている。東ジャワの寡婦にとって最も重要な支援提供者となるのは子であり，子がいない場合は養取りによってその問題を解決している。もし，それでも子がいない場合は，他の近い親族であるキョウダイや姪甥などが，若い寡婦に対してはその親が重要な支援者となるという。子は年老いた親のケアをおこなうことによって親に対する敬意を示すことが期待されるなど，支援の権利や義務はヒエラルキーに従って供給され，受け入れられている。

バングラデシュの寡婦

一方，南アジアの寡婦は東南アジアのそれとは，様相が大きく異なる。バングラデシュでは女性に対する厳しい行動規範，女性隔離の習慣があり，女性は男性に扶養されるものとされてきた。バングラデシュにおける女性の就労は1971年の独立以降，急速に増加したが，女性の就労は農業に依存し，都市部においても教員や銀行員，公務員等にかぎられる傾向にあった（村山 1997; 鈴木 2020)。そして1980年代以降活発化したマイクロファイナンスや1980年代後半からバングラデシュ経済の新たな牽引役となった縫製業の発展により，女性の社会進出が進み経済力が拡大してきた。グラミン銀行をはじめとするマイクロファイナンス実施機関は貸し出し対象を女性とすることが多く，縫製業では教育水準の低い女性労働力の雇用を増加させた。

このように女性の経済的自立性は急速に高まったが，今もなおバングラデシュの多くの女性たちにとって世帯主である男性の死は決定的な打撃となる。夫を失った寡婦は自ら働くか，息子や他の男性親族に扶養されることになる。近年，寡婦を含むシングル女性は社会規範にかかわらず，生計を維持するために販売等の生業に従事するケースも増加してきた（国際協力銀行 2007)。

生を支える「施し」という仕組み

世帯内に家族を扶養することができる男性を欠き，政府やNGO等から得られる支援もなく，本人に働く術がない場合はどうだろうか。最後の砦となるのは「人々から施しを得ること」である。

バングラデシュにかぎらず，アジアの国々には現在も多くの物乞いが存在する。物乞いをおこなう者は主に，障がい者や高齢者，そして寡婦といった社会的弱者である。南アジア，東南アジアは比較的物乞いに寛容な社会である。その背景にはヒンドゥーやイスラーム，上座部仏教の教えにより，貧者に施しをすることは善行とされ，来世や天国のことを考えて施しをするからである（中里 2012: 218）。先の例に示したカンボジアでも頼るべき親族がおらず，土地もなく，働く術をもたない寡婦が物乞いとして生きていく例も報告されている（佐藤 2018）。

バングラデシュでは推定70万人の物乞いが現在も存在するといわれている（Sattar and Gazi 2019）。夫の代わりに扶養する男性が家族におらず，就労するための技術や学力をもたない寡婦たちは，自分が食べていくため，あるいは家族を養うために物乞いをおこなう。労働による安定収入が得られない障がい者や高齢者，女性にとって，物乞いをすることは親族の援助に依存せず暮らす自立手段であり，物乞いはあらゆる人々に施しという善行の機会を提供する存在ともいえる。政府やNGO等の支援を期待できない農村部において，集落を越えた地域全体の施しの仕組みは，インフォーマルな社会保障として機能しているのである（西川 1992; 杉江 2013）。

バングラデシュ農村部の物乞い慣行について杉江（2013）は，政府とNGOはともに物乞いを社会の逸脱者，あるいは周縁に暮らすものとして扱い，かれらが社会の一員として認められる条件は，労働による自立であると指摘する。そして，労働を中心とする社会では「物乞いと施し」という交換の形態自体が社会の逸脱とされていることを指摘している。

ここで物乞いの例をあげたのは，寡婦が最貧困層の非常に脆弱な存在であることを示すことよりもむしろ，彼女たちの生を支える仕組みがアジアの社会に広く存在することを示すためである。社会福祉制度が未整備，あるいは行き届かないアジア地域において，このような社会に埋め込まれた生の安全を保障する仕組みが，幾重かの層となり，寡婦とその子どもを支えているのである。

3 寡婦をめぐる議論

開発研究，貧困研究のなかで「弱者」として焦点が当てられてきた夫を失くした女性たちの存在は，他の研究分野の文脈ではどのように描かれてきたのだろうか。

レヴィレート婚

家族，親族研究のなかで婚姻形態の1つとして注目されてきたのが「レヴィレート婚」である。レヴィレートとはラテン語で「夫の兄弟」を意味する「レヴィール（levir）」に由来し，レヴィレート婚とは，寡婦が死別した夫の兄弟の1人と再婚する慣習を指す。1949年に人類学者マードック（G. P. Murdock）が示した統計資料によると，レヴィレート婚が明確に存在している社会は，アジア地域を含む250のうち，127の社会であるとしている。一方，明らかにレヴィレート婚はおこなわれていない，あるいは稀なケースであると考えられる社会は58であるとし，レヴィレート婚は世界中で広汎にみられる現象であることを示した（Murdock 1949）。

理論上，同じ「レヴィレート婚」と分類される慣習であっても，その社会的意義はそれぞれの地域によって異なる。たとえば，出自集団の存続であったり，亡夫との婚姻関係の継続であったり，土地などの財産の相続であったり，世帯の労働力の確保であったりと，各々の社会で複数の意義を有する。そして，寡婦にとっては生計を維持するための扶助行為であり，寡婦やその子どもの貧困やリスクを軽減するための慣習であるといえる。

寡婦の自己犠牲性

また一方で，寡婦は自己犠牲の象徴としてしばしば描かれてきた。アジアで最も名高い寡婦の自己犠牲性の現れはインドのサティーであろう。サティーとはヒンドゥー教徒にとって古くからある慣習で，夫が死亡した際に，その妻が亡夫の亡骸と共に生きたまま荼毘に付されるという慣習である。死をもって夫の後を追う妻は「理想的な献身」と賛美され，焚死することで家族の守護神となると信じられてきた（田中 1998）。しかし，そのような夫を失くした女性たちの自己犠牲性の存在はインドにかぎられたものではない。日本や中国，韓国においても顕在化する現象の違いこそあれ，家父長制社会のなかでしばしば寡婦は夫への忠誠と自己犠牲性の象徴となってきたのである（青木 2009）。現に，日本で近代以降一般的に使われるようになった「未亡人」という言葉は，「夫と共に死ぬべきなのに未だ死んでいない人」を意味する。寡夫の再婚は自由だが，寡婦には夫への殉死を求め，あるいはその緩和された形として寡婦の再婚を禁止するという家父長社会の価値観にもとづく概念なのである（野村 1996）。

他方，世界大戦以降の国家に目を向けると，寡婦は政治的なカテゴリーとして立ち現れる。総力戦体制にあって社会全体が軍事化されるとき，戦争未亡人の政治性は際立ったものとなった（上杉 2007）。兵士である夫を亡くした戦争未亡人は至高の犠牲を現し，その英霊の妻は夫への忠誠と貞節を守り，男性や国家に尽くす女性像が「戦争未亡人」という言葉によって強められ，戦時下の国家統制に利用されたのである。

韓国でも，朝鮮戦争の戦禍が広がり，多くの寡婦が生み出されると，政府は寡婦たちが厳しい生活のなかで子どもたちを育て上げる姿を，政策プロパガンダのなかで繰り返し強調した（瀬地山 1996; 岡田 2007）。

そしてベトナムでも，ベトナム戦争による戦争未亡人の社会的位置づけは，革命に命を捧げた「烈士（兵士）」の妻として称賛の対象となってきた（伊藤 2013）。

このような寡婦の自己犠牲は一部の国や地域において国家や男性から求められる役割を果たし，時として女性たち自身によって積極的に受け入れられ，家父長制の社会構造の一片を担ってきたのである。

4　活き活きとした寡婦の姿

これまでみてきたようなシングルマザーや母子世帯，FHHsが貧困であるという言説は，そのネガティブなイメージを固定化させ，女性の本来の居場所が夫や父親，その他の男性によって守られ，管理されるべき存在であるという考え方を強めることにもなりかねない（Chant 1997）。このようなネガティブなイメージの一方で，夫をもたない女性たちは男性の管理下から逃れ，より自由に活き活きと生きる存在であることもまた，事実である。

東南アジアのFHHsの女性は男性世帯主がいる世帯の女性よりも経済的に活発な傾向にあり，また，夫がいないことで計画外の支出が減り，家計管理が容易になるなど生活面における安定化をもたらすことも指摘されている（Chant 1997）。バングラデシュにおける1971年の独立戦争では多くの男性の死を招き，頼るべき家計の担い手を失くした女性たちは，それまで非常にかぎられていた賃労働市場への参入を急激に拡大させた（村山 1997）。また，内戦により多くの男性を失ったカンボジア社会では，寡婦が内戦前よりも経済的な行動範囲を拡大し，社会の復興に大きな役割を果たしてきた（佐藤 2020）。現代のカンボジアでも，結婚した女性が世帯から離れて就労することはごく稀であるが，夫をもたない寡婦たちは村を離れ，自由に就労先を選ぶ傾向がみられる（佐藤 2017）。夫をもたない女性たちは，むしろ活き活きと活躍し，社会の規範や通念から自由になることで，女性たちの新しい道を切り開く存在にもなっているのである。

おわりに

アジアにおける夫をなくした女性たちの様相は地域によって様々である。女性が「夫をなくす」というリスクに直面したとき，家族や親族，コミュニティ，そして行政や法律など，そのリスクにどう対応するのか，どのような問題が顕在化するのか。夫と妻がいる家族を前提に社会を観察していたときにはみえなかった，あるいは世帯主の性別のみに注目していただけはわからなかった，当該社会の特徴が浮かび上がってくる。

いずれの地域においても女性が夫を失くすというリスクに直面したとき，それに対して何の対応もおこなわなければ彼女たちが貧困に陥る可能性は非常に高い。それぞれの地域におけるリスクを顕在化させない仕組みを知り，その社会的文化的背景を学ぶことは，日本のシングルマザーの貧困問題の解決に向けても，大きな示唆が得られるだろう。

【佐藤奈穂】

参考文献

青木デボラ『日本の寡婦・やもめ・後家・未亡人――ジェンダーの文化人類学』明石書店，2009年。

阿部彩「貧困のジェンダー差」『季刊 社会保障研究』47巻1号，2011年，43-49頁。
伊藤まり子「『オルタナティブな親密圏』の可能性に関する一考察――ベトナム北部地域都市の宗教コミュニティに集う女性たちの経験と語り」『多民族社会における宗教と文化：共同研究』宮城学院女子大学キリスト教文化研究所，2013年，27-44頁。
上杉妙子「戦争未亡人の物語と社会の軍事化・脱軍事化」椎野若菜編『やもめぐらし――寡婦の文化人類学』明石書店，2007年，233-260頁。
岡田浩樹「『イエ』の外に曝される寡婦――儒教的寡婦像とグローバル化のはざまで」椎野若菜編『やもめぐらし――寡婦の文化人類学』明石書店，2007年，272-289頁。
厚生労働省『平成28年国民生活基礎調査』，2017年（a），https://www.mhlw.go.jp/toukei/saikin/hw/k-tyosa/k-tyosa16/，2021年2月25日アクセス。
厚生労働省『平成28年度ひとり親世帯等調査』，2017年（b），https://www.mhlw.go.jp/stf/seisakunitsuite/bunya/0000188147.html，2021年2月25日アクセス。
国際協力銀行『貧困プロファイル――バングラデシュ人民共和国』，2007年，https://www.jica.go.jp/activities/issues/poverty/profile/pdf/bangladesh_fr.pdf，2020年11月1日アクセス。
佐藤奈穂「『物乞い』を生み出す社会・経済的要因――カンボジア シェムリアップ州中心部を事例として」『金城学院大学論集 社会科学編』14巻2号，2018年，13-30頁。
佐藤奈穂「ポル・ポト時代後の内戦期における女性たちの生計戦略」瀬戸裕之・河野泰之編『東南アジア大陸部の戦争と地域住民の生存戦略――避難民・女性・少数民族・投降者からの視点』明石書店，2020年，165-191頁。
杉江あい「バングラデシュ農村部における『物乞い』の慣行と行動」『地理学評論』86巻2号，2013年，115-134頁。
杉本貴代栄『アメリカ社会福祉の女性史』勁草書房，2003年。
鈴木亜望「女性たちのジェンダー規範と仕事の空間――バングラデシュの首都ダカにおける手工芸品工房の事例から」『南アジア研究』2018（30），2020年，6-35頁。
瀬地山角『東アジアの家父長制――ジェンダーの比較社会学』勁草書房，1996年。
田中雅一「女神と共同体の祝福に抗して――現代インドのサティー（寡婦殉死）論争」田中雅一編『暴力の文化人類学』京都大学学術出版会，1998年，409-437頁。
中里成章「乞食」辛島昇・前田専学・江島惠教・応地利明・小西正捷・坂田貞二・重松伸司・清水学・成沢光・山崎元一監修『新版 南アジアを知る事典』平凡社，2012年，281頁。
西川麦子「ムスリム女性の物乞い『フォキルニ』：物乞を生み出すバングラデシュの農村の社会背景」『年報人間科学』13号，1992年，83-96頁。
野村育世「未亡人」比較家族史学会編『事典 家族』弘文堂，1996年，783頁。
村山真弓「女性の就労と社会関係――バングラデシュ縫製労働者の実態調査から」押川文子編『南アジアの社会変容と女性』アジア経済研究所，1997年，45-81頁。
Cambodia, Ministry of Planning, *A Poverty Profile of Cambodia 2004,* Ministry of Planning, 2006.
Census Bureau, *Payday, Poverty and Women,* 2019, https://www.census.gov/library/stories/2019/09/payday-poverty-and-women.html, 2021年2月25日アクセス。
Chant, Sylvia, "Women-Headed Households: Poorest of the Poor? Perspectives from Mexico, Costa Rica and the Philippines," *IDS Bulletin,* 28 (3), 1997, pp. 26-48.
Geertz, Hildred, *The Javanese Family: A Study of Kinship and Socialization,* Free Press of

Glencoe, 1961.
Marianti, Ruly, *Surviving Spouses: Support for Widows in Malang East Java,* Universiteit van Amsterdam, 2002.
Murdock, George Peter, *Social Structure,* The Macmillan Company, 1949.
OECD, Family Database, CO2.2 Child poverty, 2019, http://www.oecd.org/els/family/database.htm, 2021年2月15日アクセス。
Potter, S., *Family Life in a Northern Thai Village: A Study in the Structural Significance of Women,* University of California Press, 1977.
Sattar, Abdus and Gazi, Julio, "Aged Street Beggars in the City of Dhaka," *IOSR Journal of Humanities And Social Science,* Volume 24, Issue 1,Ver. 1, 2019, pp. 15-25.
The World Bank, *LAO PDR Social Development Assessment and Strategy,* The World Bank, 1995.
The World Bank, *Thailand Social Monitor: Poverty and Public Policy,* The World Bank, 2001.
The World Bank, *Timor-Leste Poverty Assessment Poverty in a New Nation: Analysis for Action,* The World Bank, 2003 (a).
The World Bank, *Urban Poverty in East Asia: a review of Indonesia, the Philippines, and Vietnam,* Working Paper No. 11, The World Bank, 2003 (b).

文献紹介

① 阿部彩『子どもの貧困――日本の不公平を考える』岩波書店，2008年。

日本における母子家庭をはじめとする子どもをもつ世帯の貧困について，豊富なデータから慎重かつ的確に分析し，解説を加えている。日本社会の貧困の構造について理解が得られる一冊である。

② 椎野若菜『やもめぐらし――寡婦の文化人類学』明石書店，2007年。

世界各地のフィールドワークから寡婦の暮らしを描き出している。「やもめ」を通じて社会をみることで，社会のメインストリームからは現前しえなかったそれぞれの社会の特性や人々の生のダイナミズムが浮かび上がってくる。世界各地の寡婦のいきいきとした生活を学ぶことができる。

③ 佐藤奈穂『カンボジア農村に暮らすメマーイ（寡婦たち）――貧困に陥らない社会の仕組み』京都大学学術出版会，2017年。

「夫を失くした女性たちがなぜ貧困に陥らないのか」，その仕組みについて「所得」「資産」に加え「ケア」に焦点を当て，フィールドワークをもとに分析している。“人と人とのつながり”がいかに人々の生活を支えうるのかについて，示唆を与えてくれる一冊である。

第3章 ジェンダー

ジェンダーをめぐる暴力と解決への取り組み

“アジアにおける女性や性的マイノリティへの差別や暴力はなぜ起こるのか”

持続可能な開発目標（SDGs）では目標のひとつにジェンダー平等が掲げられ，各社会でのジェンダーのあり方が見直されています。アジアでは長い歴史のなかでジェンダーをめぐって多様な関係性や規範が形成されてきました。しかし，そこには差別や暴力などの問題も内包されています。本章では，アジア社会のジェンダー差別や暴力の現状と背景を理解しましょう。また，それに向けてどのような取り組みができるかを考えましょう。

キーワード ジェンダー，男性性，性暴力，構造的暴力
関連する章 第2章，第6章，第8章

はじめに

近年，急速にグローバル化が進むなか，アジア社会における**ジェンダー**の諸相は大きく変容しつつある。たとえば，世界的に広がった＃MeToo運動がアジアでも独自の展開をみせ，古いジェンダー規範がもたらす問題に抗議する若者が増加している。では実際に，アジア社会ではどのようなジェンダー的課題がみられるのか。本章では女性たちが長い歴史のなかで直面してきた暴力や格差の問題に焦点を当て，その現状や背景について探っていく。

本章の第1節ではアジアの社会・文化的構造に埋め込まれたジェンダー暴力の諸相を理解し，第2節では，男らしさ（**男性性**）と暴力の関連性について述べる。第3節ではジェンダー暴力に対する近年の取り組みを紹介し，ジェンダー

変容の動向をおさえる。

1 女性への暴力と文化

性的暴行やドメスティック・バイオレンス，公的空間でのセクシュアル・ハラスメントなど，女性に対する暴力はアジアにかぎらず，世界共通の問題として起こりうる事象である。だが，アジアの様々な地域でみられるように，親族の結束が強固で家父長的性格が強い社会ほど，ジェンダー規範の逸脱を防ぐ手段として暴力が行使される傾向がある。このような社会では，女性のセクシュアリティは厳しく管理されるべきと考えられており，女性の抑圧や暴力が社会・文化的に構造化されている側面がある。以下では，事例を交えながら，アジアにおけるジェンダー暴力の諸相の一端を明らかにする。

家（イエ）の威信と名誉殺人

男女のセクシュアリティの管理という，社会・文化的実践が最も先鋭的に立ち現れる慣習のひとつに，名誉殺人があげられる。名誉殺人は，婚姻規範が厳格に定められている社会において，未婚の男女が家族の承認を得ることなく恋愛関係をもった場合や，既婚者が婚外関係をもった場合などに，その当事者に対して執行される殺人行為である。親兄弟家族が同居するような拡大家族の場合，個人による規範を逸脱した行為が家族の社会的地位を貶め，地域内での社会関係や生活を危機に晒すことになりかねない。したがって，個人の恋愛をめぐる意思や権利よりも家の名誉や平常な暮らしの維持が優先されるべきであり，当事者の死をもってそれらが回復されるという考えにもとづいている。現在でもインドやパキスタン，バングラデシュなどの国で，メディアなどを通じて名誉殺人事件がたびたび報じられる。そのほかの理由としては，親のとり決めた結婚の拒絶やインドの場合はカーストの異なるカップル同士の結婚などがあげられ，被害者の8～9割が女性となっている（D'Lima et al. 2020）。加害者となるのは，主に被害者の父親や兄弟，オジなどであるが，時として母親や女性親族によって殺害される場合もある。名誉殺人は自由恋愛という性規範を逸脱した行為に対する家族や親族からの社会的制裁であり，イエの社会的地位を維持するための制度的暴力だといえる。

セクシュアリティの管理としての女性器切除

同じくセクシュアリティの管理の1つとして，ムスリム社会において広く実践されている女性器切除（FGM: Female Genital Mutilation）の慣習がある。女性器切除とは，未婚の処女に施される性器の加工であり，貞節，将来の夫への忠誠，女性としての尊厳を示す慣習であるとされ，アジア地域ではパキスタンやバングラデシュ，マレーシア，インドネシアなどでみられる。FGMは，女性の身体の一部を切り取る行為が含まれるため，とくに幼い子どもへの施術はトラウマとなったり，出血多量や感染症など命に関わる重篤な症状を引き起こす危険性が指摘されている。また，後遺症による生活上の困難も報告されており，人権擁護団体などによって廃止が求められている。しかし，この問題の難しさは，FGMが女性を心身ともに傷つける暴力行為であるとする欧米型の人道主義的立場と，女性の尊厳の証しとなるイスラームの伝統的行為であるという文化相対主義の立場が拮抗している点であり，どちらか一方の主張が正しいとは一概にいえない。当事者の心身の健康と文化への介入の双方を慎重に考える必要がある。

児童婚

児童婚とは18歳未満での結婚を指す。ユニセフが20～24歳の既婚女性に実施した調査によると，世界では18歳未満で結婚した女性が6億5,000万人にものぼり，そのうちの約45％がインドやパキスタン，バングラデシュなどを含む南アジア，そして12％が東南アジアや東アジア，太平洋地域となっている（**図3-1**）。十分な教育を受けずに低年齢で結婚した場合，嫁ぎ先の家族から虐待を受けるリスクが高まるほか，早期の妊娠出産によって母子の身体に深刻な影響が及ぶ可能性や多産によるリスクも指摘されている（World Bank 2017）。

児童婚の背景には社会・文化的，経済的要因が複雑に絡み合っている。社会・文化的には娘の結婚前の自由恋愛や婚前交渉を避けるためであり，初潮を迎え妊娠・出産が可能になった娘には，できるだけ早く伴侶を探すことが親の義務だと考えられている。経済的要因としては，とくに貧しい家庭において，

図3-1　アジアにおける児童婚率

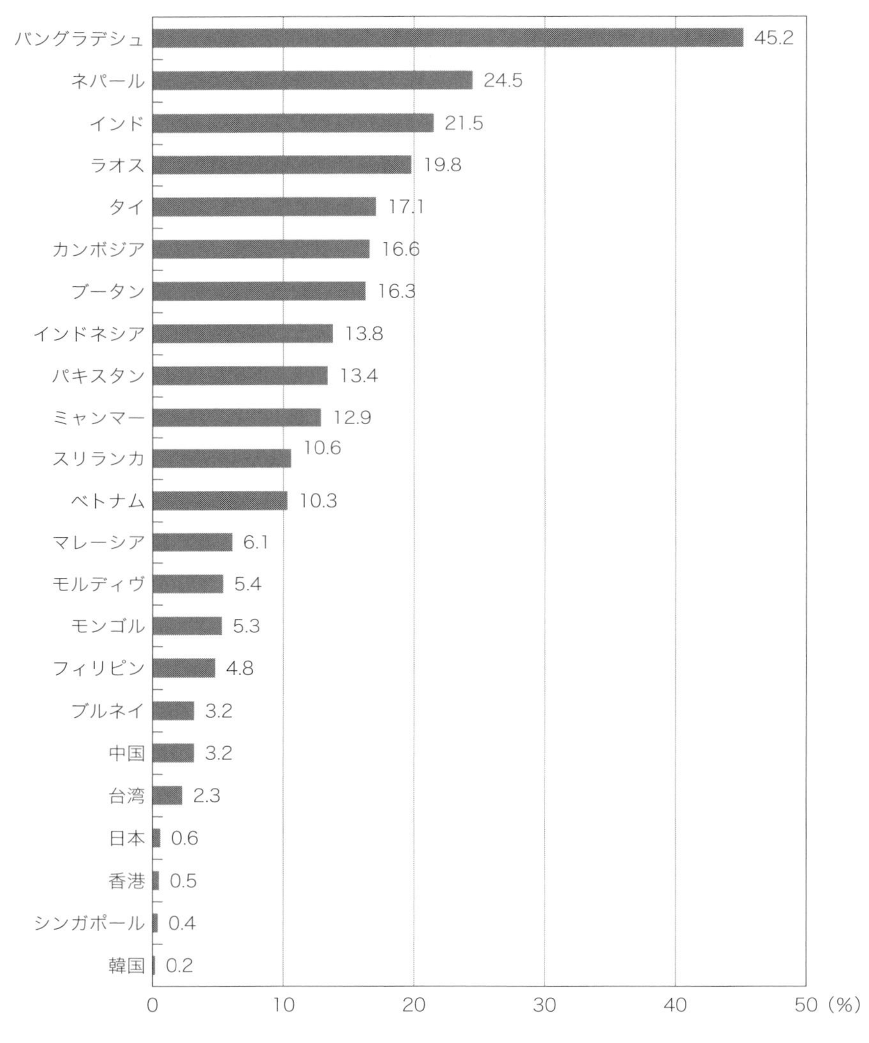

出所：OECD.Stat "Gender, Institutions and Development Database（GID-DB）2019"をもとに筆者作成。

娘を嫁がせることは親の扶養の負担を軽減させるという考えがある。子どもへの教育は，婚期を遅らせる効果があるとされているが，これについては次のような親の意識がある。つまり，息子の教育はより良い収入に結びつき自分たちに利益をもたらすが，いずれ嫁いで婚家で家事育児を担う娘に教育は必要ない。このため，教育費を十分に捻出することができない貧困家庭では息子の教育を優先させる傾向が強く，その結果，娘の早期結婚につながると考えられる。

資本主義と格差・搾取の構造

児童婚の要因にもなりうる慣習として，南アジア社会に広くみられるダウリー（結婚持参金制度）をあげておこう。ダウリーとは結婚時に花嫁側が花婿側に金銭や宝石，家具，家電などの金品を支払う慣習である。かつては上位階層の習慣であったが，市場経済の発達とともに他の階層にも広がり，支払いの額も増加した。花婿側からの希望額に応じられないことで，花嫁が婚家で嫌がらせや虐待を受けたり，自殺や殺人に至るケースも報告されている。インドでは，ダウリーをめぐって年間7,000人以上の女性が命を落としている（国家犯罪記録局，2019年）。また，持参金の支払いを最小限に抑えるために娘に児童婚を強いたり，女胎児を堕胎するケースなども問題となっている。つまりダウリーの問題は，文化的慣習にもとづく暴力が資本主義経済の拡大によって助長された事象とみることができるだろう。

このように資本主義経済は時として男女格差や女性への暴力を生み出す要因となる。他の事例として，バングラデシュやスリランカ，カンボジア，ベトナムなどの縫製工場では，多くの女性たちが低賃金で重労働を強いられている。劣悪な環境で長時間の過酷な労働を強いられる女性のなかには健康に支障をきたす者も多いが，ほとんどの工場では健康保険や有給休暇などの社会保障は確立されていない。他方，タイやカンボジア，フィリピン，ネパールなどでは幼い頃に親に捨てられたり，家族を養うなどの理由で，性労働に従事する者も多い。セックスワーカーたちは，HIVなどの性感染症に罹患したり，客や雇用主から頻繁に虐待を受けるなど，女性の不当な労働や性の搾取も暴力の主要な形態であるといえる。

アジアにおける女性の搾取は，「女性は従順」という文化的規範や，女性は「家事育児の担い手であり，経済力はない」といった固定観念によって正当化されている。これは日本も例外ではない。日本社会において正規雇用に就く女性の数はきわめて少なく，母子家庭の世帯収入が父子家庭の半分以下であるなど（厚生労働省 2016），女性の貧困化が日本を含むアジアの多くの地域で深刻な問題となっている。男性と比べて女性が経済的苦境に立たされる状況は，文化や経済が複雑に絡み合った**構造的暴力**の一形態として捉えることができる。

2 男性性が暴力を生み出すとき

家父長社会において女性に厳格な規範が課されるということは，裏を返せば，男性の規範や役割も大きいことを意味する。以下の節では，男性の役割規範や理想とされる男性像といった男性性がいかにして暴力と結びつくのかを検討する。

家庭内暴力とレイプ

アジアの多くの社会において，男性は一家の長として家族を養い，家庭を繁栄，存続させることが期待される。だが，とくに貧困層の間では失業や低賃金労働などを余儀なくされる場合も多い。稼ぎ手としての期待に応えられないことは，男性に失望や自己嫌悪，怒りなどの感情を生み出し，他者への攻撃性が増す一因となる。世界保健機関（WHO: World Health Organization）によると，南アジアおよび東南アジアにおいて近親者から暴力を受けたことのある女性の割合は33％と世界で最も高い（WHO 2021）。**図3-2**が示すとおり，国別ではパキスタンが85％，バングラデシュやタイでも半数近い女性が暴力を受けた経験をもつ。

他方，経済発展やグローバル化などの影響によって女性の社会参画が進むなか，男性のなかには，女性の社会進出や男女平等などの概念が受け入れ難く，従来のジェンダー的価値観が失われることに過度の嫌悪を抱く者もいる。また，自らの仕事や居場所がキャリアを積んだ女性に奪われるのではないかなどの不安が，男性を女性に対する攻撃へと向かわせることが指摘されている。

また，バングラデシュやパキスタン，インド，カンボジアで多発するアシッド・バイオレンスについても特筆しておきたい。アシッド・バイオレンスとは，酸性の液体を相手の顔や身体に掛けて火傷などの重篤な損傷を負わせる行

図3-2　近親者からの暴力を経験したことのある女性の割合

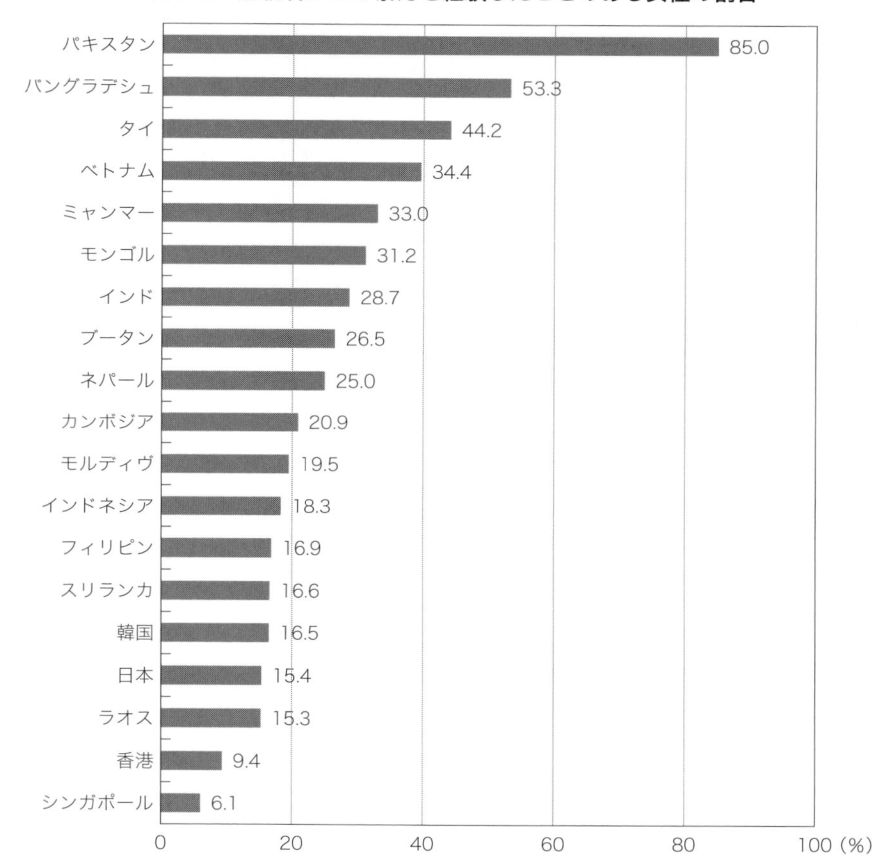

出所：OECD.Stat "Gender, Institutions and Development Database（GID-DB）2019" をもとに筆者作成。

為である。この行為は，婚姻を申し出た男性が女性本人やその親族から拒否された場合や，妻や恋人の浮気が発覚した場合など，相手の性が自らの管理の範疇を越えた時にその制裁や報復として実行されることが多い。すなわち，自らの存在が否定されたり蔑ろにされることでの男性性の喪失感が引き金になるといえる。酸が付着した肌は焼けただれて元の容姿を大きく変化させ，時として視聴覚機能などにも支障を及ぼす。つまり，アシッド・バイオレンスは，加害者の強さや力を誇示するために，被害者の身体に一生消えない傷を刻むことで半永久的に恥辱感を負わせ，身体の機能を奪うことで社会経済的な自立を阻む行為だといえる（チョウドリ 2019）。

性的マイノリティに対する暴力

アジアでは「第三の性」とよばれる存在が，様々な社会で確認されている。フィリピンのバクラ（bakla）やタイのカトゥイ（kathoey），インドやパキスタンのヒジュラ（hijra），そして日本では若衆とよばれる男色の（青）少年など，西欧的なLGBTの区分では捉えられない多様なジェンダーやセクシュアリティを育んできた。このように文化的に性の多様性が容認されてきた一方で，欧米社会で展開したLGBTQの流れで規定された同性愛者やトランスジェンダーに対しては不寛容な社会も多い。

とくに家父長的な男性性の傾向が強い社会では，トランスジェンダーやトランスセクシュアルによる男性性の喪失は，当事者個人のみならず，家族ひいては社会全体の男性の威信を脅かす懸念を生み出す。男性を脅かすのは男性性の喪失だけではない。生物学的女性がトランスジェンダーの男性として振舞い，女性に性的指向をもつことは，男性の領域が女性に侵害されることを意味する。このような社会文化的ジェンダー観のもと，性的マイノリティを社会の規範や秩序に混乱をもたらす存在とみなし，かれらへの暴力と排除によって社会を維持しようとする者もいる（Miedema et al. 2017）。インドでは1998年にレズビアンを題材とした映画を上映した映画館が右翼団体によって襲撃を受けた。一見，同性愛やトランスジェンダーに寛容にみえるタイやフィリピンでも，ゲイやレズビアンに対する集団暴行やレイプが起きている。また，日本を含む多くのアジアの国々において，性的マイノリティが学校生活や社会生活において差別やいじめを受けるケースが報告されている。

3　暴力への取り組み

では，以上のような女性や性的マイノリティへの差別や暴力に対してどのような取り組みがなされているのだろうか。本節では各国の諸団体による支援の取り組みと，若い世代を中心に立ち上がった近年の運動について紹介する。

貧困女性のケアとエンパワーメント

アジア社会におけるジェンダー格差や暴力の問題は，1975年の国連婦人年を境に重要な解決課題として取り組みがなされるようになった。とくに1995年に北京で開催された世界女性会議では女性の教育や地位の向上を実現するためのより一層の取り組みの強化が宣言された。これを契機にNGOや政府機関，国際機関によって女性の地位向上をめざすための啓発プログラムが立ち上げられたほか，主に貧困家庭の女性の教育や経済的自立を実現するための職業訓練やマイクロクレジット・プログラムなど多数の取り組みがなされている（写3-1）。

写3-1　ジェンダー啓発プログラムに集まる女性と少女たち（インド）

出所：筆者撮影（2019年3月）。

暴力の問題に関しては，各地域で，近親者から虐待を受けた女性や，人身売買や強制売春によって性を搾取された女性などを保護する施設として，国際機関やNGOなどによってシェルターやリハビリセンターなどが開設されている。そこでは女性のトラウマのケアや社会的自立をめざした教育や職業訓練などがおこなわれている。性的マイノリティに対する排除，差別，暴力に対しては，政府やNGO，国際機関との連携で，暴力の原因となる障害を特定し改善を図りながら，健康と社会サービスへの普遍的なアクセスを促進するための活動が実施されている。

ジェンダー平等に向けた運動

上記のような取り組みとは別に，近年，都市部の学生など，若者たちが中心となって，国や社会のジェンダー不平等に抗議の声を発信する動きが活発化している。

インドでは，2012年に発生したバス車内強姦殺人事件をきっかけに，法の改正や性犯罪の取り締まり強化など，女性の権利や保護をよびかける運動が若者の主導により展開し，法改正の実現に至っている。また，インドネシアでは

2020年に，国会が女性への性的嫌がらせの刑罰化やLGBTの権利保護を盛り込んだ**性暴力**防止法案の審議が延期されたことに対して，若い女性を中心とした抗議デモが起こった。

他方，韓国では欧米を席巻した＃MeToo運動に触発され，2018年に韓国版の＃MeToo運動が巻き起こった。職場でのセクハラや，就職や教育における男女格差，家庭でのジェンダー役割の違いなど，男尊女卑を当然視する社会的風潮への不満がSNSを通じて一気に拡散された。さらに，官僚や政治家らのセクハラ行為が弾劾される状況にまで発展し，大きな社会現象となった。日本でも2019年に，女性にハイヒールでの出勤を強要する企業の風潮に対して，ヒールのない靴での勤務をうったえる＃KuToo運動がSNSで展開され話題となった。これらの国以外でもアジア各地でジェンダー暴力への疑問の声が上がり，SNSなどを介して，政府や社会に改善を求める動きが強まっている。

おわりに

女性や性的マイノリティの安全や権利，そして何よりもかれらの命はかけがえのない尊いものである。それを踏まえたうえで，誤解のないように最後に示しておきたいのは，本章の主張はすべての家父長的な制度が元凶であり排除すべきだということではない。家父長的親族体系は，生活が不安定な社会のなかで，親族が結束して支え合い，厳しい環境を生き抜くために長い歴史のなかで培われた生活の術であった。男女の性の規範を厳格に定めることも，かれらの安全を保護し，家族や親族ひいては地域社会を守るための手段であるといえる。名誉殺人や児童婚も，それを実践する人に決して対象者への愛情がないわけではなく，生存のために個人の感情よりも家族や社会の維持を優先せざるをえない状況があったがゆえだとも考えられる。このような社会・文化的制度を尊重しつつ，いかにして性的弱者の命の安全を守ることができるのか。制度の何を変え，何を残していくのか。私たち自身が考えていく必要があるだろう。

【菅野美佐子】

参考文献

厚生労働省「平成28年度全国ひとり親世帯等調査結果の概要について」，2016年，http://www.moj.go.jp/content/001345686.pdf，2021年6月25日アクセス。

チョウドリ，エローラ・ハリム著，近藤凜太朗訳「家父長制，文化，男性性を再考する――ジェンダーにもとづく暴力と人権アドボカシーをめぐるトランスナショナルなナラティブ」『大阪大学教育学年報』24巻，2019年，http://hdl.handle.net/11094/71380，2021年6月30日アクセス。

D'Lima, T., J. L. Solotarof and R. P. Pande, "For the Sake of Family and Tradition: Honour Killings in India and Pakistan," *Indian Journal of Women and Social Change,* Vol. 5, No. 1, 2020.

Miedema, S. S., K. M. Yount, E. Chirwa, K. Dunkle and E. Fulu, "Integrating male sexual diversity into violence prevention efforts with men and boys: evidence from the Asia-Pacific Region," *Culture, Health and Sexuality,* Vol. 19, No. 2, 2017.

National Crime Record Bureau, *Crime in India 2019: Statistics Vol. I,* https://ncrb.gov.in/sites/default/files/CII%202019%20Volume%201.pdf, 2021年5月26日アクセス。

WHO, "Violence Against Women," 2021, https://www.who.int/news-room/fact-sheets/detail/violence-against-women, 2021年6月29日アクセス。

World Bank, Economic Impacts of Child Marriage: Global Synthesis Report（Conference Edition），2017，https://documents1.worldbank.org/curated/en/530891498511398503/pdf/116829-WP-P151842-PUBLIC-EICM-Global-Conference-Edition-June-27.pdf，2021年6月30日アクセス。

文献紹介

① 松井やより『女たちがつくるアジア』岩波書店，1996年。

ジャーナリストである著者がアジア諸国の女性たちを幾度となく取材し，女性たちが抱える様々な問題を臨場感とともに描き出している。本書で提示された問題は現代でも多くのアジア女性が直面する課題であるため，まずはこれを読むと問題を捉えやすいだろう。同著者による**『女たちのアジア』（岩波書店，1987年）**も併せて読むとよい。

② 田中雅一・嶺崎寛子編『ジェンダー暴力の文化人類学』昭和堂，2021年。

アジアを含む世界のジェンダーをめぐる暴力を，様々な地域の研究者が現地調査をもとに明らかにした1冊。暴力がいかに歴史，文化，社会と結びついているのかを詳細な事例を通して理解することができる。

③ 落合恵美子編『変容する親密圏／公共圏：親密圏と公共圏の再編成――アジア近代からの問い』京都大学学術出版会，2013年。

急速な経済発展により繁栄と歪みが同時に押し寄せるアジア社会において，女性がいかに親密圏と公共圏のせめぎ合いのなかで生きているのかをアジアの複数の地域の事例とともに紹介している。

第4章 ケア

アジアにおける高齢者ケアとその変化

"アジアではケアをめぐってどのような変化が生じているのだろうか"

現代のアジアに生きる人たちは，社会状況が大きく変化していくなかで，ケアをめぐる様々な問題に直面しています。その1つが高齢者ケアをめぐる問題です。アジアの諸社会における高齢者のケアは，だれがどのようにおこなってきたのでしょうか？　そこにどのような変化や問題が生じているのでしょうか？　それらに対してアジアの人々はどのように対応しているのでしょうか？　この章ではアジアの諸社会における高齢者ケアのあり方とその変化について考えます。

キーワード ケア，高齢者，家族
関連する章 第1章，第2章，第6章

はじめに

この章のキーワードは「**ケア**（care）」である。この言葉には様々な意味があるが，この章ではつぎのような広い意味で用いることにしたい。すなわち，なんらかのサポートを必要とする人（病者，障がい者，高齢者，乳幼児など）が生存し，日常生活を送るうえで生じるニーズを満たすことに関わる営み（食事の準備などの身の回りの世話，経済的な扶養，身体的な介護，精神的な配慮など）を総称する言葉としてである。

こうした意味でのケアは，世界のどこでも，いつの時代にもおこなわれてきた。しかしそれが常に社会的な関心を集めるテーマだったかといえば必ずしもそうではない。それぞれの社会には「伝統的」と形容されるケアの基本的なか

たちがある。それに何らかの変化が生じ，人々が違和を感じるようになったとき，ケアは問題化され社会的な関心を集めるようになる。アジアの諸社会においてケアが社会問題化されるようになったのは，概ね20世紀後半から21世紀にかけてのことである。

この章では，アジアにおいてケアが社会問題化されるようになった経緯を，とくに**高齢者**（65歳以上）をめぐるケアに注目しながら考えてみたい。まず，アジアにおける高齢者ケアの基本的なかたちについて概観する。つぎに，アジアの諸社会においてケアの基本的なかたちをめぐって生じた変化や問題を概説する。最後に，そうした変化や問題に対する人々の対応についての事例を紹介する。

なおこの章では，あえて日本の状況については触れず，東アジア・東南アジアの諸社会の事例を中心に取り上げる。日本以外のアジアの諸社会の状況を知るとともに，そこから日本の状況を見つめ直すきっかけも得てもらえればと思う。また，この章での記述はあくまで総論的なものにとどまる。高齢者ケアをめぐる状況の輪郭をつかむことで，自分の興味のある国や地域について詳しく調べるための入り口として参考にしてもらいたい。

1 高齢者ケアの基本的なかたち

まず，「高齢者のケアを担うのは誰か」という問いを手がかりに，アジアにおける高齢者ケアの基本的なかたちを概観しよう。

高齢者ケアを担うのは誰か？

アジアの諸社会において高齢者は，伝統的に**家族**成員がケアしてきたとされる。この高齢者ケアの形態を「家族ケア」とよぶことにしよう。では，家族成員のうちの誰が家族ケアの担い手となるのだろうか。

中国の社会学者・人類学者である費孝通（ひこうつう）は，「養児防老（子どもを育てて老後に備える）」という観念を中国社会の特質として注目し，それを西洋社会と比較することで理論化を試みた。中国では，親が子どもを養育し，やがて子が成長し親が老いると，今度は子どもに老親を扶養する義務が生じるとされる。対して欧米では，親は子どもを養育するが，子どもに老いた親を扶養する義務はないとされる。こうした親子関係の違いをふまえ費孝通は，中国のように一組の親子間でケアをめぐる権利・義務を相互に授受する関係性を「フィードバック型」，西洋のように親に養育された子に親を扶養する義務が生じず，むしろ次世代の子の養育に重きが置かれるケア関係を「リレー型」と類型化した（費 1985）。

フィードバック型のように，親子間での相互ケアの一局面として高齢者ケアを捉える見方は，他のアジア社会においてもみることができ，それはしばしば「互酬性（reciprocity）」という概念で説明されてきた。互酬性とは，有形無形にかかわらず何かを受け取ったならばそれに対する返礼が求められるという原則のことである。つまりアジアの諸社会では，高齢者のケアは慣習的にその子どもが担うものとされており，その背景には親子間でのケアをめぐる互酬性が働いていると考えられてきたのである（岩佐 2009）。

たとえばインド北部の農村では，親子関係は，親がケアの与え手として子どもの衣食住を提供し養育する段階から，大人になった子がケアの与え手として老親の衣食住を提供し，死を看取り，死後の供養儀礼もするという段階に至るという「長期的なケアの互酬関係」において理解される。そしてこの理解のもとでは，成長した子が老親をケアすることは，親が幼い頃の子に与えたケアに対する「返礼」として捉えられることになるのである（Lamb 2000）。

高齢者ケアを担うのはどの子か？

このようにアジアの諸社会では，高齢者のケアを担うのはその子どもとされる。では子どもが複数いる場合はどうなるのだろうか。どの子どもが老親ケアを主に担うことになるかも，それぞれの社会の親族体系や家族形態，婚姻や居住に関する慣習などと関連して決まっていることが多い。

たとえば，韓国では老親のケアを担うのは長男である。韓国は相続や継承権などが父系（男系）をたどって承継される父系制の社会であり，チプ（家）とよばれる父系直系家族を形成する。親のチプを継承するのは長男とされ，長男は結婚後も親元に残る。次男以下は結婚すると父・長男のチプから分家し別のチプを形成する。財産は息子だけが分割相続し，かつ長男が他の息子より多く相続する不均等相続が原則である。その代わり親と同居する長男は，親が老いたら扶養し，その死後には祭祀を遂行するとともに，父に代わり家族を統率する責任を負うことになる。

一方，ラオス低地農村部では，老親のケアを担うのは末娘とされる。ラオスの低地農村は，相続などが父系母系のどちらでも可能な双系制の社会であるが，母系への傾斜がみられる。夫婦は結婚すると妻の親の家にしばらく同居し，その後，親元の近くに自分たちの家を建てて独立する。子どもが上から順に結婚した場合，息子らは婚出し，娘たちは近くに家を建てて独立するので，最終的に親元に残るのは末娘であり，彼女が同居して老親のケアを担うことになる。財産は均分相続が基本となるが，その一部は親も確保し，その分は老親のケアを担った娘が相続することになる（岩佐 2011）。

高齢者の日常的なケアをおこなうのは誰か？

以上のように，高齢者のケアを誰が担うのかは社会ごとに慣習的に規定されている。ただしそこで規定されているのは，ケアに関する「責任者」のようなものであって，その人自身が高齢者の身の回りの世話や身体的な介護などの日常的なケアをおこなっているとはかぎらない。では，高齢者の日常的なケアは誰がおこなっているのだろうか。

たとえば，上述のように韓国では老親扶養の責任を負うのは長男とされるが，日常的なケアは高齢者の妻，長男の嫁，あるいは長男夫婦の娘であるという（金 2000）。またインドネシアのジャワ人のあいだでは，一般的に，特定の子どもに扶養の責任が規定されることはなく，状況に応じて子どもの誰もが老親のケアに関わるものとされているが，実際の高齢者の日常的なケアは妻か娘によって担われる傾向があることが報告されている（合地 2019）。つまり，高齢者の日常的なケアをおこなってきたのは，家族成員のなかでも妻・嫁・娘といった女性たちだということである。

こうした状況の背景には，女性と男性の役割を，それぞれ家庭内の領域の活動と公的な領域での活動とに二項対立的に結びつけるような価値観があり，そのことによって女性が家族成員のケアを担うことを当たり前のこととされ，正当化されてきたと指摘する議論もある（ロサルド 1987）。高齢者ケアの基本的なかたちを考えるうえで，こうしたケアに関わる慣習化された性別役割分担やジェンダーに関わる価値観が広くみられることにも注意しておきたい。

2 高齢者ケアをめぐる変化とその特徴

アジアには，上述したような高齢者ケアの基本的なかたちがある程度共通してみられる。だが20世紀後半以降，アジアの諸社会は産業化やグローバル化の進行に伴い社会が大きく変動するなかで，家族ケアのあり方にも変化が生じてきた。この節では，20世紀後半以降にアジアが経験した社会変動の特徴について確認し，それに伴って生じた家族ケアの変化について概観しよう。

圧縮された近代

まず，20世紀後半以降にアジアの諸社会が経験した社会変動の特徴について，ここでは韓国の社会学者であるチャン・キョンスプ（Chang 2010）の議論をもとに確認する。

チャンは，1980年代以降の経済的発展に伴いアジアの諸社会に生じた「近代化」と総称される社会変動を，欧米諸国の近代化の経験と比較しながら分析している。その議論のポイントは，欧米諸国が長い時間をかけて近代化を経験したのに対して，アジア諸社会はそれを20世紀後半以降のきわめて短期間のうちに経験していることに注目する点にある。

たとえば，近代化の指標の1つとなる人口転換についてみてみよう。ヨーロッパや北米では，多産多死から少産少死の社会へと移行する「第一次人口転換」が1880年代から1930年代にかけて起こり，その後しばらく安定した状態が続いたあと，出生率が人口置換水準を継続的に下回り少子高齢化が進行する「第二次人口転換」が1960年代末から始まったとされる。対してアジアの諸社会では，第一次人口転換が1960年代から80年代にかけて起こった後，安定期を迎える間もなくそのまま第二次人口転換が始まった。つまり，ヨーロッパでは約1世紀をかけて経験してきた人口転換を，アジアは約半分ほどの時間で経験しているということである（落合 2013: 6-16）。

このアジアと欧米諸国のあいだにみられる近代化の経験の仕方の違いを踏ま

えたとき，アジアが経験している変化を，欧米諸国が時間的に先に経験したものと同様のものとみなし，それを「後追い」しているようなものと捉えるのは適切ではない。むしろアジアに特徴的なものとして捉える必要がある。その特徴を説明するためにチャンが用いたのが「圧縮された近代」という概念である。圧縮された近代とは，経済的・政治的・社会的・文化的な変化が，時間と空間の両方に関して極端に凝縮されたかたちで起こる社会状況のことである。そしてそこでは，互いに共通点のない歴史的な要素や社会的な要素が動態的に共存することになり，その結果として複雑で流動的な社会システムが作られ，作り直されることになるというのである（Chang 2010: 446）。

複数化する高齢者ケア

こうした社会変動が進行するなかで従来の家族のあり方にも変化が生じたことは想像に難くないだろう。たとえば東アジアでは，急速な少子高齢化の進行に伴う人口構造の転換，ライフコースの脱標準化と多様化，人の移動の活発化などと連動しながら，未婚化や晩婚化，世帯規模の縮小，単独世帯の増加，親子世帯やキョウダイ世帯の分離・分散，離婚率の上昇などが同時代に生じた（岩井・保田編 2009）。

こうした家族をめぐる複合的な変化は，家族ケアのあり方にも様々な面で影響を及ぼし，変化をもたらすことになる。しかしここで注意したいのが，そこで生じる家族ケアの変化とは，前節で述べたような基本的（伝統的）なケアのかたちが失われ，まったく新しいケアのかたちにがらりと様変わりしてしまうようなものではないということである。圧縮された近代のもとで生じているのは，次のような異種混交的な状況である。

たとえば，家族変容に伴い家族ケアのあり方が不安定化しながらもそれが保持されることで，伝統的な家族ケアのかたちにそってケアをする／される人たちがいる一方で，家族をめぐる変化に対応しながら家族ケアのあり方を変えていく人たちが同時に存在することになる。さらに，市場化やグローバル化のなかで登場する新しいケアの実践や価値も普及することで，たとえば否定的な評価をされがちであった高齢者施設を積極的に利用していくような人も現れ，ケアを家族外に求める動き（ケアの外部化）もみられるようになる。このように，同じ社会のなかに複数の高齢者ケアのかたちが併存するような状況が生まれるのである。

こうした状況下では，ケアすることもケアされることも「当たり前のこと」としては動きにくくなる。それぞれ人がケアのあり方を問い直すようになり，そしてそれぞれの社会経済的な条件のもとで可能なケアのあり方を模索するようになる。こうした動きが生まれるなかで，高齢者ケアは次第に人々の関心を集めるテーマとなり，社会的に議論される対象ともなってきたのである。

国家の関与と家族ケアの再編の活発化

ただし，高齢者ケアの複数化という事態がどのように進行するかという点については，少し注意が必要である。高齢者ケアと国家の関係に注目しながら，この点について簡単に説明しておきたい。

圧縮された近代化を経験したアジア諸国では，急速に進行する少子高齢化のスピードに国家の対応が追いついておらず，福祉施設の拡充や社会保障制度の整備など公的なサポート体制において不十分な点が多い（落合 2013: 27-29)。そのため，先に触れたように福祉施設を利用するなどの高齢者ケアの外部化の動きが現れ，それに対する潜在的なニーズが高まっているとも考えられるものの，現状としては総じて家族外のケアが利用しにくい状況が続いており，結果として家族内でのケアが主流であり続けている。

また，アジア諸国の福祉政策の方針には，家族がその成員に対するケアの責任をもつことを前提とする「家族主義」とよばれる傾向が広くみられる。そのため社会保障制度などが整備されたとしても，それはケアの外部化を促進するものというより，むしろ家族という資源を積極的に活用しようとするものであることが多い。結果として，福祉政策が進められるなかで，あらためて家族がケアの重要な供給源として位置づけられることも起こっているのである（安里 2009)。

以上を踏まえて考えると，アジアの諸社会において現在進行中の高齢者ケアの複数化の動きは，つぎのように進行するといえよう。つまり，ケアの外部化に向かう動きが活発化するというよりも，家族ケアという形態が高齢者ケアの主流であるという状況を維持しつつ，しかしそのケアのかたちを再編するような動きが活発化することで，家族ケアのあり方が複数化していくようなものとして進行していく，ということである。

3 家族ケアの再編と新しいケアのかたち

以上の家族ケアをめぐる変化の特徴を踏まえ，この節では家族ケアを再編する動きとそのなかで現れてきた新しいケアのかたちについての具体的な事例を紹介しよう。そうした動きは様々な面でみることができるが，ここで注目したいのが，家族の変容に伴って生じる「老親の日常的なケアの担い手の不在」という事態である。この事態に直面した当事者たちは，あらためて「誰が高齢者（老親）のケアを担うのか」という問いと向き合うことになり，矛盾や葛藤，戸惑いをかかえながらも新しいケアのかたちを模索している。そうした人々の営みの具体例として，以下ではシンガポールと中国朝鮮族の事例を紹介しよう。

老親の介護者を雇用する子

シンガポールは，アジアのなかでも少子高齢化が急速に進行している国の1つであり，1980年代以降，政府は高齢者福祉政策に取り組んできた。その最大の特徴は「家族主義」の強調であり，家族が高齢者ケアの第一の担い手とされている点である。この方針は法制度にも強く現れており，たとえば，経済的自立が困難になった高齢者が裁判を通じて自分の子に経済支援を求めることが法的に認められている（田村 2019: 68-70）。こうした国家の方針もあってシンガポールは，老親と子どもが同居している割合がアジア諸国のなかでも高く，2010年時点で7割弱の高齢者が子どもと同居している。また，6割の高齢者が生活資金を子どもから得ていた（浜島 2012: 132-135）。

これらの状況をみるかぎり，高齢者ケアの担い手の不足という問題は生じていないかのように思えるだろう。しかし実情としては，急速な少子化に伴う家族成員数の減少に加え，女性の労働力化が進行し共働きが一般化したことで，親子が同居していても老親の日常的ケアの担い手が不在となる事態が生じているのである。

この不足を補填しているのが，住み込みで家事と高齢者のケアに従事する外国人家事労働者である。国家の方針もありシンガポールでは，アジア諸国のなかで早い段階から外国人家事労働者を導入してきた。2015年の時点で，約22万5,000人の外国人家事労働者が働いており，5世帯に1世帯以上が家事労働者を雇うほどになっている。家事労働者のほとんどはインドネシアやフィリピンなどの他のアジア諸国からやってくる女性である（田村 2019: 75-76）。

このようにシンガポールでは，家族を高齢者ケアの第一の担い手とする国家の方針のもとで，子が老親と同居し，経済的な扶養をする割合が高いものの，共働きのために老親の日常的なケアの担い手の不在が生じている。その不在を，外国人家事労働者を雇用し，彼女たちを家族ケアに組み込むことで対応している。その結果，「シンガポールで老いるということは，外国人の世話になることを意味するといっても過言ではない」現状が生まれているのである（田村 2019: 91）。

老親に再婚をすすめる子

中国朝鮮族とは，1860年代から1940年代にかけて，生活難や日本の植民地政策により朝鮮半島から中国東北部に移住した人々とその子孫のことである。かれらのあいだでは，先述した韓国と同様に，伝統的に長男が老親と同居し，親の経済的扶養と身体的・精神的扶養をおこなうことが規範とされてきた。しかし1980年代末から，親子が同居せず，近隣地域に別世帯を構えて別居することが増えてきた。さらに1990年代以降，出稼ぎや就労の機会を求めての国外移動が本格化した結果，親子あるいはキョウダイ世帯の国境をまたいでの分散が進んだ。こうしたなかで，老親世帯と既婚の子世帯とが別居し，親が低所得層の場合は子が生活費を支援するという形態が一般化している（李 2015: 2-4）。

こうした居住形態に問題が生じる状況の1つが，高齢男性が妻に先立たれた場合である。中国朝鮮族の人々のあいだには，高齢男性は一人暮らしができないとみなす考えが広くみられる。そのため，妻に先立たれた高齢男性は独居ではなく子どもとの同居を選ぶことになる。しかし，別居から同居への移行は簡単ではなく，しばしば親子双方が不満や不便を感じることになる。一人暮らしもできず，かといって同居も難しい高齢男性とその子は，その日常的なケアの担い手の不在に悩むことになる（李 2015: 17）。

この不在を補うための選択肢として近年増えているのが「高齢再婚」である。上述のように高齢男性にとっては，日常的なケアの必要性が再婚を選ぶ動機となる。対して再婚を選択する女性とは，経済力もなく子どもにも頼れない高齢女性であり，再婚を通じて経済的安定を得ることが再婚の主な動機となっているという。そのため再婚する以上，高齢男性側が経済的な基盤を提供する必要が生じる。そしてそれゆえ，上記のように低所得層で子からの経済的支援を受けている高齢男性の場合，再婚の意向を自分から申し出ることが難しいことになる。

それでも低所得層の高齢男性も含めて高齢再婚が増えているのは，その子どもらが経済的支出が増えることを甘受してでも父親の再婚に積極的だからである。高齢再婚の背景には上述のような双方の必要性があるので，再婚老夫婦の経済的扶養は実際には夫側の子女が全額あるいはほとんどの部分を賄うのが当たり前になっている。それでも一人になった父親の対応に悩む子どもらは，直接的にケアすることを回避しつつ，問題を解決（先送り）することができる選択肢として，高齢再婚に積極的であるという。こうした子世代の思惑もあいまって，中国朝鮮族の人々のあいだでは，高齢結婚が老親扶養の一形態として確立されてきているというのである（李 2015: 22）。

おわりに

この章では，高齢者ケアに焦点を置きながら，アジアにおけるケアをめぐる問題とその対応について概観してきた。アジア諸社会には，ある程度共通して，親子関係を主軸とする家族ケアという高齢者ケアの基本的なかたちをみることができた。しかし，20世紀後半以降，社会や家族を取り巻く状況の変化に伴って，家族ケアの再編が進み，そうした動きのなかで新しいケアのかたちが生まれていることを確認した。

様々なかたちで報告されているように，東アジアを中心とするアジア諸国では少子高齢化がさらに深刻なかたちで進行し，2050年に至るころには，多くの国が65歳以上の人口が全体の14％を超える「高齢社会」に到達するものと予想されている。こうした変化のなかで，アジアの諸社会に生きる人々にとって，高齢者をめぐるケアは今まで以上に重要性を帯びるものになることは間違いなく，家族ケアの再編の動きもますます活発になることも想像に難くない。

今後，アジアにおけるケアのかたちはどのようになっていくのだろうか。その行く末について，じっくりと考える時間をぜひとも作ってみてほしい。そしてその作業を，「はじめに」でも述べたように，日本のケアのあり方についてあらためて考えるための1つのきっかけにもしてほしい。

【岩佐光広】

参考文献

安里和晃「東アジアにおけるケアの『家族化政策』と外国人家事労働者」『福祉社会学研究』6巻，2009年，10-25頁。

岩井紀子・保田時男編『データで見る東アジアの家族観——東アジア社会調査による日韓中台の比較』ナカニシヤ出版，2009年。

岩佐光広「親子間のケア関係の動態性——ラオス低地農村部の事例から」武井秀夫編『ケアの民族誌のための方法論（千葉大学大学院人文社会科学研究科研究プロジェクト報告書第221集)』，2009年，26-40頁。

岩佐光広「老親扶養からみたラオス低地農村部における親子関係の一考察」『文化人類学』75巻4号，2011年，602-613頁。

落合恵美子「アジア近代における親密圏と公共圏の再編成——『圧縮された近代』と『家族主義』」落合恵美子編『親密圏と公共圏の再編成——アジア近代からの問い』京都大学学術出版会，2013年，1-38頁。

金美淑「韓国の家族扶養の動向と高齢者政策に関する研究——日本との比較を通して」『社会福祉学』40巻2号，2000年，152-167頁。

合地幸子「老親扶養をめぐる規範を問い直す——インドネシア・ジャワにおける高齢者福祉施設を事例として」速水洋子編『東南アジアにおけるケアの潜在力——生のつながりの実践』京都大学学術出版会，2019年，151-179頁。

宍戸邦章「東アジアにおける家族主義と個人化——EASS2006家族モジュールに基づく日韓中台の比較」『家族社会学研究』30巻1号，2018年，121-134頁。

白井恒夫「東アジアにおける社会変動と世代間関係への影響」『人間科学研究』23巻2号，2010年，239-248頁。

田村慶子「『家族主義福祉レジーム』の課題と行方——シンガポールの高齢者介護」速水洋子編『東南アジアにおけるケアの潜在力——生のつながりの実践』京都大学学術出版会，2019年，65-93頁。

浜島清史「シンガポールにおける高齢者福祉と施設介護」『社会科学研究』63巻5・6号，2012年，131-148頁。

費孝通著，横山広子訳『生育制度——中国の家族と社会』東京大学出版会，1985年。

平井太規「『第2の人口転換論』における『家族形成の脱標準化』の検証——日本・台湾・

韓国の出生動向——子供の性別選好の観点からのアプローチ」『フォーラム現代社会学』12巻，2013年，31-42頁。
李華「老親扶養にみる中国朝鮮族家族の現在——国外移住に伴う変化を中心に」『東北アジア研究』19巻，2015年，1-26頁。
ロサルド，ミシェル・Z著，時任生子訳「女性・文化・社会——理論的概観」山崎カヲル監訳『男が文化で，女は自然か？——性差の文化人類学』晶文社，1987年，135-174頁。
若林敬子「近年にみる東アジアの少子高齢化」『アジア研究』52巻2号，2006年，95-112頁。
Chang, Kyung-sup, "The Second Modern Condition? Compressed Modernity as Internalized Reflexive Cosmopolitization," *British Journal of Sociology*, 61（3）, 2010, pp. 444-464.
Hayami, Yoko et al. eds., *The Family in Flux in Southeast Asia: Institution, Ideology, Practice*, Silkworm Books, 2012.
Lamb, S., *White Saris and Sweet Mangoes: Aging, Gender, and Body in North India*, University of California Press, 2000.
Lesthaeghe, Ron, "The Unfolding Story of the Second Demographic Transition," *Population and Development Review*, 36（2）, 2010, pp. 211-251.

文献紹介

① 広井良典『ケアを問いなおす——〈深層の時間〉と高齢化社会』筑摩書房，1997年。

本書を通じて，ケアという言葉の意味をはじめ，この言葉のもとで展開されている議論の輪郭をつかむことができ，入門書として適している。ケアをめぐる専門的な議論に触れたければ，**上野千鶴子『ケアの社会学——当事者主権の福祉社会へ』（太田出版，2011年）**をおすすめする。

② 速水洋子編『東南アジアにおけるケアの潜在力——生のつながりの実践』京都大学学術出版会，2019年。

本書は，東南アジアの様々な社会におけるケアの営みを，その背景にある社会基盤とともに描いた著作である。少し専門的な内容ではあるが，いずれの章も長期間のフィールドワーク（質的調査）をもとに書かれており，実際のケアの営みの相貌を感じることができ，読み応えがある。**森明子編『ケアが生まれる場——他者とともに生きる社会のために』（ナカニシヤ出版，2019年）**は，同様のアプローチで書かれた本ながら世界各地の事例が取り上げられており，比較を通じてアジアの特徴を考えるうえでの参考になる。

③ 落合恵美子『21世紀家族へ——家族の戦後体制の見かた・超えかた 第4版』有斐閣，2019年。

この章ではあえて日本の事例を取り上げなかったので，日本の家族とその変化について家族社会学の観点から概説した本書を最後に紹介しておく。他のアジア諸国との共通性や違いを視野に入れながら日本の家族をめぐる状況について論じられており，この章の内容をふまえて日本の状況を改めて考えてみるときに参考になる。

第5章 教育

期待と失望のはざまで生きるアジアの若者

"アジアの若者を取り巻く教育の実態とは"

21世紀のアジアでは，初等教育の普及が進む一方で，10代や20代の若者の就職難が大きな問題となっています。教育を通して広がる将来の期待と，教育を受けたとしてもその先に仕事のない現実。こうした期待と失望が交錯する場としての教育は，アジアを理解するための重要な切り口の1つとなっています。この章では，おもにインドに暮らす貧困層の若者が直面する教育の実態を知ることを通して，アジアについての理解を深めていきましょう。

キーワード 若者，都市スラム，中等教育，英語，教授言語
関連する章 第14章，第18章，第34章

はじめに

私たちは，アジアの**若者**と教育の実態について，インターネットを通じて知ることが多い。地域紛争や女子差別などによって教育を十分に受けられない若者。早くから英語教育やIT教育を受けてグローバルに活躍する若者……。こうした情報を目にすると，〈可哀想〉や〈優秀〉といったイメージでアジアの若者を理解する人も多い。一方，イメージのみで捉えてしまうことは誤解や偏見を生む危険性があるので，もっと現地の人々のことを深く理解しなければならないと思う人もいるだろう。そこでネット情報から生まれるイメージに惑わされず，深く理解しようとしても，私たちとは生まれた環境も育った環境も違い，理解するといってもそう簡単なことではない。結局，どうしてよいのかわ

からず，関心が薄れていってしまう。アジアに関心をもったのに，こうなってしまっては非常にもったいない。

本章で考えていきたいのは，アジアの若者と教育に関する情報を目にしたときに抱くイメージから出発して，どのように深く理解することができるのかということである。そこで登場してもらうのは，〈可哀想〉や〈危険〉などのイメージで捉えられることの多い**都市スラム**に暮らす実在の若者，ラッパーの青年ラヴィ（仮名）である。本章では，インドの首都デリーのスラムに暮らすラヴィの学校経験とアジア全体の教育の現状を照らし合わせながら，アジアの若者を取り巻く教育の実態について知るところから始めていきたい。

1 教育を受けたラッパー

ブルゾンにジーンズ姿，スマートフォンを片手に家の前の石段に座るツーブロックの青年がラヴィ（20歳）である。父は心臓発作で10年前に他界し，寡婦年金をもらう母と携帯電話販売店で働く姉，公立学校に通う13歳の妹とともにスラムに暮らしている。スラムというのは，密集した住宅や不衛生な生活環境を特徴とする不法占拠地である。ラヴィの暮らすスラム内の路地には下水路があり，そこに各家庭の排水やゴミが捨てられ，暑い日には悪臭を放つ。スラム内外では暴力や誘拐事件，薬物使用などの犯罪行為が頻発し，過去には殺人事件もあった。スラム周辺に暮らす中間層の人々からは恐れられたり，嫌がられたりしている地域である。

スラム生まれのラッパーというと，学校にも通わずに危ない道を歩んできたとイメージする人も多いだろう。しかし，ラヴィはスラムから徒歩圏内の公立学校に通い，8年間の初等義務教育を修了した。つづく4年間の**中等教育**では，高等教育機関に進学するうえで必要不可欠な修了試験にも合格したが，カレッジには進学せずにラッパーとして活動し始めたのである（写5-1）。ラヴィはレコード会社に所属し，新曲をつくってはミュージック・ビデオをYouTubeにアップロードしている。週末には富裕層が集うパーティー会場でラップを披露することもある。

この状況にラヴィの母は怒っている。筆者がラヴィのことを尋ねると，いら

写5-1　自宅の一室でラップの練習をするラヴィ

出所：筆者撮影（2020年1月，デリー）。

立ちを露わにしながら「ラヴィは死んだから知らない」と答えるくらいだ。なぜここまで母は怒っているのか。それはラヴィに対する期待が裏切られたことにあった。その期待形成に教育が深く関わっているのである。では，母が期待を抱いた背景にある教育の実態とは，どのような状況であったのだろうか。中等教育修了というラヴィの学校経験は，アジアでは珍しいことなのだろうか。

2　アジアの教育と若者

中等教育での脱落

まず，アジア諸国の粗就学率（Gross Enrollment Ratio: GER）を見てほしい（**表5-1**）。粗就学率とは，教育を受ける標準的な年齢の総人口に対する就学者数の割合である。理論的には100%を超えるものではないが，留年などを理由に標準年齢以上の生徒が就学者数に含まれ100%を超えることもある。**表5-1**をみると，初等教育段階では，韓国99.6%，中国100.2%，フィリピン101.9%，マレーシア105.3%，インド113.0%，スリランカ100.2%，パキスタン94.3%というように，ほとんどの国で100%前後となっている。一方，中等教育粗就学率は，シンガポール，タイ，スリランカを除き，初等教育段階と比較してどの国も低くなっている。つまり，多くのアジア諸国において，初等教育段階ではどの子どもも学籍を有している一方，中等教育段階では何らかの理由で学校教育から脱落してしまった若者たちが多数いると推察することができるのである。

教育は希望か？　失望か？

ではこの現状をどう理解することができるのか。学校教育から脱落すること

表5-1　アジア諸国の粗就学率（2018年）

	初等教育粗就学率	中等教育粗就学率
韓国	99.6	98.5
中国	100.2	88.2 *1
フィリピン	101.9	84.0
マレーシア	105.3 *2	82.0
シンガポール	100.3	105.8
インドネシア	106.4	88.9
タイ	99.8	117.7
ミャンマー	112.3	68.4
インド	113.0 *2	74.4
ネパール	143.9 *2	74.1 *2
スリランカ	100.2	100.3
パキスタン	94.3	42.7
バングラデシュ	116.5	72.7

注：単位は%。*1 は2010年の数値, *2 は2017年の数値。
出所：World Development Indicators を用いて筆者作成。

なく教育を受け続けることは重要であると考える立場がある。この立場は，多くの若者が学校教育から脱落するのは教育の質に問題があるからであり，支援や開発が必要だと考える。その認識は，国際社会にも広く共有されている。2015年に国連で採択された持続可能な開発目標（Sustainable Development Goals: SDGs）において，2030年までにすべての子どもが無償で質の高い初等・中等教育を修了できることが具体的な目標とされたのがその証左だ。世界各地で教育の質改善に向けた取り組みが実施されているのは，学校教育からの脱落を防ぎ，教育を通じた社会発展の可能性に対する期待のあらわれなのである。

この国際社会で主流となっている期待論に疑問を投げかけるアジアの社会状況がある。中国では農業戸籍と非農業戸籍を区分する制度があり，都市部に暮らす非農業戸籍の子どもと地方に暮らす農業戸籍の子どもの教育環境には大きな格差がある。都市部の大学では，地方の農業戸籍の子どもよりも，大都市の非農業戸籍の子どもが優遇される入試制度となっており，入学できたとしても卒業後には就職難が待ち受けている。そのため，農村部ではいずれ農業を担うのであれば学歴を積み重ねるよりも，簡単な読み書きと計算の学習程度で十分だとして小学校低学年で退学させる保護者も増えてきているという（阿古 2014）。

またインドでは，高等教育を受けた若者の就職難の状況がある。中間層のなかでも下層の若者は，地方都市の学校で中等教育を修了し，高等教育に進学していくつもの種類の学位を取得したにもかかわらず，安定した給与を得られる職に就けない。こうした高学歴失業青年たちは，社会から取り残されている感覚を共有しながら，チャイ屋や交差点にたむろしてただ時間をやり過ごしているという（ジェフリー 2014）。

15歳から24歳の若者失業率をみると，ここで例示した東アジアや南アジアよりも東南アジアのほうが高くなっている。特にインドネシアやフィリピンは高等教育粗就学率がともに25%を超えてASEANのなかでも高い部類に入る一方，若者失業率はASEAN平均の13.1%を大きく超える21.6%（インドネシア），16.6%（フィリピン）となっている（ILO and ADB 2014: 8-9）。このようにアジアの若者たちが初等教育から高等教育に至るまで学歴を積み重ねた先には，就職難という現実が待ち受けているのである。

高まる保護者の期待

これらの見解から想像すると，スラムの若者が継続して教育を受けてきたからといって，将来的に高等教育への進学や安定した給与の仕事への就職を期待することは難しいと考えられる。しかしスラムの保護者たちからよく聞くのは，教育を受ければよい仕事を得られるという期待に満ちた語りである。「スラムの少女が教育を受けて客室乗務員になった」，「私の働く工場のエンジニアは高い給料をもらっている。だから子どもにはエンジニアになってほしい」。こうした身近にある限られた「成功」例がスラムの保護者たちの漠然とした期待を下支えしている。

実際，ラヴィが教育を受けて良い収入の仕事に就くことを母が漠然と期待していたことは間違いない。将来的に結婚して嫁ぐことが一般的な娘よりも，一家で唯一の男性であるラヴィの教育とその先の就職に期待が寄せられるのは，南アジアではよくあることであった。さらにラヴィは，学校教育からの脱落リスクの高まる中等教育を修了することができた。標準の就学年齢の総人口に占

表5-2　デリーの教育段階別純出席率（2016年）

	男子	女子	計
前期初等教育	84	89	86
後期初等教育	83	76	80
前期中等教育	67	62	65
後期中等教育	55	61	58

注：単位は%。
出所：GNCT of Delhi（2019: 274）をもとに筆者作成。

める実際に通学する人数の割合を示す純出席率（**表5-2**）をみると，デリー全体では前期初等教育段階は86%であるが，後期中等教育段階になると58%まで低下し多くの生徒が出席していないことがわかる。特に貧困地域の若者は勉強についていけないだけではなく，学校で差別を受けることなどが脱落の理由となっている（Chugh 2011）。それらの障壁にもかかわらず，ラヴィはスラムでは珍しく後期中等教育を修了した。だからこそ，母の期待は漠然としたものから，高等教育進学やその先の就職という具体的な期待として膨らんでいったのである。

3　アジアの教育と言語

アジアの教授言語

ラヴィの母の期待が膨らんだもうひとつの要因として，ラヴィが**英語**を学んできたことがある。ラヴィはヒンディー語で授業をおこなうヒンディー・ミディアム学校に通い，科目の1つとして英語を学んだ。くわえて，中等教育段階では月謝のかかる英語塾にも通った経験がある。アジアに暮らす貧困層の子どもが英語を学ぶ背景には，どのような期待があるのだろうか。

欧米の植民地支配から独立したアジア諸国では，独立国家として国民をまとめる必要があった。そこで国の言葉としての国語で教育をおこない，国民統合をおこなうことが考えられた。しかし，一国内に様々な言語が併存する多言語国家において，特定の言語を国語とすると，それぞれの地域で使用されている地域言語間の対立が生まれうる。そこでグローバル化や経済発展との結びつきが期待される共通語としての英語で教育をおこなう方法もある。もっとも，アメリカやイギリスの植民地支配を受けた経験のあるアジア諸国では，英語は支配者が話す言語であったため，その選択は人々のアイデンティティの問題とも関わってくる。このようにアジアの教育政策において，どの言語で授業をおこなうのか，すなわち**教授言語**を何語にするのかは重要な論点であり，各国で様々な対応がおこなわれてきたのである。

たとえば，多民族社会のマレーシアの場合，植民地期にはエリート層のための英語学校，開発のための労働者として雇用された中国系移民の華語学校やインド系移民のタミル語学校が併存していた。独立以降，国民統合のためにマレー語を重視し，英語を教授言語としない方針がとられた時期もあった。しかし，1990年代に政府がすべての大学の理数系学部のコースは英語を教授言語とする決定をしたことに伴い，大学教育への円滑な移行をめざして，2003年には初等教育以降の数学と理科を英語で教える方針となった。もっとも，母語のほうが概念をより良く理解できるとして，母語による教育の維持を求める声が強くあがり，この方針は2010年に廃止された。結局，独立以降のマレーシアでは，すべての言語を認めながらも，マレー語を国語として，英語を第2言語とする政策的な位置づけが維持され続けている（Omar 2012）。

多言語社会のフィリピンでは，植民地期はほぼすべての科目が英語で教えられてきた。独立後は，地域言語間の対立を避けるために，タガログ語と諸地域言語を融合したフィリピノ語という多言語社会の国民が使用できる国民語をつくり，国民語で教える科目を増やしていった。しかし，すべての科目を国民語で教えることにはならず，1974年のバイリンガル教育政策を機に，自然科学，数学，英語科目は英語を，それ以外の科目は国民語を教授言語とすることが定められ，現在も英語とフィリピノ語による教育がおこなわれている（岡田 2014）。

さらに柔軟に英語で教えることを選択できるようにしたのが，1997年にイギリスから中国に返還された香港である。国際的な商業・金融の中心地として変化の著しい香港では，2000年代後半に，返還後に進められていた中等教育段階における中国語での教育の方針から，学校がより柔軟に学級や複数の科目の教授言語として英語を導入できる方針に転換した（Bolton 2012）。

このように欧米の植民地支配を受けてきたアジア諸国において，学校教育を何語でおこなうのかという教授言語の選択は，独立後の国民統合と経済発展やグローバル化への対応のなかで，教育や学校のあり方に影響を及ぼしてきたのである。

教授言語と格差

一国のなかで複数の言語が併存するアジア諸国では，学校で使用される教授言語の違いが格差とも結びついている。イギリス植民地期のインドには，官吏養成のために英語を教授言語とするエリート私立学校と，地域言語で授業がおこなわれる大衆向けの学校といった分断が存在した（押川 2013）。独立後，インドの言語政策はそれぞれの地域言語を州の公用語とすることを認めつつ，国民の言語としてヒンディー語の普及をめざした。その一環として，教育現場では，3種類の言語を学ぶことが求められる3言語定則が採用された。非ヒンディー語地域では州公用語とヒンディー語と英語，ヒンディー語地域ではヒンディー語と英語に加えて，南インドの言語を1つ選択して学ぶことが期待された。しかし，実際にはヒンディー語地域の人々は積極的に南インドの言語を学ぼうとはせず，3言語定則は実質的に機能しなかった（鈴木 2001）。結果的に，連邦公用語のヒンディー語で授業をおこなう学校もあれば，州公用語で教える学校，英語を教授言語とするイングリッシュ・ミディアム学校というように，教授言語の異なる学校が併存する状況となっている。

とはいえ，教授言語の異なるそれぞれの学校に誰もが希望どおりに通えるわけではない。1990年代初頭に外資参入規制の緩和などの経済自由化が進められ，特に都市部では外資系のファストフード店やコールセンターの仕事など，英語を使う新しい仕事が身近になった。それに伴い，英語を学ぶ価値はますます高まり，多くの保護者たちがイングリッシュ・ミディアム学校に子どもを通わせようと苦心している。ラヴィが暮らすデリーでは，富裕層や中間層の子どもが通う私立学校は，イングリッシュ・ミディアム学校の場合が多い。経済的に余裕があれば高額な授業料を支払って英語で授業がおこなわれる私立学校に入学させることは容易にできる。しかし貧困層にはそれが簡単ではない（セン・ドレーズ 2015）。

英語で学べる機会をお金で買う余裕のない不利な立場の人々が，イングリッシュ・ミディアムの公立学校において英語によるコミュニケーション能力を育めば，将来コールセンターのような収入の良い仕事に就くことができるという見解がある（Vaish 2008）。しかしその見解は少し楽観的すぎる。デリーの貧困地域での調査では，初等教育から中等教育まで一貫してイングリッシュ・ミディアム学校に通った経験のある若者はきわめて稀であり，約9割がヒンディー・ミディアム学校に通っている現実がある（村山 2016）。ラヴィが通ったデリー政府学校は1つの学校のなかにイングリッシュ・ミディアムの学級とヒンディー・ミディアムの学級が併存する学校であったが，イングリッシュ・ミディアムの学級に入るためには，良い成績を収めることが必要であった。成績の良くなかったラヴィは，ヒンディー・ミディアムの学級に入り，科目の1つとして英語の授業を受けてきたのである。

インドではどの言語を教授言語とする学校に通うかが，将来の進学や就職に影響を及ぼす。高等教育進学に必要な中等教育修了試験が学校の教授言語と密接に関わっているからだ。イングリッシュ・ミディアム学校の生徒は英語でおこなわれる試験を受験する。一方，州公用語で学んでいる生徒は，州公用語で実施される試験を受験する。どちらも中等教育修了試験ではあるが，英語で講義がおこなわれる高等教育への進学や英語を使う仕事への就職で有利になるのは，英語で学び英語で実施される試験を突破した生徒たちなのは容易に想像できるだろう。

以上のように，非英語圏のアジア諸国において英語を学ぶことは，社会的な上昇の可能性への期待と結びついている。寡婦年金と長女の収入で暮らしているラヴィ一家が，月謝を支払ってまでラヴィを英語塾に通わせた背景には，英語を学ぶことで将来の進学や就職の可能性が広がるという期待があったことは間違いない。それと同時に注目しなければならないのは，教授言語の違いが教育制度や学校形態，試験制度に組み込まれ，人々からみえにくいかたちで格差と結びついているということである。

おわりに

教育統計からアジアの若者の現状をみると，初等教育を受けることは当然となる一方，中等教育段階で脱落の危機を迎える傾向にある。この現状を，質の悪い教育を受けていることが問題であるとして支援や開発が必要だとする見方や，どんなに学歴を積み重ねても安定した収入の仕事を得ることは難しいと捉える見方は，アジアの若者を取り巻く教育の実態の一面をそれぞれ捉えてはいるだろう。しかしどちらの見解も若者の置かれた状況を少し上から眺めているように感じられる。

ラヴィの母に話を聞くと，中等教育に進んだラヴィが英語を学んで高等教育に進学し，収入の良い仕事に就いてくれると期待していたからこそ，失望も大きかったという。一方，ラヴィ自身も母からの期待を当然認識していたし，英語塾に通うためにお金がかかったことも知っていた。それでもラヴィは，富裕層や中間層の街に暮らすラッパーに憧れ，自宅の部屋でラップの歌詞を作り出す。そして仲間とともに，スラムでは目にすることが珍しいパソコンやビデオカメラ，ドローンなどの撮影機材のあるスタジオに足を運ぶようになり，次第にラッパーとしての道を歩むようになったのである。ラヴィの歌うラップには，ほとんどヒンディー語の歌詞しか登場しない。それでも教育を受けてきたこと，英語を学んだことはラッパーとしての仕事をするうえで役立っていると本人は語る。

アジアの貧困地域では，教育によって将来への期待やそれを裏づける金銭的負担，そして失望が生み出されている。そうした期待と失望のはざまで自らの道に進む若者を〈可哀想〉だとか〈危険〉といったイメージだけで捉えることはできない。しかし，イメージに惑わされずに深く理解しようとし，うまくいかずに無関心となってしまうことも避けたい。もし本章を通して，日本に暮らす私たちとラヴィとのあいだでどこかつながっているように感じられたら，そこから考え始めてみるのもよいだろう。イメージにもとづくアジアの若者への関心を原動力に，インターネットや書籍，アジアへの渡航などを通して複数の情報に触れ，アジアの若者や教育の実態について私たちとのつながりを感じるところから考え続けてもらいたい。

【茶谷智之】

参考文献

阿古智子『貧者を喰らう国――中国格差社会からの警告 増補新版』新潮社，2014年。
岡田泰平『「恩恵の論理」と植民地――アメリカ植民地期フィリピンの教育とその遺制』法政大学出版局，2014年。
押川文子「教育の現在――分断を超えることができるか」水島司編『変動のゆくえ（激動のインド第1巻)』日本経済評論社，2013年，59-93頁。
ジェフリー，クレイグ著，佐々木宏・押川文子・南出和余・小原優貴・針塚瑞樹訳『インド地方都市における教育と階級の再生産――高学歴失業青年のエスノグラフィー』明石書店，2014年。
鈴木義里『あふれる言語，あふれる文字――インドの言語政策』右文書院，2001年。
セン，アマルティア／ジャン・ドレーズ著，湊一樹訳『開発なき成長の限界――現代インドの貧困・格差・社会的分断』明石書店，2015年。
村山真弓「若者の教育と雇用――デリー低所得地域の調査から」押川文子・南出和余編『「学校化」に向かう南アジア――教育と社会変容』昭和堂，2016年，321-347頁。
Bolton, Kingsley, “Language Policy and Planning in Hong Kong: The Historical Context and Current Realities,” in Ee-Ling Low and Azirah Hashim eds., *English in Southeast Asia: Features, Policy and Language in Use,* John Benjamins Publishing Company, 2012, pp. 221-238.
Chugh, Sunita, *Dropout in Secondary Education: A Study of Children Living in Slums of Delhi,* NUEPA Occational Paper 37, NUEPA, 2011.
Government of National Capital Territory (GNCT) of Delhi, *Economic Survey of Delhi, 2018-19,* Planning Department, GNCT of Delhi, 2019.
ILO and ADB, *ASEAN Community 2015: Managing Integration for Better Jobs and Shared Prosperity,* International Labour Organization and Asian Development Bank, 2014.
Omar, Asmah Haji, “Pragmatics of Maintaining English in Malaysia’s Education System,” in Ee-Ling Low and Azirah Hashim eds., *English in Southeast Asia: Features, Policy and Language in Use,* John Benjamins Publishing Company, 2012, pp. 155-174.
Vaish, Viniti, *Biliteracy and Globalization: English Language Education in India,* Multilingual Matters, 2008.

文献紹介

① 山内乾史・杉本均・小川啓一・原清治・近田政博編『現代アジアの教育計画 補巻』学文社，2017年。

現代アジアの教育政策・制度の動向とその特徴については，**山内乾史・杉本均編『現代アジアの教育計画 上・下』（学文社，2006年）** とその刊行後の動向を本書で補足しながら学ぶことができる。しかしアジア諸国の教育を理解するためには教育政策や制度だけみていても不十分である。南アジアであれば，**押川文子・南出和余編『「学校化」に向かう南アジア――教育と社会変容』（昭和堂，2016年）**を読み，階層や宗教などと関連しながら成り立つ教育や学校のあり方についても学んでほしい。

② 映画『ヒンディー・ミディアム（Hindi Medium）』，2017年。

将来のために英語で授業を受けられる私立進学校に子どもを通わせたい。そう願う親たちの奔走を描いたコメディー作品である。この作品では，英語で学べるイングリッシュ・ミディアムとヒンディー語を教授言語とするヒンディー・ミディアムという違いと関連して広がる現代インドの教育熱の一端を垣間見ることができる。

③ 映画『バッド・ジーニアス 危険な天才たち（Bad Genius）』，2017年。

高校生４人が巻き起こす壮大なカンニングを描いた作品である。貧困家庭に育つ主人公の天才女子高校生が，試験の解答と引き換えに他の生徒から代金をもらって始めた「ビジネス」。そこから垣間見える格差社会と教育とのつながり。お金があればどうにでもなる教育制度の歪みは，過剰なまでの受験戦争が社会問題化するアジアにおいて，教育のあり方を考える視点の１つとして参考になる。

第6章 移民

アジアにおける国際労働移動の展開と現状

“アジア全体で海外出稼ぎが活発になっているのか”

アジアの方々が日本で働いている姿をよくみかけるようになりました。以前は中国や韓国など日本に近い国から来ている人が多かったですが，最近ではフィリピン，インドネシア，ベトナム，ネパールなど東南アジアや南アジアの人が多くなっている印象です。アジアは経済発展中の国が多く自国でも仕事はたくさんあるのかと思っていたのですが，外国に出て仕事を探す必要があるのでしょうか？　また，日本以外のアジアにも東南アジアや南アジアの人たちは働きに行っているのでしょうか？

キーワード 移民労働者，受け入れ政策，人材斡旋業者，移民の女性化，トランスナショナルな社会空間
関連する章 第4章，第7章，第8章

はじめに

2020年6月時点の日本の在留外国人数は全人口の2.2%にあたる288万5,904人だった。なかでも，アジア出身者は全体の84%を占める242万人と突出して多い。アジア以外の出身地の内訳は南米の28万人，欧州8万，北米の7万，アフリカ2万，オセアニア1万とそれぞれ全在留外国人数の1割以下だ。国別でみると，中国（79万人），韓国（44万人），ベトナム（42万人），フィリピン（28万人），ブラジル（21万人），ネパール（10万人），インドネシア（7万人），アメリカ（6万人），タイ（5万人），ペルー（5万人）と，上位10か国中7か国がアジア諸国だった（法務省 2020）。日本にいるブラジル人やペルー人の多くが日系人であることを考慮すると，アジアをルーツとする人が大半であることがわかる。

日本だけでなく，世界的な視点からアジア諸国の人の移動を眺めてみよう。すると，以下で詳述するように，アジアは世界最大級の移民の送り出し，そして受け入れ地域となっている。本章では，このアジア全体で起きている人の流れを概観し，移動がアジア諸国の重要な原動力になっていることを確認したい。もちろん，アジアでの人の移動といったときには，かつてからあった遊牧民や交易商たちの移動など多様な移動が含まれるが，ここでは主として仕事を求めての移動，すなわち労働移動を中心にみていく（難民については**第7章**参照)。さらに，アジア地域では国内移動も盛んであり，国内移動が国際移動と連動している点は指摘されているが (King et al. 2008)，本章では国際移動のほうに着目する。

1 アジアにおける国際労働移動の概況

世界一の労働移民人口

アジアは世界人口の半分以上が暮らす，人口が多い地域ということは比較的よく知られている。他方，アジアが人の移動の一大拠点であることはあまり知られていない。そこでまず，国際機関のデータから確認しよう。

アジアは移民の受け入れ人数が最大級の地域だ。**図6-1**が示すように，2000～2019年の間，世界では移民受け入れ人数がいずれの地域でも増加しているが，なかでもアジアはヨーロッパと並んで最も多くの移民を受け入れ，2015年以降その数は世界最大となった。国別では，産油国として知られる西アジアの湾岸協力会議（GCC: Gulf Cooperation Council）諸国（アラブ首長国連邦（UAE)，オマーン，カタール，クウェート，サウジアラビア，バーレーンの6か国）が突出して高い。これら湾岸産油国は人口全体に対する外国人の割合が4～9割と，世界でもまれにみる在留外国人の比率が高い地域となっている。

また，アジアは国外在住者たちからの送金が集中する地域でもある。海外出稼ぎ者などから本国の家族などに送られる国際個人送金の額を国別で示したのが**表6-1**である。年によってばらつきはあるものの，2005～2019年のあいだの送金受け取り額が大きかった国トップ10のなかには，インド，中国，フィリピンが常に上位に位置している。くわえて，近年ではパキスタン，バングラ

図6-1　世界の地域別移民推定受け入れ人数（2000～2019年）

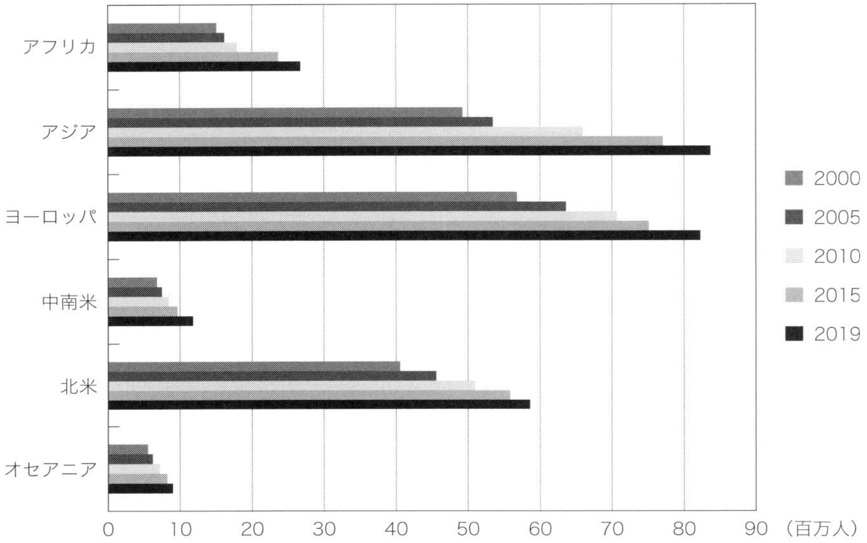

出所：UNDESA（2019）。

表6-1　国別国際送金受け取り額（2005～2019年）

2005		2010		2015		2019	
中国	236.3	インド	534.8	インド	689.1	インド	833.3
メキシコ	227.4	中国	524.6	中国	639.4	メキシコ	390.2
インド	221.3	メキシコ	220.8	フィリピン	298.0	フィリピン	351.7
ナイジェリア	146.4	フィリピン	215.6	メキシコ	262.3	フランス	268.4
フランス	142.1	フランス	199.0	フランス	240.6	エジプト	267.8
フィリピン	137.3	ナイジェリア	197.5	ナイジェリア	211.6	ナイジェリア	238.1
ベルギー	68.9	ドイツ	127.9	パキスタン	193.1	パキスタン	222.5
ドイツ	68.7	エジプト	124.5	エジプト	183.3	バングラデシュ	183.6
スペイン	66.6	バングラデシュ	108.5	ドイツ	158.1	中国	182.9
ポーランド	64.7	ベルギー	103.5	バングラデシュ	153.0	ベトナム	170.0

注：単位は億ドル。
出所：World Bank（2019）。

デシュ，ベトナムが加わるようになった。

このようにアジアは域内で移民受け入れ，送り出しの両方が活発にみられる点が特色になっている。国別にいえば，移民の受け入れが中心の国／地域は，西アジアの国々（とくにGCC諸国）と東・東南アジアの先進・新興工業国／地域（香港，日本，シンガポール，韓国，台湾など）である。一方，送り出しが中心の国は，南アジア（バングラデシュ，インド，スリランカ，ネパール，パキスタンなど）と東南アジア（ミャンマー，カンボジア，インドネシア，ラオス，ベトナム，フィリピンなど）となる。マレーシアやタイは，経済発展が堅調になった1980年代を転換期として，送り出し国から受け入れ国へと移行した。これらの地点が複雑に関係し，アジア域内において短期契約の労働者たちの「回路」を形成している。

アジアにおける労働移動の特徴

では，そのアジアにおける労働移動の特徴は何か。よく指摘されることとして，次の3点をあげる。1つ目は，非包摂型の移民**受け入れ政策**である。欧米の移民国では，移民を将来の国の構成員とみなし，社会統合政策を伴う受け入れ政策が全般的にとられてきたが，これを包摂型という。非包摂型はそうではないものを指す。包摂型の受け入れ政策を推進する人たちは，非包摂型が**移民労働者**を受け入れ国の国民がもつ諸権利をもたない労働力とだけみなしていると批判してきた（カースルズ・ミラー 2011）。だが，先に述べたように現在の人口移動の趨勢がアジアを中心とした地域に移ってきているだけでなく，これまで包摂型受け入れ政策をとってきた北米やオーストラリアなどの移民国でさえ，国内の移民排斥感情の高まりや国際競争力向上の必要性を受けて，非包摂型の受け入れ政策をとるようになってきている現実を無視できない（佐藤 2021; Liu-Farrer and Yeoh 2018）。

非包摂型受け入れ政策の基本は，受け入れ国側が労働力の不足する時期や分野で一時的に移民労働者を雇い入れる姿勢だ。したがって，働きにきた外国人が定住化しないように家族呼び寄せや永住・帰化を認めない傾向が強くみられる。労働力不足が解消されれば外国人労働者の受け入れを停止するため，一般に，言語や文化から社会保障制度に至るまで国民と統合するための政策もとられない。送り出し国側も同様に，国民の送り出しを国民の国外流出とみなさずに，一時的な就労機会のための移動と考える。フィリピンやインドネシアなど主要送り出し国のなかには，在外公館内に契約違反等の問題の相談窓口を開設したり，避難を必要とする労働者に駆け込み用のシェルターを設けたりするなど，海外出稼ぎ中の国民の保護を打ち出している政府もある（細田ほか 2014）。

2つ目は，こうした多数の移民の就労手続きを担う民間の**人材斡旋業者**などの「移民産業」が他の地域ではみられないレベルにまで発達している点である。送り出し国の斡旋業者と受け入れ国の斡旋業者が互いに連絡を取り合い，求人広告から，雇用契約書の締結，出国に至るまでの複雑なプロセスを専門的に扱う。斡旋業者のネットワークには正規・非正規を含め多数が関わり合っていることが多く，それぞれが手数料をとる仕組みになっている。さらに，法外な手数料をとるなど移民労働者から搾取したり，契約書の内容と異なる条件で働かせたりと，不正や虐待をおこなっている業者もある（Baas 2020; Xiang and Lindquist 2014）。

3つ目は，**移民の女性化**である。アジアの主要送り出し国のなかには，インドネシア，スリランカ，フィリピンのように移民労働者の女性の割合が男性とほぼ同率か，男性よりも高い国もある。これらの国で女性化の傾向がみられ始めたのは1980年代だった。理由は，GCC諸国やアジアの新興工業国で，住み込みで家事や育児を担う女性家事労働者の需要が高まったためである。さらに，欧米やアジアの一部の国で深刻化する少子高齢化対策として，看護師や介護士などとして出稼ぎする女性や，国際結婚の形で移住する女性も増えている。くわえて，セックスワーカーとしてアジア域内外へ移動する女性もいる（セックスワーカーについては**第8章**参照）。女性の移動が加速化するにつれ，父親のみならず，母親も長期に国外に滞在する家族が目立つようになった。それに伴い，故郷に残された子どもの養育を憂慮する声も上がっている（安里 2018; Liu-Farrer and Yeoh 2018）。

2　アジアを中心とした海外出稼ぎの歴史

以上の特徴はこれまで，アジアの移民現象にみられる「問題」であり，将来的には解決されるべき課題といわれてきた。しかし見方を変えれば，これらの点はアジアにおいて発展した労働力の回路の基盤そのものともいえる。そのうえ，これらの特徴はアジアだけにとどまらず，欧米を含む他の地域にも広がりつつあることを考えると，単にアジア特有の事情と等閑視するのではなく，その仕組みをより深く理解することが求められる（松尾・森 2020）。そこでつぎに，アジアの労働移動の歴史的背景と絡めて考えてみよう。

植民地時代の大規模な地域間移動

アジアからの移民は新しい現象ではない。よく知られた例として，交易を目的とした中国やインド亜大陸からの人の移動は何世紀も前からおこなわれており，ヨーロッパ人がアジアに到来する以前からアジアやアフリカには中国人町やインド人町ができていた。

だが，アジアでの大規模な人の移動が起きたのは，19世紀後半から20世紀初めにかけて，欧米列強による植民地化が進んだ時代である。実際，印僑，華僑（華人）と現在よばれる人たちの祖先は，この時代に南アジアや中国から海外へ移り住んだケースが多い。

このころアジアでは，列強諸国が開発したプランテーションや鉱山などで，大量の労働力が必要だった。しかし同時期，ヨーロッパではそれまで労働力の調達方法だった奴隷制が禁止されたために，新たな制度として年季奉公雇用が用いられるようになった。これは植民地政府が後ろ盾となった雇用契約にもとづく労働移動で，一見，自由意志にもとづく雇用制度のようにみえる。ところが実際多くの場合は，中国やインドの地方などに住む貧困層が奴隷のように売買され組織的かつ大量に海外へ送られたものだった。劣悪で危険な条件での渡航や就労だったが，こうした人々の故郷では絶対的な貧困や差別的な慣習があり，移動がそれらからの解放につながる生存のための手段と思われた点も忘れてはならないだろう。

この時期，数百万人規模の移民労働者と雇用者のあいだを仲介したのは，斡旋業務をおこなう人たちだった。ほかに，東南アジアの国々に居住する中国人入植者や，アフリカに住む南アジア人のように，植民地支配者と地元住民のあいだを取り次ぐミドルマンとしての役割を果たす移民もいたという（Amrith 2012）。

湾岸産油国や新興工業国での労働者として

第二次大戦後，アジアでは植民地支配から独立する国が続いた。多くの国の政府は工業化や近代的な農漁業を推進すると同時に，国際的な貿易，経済援助，投資も活用しようとした。その過程で外国文化の影響も強く受け，既存の生産様式や価値観の急激な変化を引き起こした。このような社会変容は，絶対的貧困や差別的慣習から逃れるためだけでなく，都市的生活への憧れや物質的豊かさを求めて都市や国外へと移動する人の増加に影響を及ぼした。

1960年代前後には，北米で医療従事者やエンジニアなどの専門職に従事する移民を受け入れる政策が始まり，アジアから北米へ向かう人の流れが顕著になった。当時，これらの国では移民が永住権や国籍を得ることが比較的容易だったため，アジア移民の多くは定住したが，その後次第に定住できる人数は縮小した。

1970年代半ばから，アジアは再び大規模労働移動の時代を迎えた。発端は，原油価格高騰による湾岸産油国での建設ブームである。南・東南アジアからインフラ整備のための大量の労働者（専門職従事者から非熟練労働者まで）や，富裕層や中間層の個人宅で家事を担当する女性が斡旋業者を通じて雇用された。湾岸産油国は移民の定住化を防ぐため，短期雇用契約以外認めないという非包摂型の移民政策をとり続けている。

1980年代になると，東・東南アジアの新興工業国／地域で労働力不足が発生し斡旋業者を介して外国人を雇用し始めた。これらの国々の場合はとくに，女性の著しい社会進出によって，外国人を家事労働分野で雇用する傾向が強くみられる。

これら20世紀後半に発生したアジアの労働移動の新たな潮流でも斡旋業者の役割が大きい点は，植民地期とよく似ている。いい換えれば，斡旋業者の存在とかれらのあいだのネットワークが1世紀を経た後も遠隔地間での大量の労働移動を即座に可能にした。斡旋業者が絡む負の側面，すなわち詐欺的な雇用契約，雇用主による一方的な給与の削減，支払いの遅延や不払い，劣悪な労働環境や虐待などが一部で起きている状況も変わっていない（Amrith 2012; Xiang and Lindquist 2014）。

グローバル化に伴う多様化・複雑化

1990年代以降，インターネットの普及や格安航空会社による通信・移動コストの低下に伴い，国境を越えた移動が活発になる時代が到来した。以前は移民労働者の受け入れや送り出しに消極的だった国々も，国内の人手不足解消や国際競争力強化を目的に，移民労働の導入に踏み切った。

こうした時代背景をもとに，アジアでは永住先を求めての直線的な移動よりも，二国間ないしは複数国間で一時的な就労を繰り返すタイプの移動が人々のあいだに浸透した。英語に堪能な高学歴の人や専門職従事者のなかには，給与や生活環境などの条件のより良い国を求め，移動を繰り返す「コスモポリタン」な移民が出現した。未熟練や半熟練労働者たちにも家族を養うためアジアの様々な国で短期契約の労働を繰り返す人が少なくない。中には，違法なルートで国外に出国したり，ビザが切れても帰国せずに違法な超過滞在者となったりする人もいる（Liu-Farrer and Yeoh 2018）。

まとめると，現在の労働移動は，渡航先も法律上の身分も多様化し，それらを組み合わせることで，中・長期にわたって国外で働く複雑なパターンが主流となりつつある。これが，先に述べたアジアの労働力の回路の内部で起きていることだ。

3 国家戦略・生存戦略の一環として

国家と労働移動

以上の歴史的経緯から，アジアでは程度の差はあれども政府が労働移動に関与する傾向があることや，移民労働者の定住については受け入れ国も送り出し国も一部の例外を除き想定していないことがわかる。

政府の関与を具体的にみてみよう。シンガポールは人口の約3割が外国人という移民受け入れ国の代表だ。1965年の建国以来，政府主導で急速な経済発展を遂げたが，その過程で必要な移民労働者を受け入れる制度を整備してきた。近年は全世界から優秀な人材を呼び込む策として高度人材に対して永住権や国籍の取得への道筋を定めた。だがその一方，移民の大半を占める非熟練・半熟練労働者に対しては，依然として永住権，国籍取得への道だけでなく，家族の帯同さえ認めない厳しい政策を貫いている（石井 2020）。現在の豊かさを維持するためには移民労働者が必要との意識はシンガポール市民のあいだで共有され，移民排斥の大きな声にはつながっていない。

送り出し国政府の動きとしては，1970年代半ばから国が海外出稼ぎを推し進めてきたフィリピンの例が有名だ。フィリピンは，船員，看護師，家事・介護労働者，溶接工，調理師，ホテルや外食産業のスタッフなど世界の労働市場で需要のある職種の技術訓練所を主要都市に設立し，国民を海外に送り出すための人材育成に力を入れてきた。くわえて，すべての海外就労者に，渡航先での問題対処や危機管理の方法を学ぶ出国前セミナーの受講を義務づけた。その結果，フィリピンは世界170か国／地域に様々な職種の移民労働者を送り出す出稼ぎ大国になった。私立の大学や専門学校でもこうした海外市場向けのコースは人気が高い（細田 2016）。「労働力輸出」政策の負の側面として，国内で必要とされる人材が不足する「頭脳流出」や，国内に残る家族らの海外送金への過剰依存といった問題も指摘されている。

移民たちのトランスナショナルな社会空間

国際的な労働移動の枠組みが整備されつつある現在，海外に家族や知人がいたり，自分も将来海外で働こうと計画していたりする人の数は年々増加している。国際労働移動は人々の生活や家計収入の一部になってきているし，移民産業も拡充されている。新型コロナウイルス感染拡大防止のための出入国制限などに伴う短期的な国際移民数の変動はあっても，中長期的にみれば，移民送り出し国で持続的な経済発展と社会の安定が続かないかぎり，国際労働移動の流れが全面的に止まるようなことはないだろう。

非包摂型の受け入れ国であるにもかかわらず，移民労働者の滞在が長期化する理由には，給与や雇用機会の格差以外の要素もある。シンガポール人材省が2019年に2,523人の未熟練・半熟練労働者，522人の熟練労働者を対象におこなった調査によると，多数（質問項目・対象によるが8～9割）がシンガポールの就労環境を好評価しており，その理由（複数回答可）として，両グループともに7割が選んだ「給料のよさ」に加えて，未熟練・半熟練労働者たちの6割は「安全で危険のない国」と「生活条件の良さ」の2つも選んでいた（石井 2020）。この調査結果から，移民労働者たちはホスト国の安全性や生活条件（逆にいえば本国の危険性や不便な生活）も重視しており，非常に不安定な身分での外国滞在であるにもかかわらず総合的に考えて国外に留まるほうを選択している様子がうかがえる。

かれらの短期滞在の長期化を支える基盤として，国家の枠組みを越えた**トランスナショナルな社会空間**の存在がある。移民労働者たちの多くは，インターネットを介した会話や送金で本国の家族とつながると同時に，出稼ぎコミュニティとでもよべる仲間たちも得て暮らしている。仲間となるのは同郷者，同国人，信仰集団，ボランティア集団のメンバーなどだ。移民労働者たちの渡航先国が多様化するにつれ，このようなコミュニティは他の国にある同種のグループともつながっていたりする。コミュニティで知り合う人を通じて，移民労働者は渡航先で生きていくための情報や知恵，いざという時のセイフティネット，異国での孤独さをやわらげ楽しむ仲間を得る。さらに，出稼ぎコミュニティですごす年月が長くなると，本国，ホスト国のいずれとも同質でないこのトランスナショナルな社会空間での生き方のほうが馴染むという人さえ出ている。

おわりに

日本を取り巻くアジアの労働移動の様子を統計データ，歴史，現状からみてきた。浮かび上がるのは，アジアにおいて労働移動が国家，雇用主，移民産業，移民本人やその家族を巻き込む形で流れが形成され，経済や社会を動かす力の1つになっていることだ。冒頭で述べたように，日本でも移民人口が増え，かれらの出身国が多様化してきているが，それはこうしたアジア全体の労働移動の動きと関係が強まってきていることの反映といえる。日本の移民労働者について考える際は，それを一国の現象として議論するのではなく，アジアを含めた世界的な潮流のなかで捉える必要があるだろう。

【細田尚美】

参考文献

安里和晃「親密性の労働と国際移動」安里和晃編『国際移動と親密圏――ケア・結婚・セックス』京都大学学術出版会，2018年，13-47頁。

石井由香「東南アジアの移民受け入れ国――移民政策と国民・移民関係の類型化」松尾昌樹・森千香子編『移民現象の新展開』岩波書店，2020年，91-112頁。

カースルズ，S.／M. J.ミラー著，関根政美・関根薫監訳『国際移民の時代 第4版』名古屋大学出版会，2011年。

佐藤忍『日本の外国人労働者受け入れ政策――人材育成指向型』ナカニシヤ出版，2021年。

法務省『在留外国人統計』，2020年6月，http://www.moj.go.jp/isa/policies/statistics/toukei_ichiran_touroku.html，2021年5月4日アクセス。

細田尚美・松尾昌樹・堀拔功二・石井正子「分断された社会空間を生み出す装置と人々の暮らし」細田尚美編『湾岸アラブ諸国の移民労働者――「多外国人国家」の出現と生活実態』明石書店，2014年，13-33頁。

細田尚美「海外就労」大野拓司・鈴木伸隆・日下渉編『フィリピンを知るための64章』明石書店，2016年，40-45頁。

松尾昌樹・森千香子「一元的な移動のあり方・捉え方を問い直す」松尾昌樹・森千香子編『移民現象の新展開』岩波書店，2020年，1-19頁。

Amrith, Sunil S., *Migration and Diaspora in Modern Asia*, Cambridge University Press, 2012.

Baas, Michael, “Brokerage, Gender and Precarity in Asia’s Migration Industry,” in Michael Baas ed., *The Migration Industry in Asia: Brokerage, Gender and Precarity*, Palgrave, 2020, pp. 1-10.

King, Russell, Ronald Skeldon and Julie Vullnetari, *Internal and International Migration: Bridging the Theoretical Divide*, Sussex Centre for Migration Research, University of Sussex, 2008.

Liu-Farrer, Gracia and Brenda S. A. Yeoh, “Asian Migrations and Mobilities: Continuities, Conceptualisations and Controversies,” in Gracia Liu-Farrer and Brenda S. A. Yeoh eds., *Routledge Handbook of Asian Migrations*, Routledge, 2018, pp. 1-18.

United Nations, Department of Economic and Social Affairs (UNDESA), *International Migrant Stock 2019*, https://www.un.org/en/development/desa/population/migration/data/estimates2/estimates19.asp, 2021年5月4日アクセス。

World Bank, *Personal Remittances, Received (current US$) 2019*, https://data.worldbank.org/indicator/BX.TRF.PWKR.CD.DT, 2021年5月4日アクセス。

Xiang, Biao and Johan Lindquist, “Migration Infrastructure,” *International Migration Review*, 48 (1), 2014, pp. 122-148.

文献紹介

① ロビン・コーエン著，小巻靖子訳『移民の世界史』東京書籍，2020年。

移民研究の大家，ロビン・コーエンが，地球規模での人類の移動の歴史をテーマごとにたどる。写真，地図，グラフが多数掲載されており読みやすい入門書。学問的な背景知識を求める人は，**S. カースルズ／M. J. ミラー著，関根政美・関根薫監訳『国際移民の時代**

第4版』（名古屋大学出版会，2011年）が移民に関する研究を分野横断的にまとめており，基本図書として利用できるだろう。

② 首藤もと子編『東南・南アジアのディアスポラ』／陳天璽・小林知子編『東アジアのディアスポラ』明石書店，2010年・2011年。

両方とも明石書店の「叢書グローバル・ディアスポラ」から出されたもので，アジア主要各国の移民の歴史と現状を概観するのに役立つ。あわせて，アジアの移民現象に関する多彩なトピックと日本のアジア系移民の現状について概説する，**吉原和男ほか編『人の移動事典――日本からアジアへ・アジアから日本へ』（丸善出版，2013年）**もおすすめだ。

③ 松尾昌樹・森千香子編『移民現象の新展開』岩波書店，2020年。

グローバル化時代といわれる現在，人の移動は，かつての「南（途上国）から北（先進国）へ」だけでなく，様々な方向へ，多種多様な人が動いている。本書は近年顕著になった「南から南へ」や「北から南へ」など新しいタイプの移民現象の実態と人の移動に関わる制度を紹介しており，私たちに移民に対するイメージの転換が必要なことを伝える。

第7章 難民

国民国家の暴力が生み出した地位を生きる人々

“アジアで生じる難民をめぐる問題とは何か,
私たちがかれらと共生する道筋とはどのようなものなのか”

テレビやインターネットのニュースで難民をめぐるトピックが頻繁に取り上げられるように,私たちの生きる世界にとって難民とよばれる人々のプレゼンスはこれまで以上に高まっているといえるでしょう。この章では難民の捉え方を学ぶとともに,かれらと私たちが共に生きる道筋について考えてみましょう。

キーワード UNHCR,難民,庇護,難民条約,法的地位
関連する章 第6章,第8章,第9章

はじめに

2021年6月に国連難民高等弁務官事務所(**UNHCR**: United Nations High Commissioner for Refugee)が発表した報告書によると,2020年末時点で世界に暮らす**難民**の数が8,240万人に達し,過去最多になった。このことが報道された世界難民の日(毎年6月20日)の2日後,日本滞在中に軍のクーデターに対する抗議を表明したミャンマー代表のサッカー選手ピエ・リヤン・アウンさんが**庇護**を求めて大阪出入国在留管理局で難民認定を申請したことがニュースとなった。これにかぎらず,メディア上には難民をめぐる語りが充溢している。本章は,「難民」とよばれる人々について理解を深めるとともに,かれらの存在から私たちが生きる世界を逆照射することを目的とする。

ところで,難民という言葉を聞いたとき,みなさんはどのような人々の姿を

思い浮かべるだろうか。枯れ枝のように痩せ細った手足とは対照的な隆起した腹部を抱え，目に涙を浮かべながらこちらをまなざす子どもや，衰弱する我が子を胸元に抱き抱えながら途方に暮れる母親の姿だろうか。あるいは，有刺鉄線が張り巡らされた国境のフェンスを大挙して乗り越えようとする男たちの姿だろうか。難民を代表／表象するものとしてメディアで取り上げられがちなこれらのイメージは確かに難民の生の一端を切り取るものである一方で，難民として生きる個々人がこうしたイメージに収まり切ることのない生を生きていることもまた疑いがない。

では，私たちのイメージをこのような形で形成してきた難民という枠組みはどのようにもたらされたのだろうか。ここで注目すべきは，今日の私たちのイメージする難民像が往々にしてアジアやアフリカの人々に結びつけられるのに対し，**法的地位**としての難民が誕生したのはヨーロッパにおいてであり，それ以前には難民というカテゴリーは存在しなかった，という事実である。第一次世界大戦期のヨーロッパで迫害を受けた人々の大量移動と，かれらの国際的庇護の制度化をめざした国際連盟の働きが，法的地位として難民を登場させ，ここでの議論は第二次世界大戦の戦禍を逃れるために国境を越える人々にも適用されたのだった。

そして，両大戦期を通じて論じられた難民は個人ではなく集団としての難民であり，政治的な理由で移動を余儀なくされた人々のことを指していた。こうした政治的な理由を重視した難民の定義は，第二次世界大戦後の1950年に設立されて以降，数々の難民問題に従事してきたUNHCRの定義にも色濃く表れている。UNHCRは，1951年と1967年にそれぞれ締結された「難民の地位に関する1951年の条約」および「難民の地位に関する1967年の議定書」の総称である**難民条約**の第1条で以下のように難民を定義する。いわく，難民とは「人種，宗教，国籍もしくは特定の社会的集団の構成員であることまたは政治的意見を理由に迫害を受けるおそれがあるという十分に理由のある恐怖を有するために，国籍国の外にいる者であって，その国籍国の保護を受けられない者またはそのような恐怖を有するためにその国籍国の保護を受けることを望まない者」である。そして，難民の庇護や人道上の観点から，難民の入国拒否や強制送還を禁止する「ノン・ルフールマン原則」を難民条約第33条は掲げ，その遵守を国際社会によびかけてきた。

さて，以上の定義は，当人の帰属や政治的意見を理由に迫害されるおそれがあるという「十分に理由のある恐怖を有する」という部分に代表されるように，私たちが思い描く難民の姿と重なり合うものである一方（あるいは，であるがゆえに？），「誰が難民でそうでないのか」をめぐって，カテゴリーの細分化やそれに起因する混乱をもたらすことになる。たとえば，難民とは国境を越えて移動した国際的な保護の対象となる無力な人々を指し，自発的かつ主体的に移動してきたがゆえに保護の対象とならない「移民」と区別されてきた（柄谷 2014)。また，UNHCRの難民の定義は，ヨーロッパ外の地域の状況や，また，近年のグローバル化や気候変動がもたらす生活環境の複雑化や不確実性のなかを生きる人々の状況を捉えるには十分ではない。結果的に，UNHCRの定義からこぼれ落ちるがゆえに庇護を求めているにもかかわらずうまくその存在を捉えられない人々をも生み出してきた。こうした状況に対して，UNHCRは国内に留まりながら避難生活を送る「国内避難民」（2020年時点での難民人口の大半を占めているのは実は国内避難民であり，その数は4,800万人強にも上る）やいずれの国家の国籍も有さない「無国籍者」，地球温暖化や各種環境破壊によって近年急増している「環境難民」に対しても目配りしている。しかし，国内避難民の問題は依然として難民条約の範囲外であること，すなわち国内避難民の苦境は内政問題であると事実上認めており，かれらに対する庇護や支援は非政府系組織に委ねられているのが現状である。

以上のように，難民をめぐる状況は複雑性を増しており，ケースごとに難民をめぐる国家あるいは非政府系組織による取り扱いが異なっているのが現状である。とまれ，（難民をめぐる現行の定義の可否や賛否の判断はいったんさておいて）法的な定義にもとづいた国家レベルでの現行の用法からいえば，難民として認定され，メディア報道される人は，集団としての属性を理由として国家が是認する政治的迫害によって当該国家から排除されるために他国に庇護を求める人々であり，上述の集団的属性に合致した（と考えられる）個人であるといえるだろう。本章の以下の記述は，基本的にはこの理解に則るものである。

1 アジアで暮らす／から出ていく難民

アジアにおける国民国家の暴力と難民の歴史

世界やアジアの歴史を少しでも学べば，強制的な形で国を追われた多くの人々の存在について私たちは知ることになる。しかしながら，上述のように，こうした人々が難民と分類されることになるのは第二次世界大戦以降のことである。せいぜい80年ほど以前のことであるとはいえ，今日，難民とよばれる多くの人々がアジアの各国に暮らし，その人口は世界最大であると言われている（Khadria 2016）が，国家の分離独立による生活環境の変化や統治体制の変化など，国家内におけるマジョリティとマイノリティとの共生をめぐるバランスの変化や政治経済的な力関係の反転に起因する暴力への予感やその発動により，人々は故郷を離れるという判断をすることになる。

難民を生み出すこのような構図について南アジアからみていくと，1947年のインドとパキスタンの分離独立に際して発生した両国間の国境を移動する難民や1971年の東パキスタンからのバングラデシュ独立をめぐる戦禍や迫害を逃れてインドに流入したバングラデシュ難民，中華人民共和国による統治を逃れるために1959年前後にチベットを離れてインドやネパール，ブータンに到着したチベット難民，1983年以降のスリランカでの内戦によって国を追われインドに避難したタミル難民など，枚挙にいとまがない。「幸福の国」ブータンからも1980年代にネパールやインドへと避難したブータン難民がいるし，1978年のクーデターと翌年のソ連軍による侵攻を受けパキスタンなどの隣国に避難したアフガニスタン難民は，1990年時点で世界最多の難民となった。同国は2020年末時点でも世界で3番目に多く難民を輩出しており，2021年8月，アメリカ軍が撤退を決めて以降，タリバンの統治を恐れてさらに多くの人々が自由や安全を求めて欧米各国や近隣国のパキスタンやタジキスタンなど国外に脱出しようとしている様を捉えた報道などは，読者の記憶にも新しいだろう（なお，本章では扱えないが，2020年時点で世界最大の難民送り出し国は，「アラブの春」以降，内戦が10年以上にわたって続いているシリアである）。

東南アジアや東アジアについては，ベトナム戦争が終結した1970年代以降，ベトナム，ラオス，カンボジアがそれぞれ社会主義的統治を進め，そこでの迫害を恐れた結果，人類史上最大の人口移動の1つとよばれる規模の人々が故郷を後にした，華僑を中心としたインドシナ難民に触れないわけにはいかない。インドシナ難民は当初，東南アジア諸国連合（ASEAN: Association of South East Asian Nations）など近隣諸国に自らの庇護を求めたのだが，受け入れをそれら近隣諸国が拒否した結果，多くの人々が北米をめざしてそれぞれの故郷を離れた。そのなかでも，危険を冒して木造船で海を渡って香港などに安住の地を求めた何万人もの人々は「ボート・ピープル」とよばれていた。1980年代，かれらが日本に到着する姿を捉えたニュースやその映像が日常的に報道されていたことを筆者も朧げながら覚えている。とはいえ，人類史上最大規模といわれたインドシナ難民の国外流出は1979年をピークに徐々に減少していったといわれている。他方，現在では世界で5番目に難民を輩出する国家として知られるミャンマーは，断続的に難民を生み出し続け，その傾向は現在進行形で続いている。たとえば，ここ数年の報道からミャンマーを追われ隣国に暮らすロヒンギャの人々について聞いたことのある人も多いだろう。しかしながら，ミャンマーを離れてタイなどの隣国で生を営む難民はロヒンギャだけではなく，非ロヒンギャのミャンマー人ムスリムや，カレン族などの少数民族に対する政府（やマジョリティであるビルマ族）による差別や迫害，弾圧は，ミャンマーにおける少数派の生活を困難なものとし，結果的に新たな難民を生み出し続けている。少数者に対する歴史的な経緯に加え，ミャンマー軍による2021年のクーデター以降，政治的亡命するマジョリティの人々が今後増えていく可能性がある。同様の事態は，中国本土の影響力が高まる一方の香港を離れる人々にもいえることだろう。政治情勢の変化によって社会のマジョリティが突如マイノリティになり，国を追われる事態が決して珍しくなくなった不確実な時代の様相を，私たちはこれらの出来事を通して目撃しているといえるかもしれない。

移動を繰り返す難民

さて，ここまでいくつかの事例を紹介してきたが，かれらのなかには故郷を離れて最初に到着した近隣諸国からさらに他国へと避難・移住する人々がいる。たとえば，チベット難民の人々は，2009年に発表された人口調査の結果によれば，インドやネパールなどの南アジアの国々に設けられた難民居住地に集住したり，各都市部でそれぞれが仕事を得て暮らしている人々が人口の大多数を占めていた。アメリカ在住者の増加傾向はみえていたものの，それでも南アジア外で暮らす人々はその一部にすぎなかった。しかしながら，現在ではアメリカやフランス等の欧米諸国に暮らすチベット難民が総人口の約半数に達したことを2020年に発表された人口動態調査は明らかにした。そして，この移住に連動して，南アジア諸国では多くの場合選択肢になかったホスト国の国籍取得を選択するチベット難民の人々が増加している。故郷を離れて一旦近隣諸国で生活したのち，そこよりもましな生活の場を求めて移動するインドシナ難民やチベット難民のような人々は決して少なくない。生活環境に何かしらの不満を覚えた結果，その解決を求めて私たちが引っ越しをすることがあるように，難民の人々もまた，移動を通じて自分たちにとってのより良き生のあり方を模索するのである。

ここまで故郷を離れる難民についてとくに取り上げてきたが，アジアの難民受け入れ国についても簡単に記述したい。アジアの国々のいくつかは，難民受け入れ国としても知られている。たとえば，パキスタンはアフガニスタン難民をはじめ140万人の難民を受け入れているし，バングラデシュも90万人ほどの難民を受け入れているといわれている。ここまで名前のあがっているインドやタイなども難民を一定数受け入れている一方，両者とも難民条約に批准していないため，法的に難民という存在を認めておらず，難民の受け入れや庇護に対して積極的ではない。国家の政策方針によってそもそも難民を認めるか，誰を難民とするか，そして，難民をどう扱うか，が変わることについては第3節で詳述するが，難民として分類されうる人々をめぐるカテゴリーの細分化や混乱は，難民研究にも散見される事態となっている。次節では研究者が難民をどのように捉えてきたか，簡単に紹介したい。

2 研究者は難民をどう捉えてきたか

難民研究の概略

難民研究は，難民保護の制度化のタイミングと重なる両大戦期をその黎明期とし，1930年代にいくつかの著作が発表されている。以後，1980年代まで難民に関心をもつ研究者が散発的に研究業績を積み重ねていくが，難民研究が学問領域として形をなしたのは，1982年にオックスフォード大学に「難民研究プログラム（のちの難民研究センター）」が設けられ，88年に『難民研究ジャーナル』が同大学より発行されたことが重要な契機となった。同時期にはカナダのヨーク大学に「難民ドキュメンテーション・プロジェクト」や「難民研究センター」が設立され，この両大学が難民研究をリードし，この後，各種学会や学会誌が創刊されてきた（墓田 2014: 9-10）。

本格的に難民をめぐる研究が進展した1980年代から，政策策定や庇護の要求にとどまらない学問的関心を難民研究は引きつけてきた。法学，国際関係論，社会学，文化人類学，歴史学等，様々な学問分野が難民研究に従事してきたが，これらの研究分野の多くが学問領域内に自閉することなく相互に影響を与え合い，学問分野は違えど，何かしらの形で難民問題の解消をめざすという共通点をその核心として有している。移民研究とは別の潮流で独自の展開をしてきた難民研究は，90年代以降，「強制移動研究」という枠組みのもとで展開してきた。以降，難民研究は，「はじめに」で述べた国内避難民や環境難民等も含めた，旧来の難民概念では包摂できない人々に対する研究を推進することになった。また，難民をめぐる状況の変化に即して，難民を研究する場をいわゆる発展途上国の難民キャンプに限定せず，難民人口の多数を今や占めるといわれる都市生活者としての難民を取り扱う研究や難民として暮らす人々が経験するジェンダー問題や世代間問題，あるいは身体障害を抱える難民の生のあり方など，難民カテゴリー内部の多様性に焦点を当てる研究も登場してきた。こうした傾向は日本の難民研究にも見出すことができる。

難民概念をめぐる視点の乖離と対応

とはいえ，避難を強制され故郷を離れる人々のリアリティを捉えようとする人文社会科学の難民概念理解やその再構築に起因した難民研究の多様化・細分化する方向性は，あくまで法的カテゴリーとしての難民概念に依拠する国家レベルでの議論と大きく乖離しているのが現状である。たとえば，近年の難民研究や強制移動研究は，法的枠組みに拘泥することなく，難民個々人の経験やそれを語る声に着目してきた。また，「難民＝被害者」と単純化するのではなく，逃亡における意思決定等，難民自身が行使する行為主体性に着目し，主体としての難民という視座を提供してきた。しかしながら，難民をめぐる国家レベルでの議論の争点は，あくまで難民を操作や選別の対象＝客体としたうえで国内へのかれらの受け入れを最小化する方法や，難民として受け入れた後も国家の管理下に囲い込むためのものが中心となり，難民研究の方向性との乖離が甚だしいものとなっている。

また，難民研究を包含する強制移動研究においては，21世紀以降，自らの研究領域をめぐって活発な議論がなされてきた。たとえば，「難民は脆弱な人々で，移民は冒険や労苦を自主的に選択した者といった単純な線引きは，非現実的である」と柄谷利恵子が正しく指摘するように（柄谷 2014: 72），難民と移民のカテゴリーの境界や強制移動と自発的移動の境界を問い直す動きが出ているし，強制の度合いの強弱をめぐる問題や，ホスト国の国籍を取得した後も「難民」というカテゴリーで自己規定する人々の存在など，強制移動研究の枠組内で難民研究が取り扱う対象がこれまで以上に多岐にわたり，研究遂行にあたって考慮に入れておかなければならない点も多様化している。その結果，難民をめぐる定義は畢竟曖昧なものとなり，完全な定義をめざすことは非常に困難となる。こうした状況に対応するために，文化人類学では，筆者のように当事者が日常的に「難民」という概念で自己発信している場合には，当事者の意向を反映する形で難民という枠組みを暫定的に用いる研究者もいれば，「越境先の受入国による庇護を受ける者，もしくは国家の庇護を受けられずに境界状態の不安定さを抱えるので，被支援者と分類され非国家主体の支援を受ける者」（久保 2014: 32）と難民を定義し，議論する研究者もいる。

3 難民をめぐる国家政策

難民に対する国民国家の論理と国民からの反感

上述のいずれの定義を採用するにせよ，難民とは国家の暴力によって自らが暮らしてきた生活の場を離れて暮らすことを（かれらなりの判断や強制の強弱の相違を伴いながらも）強いられてきた存在である，という点については疑いがない。

そして，難民を受け入れる「ホスト」側の人々もまたいずれのケースにおいても存在する。しかしながら，難民がホスト側から無条件に歓待されることはほとんどないのが実情である。難民研究者のリーサ・マルッキは，難民が近代国民国家の存在を当たり前のものとする「事物の国民的秩序」という枠組みから外れた存在で国民国家の秩序を混乱させる「穢れた」存在であるがゆえに排除されてきたと指摘し，最終的に国民国家の秩序のなかに回復されなければならない存在としてみなされてきた背景を論じてきた（Malkki 1995）。国民国家とその枠組みから外れることに起因する「穢れ」の問題に私たちの難民に対する排除の感情の根源を見出すマルッキの人類学的な指摘に加えて，難民の受け入れをめぐって生じる政治経済的な言説についても目配せしておく必要があるだろう。

私たちが近年よく耳にする難民受け入れをめぐる否定的態度としては，難民の流入に起因する治安悪化への懸念や，安価な労働力として難民が雇用されることによる国民の失業問題への懸念，そして，緊縮財政のせいで希少化されてしまった社会的リソースを納税者である国民にではなく難民に無償提供することに対する批判などがあげられる。難民受け入れ制度をめぐる2020年の欧州連合（EU: European Union）の議論に代表される政府レベルの議論に着目すれば，特定の国家に難民が流入することを重荷と捉え，それを公平に分配しようという国際的議論がなされている。これらの言説や実践が表すように，難民はホスト国やホスト国民から庇護や扶助の対象としてよりも重荷や負担としてみなされ，できれば受け入れたくない，仮に受け入れるにしても十分に選別したうえで受け入れられるべき存在として扱われている。こうした難民をめぐる国家の政策やそれと相補的関係にある社会的傾向を捉えるとすれば，「庇護から選別へ」移行しているのが昨今の傾向であるといえる。

上記の一般的な傾向をおさえたうえで指摘したいのが，国によってUNHCRの難民条約に対する立場が異なっている，という事実である。アジアの国々のなかで難民条約に批准・加盟している国家は10か国に満たない。難民条約に批准・加盟していれば，UNHCRが『難民認定基準ハンドブック』で主張する「人は，難民条約の定義に含まれている基準を満たすやいなや同条約上の難民となる。これはその難民の地位が公式に認定されることに必ず先行しているものである」という原則は，難民であれ，難民申請者であれ適用される。逆にいえば，難民条約に批准・加盟していない国家では，国内法上，難民というカテゴリーが存在しない＝難民という人や集団は法的に存在せず，また，難民条約の文言も政府の政策に大きな影響を及ぼすことはない。たとえば，難民条約に批准・加盟しないインドには難民のための法律は存在せず，かれらの法的地位は外国人法と市民権法に則ってあくまで外国人として処理される（ただ，チベット難民のようにインド政府に事実上の難民として認定されて，居住地や福利厚生を提供されている例もある）。また，難民条約に批准・加盟しない国々に暮らす人々は，UNHCRの難民定義を満たしている人々であっても難民とみなされないため，到着国の政府は庇護の義務を負わず，必要な援助が与えられないことがままある。さらに，到着国の領土内でのUNHCRによる難民支援活動を政府が積極的に是認しない場合もある。加えて，こうした国家では難民条約33条が定めた難民の入国拒否や強制送還を禁止する原則である「ノン・ルフールマン原則」が適用されず，ネパールに暮らすチベット難民のように，UNHCRの介入を聞き入れずに政府の判断で迫害が待ち受ける故郷へと難民とみなされるべき人々が強制送還されることもある。

日本の難民政策

他方，難民条約に批准・加盟している国々についてはどうだろうか。日本は1979年以降，欧米諸国からすれば小規模ながらインドシナ難民を1万人程度受け入れ，1981年には難民条約に加盟した。そして，2010年，日本政府はアジア初となる第三国定住パイロット制度を開始し，以降，タイの難民キャンプで暮らすミャンマー難民を「第三国定住」という形でこれまで200名程度受け入れてはいる。しかしながら，政治的理由を装って実際は日本での就労をめざすために難民申請するいわゆる「偽装難民」を警戒する日本政府の難民に対する政策はかなり厳しいといわざるをえない。日本政府の公認のもとで難民として暮らそうとする人々は，「はじめに」で言及したピエ・リヤン・アウンさんのように出入国在留管理局に難民認定を申請する必要がある。その後，難民認定のプロセスのなかで，難民認定申請者は，迫害の度合いや難民として申請することの正当性を自分で立証することが求められる。とはいえ，難民申請する個人がこれらを立証することがきわめて困難であり，UNHCRの『難民認定基準ハンドブック』に記載されている「疑わしきは申請者の利益に」の原則からすれば，申請者に過剰な負担を強いていることになる。そして，難民認定に対する日本政府の困難な要求は，難民受け入れ数に如実に反映されている。法務省が発表した2019年度の難民受け入れ数は，1万375人の申請に対して44人であり，これに人道上の配慮から在留許可が与えられた37人を加えても81人であり，申請を受理されなかった人々は国民でも難民でもない外国人として位置づけられ，在留資格を失えば出入国在留管理局に収容され最終的に国外退去を命じられる（2010年以降では，申請1,202名に対して難民認定39名，在留許可363名の2010年が最多である）。同年のドイツ（5万3,973人）やアメリカ（4万4,614人）の受け入れ数と比較すると，日本の受け入れ数は圧倒的に少ないことがわかる。単に受け入れ数を比較するだけではなく，人口や国の土地面積の大小等，様々な点を考慮に入れて論じられるべき問題ではある。しかし，日本政府が十把一絡げに「偽装難民」として警戒する経済難民も他国では精査の上で難民として認定されており，政治難民と経済難民を二分化し，政治的理由のみを是とする日本政府の難民政策には国際社会からも厳しい声が寄せられている。

とはいえ，様々な事情で故郷を後にすることとなった難民の人々にとっては，難民を取り巻く国際情勢がいかに不利であろうとも，ホスト国において庇護を求め，あるいはよりマシな生存環境を求めるのは自然なことであるといえる。そして，アジアに限らず，今日，難民流出を生じさせるような政策や紛争は往々にして，日本政府や日本の企業による政治経済活動と直接的間接的な形で結びついている。その利益を大なり小なり享受してしまっている私たちにとって，難民の問題は，決して他人事とはいえないのである。

おわりに

UNHCRは，①難民の本国への自発的帰還，②難民を受け入れた庇護国への定住，③第三国への定住の3項目を難民問題の解決として位置づけている。しかし，今日では故郷の外での居住は長期化する一方で，問題解決①は相当困難な選択肢になっている。結果的に，②と③が難民にとっての「一時的解決」となり，そのような難民（そして難民として認定されることを願いながら申請する人々）との共生が私たちにとっても要求されることになる。とはいえ，私たちが日常において難民の人々と出会うことはなかなかないし，共生といわれてもピンとこないかもしれない。その一方で，上記のように，日本で難民申請する人は近年，毎年1万人程度いるし，その数は増加傾向にある。このことからわかるように，私たちの周りに難民，あるいは難民申請している人がいても不思議ではないし，上述のように，難民の問題は，私たちの享受する日常的な豊かさと結びついていることが多いがゆえに他人事ではない。

こうした人々と私たちがまがりなりにも共生するうえでまず必要なことは，いうまでもなく「知る」ことである。難民に対するネガティブな語りや見解は，往々にして「知らない」ことに起因する。私たちは，よく「知らない」ものに対して恐怖や不安を覚え，攻撃的になり排除してしまう。とくに，私たちの日常とは縁遠いとみなされる難民は無関心の対象となりやすく，結果的に「知らない」ままですませてしまい，「知らない」がゆえにいざ難民について語る必要に迫られるとこちらの偏見をさらすことになる。私たちのこうした態度は，故郷を離れて日本に安住の地を求める難民の人々を二重三重に苦しめる結果となる。それを避けるためにも，日本の難民政策や日本に暮らす難民の人たちのことを「知る」ことは重要であり，その「知る」という過程は，私たちが当たり前としてきたものの見方をあらためて「知る」過程ともなるだろう。たとえば，日本で難民申請する人々すべてを受け入れることはできない，という意見をもっているとして，その際，「この人は受け入れるがあの人は受け入れない」という判断の前提とはいかなるものなのか，と考えてみることは重要だろう。

もちろん，他者との共生とは時に面倒なものであり困難なものでもある。しかしながら，故郷を離れる際に心身ともに苦痛を経験したであろう人々を拒絶し追い返すような社会は私たちにとっても住み良い社会なのだろうか。難民の人々が経験したように，このような社会は，情勢が変われば私たちを突如難民の地位に追いやる社会なのではないだろうか。苦しむ者と共に歩める社会とは，私たちにとっても住み良い社会に違いなく，そのような社会を作っていけるかの1つのポイントが，私たちが難民といかに共にあるか，というところにあるのかもしれない。そのためにも，読者にはまず難民について「知らない」ことを知ってもらいたい，というのが筆者の願いである。

【山本達也】

参考文献

柄谷利恵子「『移民』と『難民』の境界の歴史的起源——人の移動に関する国際レジームの誕生」墓田桂・杉木明子・池田丈佑・小澤藍編『難民・強制移動研究のフロンティア』現代人文社，2014年，60-74頁。

久保忠行『難民の人類学——タイ・ビルマ国境のカレンニー難民の移動と定住』清水弘文堂書房，2014年。

国連難民高等弁務官（UNHCR）駐日事務所『難民認定基準ハンドブック』，2015年，https://www.unhcr.org/jp/wp-content/uploads/sites/34/protect/HB_web.pdf，2021年7月29日アクセス。

墓田桂「難民・強制移動研究の新たな課題」墓田桂・杉木明子・池田丈佑・小澤藍編『難民・強制移動研究のフロンティア』現代人文社，2014年，8-22頁。

Khadria, B., "Migration and Development: A View from Asia," in Anna Triandafyllidou ed., *Routledge Handbook of Immigration and Refugee Studies,* Routledge, 2016, pp. 243-253.

Malkki, L., *Purity and Exile: Violence, Memory and National Cosmology among Hutu Refugee in Tanzania,* University of California Press, 1995.

文献紹介

① 内藤正典『外国人労働者・移民・難民ってだれのこと？』集英社，2019年。

本書は，難民のみならず類似するカテゴリーに分類される人々を取り巻く制度や様態について平易に記述した労作であり，共生についてのヒントも含まれている。これを読んだうえで，**滝澤三郎・山田満編『難民を知るための基礎知識——政治と人権の葛藤を越えて』（明石書店，2017年）**を読めば，難民について知っておくべきことを大体おさえることができるだろう。

② 墓田桂・杉木明子・池田丈佑・小澤藍編『難民・強制移動研究のフロンティア』現代人文社，2014年。

UNHCRに関する論稿が収められていないのが惜しいとはいえ，本書を読めば難民研究の流れについて体系的に理解することができる。類書として，**小泉康一『「難民」をどう捉えるか——難民・強制移動研究の理論と方法』（慶應義塾大学出版会，2019年）**があるが，こちらは学問分野をより広く網羅している。

③ 安田菜津紀『故郷の味は海を超えて——「難民」として日本に生きる』ポプラ社，2019年。

難民との共生を考えるうえで一番大事なのは，難民を枠組みではなく顔の見える存在としてあらためて認識することである。本書は，日本に暮らす難民の人々の生活や日々の営みを「食」を通じて紹介するものであり，読者に具体的な個人として難民を知ってもらうにはうってつけの書籍である。

第 8 章　人身売買

アジアの豊かさと貧しさが引き寄せる人身売買

“人身売買はどのような犯罪で，何が原因で発生し，
どのように解決したらよいのだろうか”

人身売買は全世界でみられる国際犯罪ですが，とくに，貧富の格差が激しいアジア地域において凄惨な被害をもたらしています。国連総会は人身売買を禁止する条約を採択しましたが，いまだに人身売買は根絶できていません。本章では，アジア地域に焦点をあて，人身売買がいかに深刻な被害を人々にもたらしているのか，なぜそのような被害が生じているのか，さらには人身売買をなくすためにはどうしたらよいのかを考えます。

キーワード　人身売買，性的搾取，技能実習制度，プッシュ＝プル要因
関連する章　第3章，第6章，第7章

はじめに

今日の国際社会はグローバル化が進み，私たちの生活を豊かにする一方で，いわゆる負のグローバル化ともいえる犯罪の越境が問題となっている。その国際犯罪として，武器，麻薬と並んで問題となっているのが**人身売買**である。人身売買の加害者は，被害者を金銭と交換して自由を奪い，奴隷として扱う。被害者は心身ともに支配され，搾取され，必要がなくなればモノのように捨てられる。人身売買によって豊かさと自由を謳歌している人々がいる一方で，その対極に押し込められる人身売買の被害者が世界中に数多く存在している。しかし，いまだにこのような人身売買は根絶されていない。加害者が検挙されて犯

罪が表面化しているが，それは氷山の一角にすぎないといわれている。

1 人身売買の定義

それでは，人身売買とはそもそもどのような犯罪を指すのであろうか。2000年11月，国連総会は，組織的な犯罪集団への参加や共謀，犯罪収益の洗浄（マネーロンダリング）や腐敗などに対する処罰などを定める国際条約「国際的な組織犯罪の防止に関する国際連合条約」（以下，国際組織犯罪防止条約）を採択した。同条約は，人身売買（人身取引），密入国，銃器に関する3つの追加議定書を設け，国際犯罪に対応する制度を整備した。このなかで，「国際的な組織犯罪の防止に関する国際連合条約を補足する人（特に女性及び児童）の取引を防止し，抑止し及び処罰するための議定書」（以下，「人身取引議定書」）は，人身売買を犯罪化し，その防止と処罰について規定を置いている（A/RES/55/25 2000）。

人身取引議定書によると，人身売買とは，臓器売買や強制労働，**性的搾取**といった搾取を目的として，被害者を暴力や脅迫を用いて連れてきたり，誘拐や詐欺によって，さらには金銭やなんらかの利益の授受などの手段を用いて獲得したりして，被害者を支配下に置くことである。また，人身売買の被害者が搾取に同意したとしても，前述の手段が用いられた場合は人身売買とみなされるし，被害者が子どもの場合はこれらの手段が用いられない場合でも搾取を目的とするだけで人身売買とみなされる（中村 2008）。

2 アジアにおける性的搾取を目的とした人身売買

性的搾取の実態

つぎに，アジアにおける性的搾取を目的とした人身売買の現状について紹介してみたい。アジアの貧しい地域から豊かな地域へと人々は集まるが，その際に人身売買の犠牲になる人々がいる。

たとえば，ミャンマーでのロヒンギャ人に対する人身売買について考えてみよう。ミャンマーでは少数派のロヒンギャ人が弾圧を受けて，難民キャンプでの生活を強いられ，その難民キャンプでの劣悪な環境を逃れるために周辺諸国に脱出している。そこで暗躍するのが人身売買のブローカーである。難民はバングラデシュのダカや海外においてメイドや，ホテルやレストランのスタッフとして働けると甘い言葉でそそのかされて人身売買の犠牲者となる。また，人身売買によって性産業に従事させられることがわかっていながらも，絶望的な貧困状況から逃れるために斡旋者のいうなりに売られる女児もいる。貧困か売春のどちらを選択するのかという問題である。さらに，ロヒンギャ難民の子どもたちのなかには，バングラデシュのダカ，チッタゴン，ネパールのカトマンズ，インドのコルカタに売られる者もおり，国際犯罪組織がその仲介に暗躍している（BBC 2018）。

性的搾取の傾向

このような人身売買の被害は，ミャンマーのロヒンギャ人に限られたものではない。人身売買は全世界に被害を及ぼすだけでなく，アジア地域においても頻発する国際犯罪である。とくに，深刻なのは，女性や女児に対する性的搾取である。国連薬物犯罪事務所（UNODC: United Nations Office on Drugs and Crime）の報告書 *Global Report on Trafficking in Persons*（2020年版）によれば，2018年以降の人身売買被害者は約4万9,000人で，被害者全体の約7割が女性と女児であり，女性・女児ともにそのほとんど（7割以上）が性的搾取のために売買されていた。人身売買の搾取の目的全体からみると，性的搾取を目的としたものが50%，農業，建設業，水産業，鉱業などで搾取される強制労働が38%，その他，臓器摘出や強制結婚，物乞いや窃盗等をやらせるための人身売買が12%となっており，性的搾取を目的とした売買が大きな割合を占めている。

さらに，UNODCの報告書（UNODC 2020）によると，2018年以降の東アジア・太平洋地域における人身売買被害者数は約6,000人で，その搾取の形態は性的搾取が64%，続いて強制労働が29%，その他が7%と，圧倒的に性的搾取が多い（**図8-1**）。また，人身売買被害者の内訳をみてみると，女性と女児の被害者が全体の69%を占めており，東アジア・太平洋地域では女性・女児に対する性的搾取を目的とした売買が顕著であることがわかる（**図8-2**）。

図8-1　搾取の形態

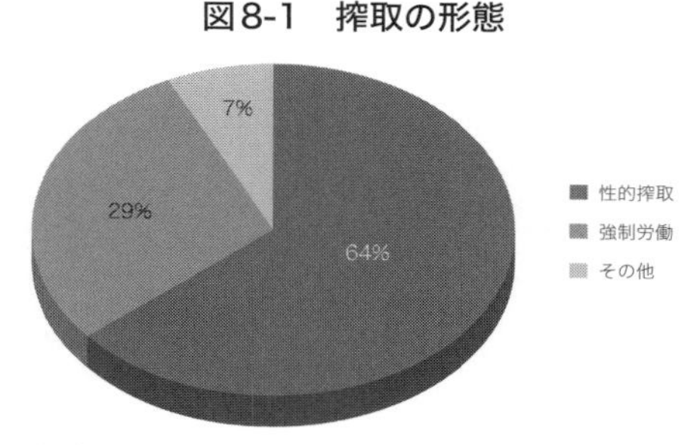

出所：UNODC, *Global Report on Trafficking in Persons*, 2020のデータより筆者作成。

図8-2　被害者の内訳

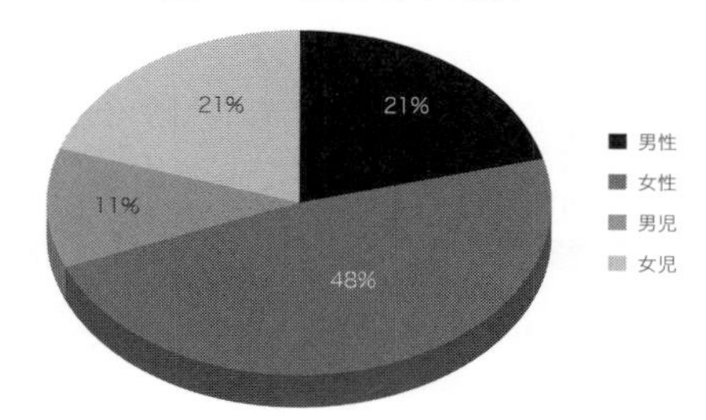

出所：UNODC, *Global Report on Trafficking in Persons*, 2020のデータより筆者作成。

3 アジアにおける強制労働としての技能実習

技能実習制度の導入と課題

日本では，少子化・高齢化が急速に進んでいるので労働力の確保が急務であり，とくに，農業，漁業，製造業などにおいては外国から安い労働力を投入しなければ存続するのが難しい状況である。そこで考えられたのが**技能実習制度**である。日本の技能実習制度をめぐる問題について考えてみよう。

2011年に来日したトクナンさんは岐阜県の鋳造会社で技能実習生として働いていたが，従業員寮で心疾患のために亡くなった。28歳の若さであった。当時の岐阜県の最低賃金である707円は支払われていたが，労働賃金のほとんどをフィリピンに送金していた。しかし，1か月に78時間半から122時間半までの時間外労働をしており，過労死であったとみられている（朝日新聞 2016）。このように労働法に違反しながらも外国人労働者に労働を強いている現状が浮き彫りとなった。

外国人技能実習制度は，外国人研修生を受け入れることで国際協力を推進し，国際社会との調和ある発展を図る目的で1993年に設立された（厚生労働省）。外国人研修生が日本の技能・技術・知識を修得し，それを通じて，自国の経済や社会を発展させる人材育成に協力することが狙いである（澤田 2020: 16）。しかし，当時の「出入国管理及び難民認定法」（入管法）とその省令を根拠として実施していた在留資格では，格安の研修手当と長時間労働を可能とし，さらに，2010年の入管法改正で資格は改善されたが，監理団体や実習実施期間の監督・指導が不十分だったこと等から，技能実習生の置かれている劣悪な状況に国際社会からの非難が高まった（田村 2020: 3-4）。

技能実習の新たな制度

2017年，外国人の技能実習の適正な実施及び技能実習生の保護に関する法律（技能実習法）が施行された。実習生の監理団体が多額の手数料や保証金・違約金などを実習生に請求することが問題であったが，日本政府は，送出国政府とのあいだで「協力覚書」を取り交わし，不適正な団体を排除することになった。また，日本政府は，あらたに外国人技能実習機構（OTIT）を設立し，監理団体の不正行為をチェックし，監理団体や雇用主に対しては，実習生に対する労働環境などの整備を求め，これに違反した場合には，実習生の受け入れを取り消す等強い措置をとることが可能となった（田村 2020: 4-5）。

強制労働としての技能実習

しかし，米国の人身取引報告書では，毎年この技能実習制度が人身売買の一形態であると批判されている。2020年の報告書では，同制度は事実上の足りない労働者の確保であり，実習生が負担する保証金や不明瞭な手数料等について問題視している。さらに，本来の実習生の技能育成といった目的に反した，技能の修得に関係のない仕事に従事させるケース，実習生の移動の自由を制限し，旅券の取り上げ，強制送還や暴力などの脅し，劣悪な生活環境や賃金の不払いなどの状況に置かれたケースもあったと言及している。また，報告書によると，技能実習生は，実習内容について契約を結ぶが，その仕事から逃れた場合在留資格外となり，性的搾取目的の人身売買の被害者になる者もいるという。同報告書は，人身売買（強制労働）の一形態であるとし，日本に滞在する技能実習生への待遇改善を求めている（US Department of State 2020: 286）。

4 人身売買の発生要因

性的搾取と人身売買

それでは，このような人身取引はなぜ発生してしまうのだろうか。ここでは，その要因の1つとして考えられる**プッシュ＝プル要因**について考えてみる。はじめに，プッシュ要因とは，性的搾取の被害者が故郷を離れることになった要因の1つであり，故郷での劣悪な環境に関わるものである。前述したように，被害者が低賃金や失業などによってきわめて厳しい生活水準に置かれており，生存のために出国を余儀なくされている場合，あるいは，被害者が性別，宗教，民族などを理由とした差別や不平等な状況に置かれていたり，人権侵害や武力紛争によって祖国を追われたりする場合，これらがプッシュ要因となって，新天地をめざすことになる。人身売買の被害者のなかで多数を占める女性も，地位の低さによる雇用，賃金，教育等への弊害から，住んでいる地域を出ざるをえなかったと考えられる。

これに対して，プル要因とは，目的地に向かうことになった要因の1つであり，目的地の魅力的な環境に関わるものである。目的地は雇用の機会が多い国や地域であることが多く，性産業，家事労働，介護労働などの安い労働力を必要として受け入れていることから，人身売買の被害者が引きつけられることになる。

このようにプッシュ要因とプル要因によって性的搾取の被害者が故郷を離れて新天地に向かう決断をするが，プッシュ＝プルをつなぐものとして，組織犯罪集団の存在がある。組織犯罪集団は，リスクやコスト，ベネフィットを計算して人間を売買する。たとえば逮捕されたり訴追されたりするおそれがあれば，リスクは高くなり，商品となる人間の収奪や移送にコストがかかるようであれば，人身売買を躊躇するかもしれない。しかし，人間の売買を通じて多額の報酬があげられるので，多少のリスクやコストもかまわずに人間が売買される。

技能実習と人身売買

技能実習制度についても考えてみよう。日本の技能実習制度を利用して渡日する外国人は，故郷に比べて圧倒的に労働賃金水準の高い日本をめざし，故郷では身につかない高度な技術を習得するために日本に渡航しようとする。性的搾取の被害者と同様に，ここでもプッシュ＝プル要因が働いている。ところが，技能実習生のなかには，最低賃金以下の賃金での労働や賃金未払い，長時間労働の常態化といった劣悪な環境に置かれる場合もある。

そこには，受入国側・受入企業・団体側の労働力不足によるニーズと，安価な労働力を確保したいとするインセンティブが考えられる。この両者をつないでいるのが技能実習制度である。技能実習制度は，労働力は欲しい一方で，移住外国人に対して警戒する日本などにとって，安価な労働力を確保して経済発展を追求しながら，国境を管理することができる制度である。

5　人身売買をめぐるアジア諸国の対応

日本の対策

それでは，このような人身売買に対してはどのような対策が講じられているのであろうか。警察庁は，外国の国家警察機関と情報共有，捜査共助などの連携を強化している。国際協力機構（JICA: Japan International Cooperation Agency）では，ASEAN諸国の人身売買対策関係者を日本に招聘して研修をおこなったり，様々なプロジェクトを実施したりしてネットワークの強化を図ってきた。さらに，日本国内において，人身売買の被害者の状況をわかりやすく説明するポスター等を使った周知活動もおこなっている（US Department of State 2020: 284-285）。また，女性や外国人の人権問題を扱っていたNGOや研究者などが，2003年に「人身売買禁止ネットワーク」（JNATIP）を設立し，日本における人身売買の実態を明らかにし，被害者保護と加害者処罰を盛り込んだ法の制定などを訴え，啓発活動をおこなうなどしてきた。人身売買に対峙するNPO「人身取引被害者サポートセンター Lighthouse」も有名である。被害者に向けた相談窓口や啓発活動，政策提言を積極的におこなっている。

技能実習生については，悪質な送出機関を排除するために，前述のように日本は技能実習生の送出国のうち14か国（ベトナム，カンボジア，フィリピンなど）と「協力覚書」を取り交わしている（人身取引対策推進会議 2020: 49）。労働基準監督署と地方出入国在留管理局では，技能実習生に対する強制労働などが疑われる事案について合同で調査を実施し，是正勧告をおこなっている。市民社会のなかでも外国人労働者の支援が展開されている。たとえば1997年に発足した「移住者と連帯する全国ネットワーク」は，政策提案や省庁交渉，アドボカシー活動を通して外国人労働者の人権を擁護している。また，直接現場へ赴き，賃金未払い交渉を雇用主とおこなうなど，その直接的な支援活動も注目されている（朝日新聞 2020）。

タイの対策

タイは人身売買の被害者の送出国であり，受入国でもある。米国の人身取引報告書の国別の報告においても，タイ出身の被害者は中東や南アジアの国など広範囲で登場するが，とくに周辺の東南アジア諸国で多くの被害者が売買されているため，タイ政府は，国連が主導する「人身取引に関する国連機関合同プロジェクト」（UNIAP）や「人身取引対策に関するメコン地域閣僚イニシアティブ」（COMMIT）にも参加し，東南アジアにおける国家間協力を積極的におこなっている（UNDP 2017: 8-10）。

タイでは1990年にNGOのキャンペーンを皮切りに，女性や子どもの権利保護が叫ばれるようになり，政府が人身取引に対する国内法を改正するなどして，被害者保護を強化していった。また，国内で活動するNGOや国際NGOと政府との連携も進んでいった。そのなかで，1997年に女性と子どもの人身取引防止対策法を成立させ，NGO（FACE Foundation）が同法執行監視プロジェクトに監視担当者を派遣したり，政府の国家女性問題委員会事務局や警察，首相府次官室，労働・社会福祉省とNGO等のあいだで覚書を交わしたりして，連携しながら人身取引対策ネットワークを拡大させている。しかし，その協力関係は政府からNGOへと意思決定がトップダウンになりがちであるなど，不満もあるという（青木 2018: 33-38）。

おわりに

これまでみてきたように，アジアにおいては人身売買の被害が広範囲にみられる。アジアは，貧困な地域と富裕な地域の格差がかなりあるので，地方から都市へと人間がダイナミックに移動する地域でもある。その大きな潮流のなかで，搾取の犠牲になる人と搾取で利益を得る人がいる。搾取の犠牲になる人は進んで被害者になりたかったわけではない。あまりにも自分を取り巻く環境が絶望的だからである。その絶望的な状況につけ込むのが犯罪組織である。このような犯罪に関与するのは犯罪組織だけでなく，女性や女児を性的に搾取する先進諸国の男性であり，外国人労働者を搾取する先進諸国の企業である。

このような人身売買を根絶するのはきわめて困難なことである。貧困や差別，武力紛争といったプッシュ要因と，都市の繁栄といったプル要因をなくすことはほぼできないからである。しかし，人身売買の根絶のためには，それらを媒介する国際犯罪を犯罪として取り締まり，その加害者を法によって処罰することを地道につづけることが重要である。

【中村文子】

参考文献

朝日新聞「外国人技能実習生，異例の過労死認定 残業122時間半」，2016年10月15日，https://www.asahi.com/articles/ASJBF56QNJBFUTIL028.html，2021年9月11日アクセス。

朝日新聞「急死の中国人実習生，労災初認定『長時間労働が原因』」，2010年7月2日，http://www.asahi.com/special/08016/TKY201007020562.html, 2021年9月11日アクセス。

朝日新聞「時給300円 月400時間 外国人労働者の実態明るみに」，2020年5月19日，https://www.asahi.com/articles/ASN5L55HMN5GUCLV00N.html，2021年9月10日アクセス。

青木まき「人身取引対策の脱安全保障化と官民連携――タイを中心としたメコン流域の人身取引対策協力を事例とした考察」『アジア経済』59巻2号，2018年，28-49頁。

田村穂「技能実習制度の変遷――これまでの課題とこれからの課題」神戸大学大学院経済学研究科ワーキングペーパー，2020年。

中村文子「性的搾取のトラフィッキング――男女，貧富，内外の権力格差と差別意識の理論的アプローチ」『国際政治』152号，2008年，132-152頁。

厚生労働省「外国人技能実習制度について」，https://www.mhlw.go.jp/stf/seisakunitsuite/

bunya/koyou_roudou/jinzaikaihatsu/global_cooperation/index.html，2021年9月11日アクセス。
人身取引対策推進会議「令和2年 人身取引（性的サービスや労働の強要等）対策に関する取組について（年次報告）」，https://www.kantei.go.jp/jp/singi/jinsintorihiki/dai6/honbun.pdf，2021年9月11日アクセス。
A/RES/55/25, 15 November 2000.
BBC, "The Rohingya children trafficked for sex," BBC News, March 2018, https://www.bbc.com/news/world-asia-43469043，2021年9月11日アクセス。
UNDP, *UN-ACT: United Nations Action for Cooperation against Trafficking in Persons: Annual progress report,* 2017.
UNODC, *Global Report on Trafficking in Persons,* 2020.
US Department of State, *Trafficking in Persons Report,* 2020, https://www.state.gov/wp-content/uploads/2020/06/2020-TIP-Report-Complete-062420-FINAL.pdf，2021年9月11日アクセス。

文献紹介

① 映画『闇の子供たち』，2008年。

この映画は，**梁石日『闇の子供たち』（幻冬舎，2004年）**を映画化したもので，人身売買の凄惨な被害の実態を理解することができる貴重な映画である。舞台はタイ。売春宿では売られてきた子どもを売春に従事させ，利益を貪る大人たちがいる。いらなくなれば子どもは捨てられ，その命はモノのように扱われる。それを取り締まる警察と売春宿の癒着や，現地で活動するNGOの苦悩など，人身売買の典型的な構造や問題点もよく描かれている。

② マルセーラ・ロアイサ著，常盤未央子・岩崎由美子訳『サバイバー――池袋の路上から生還した人身取引被害者』ころから，2016年。

日本が人身取引議定書に批准する20年近く前の，まだ人身売買があまり日本で注目されていなかった2000年代前後。コロンビアで生活に困窮していた著者が，日本で仕事があると騙されて来日し，池袋の路上などで売春婦として従事させられ，人身売買の被害者となった実体験を著したものである。

③ 澤田晃宏『ルポ 技能実習生』筑摩書房，2020年。

本書は，ベトナムから日本をめざす技能実習生の過酷な現状について，当事者である実習生，関係機関，支援団体等を取材して書かれたものである。なぜ日本をめざすのか，なぜ失踪する技能実習生がいるのかなど，技能実習制度の実態がよくわかる。

第9章 先住民族

大規模開発への抵抗と持続可能な権利基盤の発展

“アジアの先住民族をめぐる課題と権利運動はどのように進展してきたのだろうか”

アジアにはおよそ2億6,000万人の先住民族の人々がいるといわれています。日本では2008年にアイヌ民族が国会で先住民族と認定され，また琉球／沖縄の人々も先住民族として認定を求めて活動する人々がいます。山岳部や島嶼部に住むかれらは，狩猟採集や焼き畑，稲作など，伝統的な生業で暮らしている人々も少なくありません。しかし，大規模開発によって立ち退きや，生業と文化の消滅の危機にさらされている人々が多いのです。なぜ，先住民族のようなマイノリティの人々がアジア各地で開発の際に不利益を被るのでしょうか。また，先住民族の人々は，それに対してどのように異議申し立てをしてきたのでしょうか。

キーワード 大規模開発，先住民族，持続可能な発展，マイノリティの権利，国際人権システム

関連する章 第7章，第10章，第17章

はじめに

1980年代後半，インドのあるダム開発計画に対する反対運動が激しくなった。インドの西部を流れるナルマダー川の流域一帯を大小3,000以上のダムを建設して開発しようとする「ナルマダー渓谷プロジェクト」に対して，広大な農地や森林が沈むことへの反対の声が高まったのである。プロジェクトの規模が大きかったこと，また世界銀行や日本のODA融資により建設されていたダムが関係していたこともあり，この反対運動は世界の，そして日本の人々の注

目の的となった。

ナルマダー・ダムに反対する激しい運動の結果，ダムの経済効果や環境への影響，そして人々の生活への影響を考慮する動きが強くなった。世界銀行は初めてダムの効果を検証する独立パネルを設置し，1993年にはインド政府が世界銀行に融資を返上せざるをえなくなった。世界的にダム建設に対する環境や権利侵害について知らしめ，対策が必要であると気づかせるきっかけとなったのである。

しかし，これですべての問題が解決したわけではない。2007年，フィリピンから来日した先住民リーダーのジョアン・カーリングは，日本政府が融資したサンロケ・ダムの問題について訴えて講演した後，こういった。「ダムは本当に経済的な効果が見合わないのよ。こういった調査はたくさん出ている。それなのに，なぜダムを造り続けるのか，理解できない」と。実際，1990年代以降も問題のあるダムなどの**大規模開発**のプロジェクトは跡を絶たない。そして，**先住民族**などのマイノリティが，皮肉にも貧困改善のための開発プロジェクトにより一層周辺化されているのである。本章ではこうした構造を理解し，アジアの先住民族の人々と私たちのあいだの関係を考察したい。

1　アジアの先住民族と開発による権利侵害

アジアの先住民族

アジアには，およそ2億6,000万人の先住民族がいるといわれている。世界で3億7,000万人いる先住民族人口のおよそ70%に上る（United Nations Permanent Forum on Indigenous Issues 2014）。しかし，アジアの多くの国家は自国内に先住民族がいるということを認めておらず，その存在もあまり知られていない。1980年代より，国連で先住民族の人々はマイノリティのなかでもとくに困難を抱え，権利保護が必要であるという議論が出てきた。しかし当初，先住民族は「ヨーロッパによる植民地化の結果，国家内で周辺化された人々である」と位置づけられ，主に北米，南米，オーストラリア，ニュージーランドなどの新大陸の人々が対象となったのである。しかし，その後の国際的な権利枠組みの進展に伴い，アジアの山岳民族や部族民とよばれたマイノリティの人たちも同様の困難を抱えていることから，他の先住民族集団とのあいだで連帯が生まれ，現在は国連の先住民族問題を扱う部局ではアジアの先住民族の人々の存在が認定されている（木村 2011: 154-156)。

欧米列強による征服と植民地化によってマイノリティとなった南北アメリカ大陸やオーストラリア，ニュージーランドの先住民族と異なり，アジアの先住民族は近代国家形成の過程で近隣の国家に併合され，マイノリティとなった人々が多い。とくに山岳地や島嶼部で，主流民族とは異なる文化や言語をもつ人々が「未開」「野蛮」と位置づけられ，差別されてきた。こうした人々は，狩猟採集，漁労，焼畑などの伝統的な生業を維持してきたが，都市化や開発の影響によって農業労働者や都市部の労働者となる人々も多い。

アジアにおける先住民族の人々の直面する大きな課題は，開発と軍事化である。軍事化については，独立や自治を求めた運動が国家の弾圧にさらされ，武装闘争と軍事弾圧による人権侵害を訴える事例が多い。インドネシアの西パプア，バングラデシュのチッタゴン丘陵，インド北東部のナガ民族，ミャンマーの山岳地の先住民族がその代表例である。紛争により，一般市民への被害もあるが，これらの地域では先住民族の人々自身が武器を手に取って戦うことが特徴である。さらに，政府や治安維持部隊が武装勢力の「取締り」と称して一般市民への逮捕・拘留や拷問など，広範に人権侵害がおこなわれていることも多い（木村 2011: 157-161)。

開発に関しては，東南アジアの開発独裁とよばれる体制をとっていた国々や，1990年代以降経済発展のめざましい南アジア等で影響が大きいが，その2地域に限定されず，広くアジア地域全体にみられる。代表的な事例は，ダムなどの大規模開発で大規模に立ち退きや資源喪失が起きたり，鉱山開発で汚染が起きたり，森林資源の破壊で生計を失うなどの事例である。そのなかでも，1980年代後半から90年代初頭にかけて世界的に有名となったのが冒頭であげたインドのナルマダー・ダムの事例だろう。以下，どのような被害があったのか，先住民族の権利の侵害という観点を中心に考察する。

大規模開発による被害——ナルマダー・ダムの事例

本章冒頭で紹介したインドの「ナルマダー渓谷プロジェクト」のなかでとく

に問題になったのは，「サルダール・サローヴァル・プロジェクト」とよばれるダムと灌漑水路網の建設事業である。この事業はダムにより10万人，灌漑水路網により14万人が立ち退かされることになっており，ダムによる立ち退き者の51％が先住民族であった。1985年に世界銀行と日本の海外経済協力基金（OECF: Overseas Economic Cooperation Fund）の融資が決定して建設が始められた（真実 2001: 65-66; 鷲見編 1990: 96-102）。

サルダール・サローヴァル・プロジェクトについては，立ち退きなど土地を失う人たちに対しては現金ではなく代替の土地で補償をおこなうという画期的な原則が打ち出されていた。インドでは当時，農業以外の雇用を得ることが難しく，貨幣による補償では生計手段の代替にならないため，この措置は妥当であったといえる。しかし，先住民族の人々の多くは土地の登記をおこなっておらず，慣習的な土地の保有と耕作をおこなっていたため，この補償の対象とはならなかった（真実 2001: 66）。2019年に作成されたドキュメンタリー映画『線のこちら側』では，未だに「土地なし」と認定された人々への補償が十分になされていない様子が描かれている。

多くの人々が立ち退きを要求されるこのプロジェクトに対して，NGO「ナルマダーを救う会」などが支援を始め，多くの反対の声があがった。デモや世界銀行に対する直訴など，運動は大きな社会的反響をよび，メディアも注目した。こうした批判に対応するため，世界銀行は1991年に元国連開発計画総裁のモースを委員長とする独立した第三者機関に調査を依頼した。モース委員会は現地調査と資料の読み込みをおこない，ナルマダー・ダムの環境影響配慮が十分ではなく，移住問題への対応が不十分だったと結論づけた（段 2015: 5-6）。

国内，そして国際的な批判の高まりにあい，日本政府は1990年に融資凍結，世界銀行はインド政府からの融資返上という形で1993年に融資を凍結した。しかし，インド政府は海外からの融資が凍結された後も，独自の資金で建設を続行し，1994年以降次々にダムが完成し，土地が水没した（真実 2001: 80-81, 84-86）。ダムの水位に関する議論はその後も続いており，現在でも水位が上がれば立ち退きが必要となる土地の住民による抵抗は続いている。

ダムが建設されれば，予定地が水没するのは先住民族にかぎった話ではない。しかし，ダム建設をはじめとして，多くの開発事業で先住民族の人々が立ち退きや汚染などの負の影響を受ける事業が多いということはたびたび指摘されてきた。それはなぜなのだろうか。

第1に，先住民族の人々は山岳地や森林地など，今までに開発されておらず，大規模な開発用地として選定されやすい場所に住んでいることが多い。もともとその土地に住んでいた場合もあれば，国家建設の過程のなかでその土地に追いやられてきた場合もある。いずれにせよ，資源が豊富ないわゆる「辺境」は，国家が大規模な開発事業に着手する場合に影響を受ける可能性が非常に高い。

第2に，先住民族の人々の意思が政策決定過程で十分に反映されていないことがある。先住民族の人々は多くの国で社会経済的な弱者であり，かつ政治への参加も十分ではないことが多い。かれらに不利益のあるプロジェクトであっても，政策立案の段階では指摘されないか，されても考慮されないことが多く，そのため負の影響を被るのである。

第3に，先住民族の土地や資源に対する権利が十分に認められていない国が多い。先住民族の人々は山岳地や森林地などに住んでおり，植民地期や国家形成の初期に主流社会との距離があり，識字率の低く，貨幣経済が浸透していない社会が多かった。そのため，土地の登記や税金の支払いが困難であり，こうした土地は有効に利用されていない「荒廃地」などとして，国有地として認定されていった。その結果，国家形成以前からその土地に住んでいた人々であっても，権利が認定されておらず，補償が受けられないという問題が生じることになった。

以上のように，多くの国々において先住民族の人々の声が反映されず，また権利侵害が認定されにくいという構造が存在しているのである。

2 先住民族の権利の認知と継続する開発の被害

国際金融機関における先住民族の権利の認知

ナルマダー・ダムによる問題以降，世界銀行はこうしたプロジェクトの負の影響に対してNGOや世論の批判を考慮に入れざるをえなくなった。そもそも世界銀行は，1980年代から住民の強制移転に関する政策や，環境影響評価をプロジェクトの策定の際に考慮する措置をとってきた。しかし，ナルマダー・ダムへの反対運動により，こうした措置の実効性が疑問視されるようになったのである。

ナルマダー・ダムへの批判とモース委員会の働きを受け，世界銀行は自らの支援するプロジェクトが途上国で被害を起こしている際，異議申し立てを受け付け，独自の調査をおこなうインスペクション・パネルを設置した。パネルの委員は世界銀行に雇用されていない独立した3人の専門家によって構成され，プロジェクトを評価して理事会に伝えるという形態をとる。ただし，異議申し立て自体が被害住民にとってはとても困難であったり，パネルの調査プロセスに必ずしも被害住民の声が反映されていないなど，問題も指摘されている（松本 2002: 3-4）。

世界銀行は1982年に「支援プロジェクトにおける部族民」という指令マニュアルを作成していたが，1991年には国際的な先住民族の権利運動の進展にかんがみ，「先住民族」に関する業務指令を定めた。こうした文書作成の背景には，先住民族が開発の過程において不利益を被りやすいという認識が示された。また，先住民族に関するプロジェクトは「情報を得た上での参加」にもとづいていなければならないと示された（苑原 2007: 66）。

こうした原則は，先住民族自身が国連の様々な機関で権利の侵害について働きかける際に要求してきた原則である。そのなかで，先住民族に関する開発プロジェクトは，先住民族自身の自由で事前の，情報を得たうえでの同意（FPIC: Free, Prior and Informed Consent）が必要であるという原則が確立されてきた。FPICは，先住民族の人々に関するプロジェクトについて，十分な情報を得たうえでの同意（インフォームド・コンセント）を得なければいけないという原則である。わざわざ「自由で事前の」と明示されているのは，それまでのプロジェクトで暴力や金銭による強制力を働かせたり，プロジェクト開始後，すでに汚染が起きる，もしくは建設が始まって住めない状態になってから同意をとることが多かったため，そうしたことがない状態で同意をとることが定められている。FPICは国連で先住民族の権利宣言が作成されるなかで提案され，徐々に国際的な場で先住民族の開発の権利として広まっていった。2007年に採択された先住民族の権利宣言は32条2項で，国家は先住民族の土地や資源に関するすべてのプロジェクトの承認に先立って，FPICを得るために先住民族の代表と協議し，誠実に協力することと定められた（苑原 2007: 66）。

世界銀行もこの流れに沿って，2005年に改訂された先住民族に関する業務政策文書のなかで「自由で事前の，情報を得たうえでの協議」を義務づけて，影響を受けるものからの「広範な共同体による支持」がなされた場合のみ，資金提供が可能になるとした（苑原 2007: 66）。さらに，2016年に世銀はFPIC原則の受け入れに同意した（United Nations Expert Mechanism on the Rights of Indigenous Peoples 2018）。アジア開発銀行は2012年にFPIC原則を受け入れ，日本のJBIC／JICAは努力義務ながらも同意を得ることを掲げている。これらは，先住民族がプロジェクトについて知ることすらなく，政府と国際金融機関のあいだのみで決定されていた頃に比べれば，非常に大きな進展のようにみえる。

しかし，2018年に国連先住民族の権利に関する専門家機構が作成したFPICに関する報告書では，実施に関して厳しい批判が寄せられている。国際金融機関や企業の取り組みについて，「合意は人権の一部というよりも，手続き的なものとみなされている傾向がある」（パラ54）と指摘されている。また，しばしば協議の形式を整えるためだけに先住民族が駆り出され，形式のみの「合意」が形成されることに対する批判も大きい。報告書では，国際的な基準の整備は進んだものの，内実が伴わず，先住民族自身や国際人権法の専門家からは相変わらず現場で権利の侵害がなされている状況が指摘されている（United Nations Expert Mechanism on the Rights of Indigenous Peoples 2018）。

では，なぜこのような状況が継続しているのだろうか。ナルマダー・ダムよりおよそ10年後，フィリピンで問題となったサンロケ多目的プロジェクトの事例をみてみよう。

サンロケ・ダムの事例

フィリピンのコーディリエラ地域は，チコ・ダムやサンロケ・ダムの建設の反対運動が盛んで，国際的な権利の進展を積極的に働きかけた事例である。サンロケ・ダム反対運動の事例をみながら，先住民族の人々がいかに足元で進む開発と闘いながら，**国際人権システム**を使って権利擁護の基準を発展させてきたのかをみていきたい。

フィリピンのルソン島にはおよそ120万人の先住民族がおり，先住民族の多い北部ルソン島がコーディィリエラ地域とよばれる。この地域は70年代からダム開発が進み，その権利侵害を訴えるために80年代から先住民族の人々は国連の先住民作業部会に参加していた。コーディィリエラに，新たなダム開発の話が出たのが1990年代後半である。

サンロケ多目的ダムプロジェクトは，ルソン島北部のアグノ川にアジアでも屈指の規模となる巨大ダムを建設する計画である。ダムの主要な目的は345メガワットの水力発電であり，マルコス政権時の1970年代に計画された。その後，フィリピンと日本との経済協力ということで，日本から膨大な資金が融資され開発が決まった。実施主体は総合商社の丸紅，アメリカのサイスエナジー社，そして関西電力が出資して作ったサンロケパワー社であり，資金提供は当時の日本輸出入銀行（現・国際協力銀行）である（FoE Japan 2021）。

サンロケ・ダムの計画が発表されると，上流に住む先住民族イバロイから反対運動が起こる。今までの経験から，ダムができた上流の川は土砂堆積などで流れが変わり，水質が汚染されてしまうことを人々は懸念していた。とくに上流のダルピリップ村はイバロイ人にとって亡くなった人の魂が眠る聖なる土地であり，文化的にも重要なところだった。また，土砂堆積などが起きれば，川沿いの稲作が不可能になるなど，生業に大きな影響があることが明らかだった。2001年に発表されたドキュメンタリーでは，日本からのNGOに対して「私たちを助けたければ，ダムへの資金提供をやめてほしい」と訴える地元の人々の姿が記録されている（FoE Japan 2001）。また，こうした上流の村での農業などの生計手段の喪失のほか，下流の村では再定住や砂金採掘への影響など，生業に関わる問題も出ている。

先住民族などのマイノリティの場合，文化の喪失はとくに重要な意味をもつ。自らの文化を存続させるかどうかの決定に関われない現状，このようにダムで自分たちの文化維持に重要な場所の喪失が起きることは，文化的侵略にうつるのである。

先住民族のFPIC原則や再定住に関する厳しい政策がとられているなか，なぜこうしたプロジェクトが実施されるのだろうか。要因の1つに，現場の状況と，融資する政府に届く報告に大きな乖離がある。多くの場合，関係国政府はプロジェクトの推進を優先し，「問題はない」と伝え，現場の声を正しく反映していない。こうした状況はフィリピンだけではなく，アジアやラテンアメリカ，アフリカなど，大規模開発が進められている世界各地でみられる光景である。筆者もインドのダム建設被害について現地の友人から情報を寄せられ，JBIC／JICAに問い合わせたことがあるが，現地の政府からの「問題は生じていない」という公式見解をそのまま伝えられるのみだった。融資機関が主に情報収集を現地の政府に頼ってしまうため，こうした問題が発生するのである。

フィリピンのコーディリエラ地域の先住民族の人々は，ダム建設反対運動を展開する過程で，これが先住民族の土地や資源，文化の権利を侵害していることを訴え，こうした問題が起きないような仕組みづくりを積極的に働きかけてきた。世界銀行やアジア開発銀行，JBIC／JICAとも積極的に話し合いの場を設け，基準の策定を促す。現場での抵抗運動やメディアを使った働きかけはもちろん，国際金融機関のなかの人間に働きかけ，自分たちの問題を粘り強く訴えて解決策を探ってきたのである。国際的な人権システムを利用したFPIC基準の制定は彼／女たちの働きかけによるものといって良いだろう。筆者は国連経済社会理事会の先住民族問題常設フォーラムに2005年から10年にわたって参加したが，毎年必ずこれらの問題を取り上げ，会議外に担当者と話し合いの場を設けるという地道な努力を続けてきた。また，国連宣言採択後にもFPICを広めるための働きかけを続けてきた。

こうした努力にもかかわらず，サンロケ・ダムが建設されてしまったことは，2000年代前半にはまだまだ国家の大規模開発志向が強く，国際金融機関もそうしたプロジェクトに資金を出す傾向があることが指摘できる。しかし，先住民族自身が権利侵害を訴え，基準を策定することを働きかけたことにより，間違いなく強制移住や土地権，資源権の侵害を引き起こす大規模開発は実施しにくくなっている。

おわりに

ナルマダー渓谷プロジェクトもサンロケ多目的ダムも建設はすでに終了し，

ダムは稼働している。しかし，これで問題が終わったわけではない。国連の人権に関する特別報告者は，ナルマダー・ダムを管理する当局が2006年にダムの水位を110mから121mに上昇させる決定を受け，3万5,000世帯がさらに立ち退きを余儀なくされることを懸念した声明を発表した。インドではこの決定に反対する現地住民や活動家が抗議の座り込みを実施しており，それを受けての声明である（Hindustan Times 2006）。

また，サンロケ・ダムに関しては，長年反対運動を続けてきたコーディリエラ人民連盟が2009年に再度ダムの閉鎖を要請した。ダムは上流からの土砂の流入で貯水できる水量が減少しており，台風が起きたときに水位が上がるとかえって危険であると指摘された。気候変動の影響により，フィリピンは大型の台風被害が増えており，これを踏まえた声明である。さらに，ダムは地域の先住民族の同意を得ておらず，ダムの存在自体が先住民族の権利侵害であると批判している。このように，ダムを建設すれば，地域の人々にとっては長年にわたりその影響が継続するのである。

ダムや資源採掘，発電所建設など，大規模開発はその土地に住む人々に汚染や強制移転といった問題をもたらしてきた。こうした問題は，アジアの先住民族の人々にとっては「破壊的」と形容されることも少なくない。被害は国の発展のために「仕方のないこと」とされ，先住民族などのマイノリティの人々は一方的に犠牲を強いられてきたのである。

しかし，近年は気候変動や，様々な種が絶滅の危機に瀕する生物多様性の問題もあり，ようやくこうした破壊的な開発ではなく，**持続可能な発展**が必要だということが国連SDGsの採択によって認められてきた。また，発展の際には**マイノリティの権利**を認め，かれらのニーズに合った権利基盤のアプローチが重要であることも知られてきた。

こうした潮流のなか，先住民族の人々の生活のあり方は，長年環境と共生してきた持続可能な発展のあり方として，再度注目されている。人間のために環境を破壊したり大幅に変更するのではなく，むしろ周囲の環境に合わせて生活してきた先住民族の生活のあり方に注目が集まり，それが1つの発展のモデルとして捉えられているのである。

こうした動きは決してまだ大きなものではない。しかし，様々な気候変動による災害や種の絶滅が身近に迫るなか，先住民族のように自然と共生する発展のあり方こそ，次の時代の望ましいモデルなのかもしれない。

【木村真希子】

参考文献

鷲見一夫編『きらわれる援助――世銀・日本の援助とナルマダ・ダム』築地書館，1990年。

苑原俊明「先住民族の権利――事前の自由なインフォームド・コンセント原則との関連で」『国立民族学博物館研究報告』32巻1号，2007年，63-85頁。

段家誠「世界銀行の開発援助レジームの形成と変容――ナルマダ・ダム・プロジェクト中止過程とインスペクション・パネル設立を事例にして」『阪南論集 社会科学編』Vol. 51, No. 1，2015年，1-14頁。

松本悟「世界銀行インスペクションパネルの10年――プロジェクトによる被害の責任を問う」『フォーラムMekong』Vol. 4, No. 4，2002年，3-4頁。

Cordillera Peoples' Alliance website（2009），"CPA calls for Decommissioning of San Roque Dam," https://cpaphils.org/campaigns/Decommission%20San%20Roque_26nov2009.html, 2021年4月9日アクセス。

FoE Japan（2001）「サンロケダム学習ビデオ：Dam is Death for us」，https://www.foejapan.org/aid/library/video.html, 2021年4月9日アクセス。

FoE Japan（2021）「サンロケダムプロジェクトとは？」，https://www.foejapan.org/old/aid/jbic02/sanroque/background.html, 2021年4月9日アクセス。

Hindustan Times（2006），"Narmada dam: UN seeks panel report," April 18, 2006, https://www.hindustantimes.com/india/narmada-dam-un-seeks-panel-report/story-KCqfntoMVIMSXv1bmmUTrI.html, 2021年4月9日アクセス。

United Nations Expert Mechanism on the Rights of Indigenous Peoples（2018），"Free, prior and informed consent: a human rights-based approach," UN Doc, A/HRC/39/62, https://undocs.org/A/HRC/39/62, 2021年4月9日アクセス。

United Nations Permanent Forum on Indigenous Issues（2014），"Indigenous Peoples in the Asian region," https://www.un.org/esa/socdev/unpfii/documents/2014/press/asia.pdf, 2021年4月9日アクセス。

文献紹介

① 真実一美『開発と環境――インド先住民族，もう一つの選択肢を求めて』世界思想社，2001年。

インドにおける環境問題を先住民族の視点から分析し，持続可能な開発のあり方を模索した書籍である。経済学者である著者は，インドの工業化について研究してきたが，1992年にナルマダー・ダムの水没予定地や立ち退き者の再定住地を訪れたことが研究の転機になる。国家利益の名のもとに貧しい先住民族がすべてを奪われ，「国民経済」に統合されてゆく悲劇に圧倒された著者は，開発主義に対する人々の抵抗に触発されつつ，オルタナティブな発展のあり方に必要な条件を論じる。

② 上村英明「アジアの『先住民族』概念とその人権運動――その概念構築と現状分析に関する一考察」『平和研究』第34号，2007年，1-20頁。

アジアにおける先住民族運動の活性化と，地域内の連帯，そしてアジアにおける先住民族概念に関する論文である。自らも日本のアイヌ民族や琉球／沖縄民族の国際的な人権活動を積極的にサポートしてきた著者は，アジアでは「先住性」が明確ではないとして権利保障を否定しようとする議論に対し，近代国家成立の際に「未開」「野蛮」とレッテルを貼られ，差別されてきた歴史を指摘する。同時に，前近代における朝貢関係と実効支配という概念を利用し，島嶼部や山岳地など実効支配の及んでいなかった地域において先住民族の権利回復の訴えが起きてきたことを明らかにする。

③ 木村真希子「先住民族ネットワーク――アジアの草の根運動と国際人権システムを架橋する」勝間靖編『アジアの人権ガバナンス』勁草書房，2011年，153-171頁。

国際的な先住民族の権利回復運動のなかにアジアの先住民族の活動を位置づける論文である。アジアの先住民族の直面する二大課題，軍事化と開発についてそれぞれ具体例をあげながら，かれらがどのような訴えをもって国際的な先住民族運動に参加したのかを概観した後，アジアで活発な地域ネットワークの形成について詳細に分析している。また，国際／地域的な動きが活発であるにもかかわらず，国内の実施が遅れているアジアにおいて，今後どのような展望が可能かを明らかにしている。

第 **10** 章　社会運動

アジアの社会運動の多様性と共時性

"なぜアジア各地で社会運動が活発化しているのか"

日本の若い人たちのあいだでは，デモ集会やデモ行進に参加する人は，特殊な人たちだという思い込みが強いようです。社会運動と聞くと，半世紀以上前に起こった安保闘争や大学紛争のイメージを思い浮かべる人も多いかもしれません。しかし近年，アジアでは各地で，社会運動が盛んになってきています。また，多くの若者が社会運動に参加するようになっています。それは，なぜなのでしょうか。アジアの社会運動を，自分とは無関係の遠い世界での出来事としてではなく，同時代の「私たちの問題」として捉え直すために，どのような視点と心構えをもつのがよいか，考えてみましょう。

キーワード 社会運動，民族運動，ガーンディー，積極的是正措置，グローバル化
関連する章 第**11**章，第**20**章，第**21**章

はじめに

アジアでは2010年代以降，**社会運動**が盛んになってきている。その発端となったのは，2010年末から中東（西アジア）で起きた「アラブの春」であった。そして2011年にはインドで汚職撲滅運動が起こり，2014年には台湾で「ひまわり学生運動」が，香港では「雨傘運動」が起こった。さらに2020年からはタイで反体制運動が活発化し，2021年には軍事クーデター後のミャンマーで市民的不服従運動が盛り上がりをみせている。日本においても，2012年には脱原発運動が，2015年には反安保法制運動が，一定の盛り上がりをみせた。もっとも，日本の運動は，上記のアジアの運動と比べると，あるいは同時期の

欧米の運動（たとえば2011年のドイツの反原発運動やアメリカのウォール街占拠運動）と比べても，規模や勢いの面でやや見劣りするものであったといわざるをえない。

日本でもかつて，社会運動が全国的な盛り上がりをみせ，多くの若者が運動に身を投じた時代があった。日本の社会運動の動員数のピークは，1960年の安保闘争の折であり，同年6月15日の国会前デモの参加者数が，主催者側発表で約33万人，警察庁発表で約13万人であったという（長谷川 2019: 8）。また，1968年前後にも，アメリカやフランスなどと同様に，日本でも大学紛争（全共闘運動）が活発化した。しかしその後は，たしかに各地で環境運動などの展開はみられたものの，全体としては退潮の傾向が続いた（樋口・松谷編 2020: 2）。

日本の学生運動について論じた社会学者の小熊英二は，学生運動には途上国型と先進国型があり，「前者は大学進学率が低く学生が特権的エリート層であるため，国家を牽引するのは自分たちしかないという使命感にもとづくもの，後者は大衆化した大学において，現代社会の疎外状況を強く感じる青年層の反抗が学生運動の形をとって現れるもの」だとし，1960年の安保闘争は途上国型，1968年の全共闘運動は両者の混淆形態とみなせるとしている（小熊 2012: 174）。さらに小熊は，1968年当時の日本における学生叛乱は「急速な経済成長による集団摩擦反応」であったとしたうえで，それと類似の現象が「たとえばいま高度成長をむかえている中国やインドなどで」発生する可能性があるのではないかと指摘している（小熊 2009b: 984）。

小熊の分析は，たしかに正鵠を射ている面があると思われる。しかし，そうした説明だけを真に受けて，「なるほど，要するに，いまのアジアで起こっている社会運動は，昔の日本で起こった社会運動と同じようなものなのか」と早合点してしまうのは，ミスリーディングである。一般的にしばしば日本では，アジア各地の現在の状況を説明する際に「敗戦直後の日本のよう」だとか「高度成長期の日本のよう」だとかいった言い方がなされることがあるが，「アジアのいまは，昔の日本と同じ」だというのは幻想であり，勘違いであり，傲慢な態度でもあろう。当たり前のことだが，アジアのいまは，昔の日本と同じではない。

アジアのいまの社会運動をより良く理解するためには，アジアは「多様」であること，そして，アジアの人々も私たちとともに「今を生きている」ことを踏まえることが大切である。本章では，まず第1節で，そもそも社会運動とは何かについて概観したうえで，第2節では，とくにインドの社会運動史における固有の背景や状況を，第3節では，アジア各地の社会運動と私たちとの同時代のつながりの状況をみていきたい。

1 社会運動とは何か

ここでは，これまでの社会運動研究のなかでは，アジアの社会運動への注目があまりなされてこなかったことを確認する。

社会運動の定義

社会運動（social movement）は，「現状への不満や予想される事態に関する不満にもとづいてなされる変革志向的な集合行為」（長谷川・町村 2004: 19）と定義される。この定義に含まれている社会運動の3要件（不満，変革志向性，集合行為）のそれぞれは，人々が運動に参加する動機に注目する集合行動論，アイデンティティなど文化的側面を重視する新しい社会運動論，そしてリーダーシップや組織の分析を中心に据える資源動員論という社会運動研究の代表的な3つのアプローチを背景にしている（長谷川 2007）。社会運動研究には，そのほかにも，政治機会構造論（人々は集団の外部に存在する政治的機会や政治的制約の有無を判断し，それを利用して行動を起こす），レパートリー論（人々は，座り込みやストライキなど一定の行為様式にしたがって行動を起こす），サイクル理論（運動は全体として，発生→発展→衰退といった局面を順にたどる）等がある（タロー 2006; 曽良中ほか編 2004）。これらはいずれも広くは，社会学分野に含まれる研究潮流である。

他方，政治学や歴史学などの分野では「社会運動」的な現象を，別の概念を用いて分析する場合がある。たとえば，「市民的抵抗（civil resistance）」という概念は，「非暴力的方法を用いた政治的行動」（Roberts 2009: 2）のことであるが，それは「非暴力行動（non-violent action）」や「ピープルパワー（people power）」といった語とほぼ同義であり，さらに「受動的抵抗（passive resistance）」や「市民的不服従（civil disobedience）」などとも重なるものだとされる（Roberts 2009: 2-3）。さらに，運動の分析の際には，「環境運動」「フェミニズム運動」「公民権運動」というように，それぞれの運動が取り上げる個別のイシューが明示された語や，「学生運動」「住民運動」のように，運動参加者の属性が明示された語が使われる場合もある。本章では，これらすべての運動を包含する幅広い概念として，「社会運動」という語を使っていくこととしたい。

社会運動の世界的展開とアジア

これまでの社会運動研究の多くは，欧米や日本など，いわゆる先進国における運動を分析の中心に置いてきた。それ以外のアジア等における運動が，分析の射程に収められることは稀であった。例外は，社会学者・経済史家のウォーラーステインである。彼は，アジアやアフリカなどの旧植民地国の運動をも含め，社会運動の世界的展開を次のように整理した（ウォーラーステイン 1993）。

ウォーラーステインによると，19世紀半ばから20世紀半ばにかけて，世界各地で次の2つのタイプの運動が起こるようになった。第1が，資本家と労働者の「階級」間の対立を軸として展開される社会主義運動（socialist movement）（および共産主義運動）である。第2が，宗主国と植民地の「民族」間の対立を軸として展開される**民族運動**（nationalist movement）である。これらの運動はそれぞれ，20世紀半ばまでに一定の成果を獲得したとウォーラーステインは指摘する。いわゆる東側諸国（共産主義陣営）では共産主義者たちが権力の地位につき，西側諸国（資本主義陣営）においても，社会民主主義的な政党や政策が一定の役割を果たすことができた。また多くの旧植民地は民族運動を経て，独立を達成することができた（ウォーラーステイン 1993: 143）。

20世紀後半になると，世界各地で新たに，女性運動やマイノリティ運動，エコロジー運動といった様々な運動が勢力を強めるようになった。それらは，社会主義運動や民族運動によっては世界の矛盾が解決されなかったことに対する反抗の運動であったとウォーラーステインは考えている（ウォーラーステイン 1993: 143, 322）。20世紀後半以降のそうした運動は，社会学では通常，階級闘争型の「古い」社会運動（つまり，社会主義運動）と区別して，「新しい社会運動（new social movement）」とよばれる。具体的には，フランスや西ドイツ，イタリアなどでは1960年代以降，学生運動，環境運動，女性運動，地域運動，平和運動などが盛り上がりをみせた。それらは「脱産業社会」(Touraine 1971) や「後期資本主義社会」(Habermas 1981) に特徴的な運動とされ，①運動参加者に様々な立場や属性の人が含まれる，②生活の場の具体的なイシューが争点とされる，③なんらかの価値を志向する傾向が強い，④運動の実施形態自体にメッセージ性が込められている，などの特徴をもつとされた。

以上のように，ウォーラーステインは，「社会主義運動」「民族運動」「新しい社会運動」という3つのタイプによって，社会運動の世界的展開を整理した。では，この3タイプの運動は，アジアにおいては，それぞれどのような展開をみせたであろうか。

社会主義運動（および共産主義運動）は，いうまでもなく，欧米などと同様に，アジアにおいても大きな盛り上がりをみせた。たとえば，中国共産党による中華人民共和国の建国は，その代表的成果だといえよう。他方，20世紀後半から現在にかけてのアジア各地で，欧米などと同様な形で，新しい社会運動が展開したといえるかどうかについては，論争がある。たとえば，欧米とは文脈が大きく異なるインドでは，新しい社会運動という概念を使うべきではないという見解がある一方で (Oommen 2010)，インド社会は，全体としては（まだ）「脱産業社会」や「後期資本主義社会」といい切ることができない状況であるにもかかわらず，女性運動や環境運動など，欧米の新しい社会運動と同じような，規範や価値の再定義をめざす運動が活発化しているとの指摘もある (Singh 2001)。

しかし，いずれにせよ，アジアの社会運動史において，最も重要な独特の位置を占めたのは，民族運動であったといえよう。アジア各地の人々の多くは，欧米列強や日本によって植民地化された経験をもち，宗主国からの独立をめざして民族運動をたたかってきた。次節ではこのうち，インドの社会運動史における民族運動の経験がどのようなものであったかを詳しくみてみたい。

2 アジアにおける民族運動の経験

アジアは多様である。アジア各地の社会運動の背景には，それぞれ固有の歴史があり，また，それぞれ独自の政治・経済・社会・文化状況がある。ここではインドを事例として，そのことを確認する。

社会運動によって国が誕生したインド

インドは，独立戦争ではなく非暴力の社会運動により，誕生した国家である。インド独立運動は，実際には大小様々な社会運動を内包するものであったが，全体としては反植民地運動・民族運動としての性格をもつものであった。インドがイギリスの実質的な植民地となったのは1757年のプラッシーの戦い以来のことであったが，正式に「英領インド帝国」が成立したのは1877年のことである。これに対しインド独立運動は，1885年のインド国民会議派（以下，会議派）設立に端を発する。そしてインド独立運動が多くの一般民衆の参加を得て社会運動として展開するようになったのは，20世紀に入りB・G・ティラクや**M・K・ガーンディー**（Mohandas Karamchand Gandhi, 1869-1948）らが活躍するようになってからであった。ガーンディーらはイギリス支配下でインドが，政治的抑圧，経済的搾取，文化的破壊，精神的剝奪という「四重の荒廃」に苦しんでいると捉え，そこから自由になることをめざした（エリクソン 1974: 55）。

ガーンディー登場以後の運動は，1947年に国民国家（nation state）としての独立を勝ち取るに至るまでに，三度の大きな盛り上がりをみせた。それぞれ，第1次サッティヤーグラハ（「非協力運動」1919～22年），第2次サッティヤーグラハ（「不服従運動」1930～34年），第3次サッティヤーグラハ（「インドから出て行け運動」1942年）とよばれる。「サッティヤーグラハ（satyagraha）」というのはガーンディーの造語で，「真理の堅持・主張」を意味する（間 2019: 47-48）。

第1次の「非協力運動」は，公立学校ボイコット，税の不払い，外国製布ボイコットなどイギリスへの非協力が行動で示されるとともに，手紡ぎ糸・手織り綿布の生産が奨励され，「手紡ぎ車（チャルカー）」が運動のシンボルとなった。第2次の「不服従運動」でシンボルとなったのは，塩である。塩税廃止等の要求を掲げて約380kmを行脚したガーンディーらの「塩の行進」（1930年）は，女性を含めた多くの民衆が参加し，海外でも大々的に報道された。第二次世界大戦中に始まった第3次の「インドから出て行け（Quit India）運動」は，開始直前にガーンディーをはじめとする有力活動家全員が逮捕されたが，激しい弾圧のなか，各地の学生デモに始まり，交通・通信妨害をはじめ，農民運動としての展開もみられた。こうした一連の運動の展開と並行して，1937年の選挙以降，州レベルで政権を担うようになった会議派と，1946～47年の選挙で躍進したムスリム連盟とがそれぞれ着実に力をつけた結果，ついに1947年8月，インドとパキスタンの独立が実現したのである（長崎 2009，2019）。

しかしガーンディーは，独立は「失敗」だったとして，独立後も運動の継続を主張した。彼は会議派を解体すべきだとし，会議派党員は農村再建を軸とした真の独立（スワラージ）のため，新たに「民衆奉仕協会」を組織すべきだという提言をまとめた。しかしその提言を公表しようとした矢先に暗殺されたため，この運動継続の主張はガーンディーの「遺言」となり，その後ガーンディーの「遺志」を継ぐ「ガーンディー主義者」がインド各地で様々な運動を展開させてきた。たとえばJ・P・ナーラーヤンらによる全面革命運動は，強権政治を進めたインディラー・ガーンディー政権と鋭く対立し，ついに同政権を崩壊させるにいたるなど，インドの社会・政治に大きな影響を及ぼした（グハ 2012: 131-199）。さらにナーラーヤンらにつづく第2世代や第3世代のガーンディー主義者も，環境運動など，様々な領域で活躍してきた（石坂 2011）。そうした運動の担い手とともに，ガーンディーが定着させた運動戦術（レパートリー）の「断食」や「行脚」などにも，独立運動からの連続性を認めることができる。

インドでは，社会運動によって国が誕生したこと，そして独立後もガーンディー主義者らによる運動が活発におこなわれ続けてきたという歴史的経緯により，社会運動への共感や支持が広がりやすい土壌が形成されてきたといってよいであろう。

声を上げ続け合う社会——積極的是正措置と社会運動

独立運動の経験とともに，インド社会運動を理解するうえで重要となるのは，インドにおける集団カテゴリー構築の歴史である（石坂編 2015: 10-14）。

イギリス植民地政府は，効率的かつ公正な統治のために，インド社会を種々の社会集団の集合とみなし，集団を対象とした権利付与をおこなった。イギリス人たちは，インドの人々をまず宗教への帰属によって分かち，ヒンドゥー教徒についてはカーストの別によってさらに分かち，ヒンドゥー教でもイスラームでもない固有の信仰体系を保持している人々を「トライブ」として分類した（藤井 1994: 89）。植民地期の行政と司法が，こうした集団カテゴリーを基盤としておこなわれたことにより，インド人のあいだでも，宗教，カースト，トライブによる集団カテゴリーに沿ったアイデンティティが強化されることとなった。

さらにイギリスは，特定の社会集団を対象とした様々な**積極的是正措置**（アファーマティブ・アクション）をおこなった。これは，格差や差別の是正（「機会の平等」を実現するためにハンディキャップを与えること），あるいは当該社会集団が保持する固有の文化の保護といった側面と，インド人の結束を阻止し分断するために少数派集団を優遇する「分割統治」の側面とを併せもつものであった。

このうちカーストに関する積極的是正措置は，留保制度（reservation system）として植民地期に実施され始め，独立後のインドでも形を変えながら続けられている。1950年のインド憲法は，カースト差別を禁じる一方で，議席・高等教育・公的雇用の3つの面でカーストにもとづく留保をおこなうと定めている。たとえば指定カースト（元「不可触民」）に対する留保議席とは，連邦議会や州議会などにおける指定カースト議席割り当てのことで，具体的には指定カーストに属する人のみが立候補できる選挙区を設置するものである（投票するのは，指定カーストの人に限定されない）。この議席・高等教育（優先的入学枠の設定）・公的雇用（公務員任用枠の設定）における留保制度は，指定カーストのほか，指定トライブと「その他の後進諸階級（Other Backward Classes）」にも適用されている。なお，この「その他の後進諸階級」への留保については，いずれのカーストがその対象となるのか，またどのような内容の留保がなされるべきなのかは，各州で定められることになっている。そのためインド各地で，自分たちのカースト集団が留保の対象に含まれるべきだと要求する運動が，しばしば起こり，そうした運動などにもとづいて留保対象の変更（追加や除外）がなされてきた。インドでは，正当な「優遇」がなされて機会の平等がより良く実現するために，各社会集団が常に互いに声を上げ続け合うことが必須となってきている，と整理できるかもしれない。

インドにおいては，宗教やカースト，トライブなどの社会集団を母体とした多様な運動が展開してきたが，その背景には，植民地期における集団カテゴリーを単位とした行政・司法と，それによる集団アイデンティティの強化，および，特定集団に対する積極的是正措置の歴史が強く影響しているのである（石坂編 2015）。

3 リアルタイムのグローバルなつながり

現代の社会運動は，国境を越えて互いにリアルタイムでつながり影響を及ぼし合っている。

SNSと社会運動

2010年12月に中東のチュニジアで始まった反政府運動（ジャスミン革命ともよばれる）は，他のアラブ諸国にも波及し，「アラブの春」とよばれる一連の運動へと展開していった。2011年1月にチュニジアの大統領が国外逃亡し長期政権が崩壊すると，1月末にはエジプト・カイロのタハリール広場で大規模な反政府デモが発生，2月にはそのエジプトでもムバーラク政権が退陣した。リビアで同年2月に始まった反政府デモは事実上の内戦に発展し，それまで42年続いた政権が崩壊した。イエメンやシリアでも，反政府運動が内戦へとつながった。

アラブの春では，活動家や市民によるSNS（ソーシャル・ネットワーキング・サービス）を用いた積極的な情報発信が注目を集めた。20世紀においても，世界各地の社会運動をめぐる情報は，テレビやラジオ，新聞などを通じて広く世界に伝えられるようになっていた。しかし20世紀末から**グローバル化**（国境を越えた人・物・金・情報の移動）が加速すると，とくにインターネットを通じた情報伝達の速度・量・範囲は桁違いのものとなり，社会運動の情報も世界中に瞬時に伝わるようになった。社会運動の活動家が，マスメディア等を経ずに，自分から直接メッセージを発信しやすくなった点も重要である。

アラブの春は，こうしたSNSの力もあって，アラブ諸国だけではなくアジア，ヨーロッパ，アメリカなど世界各地に波及した。このうちアジアでは，まず2011年にインドで汚職撲滅運動が始まった。これは，社会運動家アンナー・ハザーレーと数人の弁護士が中心となりインド政府に対しオンブズマン（行政機関監視）制度の確立を要求した運動であった。2014年3月の台湾の「ひまわり学生運動」は，中国との経済協定をめぐる審議打ち切りへの抗議をきっかけとして，学生や市民らが台湾の立法院を占拠した運動であった（港 2014）。2014年9月からの香港「雨傘運動」は，行政長官の民主的選挙を求めて学生や市民らが香港の中心部「中環（セントラル）」地区を占拠した運動である（周・倉田・石井 2019）。香港ではその後2019年6月から，逃亡犯条例改正案をめぐって，ふたたび民主化運動が大きな盛り上がりをみせることとなった。また，タイでは2020年から反体制運動が活発化している。2021年には，2月に軍事クーデターが起こったミャンマーで，市民的不服従運動が盛り上がりをみせている。

これらの運動では相互に，SNSを通じて運動戦術を直接学び合ったり，活動家どうしが連携し合ったりしている。地理的に離れた場所にあっても，また運動の具体的イシューが異なってはいても，リアルタイムで互いの経験を常に参照し合っている点は，20世紀までの社会運動にはなかった新しい特徴といえるであろう。

もっとも，インターネット技術の発達は，しばしば社会運動を取り締まる側にまわる政権当局にとっても，より徹底的な監視や情報操作が可能となることを意味する。たとえば中国では，一部のSNSの使用自体が禁じられていたり，特定のインターネット・サイトへのアクセスが制限されていたり，また当局によるインターネットの監視がおこなわれていたりするため，自由な情報発信が難しい。またミャンマーでは2021年の軍事クーデター後，インターネットへの接続が一時遮断された。他方，香港の運動では，当局によるSNSの監視に対抗して，既存のSNSを経由せずに端末同士で連絡を取り合うための新たな方法が活用された。SNSと社会運動の関係が今後どうなっていくかについては，さらなる研究が期待される。

「僕はyesと言わない」

香港で2020年8月，ある若い活動家が保釈された際，日本のメディアの取材に応じて日本語で述べた内容が，日本でも大きな話題となった。彼女は，当局に逮捕され拘束されているあいだ，欅坂46という日本のアイドルグループによる「不協和音」という歌の日本語の歌詞「僕はyesと言わない……」が頭の中に浮かんでいたというのである（「保釈の周庭氏，欅坂46『不協和音』脳裏に」毎日新聞YouTubeチャンネル，2020年8月12日）。

世界各地の平和運動などの場で，たとえばジョン・レノンの英語の歌が歌われる機会は多い。しかし日本語の歌が，日本の外で起きた社会運動の力になったことが明示的に表明されたのは，おそらく初めてのことだったのではないだろうか。

歌だけではない。周・倉田・石井（2019）には，香港の「雨傘運動」で2014年10月1日，村上春樹の小説『1Q84』（中国語訳）を読みながら座り込みをしている参加者の写真が掲載されている（周・倉田・石井 2019: 78)。この参加者の場合，小説が，運動への参加や参加継続の直接の動機になったかどうかは不明であり，おそらくは，暇つぶしに読んでいただけだったかもしれないが，それでもその1枚の写真は，香港の運動が，私たちとはまったく無関係の遠い世界で起こっている出来事ではないことを示している。

香港の運動と日本の歌や小説とがつながっていた上記の事例は，アジアの社会運動が，日本の私たちの日常生活と並行してまさにいま，同時代の出来事として起こっていることを，意外な形で教えてくれているといえよう。

おわりに

いまのアジアで起こっている社会運動は，昔の日本で起こった社会運動と同じようなものなのではない。まず，アジアの多くの地域はかつて列強諸国の植民地にされ，それに対し，自分たちの国の独立を賭けて民族運動をたたかった経験をもっており，その経験は多かれ少なかれ現在の運動にも影響を及ぼしている。それに加えて，たとえばインドにおける集団カテゴリー構築過程と積極的是正措置のように，社会運動が活発化する独自の背景があるケースもある。また，現在アジアで起こっている社会運動は，私たちが生きているいま，リアルタイムで，現在進行形で起こっているという事実を忘れてはならない。現に私たちは，意外なところで，アジアの社会運動とつながっていたりもするのである。

【石坂晋哉】

参考文献

石坂晋哉『現代インドの環境思想と環境運動――ガーンディー主義と〈つながりの政治〉』昭和堂，2011年。
石坂晋哉編『インドの社会運動と民主主義――変革を求める人びと』昭和堂，2015年。
ウォーラーステイン，I. 著，本田謙吉・高橋章監訳『脱＝社会科学――19世紀パラダイムの限界』藤原書店，1993年。
エリクソン，E・H著，星野美賀子訳『ガンディーの真理1――戦闘的非暴力の起原』みすず書房，1973年。
エリクソン，E・H著，星野美賀子訳『ガンディーの真理2――戦闘的非暴力の起原』みすず書房，1974年。
小熊英二『1968〈上〉――若者たちの叛乱とその背景』新曜社，2009年（a)。
小熊英二『1968〈下〉――叛乱の終焉とその遺産』新曜社，2009年（b)。
小熊英二「学生運動」大沢真幸・吉見俊哉・鷲田清一編『現代社会学事典』弘文堂，2012年，174頁。
グハ，ラーマチャンドラ著，佐藤宏訳『インド現代史1947-2007 下巻』明石書店，2012年。
周保松・倉田徹・石井知章『香港雨傘運動と市民的不服従――「一国二制度」のゆくえ』社会評論社，2019年。
曽良中清司ほか編『社会運動という公共空間』成文堂，2004年。
タロー，S. 著，大畑裕嗣監訳『社会運動の力』彩流社，2006年。
長崎暢子「非暴力と自立のインド」狭間直樹・長崎暢子『自立へ向かうアジア』中央公論新社，2009年，241-476頁。
長崎暢子「独立インドへの道」長崎暢子編『南アジア史4 近代・現代』山川出版社，2019年，113-149頁。
間永次郎『ガーンディーの性とナショナリズム』東京大学出版会，2019年。
長谷川公一「社会運動と社会構想」長谷川公一ほか『社会学』有斐閣，2007年，511-542頁。
長谷川公一・町村敬志「社会運動と社会運動論の現在」曽良中清司ほか編『社会運動という公共空間』成文堂，2004年，1-24頁。
長谷川公一『社会運動の現在――市民社会の声』有斐閣，2019年。
樋口直人・松谷満編『3・11後の社会運動――8万人のデータから分かったこと』筑摩書房，2020年。
藤井毅「トライブと不可触民」小谷汪之編『西欧近代との出会い（叢書カースト制度と被差別民第2巻』明石書店，1994年，89-125頁。
港千尋『革命のつくり方 台湾ひまわり運動――対抗運動の創造性』インスクリプト，2014年。
Habermas, J., “New social movements,” *Telos*, 49, 1981, pp. 33-37.
Oommen, T. K., *Social movements I* (*issues of identity*) & *II* (*concerns of equality and*

security), Oxford University Press, 2010.
Roberts, A., "Introduction," in A. Roberts and T. G. Ash eds, *Civil resistance and power politics: The experience of non-violent action from Gandhi to the present*, Oxford University Press, 2009, pp. 1-24.
Singh, R., *Social movements, old and new: A post-modernist critique*, Sage Publications, 2001.
Touraine, A., *The post-industrial society: Tomorrow's social history: Classes, conflicts and culture in the programmed society*, L. F. X. Mayhew (translated), Random House, 1971.
「保釈の周庭氏，欅坂46『不協和音』脳裏に」毎日新聞YouTubeチャンネル，2020年8月12日，https://www.youtube.com/watch?v=5e8kkzMYRSc，2021年10月15日アクセス。

文献紹介

① 樋口直人・松谷満編『3・11後の社会運動――8万人のデータから分かったこと』筑摩書房，2020年。

反原発デモと反安保法制デモをめぐって，首都圏（東京，神奈川，埼玉，千葉）住民を対象として2017年に実施した大規模調査をもとにした分析である。日本で数十年ぶりに抗議デモが盛り上がりをみせたのはなぜだったのかについて，日本語で読むことのできる初の本格的研究書といってよいであろう。

② 周保松・倉田徹・石井知章『香港雨傘運動と市民的不服従――「一国二制度」のゆくえ』社会評論社，2019年。

運動の中心的活動家の１人が日本の聴衆に向けて語った講演およびその解説である。運動の当事者が，何を考え，どのように行動していたのか，逮捕され釈放されるまでの経験なども含め，ヴィヴィッドに語られていて，興味深い。

③ 映画『ガンジー』，1982年。

この映画は，インド独立運動の指導者ガーンディーの生涯と運動を描いた作品である。「サッティヤーグラハ」とよばれる非暴力の運動が南アフリカでいかにして誕生し，その後インド帰国後のガーンディーらを中心として運動がさらにどのように展開し，そしてどのような成功と挫折を経験したかが描かれる。迫力ある映像を通じ，胸に迫るものがある。

第11章 カースト

インド社会の文脈を越えて

“「カースト」とはどのような概念で，どういった事象を指すものだろうか”

「カースト」といえば，往々にして，インドと密接不可分に結びつけられるイメージがあるでしょう。しかし一方，日本における「スクールカースト」という言葉の流布に代表されるように，インド社会の文脈を越えて「カースト」が使用され，論じられることも少なくありません。「カースト」の使用は，わたしたちの社会におけるどのような問題認識を反映したものなのでしょうか。「カースト」から浮かび上がる社会問題について，考えていきましょう。

キーワード カースト，インド，階層性，差別性
関連する章 第9章，第10章，第35章

はじめに

「**カースト**って，まだ**インド**にあるんですか？」

インドについて研究しているというと，ときにこうした問いを投げかけられることがある。これにひと言で答えることはきわめて難しい。なぜなら，問いを発した人の「カースト」認識がいかなるものであるか，にわかには判別しかねるからである。こうして，「まあ，もちろん変わってきているところもありますが，まだ根強く残っているところもありますし……」などという，（おそらく問うた方には）すっきりしない回答をすることになる。

そもそも，インドに〈ある〉という表現自体に，問題がないわけでもない。「カースト」は，タージ・マハルやガンジス川やカレーのように，モノとして

目にみえて触れられるかたちであるわけではないからである。あくまでそれは，人々の関係のあり方に強い影響を及ぼす，〈概念として人々の意識のなかにある〉のである。しかしまた，カーストが，なんらかのかたちで（婚姻や共食のあり方，職業，居住形態等で），〈実体化して現れて／表れている〉ことも確かである。

いずれにせよ，かように，「カースト」から連想するものは，ある一定の要素群はあげられるものの，人によって様々であるだろう。たとえば，インドに古くから存在している身分制度，ヒンドゥー教と関係した宗教社会制度，生まれによって決まる固定的な階層制度，差別と関わる社会制度，などがあげられるだろうか。いずれも，「カースト」と関わる一側面を表しながらも，決してそれだけにとどまるものでもない。この多面性こそが，カースト理解の困難さのゆえんであり，かつ，カースト認識の要諦であるといえよう。

ところで，もう1点，「カースト」という語がインド社会の文脈を越えて，**階層性**や**差別性**をはらんだ社会身分のあり方を表すに際して，アジア地域をはじめ，世界各地の社会で使われている状況があることも，重要な点として指摘することができる。後述するように，日本もまた例外ではなく，たとえば「スクールカースト」という通俗的表現が，広く一般化して使用されている。

本章では，こうしたインド社会におけるカーストの多面性・多義性と，世界各地にみられるカーストという用語・概念の適用の状況を紹介し，いささか迂遠的なやり方ではあるが，そこから，「カースト」が指し示す事象と問題認識を確認していきたい。すなわち，「カースト」を捉えるに，インドからアジア，さらには世界における状況を視野に収めつつ，インド社会の文脈において考える観点と，それを越えて検討する観点，そしてそれら両観点の交差がもたらす視角について，考えていきたい。

1 「カースト」の登場と定着――ヴァルナとジャーティ，カースト

「カースト」以前①――古代インド社会における「ヴァルナ」

論を進めるにあたって，まずは，インド社会における「カースト」の登場と来歴について確認しておきたい。カーストについて，先に記したように，「イ

ンドに古くから存在している身分制度」の枠組みとなるものとの認識は，広く流布していると思われる。しかし，のちに詳述するように，「カースト」という言葉自体が登場するのは，大航海時代の15世紀末に始まる，ヨーロッパ諸国によるインド亜大陸進出以降である。それまでのインド社会に存在していた（もちろん，現在でも存在・使用されている）概念・言葉（インドの現地語）は，「ヴァルナ」と「ジャーティ」である。

「ヴァルナ（varna）」は，もともと「色」を意味する言葉である。紀元前1500年～前1200年頃に，ヨーロッパ大陸からインド亜大陸に移動・進出したとされる比較的肌の色が白いアーリヤ人が，自分たちのことを「高貴な」を意味する「アーリヤ・ヴァルナ」と称し，肌の黒い先住民を指して，「敵，隷属」といった意を表す「ダーサ・ヴァルナ」とよんで区分したことが，インド最古の文献とされる『リグ・ヴェーダ』内の記述において確認されている。つまりヴァルナは，もともとは，アーリヤ人による自己／他者区別の表現・言葉であった。このように，元来，自他二区分を表した「ヴァルナ」であったが，時代が下って紀元前8世紀頃までには，4つの社会階層を表現する言葉になったと考えられている。それらが，すなわち，「バラモン，クシャトリヤ，ヴァイシャ，シュードラ」である。この4区分にもとづいた身分社会のあり方を「ヴァルナ制度」（あるいは四姓制度）といい，現在のヒンドゥー教に連なる当時の宗教体系であるバラモン教における社会制度であるとされている（小谷 1996: 13-15）。

ここで注意しておくべきことは，このヴァルナ制度の特徴として，バラモンを頂点とする階層性を有していたこと，また，4ヴァルナそれぞれ，対応する生業すなわち職があったということである。つまり，司祭職であるバラモンを頂点として，順に，王侯・軍人のクシャトリヤ，農民・商人のヴァイシャ，そして隷属民とされたシュードラという階層性であり，職業である。これらの特徴は，のちの「カースト制度」の中軸をなすものでもある。ただし一方，4ヴァルナ制度は，古代インド社会の実態そのものではなく，ある程度それを反映しつつも，当時の社会の支配者として存在していたバラモンの人々が描き出した，かれらにとってあるべき社会の姿を表現する理念的社会像であるとも指摘されている（小谷 1996: 17）。

「カースト」以前②――中世インド社会における「ジャーティ」

時代的にヴァルナに遅れて確認される言葉が，「ジャーティ（jati）」である。ジャーティは，「生まれ」を意味する言葉であり，すなわち血縁的結合関係にもとづく社会集団を指して用いられた。先述したように，ヴァルナが理念的身分階層を表すものであるとすれば，ジャーティは，実体的人間集団を表すものであると捉えられる。古代においては，ヴァルナとジャーティは混用状態であったとされるが，7～12世紀の中世にいたって両者の区分が明確化し，「ジャーティ」概念も確立したと考えられる（小谷 1996: 22-23）。

少し先取りとなるが，このジャーティが，現在流通している「カースト」概念が表す内容とほぼ合致した特質を有しているものとなる。それがすなわち，婚姻による関係性を集団の基軸とする点であり，また，ヴァルナより細分化された世襲的職業との結びつきがある点，そして，それら職業間つまりはジャーティ間に相互依存性が認められるという点である。加えて，ジャーティ間においても，地域社会の慣習法的序列にもとづいた階層性があることも，特記すべきこととなる。

中世インド社会について，ジャーティ概念の確定とともに，カーストとの関わりで記しておくべきことは，「不可触民」とされる賤民身分概念が定まったことである。社会の周縁に位置し，清掃や動物の死骸の処理といった不浄視される職業を担わされた人々について，一括した5つ目のヴァルナ，すなわち「不可触民」との認識概念が定着した。ただし，「不可触民」内でも，細分化される個々のジャーティが存している点は注意が必要である。ここにおいて，バラモン，クシャトリヤ，ヴァイシャ，シュードラ，そして「不可触民」の5ヴァルナを階層的序列の大枠として，これらに重なるかたちで，より細分化された集団枠組みであるジャーティが実体的に機能しつつ，現代のカースト制度へと連なる社会的身分制度であるヴァルナ＝ジャーティ制度が形成されることになった（小谷 1996）。

ここで，社会集団としてのジャーティの紐帯の軸とされたのが，婚姻と共食のあり方である点は，とくに注意すべきである（小谷 1996: 44）。すなわち，婚姻にせよ共食にせよ，血や食物を介するという身体的関係性をかたちづくるものであり，ここに，観念としての「浄・不浄」意識にもとづく階層性が，実体をもって人々の眼前に立ち現れてくることになる。

こうして，中世インドにおいてある一定の実体化・確定化をみたジャーティであり，ヴァルナ＝ジャーティ制度であるが，それでも，中世においては，いまだ固定的な社会集団・社会制度ではなく，「階層分解，分業の発展，新しい宗派の成立などによって分裂したり，再統合されたりする流動的なもの」（小谷 1996: 121）としてあったとされる。これら社会集団とその関係性が，社会制度としても，自己意識ならびに認識枠組みとしても，いっそうの明確化をみるのが，「カースト」の登場と流布を伴う近代インド社会においてのこととなる。

「カースト」の流布と定着――近代，そして現代へ

「カースト（caste）」という言葉の語源は，ポルトガル語で「家柄」「血統」を意味する「カスタ（casta）」にあるとされる。つまり，ポルトガルの人々を嚆矢とする，インド亜大陸に渡航してきたヨーロッパ人が，現地の血縁にもとづく社会集団，およびそれを規定する慣行（通婚の規制，職業の世襲制，位階制）を「カスタ」とよんだことが，そのはじまりとされる（藤井 2003: 16-20）。

つまり先述したように，「カースト」は，古代インドから変わらず存在していた概念ではなく，「ヨーロッパとインドとの出会い，さらには，その後に続いた支配と領有のなかで形成されていったもの」（藤井 2007: 1）である。すなわち，「カースト」として指し示される現象・事象はインドに存在していたが，「カースト」という概念名称自体は，ポルトガルの来航（1498年）以前にさかのぼることはないということになる（藤井 2007: 1）。加えて，近代の植民地支配は，「カースト」を構築したのみならず，それを強化し，固定化・本質化したとされる。端的に，インド社会が近代においてより「カースト化」（小谷 1996: 182）したと表されるゆえんである。チャンナによれば，「植民地支配が成し遂げたことは，そうした構造［ジャーティによる分断］の強化であって，それ以前に存在していたものよりも，はるかに厳格かつ明確な階層分化をとげた市民社会を築き上げた」ものとなる（チャンナ 2005: 321,［　］内は筆者による補足）。

カースト化とは，すなわち，カーストの固定化・本質化であるが，同時に，インド人側における自己意識化・内面化の過程でもあった。代表的にそれは，1872年に始まり，現在に至るまで継続して10年ごとにおこなわれている，イ

写11-1 デリーで開催された反カースト・反不可触民制を訴える政治集会

出所：筆者撮影（2005年12月）。

ンドの人々を詳細に調べ上げる国勢調査においてみることができる。つまり国勢調査における，「カーストを問われ，ジャーティ（をはじめとする諸属性）を答える」という応答により，ジャーティが「カースト」として自己意識化し，内面化したのである。

イギリスは，こうして流布し，浸透していく「カースト」の枠組みを，インド統治のための多方面におよぶ政策において活用した。カースト区分にしたがって施策を変える「分割統治」をはじめ，カーストごとにある一定の自治権を認める「カーストの自治」，兵士の登用にあたってカーストの特性を重視する「植民地軍制」など，数多くあげることができる（藤井 2007: 47-71）。

植民地近代において実体化したカーストは，それでは，独立後のインド社会においてどのように認識されているのであろうか。ここでは，インド憲法から1点だけ指摘しておきたい。インド憲法において，カーストは，宗教や人種，性，出生地とともに，それにもとづく差別については禁止が謳われている（インド憲法第15条）。しかし，カースト自体が禁止されているわけではない。これは，後述する「不可触民制」が，明確に廃止を宣されている（同第17条）こととときわめて対照的である。つまりカーストは，ひとつに，植民地期に定められた枠組みとリストを継承しつつ，インドのアファーマティブ・アクション（積極的差別是正措置）である留保制度において，資格付与の基準とされ続けているのである。またもうひとつに，多くの「カースト政党」が各地において興隆をみているように，それぞれのカーストが，自分たちの利益や声に正しく応答してくれる政党を求め，強く支持しているさまを見ることができる。すなわち，カーストの固定化・本質化という，植民地統治のあり方が現在にまで影響を及ぼしているポストコロニアルと称される状況そのままに，カーストは，依然インドの人々にとって枢要な参照軸としてあるということができる（写11-1）。

2 「カースト」をめぐる議論――インド特殊論と普遍論

インド特殊論からの「カースト」――近代から前近代へのまなざし

本節では，上述のインド社会におけるカーストの登場と流布，定着の過程を踏まえて，カーストがいかに論じられてきたか，確認をしていきたい。そこでは，「カースト」をインド社会に特有のものとみるか，あるいは地域や社会を越えてありうる普遍的な制度とみるか，大きく2つの立場をみてとることができる。

前節で述べたように，インド亜大陸に進出してきたヨーロッパ諸国の人々にとって，「カースト」は強い関心の的としてあった。それはひとつに，植民地統治を正当化するための「前近代的な」社会制度という捉え方にあった。つまりカーストは，「インド社会を頭ごなしに非難し，インド人を野蛮で文明化されていないと描き出そうとする」ために利用されたものであり，「植民地化を正当化するために，被植民地の文明化という名の下で強調された」最たるものとしてあったと考えられる（チャンナ 2005: 322）。

こうした近代（西洋／帝国）からの前近代（非西洋／植民地）への視点というものは，程度の差こそあれ，様々なかたちでみることができる。ここでは，代表的にフランスの文化人類学者であるルイ・デュモン（Louis Dumont）の議論を取り上げたい。デュモンの論は，その明快さ（翻って単純さ）ゆえに，のちのカースト論に賛否両面において大きな影響を与えたものである。

デュモンは，自身の属する西洋社会を「平等的個人主義」と捉え，それに対置されるものとしてインド社会を捉えた。すなわち，インド社会については，「階層的全体主義」が通底しているものとして，また階層性の主要な原理として「浄・不浄」観念が存しているものとして，インド社会観を提唱したものとなる。そこにおいては，最浄の存在であるバラモンと最不浄たる「不可触民」が対置され，両者を極として，そのあいだに浄性にしたがって各カーストが位階的に位置づけられるとした。また，バラモンと不可触民が相互補完的に，社会を（思想としても制度としても）成立せしめているとした。さらに，浄・不浄観念に代表される宗教的原理によって，政治・経済的領域が包含されており，つまり，政治・経済は宗教的領域に従属する二次的なものと捉えられた（デュモン 2001）。

デュモンの西洋／非西洋，浄／不浄という二重の二元論にもとづくインド社会，すなわちカースト制度解釈に対しては，様々な論点から多くの疑義が呈されることになった。王権や吉凶概念を重視する立場からの批判（田辺 1994）や，バラモン的価値観からの浄性の絶対視に対する「ケガレ」論からの反駁などをあげることができる（関根 1995)。いずれも，デュモンが前提とした「バラモン中心主義」的なインド社会の認識・解釈を論駁するものである。

「カースト」普遍論――一般名詞化する「カースト」

上でみたように，カースト制度を前近代的社会のものであり，インド特有の制度と捉える見方に対して，近代以降の社会においても普遍的にみられうる社会制度であるとする立場がある。代表的な初期の論者として，著名なドイツの社会学者であるマックス・ウェーバー（Max Weber）をあげることができる。

ウェーバーは，「階級」と「身分」を区別して分析・考察をおこなったが，そこにおいて，「カースト」は身分のひとつの形態として論じられた。身分は「名誉」と関わる社会的・宗教的地位であり，生活様式にしたがって構成されるとされ，一方，階級は経済的地位であり，生産様式にしたがって構成され，「支配」すなわち「官僚制」と関わるものであるとされた。つまり，前項でみたように，封建制度やカースト制度を前近代的社会制度，階級制度を近代における社会制度とする捉え方に対して，ウェーバーは，近代社会においても「階級」と「身分」（カースト）の併存状況がみられるとしたのである（渡辺 1997)。

ところで，先述のデュモンによる，とくにバラモンと不可触民の相互補完的関係について，マルクス主義者であるJ・P・メンチャー（J. P. Mencher）による，「下からの」観点にもとづく経済的搾取としてのカースト制度批判がある。メンチャーは，カースト制度というものを，「下からの」視点，つまり不可触民の視点で捉え直す必要性を訴えた。デュモンのような上からの視点において，相互依存的であり，第一義的に宗教儀礼的体系とされたカースト制度は，「下から」みた場合，何よりも経済的搾取の制度であり，また階級の形成を妨げる制度であるとされた（Mencher 1974）。

さてここで，「カースト」と現在の世界状況とを関連づける普遍化理論を2つ取り上げたい。ひとつは，イザベル・ウィルカーソン（Isabel Wilkerson）による，アメリカ社会が抱えもつ分断の問題について，「カースト」概念の応用から分析を試みた議論である。彼女によれば，「アメリカは見えざる骨組み，すなわち社会操作の中心をなすカースト制度」を有しており，「カーストは私たちの分断の基盤」であるとされる（Wilkerson 2020: 17）。カースト制度の特質として，人工的な構成物であること，固定され，埋め込まれた階層があること，集団間に仮定された優越性と劣等性を定めていること，そして，厳格でしばしば恣意的な境界が，階層化された諸集団を分離して，それぞれをあてがわれた場所に置いておくものであるといった点が指摘される（Wilkerson 2020: 17）。

ウィルカーソンは，人類史を通して3つの際立ったカースト制度があったとする。すなわち，ナチス・ドイツ，インド，そして「変幻自在で暗黙の，人種を基盤とするアメリカのカースト・ピラミッド」である（Wilkerson 2020: 17）。そのうえで，アメリカ社会にみられる，人々を分断するカースト的特質について詳細に論じている。

もうひとつのカーストの普遍化理論は，アナ・ヴェリチュコヴァ（Ana Velitchkova）による，カーストをグローバル状況下の世界における「市民権（citizenship）」の問題として捉える議論である（Velitchkova 2021）。ヴェリチュコヴァは，国民国家との関係において，優勢な状況にある市民権を有する「高カースト」と，劣位な状況にある「低カースト」という観点を打ち出し，カースト制度を「グローバル市民権秩序（the global citizenship order）」と述べる。とくに，無国籍者や難民，移民について，支配的社会秩序におけるかれらの劣位性から，南アジアの「不可触民」と類似したものと捉えている（Velitchkova 2021: 13）。

日本社会における「カースト」の適用

本項では，とくに，日本社会において「カースト」概念が適用されている例をみていきたい。ここでは，代表的に2つを取り上げる。ひとつが，歴史学者の大山喬平による中世日本を「ゆるやかなカースト社会」とみる議論であり，もうひとつが，とくに小中高校生の教室内における関係性を表した「スクールカースト」である。

大山（2003）は，「現代にいたるまでの（日本）列島社会は，時期により，地域により，濃淡の差はあるものの，その多くが一種の『ゆるやかなカースト社会』として経過してきたということができる」（大山 2003: 12）との仮説のもと，次のように述べている。少し長い引用となるが，重要な論点が明示されていることから，ここで確認しておきたい。

> カーストの現れはインド社会にもっとも典型的かつ強烈に顕現したのですが，それはインド社会に固有のものではない。人類社会にはそれに類似した形態がさまざまに現れうるもので，日本社会を通観するならば，インドのカーストと類似する現象が，この列島社会にもたしかにあって，インド的な物指しをあてて日本社会を見直す作業がたいへん有効であろうと思います。この社会にはインドと類似した共通の性格があると同時に，また異なった側面もある。どういう点が共通し，またどこが異なるのか，この両者を明確に認識することが出発点であり，重要です。これが認識されてはじめて二つの社会の抱える問題を考え，そこからある結論や示唆を見出すことができるようになるでしょう。この作業は，インド研究にとっても，また日本研究にとっても必要であり，それは同時に多くの歴史社会にもあてはまるであろう，と判断しています。そうした意味で，日本列島社会の歴史を「ゆるやかなカースト社会」と位置づけようというのが，（中略）私の意図であります。
>
> （大山 2003: 13）

つまり大山の主張によれば，「カースト」について，先述した普遍化理論同様，人類社会に類似した形態の現象が認められるのであり，それは日本社会においても例外ではないということになる。そのうえで，インド社会とそれらを比較検討することにより，それぞれの社会が抱える問題を考えることが，よりいっそう明確に可能となり，そこからある考察をなすことができるとするものである。この観点は，本章で試みている方向性と同じものとなる。

さて，ついで「スクールカースト」について取り上げたい。端的にいえば，それは，学校，特に教室内において，「クラスメイトのそれぞれが『ランク』

付けされている状況」（鈴木 2012: 27）を指して使われる。つまり，1軍や2軍，Aランクや B ランクといった表現でもって，本来，年齢や身分差がほとんどないはずの同級生のあいだに，「階層性」が生じている状況のことをいうものである。この階層性の基準となるものは，人気や部活，容姿等，いくつかの「曖昧な」価値観であり，それらにしたがって「なんとなく」ランクがつけられていくことになる。また，そうして一旦確定したランクは，あまり大きく変動することなく，固定化していく。

こうして形成された関係性において，潜在化したかたちでそれぞれの生徒が優越感や劣等感を抱え込みつつ，日常の教室内での振る舞いをおこなっていることになる。「（スクール）カーストによって複数の層に分断され」，同じクラスメイトであり，教室という同じ空間を共有しながらも，「カースト間の交流はほとんど見られ」ないことになる（土井 2009: 9）。また，特に「いじめ」と深く関わるものとして，「スクールカースト」は論じられることになる。

第1節で確認したように，「カースト」には，古代におけるアーリヤ人のインド亜大陸への進出から，近代のヨーロッパ人の到来，そしてその後の植民地支配といったインド社会の歴史性が色濃く刻み込まれているものであり，単純な言葉の適用をためらうに足る複雑さを認めることができる。しかし一方，上述した大山の言葉を借りれば，「スクールカースト」という視角から捉えることによって，「教室（生徒たちにとっての「社会」）」における問題，すなわち，同じクラスメイト間に構築される固定化された階層性と優劣意識からくる「歪んだ」関係性といった問題について，深く検討し，考察することが可能となる。ここに，「カースト」の多面性・多義性がもつ困難さと有用性をみることができよう。

おわりに

以上みてきたように，「カースト」は，インドの土壌において，様々な歴史的経緯を経ながら形成されてきたものであり，インド社会の文脈と深く関連しているものとなる。しかし一方，その顕著な特徴，とくに階層性と差別性から，広く普遍的に他の地域や社会に適用されて，「カースト的なる問題性」を浮かび上がらせることもまた可能である。最後に，あらためて「カースト」の〈差別性〉に焦点を当てて，そこにみられる問題と被差別民の連帯の萌芽について考えてみたい。

インドのカースト制度において，もっとも苛烈な状況に置かれている存在として，「不可触民」を思い浮かべる人は少なくないだろう。インドの人口の16～17％を占める不可触民とされる人々が，このきわめて差別的なカテゴリー名称に明らかなように，実際，長きにわたり，厳しい被差別・被抑圧の状況に置かれてきたことはあらためて強調するまでもない。しかし，とくに独立期から独立後の解放運動や各種の施策の成果を受けて，政治・経済・社会的地位に大きな変化がみられることも，また確かである。

不可触民の被差別性を考えるに，「ケガレ」観念はひとつの枢要な観点となる。「ケガレ」は，インドのみならず，日本や他のアジア諸国，さらに世界において，多くの社会に普遍的に認められる，被差別民を構築せしめている非常に根強く根深い観念であるといえよう（野間・沖浦 1983; 阿部ほか編 2007）。一方，この普遍的で共通する被差別の状況を基盤に，人々が連帯の動きを活発化させているさまもまた認めることができる。たとえば，国連の南アフリカ・ダーバンでの会議（「反人種主義世界会議」，2001年）における，日本とインドの人々の連帯（日本の被差別部落の人々と，インドの「不可触民」とされる人々との連帯）と運動は，その代表的なものであるといえよう。

すなわち，「カースト」は，あらゆる社会に存在する「社会的身分」やそれにもとづく「差別構造」について，普遍的・比較的観点から検討する基盤を提供しうるものであるといえる。「カースト」の，安易で単純な適用や比較にはもちろん十分な注意を払う必要があるものの，構築された社会制度としての差別構造，そして無根拠な階層性や差別性への気づきは，こうした比較検討から，より明確に生じてくるものとなるだろう。

【舟橋健太】

参考文献

阿部年晴・綾部真雄・新屋重彦編『辺縁のアジア――〈ケガレ〉が問いかけるもの』明石書店，2007年。

大山喬平『ゆるやかなカースト社会・中世日本』校倉書房，2003年。
小谷汪之『不可触民とカースト制度の歴史』明石書店，1996年。
鈴木翔『教室内（スクール）カースト』光文社，2012年。
関根康正『ケガレの人類学――南インド・ハリジャンの生活世界』東京大学出版会，1995年。
田辺明生「人類学・社会学におけるカースト研究の動向」佐藤正哲・山崎元一編『叢書 カースト制度と被差別民 第1巻 歴史・思想・構造』明石書店，1994年，353-367頁。
チャンナ，サブハードラ著，工藤正子・門田健一訳「インドにおけるカースト・人種・植民地主義」竹沢泰子編『人種概念の普遍性を問う』人文書院，2005年，321-355頁。
デュモン，ルイ著，田中雅一・渡辺公三訳『ホモ・ヒエラルキクス――カースト体系とその意味』みすず書房，2001年。
土井隆義『キャラ化する／される子どもたち――排除型社会における新たな人間像』岩波書店，2009年。
野間宏・沖浦和光『アジアの聖と賤――被差別民の歴史と文化』人文書院，1983年。
藤井毅『歴史のなかのカースト――近代インドの〈自画像〉』岩波書店，2003年。
藤井毅『インド社会とカースト』山川出版社，2007年。
渡辺雅男「ヴェーバーにおける階級の概念」『一橋大学研究年報 社会学研究』36号，1997年，3-47頁。
Mencher, Joan P., “The Caste System Upside Down, or The Not-So-Mysterious East,” *Current Anthropology,* 15 (4), 1974, pp. 469-493.
Velitchkova, Ana, “Citizenship as a caste marker: How persons experience cross-national inequality,” *Current Sociology,* Online First (15 July, 2021), 2021, pp. 1-20, DOI: 10.1177/00113921211028644.
Wilkerson, Isabel, *Caste: The Origins of Our Discontents,* Random House, 2020.

文献紹介

① ルイ・デュモン著，田中雅一・渡辺公三訳『ホモ・ヒエラルキクス――カースト体系とその意味』みすず書房，2001年。

百家争鳴のカースト論のなかでも，ひとつの主軸となっている大著である。構造主義の観点からの明晰な分析と考察をみることができる。加えて，デュモンを的確に批判しつつ，「ケガレ」観念の深い洞察から「不可触民」の世界を描いた，**関根康正『ケガレの人類学――南インド・ハリジャンの生活世界』（東京大学出版会，1995年）**，また，供犠制度としてカーストを捉え，根本に存する価値体系とともに論じた，**田辺明生『カーストと平等性――インド社会の歴史人類学』（東京大学出版会，2010年）**，これら骨太な2冊についても挑戦してみてほしい。

② 金基淑編『カーストから現代インドを知るための30章』明石書店，2012年。

インド社会における「カースト」の様相について，その現代的変化も視野に収めつつ，個別のカースト（ジャーティ）ごとに紹介した最適書。伝統的職業に従事する人々，中間カーストから高位カースト，下層とされる人々，女性，非ヒンドゥー教徒とカーストなど，様々な観点から網羅的に各カーストが取り上げられている。カースト制度と不可触民の歴史的形成過程を確認することができる，**小谷汪之『不可触民とカースト制度の歴史』（明石書店，1996年）**，また，とくに植民地近代のカースト形成に焦点を当てた，**藤井毅『歴史のなかのカースト――近代インドの〈自画像〉』（岩波書店，2003年）**，アジアにおける被差別民について比較討議された，**野間宏・沖浦和光『アジアの聖と賤――被差別民の歴史と文化』（人文書院，1983年）**も，合わせて確認したい。

③ M・R・アナンド著，山際素男訳『不可触民バクハの一日』三一書房，1984年。

インド人作家による小説。「不可触民」とされる少年の苦悩と一抹の希望が描かれている。インドの空気を感じつつ，カーストが生じさせる問題を考えることができる。同様に，インドの空気を感得しつつ，インド社会とその変化・問題に触れることができる読み物として，インド系イギリス人ノーベル文学賞作家である**V・S・ナイポール**による一連のインド紀行，**『インド・闇の領域』（安引宏・大工原弥太郎訳，人文書院，1985年）**，**『インド――傷ついた文明』（工藤昭雄訳，岩波書店，2002年）**，**『インド・新しい顔――大変革の胎動　上・下』（武藤友治訳，岩波書店，2002年）**がある。

第II部 経済

第 12 章　経済成長

アジアの経済成長プロセスとその行方

"アジアの経済成長はどのようなプロセスで進んだのか"

戦後日本に続き，NIEs，ASEAN，中国とアジア諸国は相次いで急速な経済成長を遂げました。そのプロセスはどのようなもので，担い手は誰だったのでしょうか。1990年代に世界銀行はなぜ東アジアの経済成長を「奇跡」とまで称したのでしょうか。その後も成長は続いていくのでしょうか。この章では，戦後アジアの経済成長をけん引した要因と背景，その後の動きを概観します。

キーワード　NIEs，東アジアの奇跡，輸出志向工業化，HPAEs，中所得国の罠
関連する章　第14章，第20章，第26章

はじめに

2003年10月末，マレーシアで22年間の長期におよんだ首相を辞任することになったマハティール（Mahathir bin Mohamad）は，議会演説冒頭で独立以来の歴史を回顧して以下のように述べた。

> 振り返ってみれば，1957年，446年間にわたる植民地のくびきから解き放たれたあの歴史的土曜日から，我々は長い道のりを歩んできたことを実感する。あの頃，我々は，1人あたり所得がわずか300ドルという貧しい国であった。民衆はいかなる発展も期待しておらず，確かに生活の質もよりよいものではなかった。（中略）46年間で，我々はゴムとスズにのみ依存していた国から，工業国となり，さらに，洗練され情報にもとづく工業

国へと向かおうとしている。1人あたり所得はほぼ4,000ドルにまで達し，識字率は94.1％にまで達した。

貧困層の割合は1970年の52.4％から2002年には5.1％にまで減少した。2003年，地方の92％の家には電気が提供され，86％は水の供給を受けている。学校，病院，舗装道路はほぼすべての人々に享受されている。（中略）いまやマレーシアは世界中によく知れ渡り，他の途上国やイスラム諸国のモデルとなったのである。（Malaysia, Economic Planning Unit 2003: 5-6）

マハティールが語ったように，1957年の独立以来，マレーシアは急激な経済成長と工業化を経験した。天然ゴムや油ヤシのプランテーションが広がっていた熱帯の小国は，わずか数十年で劇的な変化を遂げたのである。首都クアラルンプールには高層ビルやショッピングモールが建ち並び，高速道路で結ばれた国内の工業団地には多くの外資系企業が工場を建設し，世界有数の輸出国として電機・電子産業を中心とした製造業の生産・輸出拠点としての地位を確立している。

第二次世界大戦後，朝鮮戦争に伴う特需から高度経済成長期を経て先進国の仲間入りを果たした日本，そして，**NIEs**（Newly Industrializing Economies，新興工業経済群）とよばれる韓国，台湾，香港，シンガポール，さらに，ASEAN（Association of Southeast Asian Nations，東南アジア諸国連合）加盟国，中国やインドといった新興国と，アジアにおいては高い経済成長を遂げた国々が相次いで登場した。これらの国々はどのようなプロセスを経て経済成長を達成したのだろうか。また，経済成長の背景には，どのような要因が絡んでいるのだろうか。そして，この動きは今後も続いていくのだろうか。本章では，アジアの経済成長を概観したうえで，その要因をめぐる様々な分析を紹介し，今後の展望と課題についても触れてみたい。

1　アジア諸国の経済成長のプロセス

アジアの1人あたりGNI

先述したNIEsは，かつてはOECD（Organization for Economic Co-operation and

表12-1　アジア主要国の1人あたりGNI（2019年）

国，地域名	1人あたりGNI	国，地域名	1人あたりGNI
シンガポール	59,590	モンゴル	3,790
香港	50,800	ベトナム	2,590
日本	41,710	ラオス	2,570
韓国	33,790	インド	2,120
ブルネイ	32,230	バングラデシュ	1,940
台湾	26,594	カンボジア	1,530
マレーシア	11,230	ミャンマー	1,390
中国	10,390		
タイ	7,260	世界	11,566
インドネシア	4,050	高所得国	45,348
スリランカ	4,020	中所得国	5,580
フィリピン	3,850	低所得国	820

注：単位はドル。
出所：World Bank, World Development Indicators Database（http://wdi.worldbank.org），台湾のみ台湾行政院主計総処『国民所得統計摘要』（2021）をもとに筆者作成。

Development，経済協力機構）による『新興工業国の挑戦』という報告書のなかで，アジアのみならず経済成長の著しい国々を指して「NICs（Newly Industrializing Countries，新興工業諸国）」とよばれていた（OECD 1980）。しかしながら，この報告書が刊行されたのち，ラテンアメリカやヨーロッパ，中東等の諸国は，累積債務，エネルギー危機などの結果低迷した一方で，アジア諸国は1980年代以降も「**東アジアの奇跡**」と称されるほどの高い経済成長と工業化を続けた。

現在のアジアの主要国の1人あたり国民所得（GNI: Gross National Income）をみてみると（**表12-1**），6万ドル近いシンガポールを筆頭に，日本やNIEs，石油や天然ガスを産出する小国のブルネイが名を連ねている。マレーシアや中国も1万ドルの大台を突破しており，ついで，タイが7,000ドル台，インドネシアやフィリピンが4,000ドル前後である。さらに，ASEANでも経済開発が遅れていたベトナムやラオス，カンボジア，ミャンマーという順に続く。南アジアではスリランカが4,000ドル台，インドとバングラデシュが2,000ドル前後である。

多くのアジア諸国は第二次世界大戦後，念願だった政治的独立を手に入れたものの，戦時中の被害に加えて，特定の一次産品のみを生産するモノカルチャー経済や農村部における前近代的なシステムといった植民地時代の遺制が存在

表12-2　アジア諸国の産業政策の推移

	1950	1960	1970	1980		1990
台湾	53－57 輸入代替工業化	58－60 輸出振興政策		80－ 輸出振興 戦略産業育成	86－ 自由化	90年代 情報産業育成
韓国		61－72 輸出振興政策 国内市場保護 金融機関国有化	73－79 輸入代替政策 （重化学工業） 輸出振興	80－ 貿易・投資 自由化 金融自由化	80年代央－研究開発優遇	90年代 国際的調和重視 規制緩和・摘発
タイ		61－71 輸入代替工業化	71－86 輸入代替強化（81－資本財） 輸出産業育成		86－ 輸出振興政策 技術集約的産業育成	
マレーシア	50－70 輸入代替工業化 （緩やか）		71－85 輸入代替に輸出振興加味 80－重工業化		86－ 貿易・投資 自由化	
インドネシア		61－73 新秩序政府 （自由化）	71－81 輸入代替工業化		86－ 輸出振興政策 自由化	
フィリピン	50－70 輸入代替工業化		70年代 輸入制限強化 （政商癒着）	80年代 貿易投資自由化 （政情不安）		90年代 貿易投資自由化徹底 （政情安定化）

出所：井出（2006: 38）。

していた。これらの国々においては，経済的自立を支えるための産業基盤を構築し，国民の所得を向上させる必要があった。また，戦後の東西冷戦の最前線としての位置づけから，いち早く国力を高めることも求められていた。

アジア諸国の産業政策を概観すると（**表12-2**），多くの国では1950年代から輸入に頼っていた財の海外からの流入を制限し，それに代わって国内の生産者を支援することで産業を育てていこうとする輸入代替工業化を進めていったものの，狭隘な国内市場，過度な保護による非効率などにより，輸入代替工業化は期待したほどの成果をあげることができなかった。

1960年代以降，台湾や韓国が国内の低廉な労働力を活用した外国企業の積極的な誘致に成功すると，1970年代にアジア諸国は相次いで類似の制度を導入し，日本やアメリカなどの外資系製造業を誘致する輸出志向型の工業化戦略を進めていった。さらに，韓国やASEAN諸国では，**輸出志向工業化**と並行して，船舶，鉄鋼，石油化学などの重化学工業化も進められた。とくに韓国では現地資本による重化学工業化の進展に向け，国内の特定企業に優先的に資本と資源が集中され，巨大財閥がその担い手となっていった。

経済成長の担い手

アジア諸国における経済成長は，政府への権限の集中と強力なリーダーシップのもとでの産業政策の実施，またそれと結びついた内外の資本との関係を抜きに語ることはできない。国内に相次いで設けられた様々な工業団地は，「輸出加工区」や「保税倉庫」などとよばれ，海外から部品や中間財を輸入し，それを組み立て海外に輸出する企業に対して，様々な税制優遇策などが講じられた。多くの先進国企業が低賃金の労働力を活用し，低コストの製品を生産・輸出する拠点として，それら工業団地に進出した。そこでは多くの雇用が生まれ，また，部品や中間財をそれら組み立て拠点に供給する，「裾野産業」とよばれる中小企業の育成も目指された（前田・塩地・上田編 2020）。

また，単に海外からの企業誘致のみならず，国内資本を活用し，また，国内企業を経済成長の主たる担い手として育成したいという政府の願望があったため，国内の地場企業の育成に優遇策が講じられ，戦略産業や公共インフラ部門等においては，政府自身が国営企業・公社などの形で直接経営に参加する形態がとられた。国内に多くの民族（人種）を抱える国においては，アジア地域全体に展開し経済活動の実権を有していた華人・インド人などの資本と，国内で多数派ながら経済的実権を伴わない地場民族資本とのあいだでも調整が図られ，華人などの資本を制限しながら地場民族企業の育成を志向する事例，政府と特定華人資本とが密接な関係を有しながら勢力を伸ばす事例などがみられた。末廣（2000）は，アジアの工業化，経済開発を進めるなかで主たる担い手であったのは，国営・公企業，国内民間大企業（財閥），多国籍企業の3者であったとし，それを支配的資本の「鼎構造」とよんでいる。

さらに，アジアにおいては，独立以来，効率的な経済開発の追求，冷戦後の政治環境や社会構造に対する危機感から，民主的な市民の政治参加や労働運動を制限しながらトップダウンによる政治運営の手法を用いる傾向がみられた。韓国では1961年の軍事クーデターで政権を掌握した朴正熙とその後政権の座についた全斗煥，台湾では国民党政権の蔣介石，蔣経国，フィリピンではマルコス，インドネシアでは与党ゴルカルの一党独裁下でのスハルト，シンガポールでは人民行動党政権下でのリー・クアンユーとその後継者のゴー・チョクトン，マレーシアではUMNO（統一マレー人国民組織）のマハティール，タイではサリット・タノームの各政権などがその代表例である。こうした体制は「開発独裁」などとよばれたが，政権当局者との密接な関係を構築した人物や，政権担当者の身内に独占的な権限を与えられることが多く，それらは縁故主義，クローニーキャピタリズム（縁故資本主義）などとよばれ批判を受けることにもなった（本書の**第20章**も参照）。

2 成長は「奇跡」だったのか？

「東アジアの奇跡」

世界銀行（1993）は，『東アジアの奇跡――経済成長と政府の役割』という報告書を発表し，アジア諸国のなかでも日本，NIEs，ASEANのうちマレーシア，タイ，インドネシアの8つの国と地域を「高いパフォーマンスを示している東アジア経済（HPAEs: High-Performing Asian Economies）」と名づけ，これらが1965年から90年にかけて世界のどの地域よりも急速に成長したばかりでなく，国内における貧富の格差も確実に縮小させた（**図12-1**，**図12-2**）とし，その要因を分析した。

1965～90年の1人あたりGNP平均成長率では，HPAEsはラテンアメリカや南アジアの3倍，サハラ以南アフリカの25倍以上の成長を達成している。とはいえ，たとえ高い経済成長を達成したとしても，その成果が国民にひろく行き渡らなければ，国内での貧富の格差が拡大することになってしまう。**図12-2**は，縦軸に1人あたりGDPの成長率を，横軸には所得の不平等度（人口の20％を占める最富裕層の所得シェアと，20％を占める最貧層の所得シェアの比率）をとったもので，図の左上に行くほど経済成長が高く，かつ所得の不平等度が低い地域であることを意味する。星印のHPAEsは，経済成長率が高いのみならず，その格差が他の地域と比べて低いことが示されている。これら急速かつ共有された成長の結果として，HPAEsでは絶対的貧困層の割合や平均寿命，教育水準

図12-1　1965～90年の1人あたりGNP平均成長率

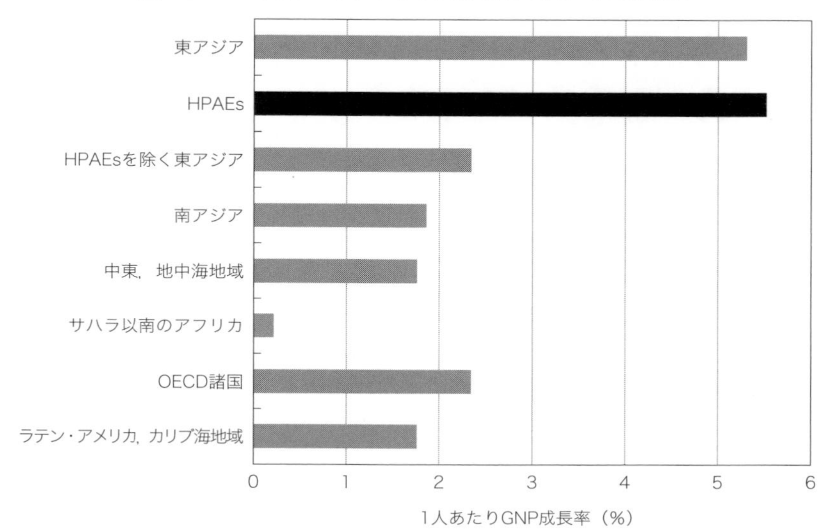

出所：世界銀行（1993: 2）。

などの厚生水準も劇的な改善がみられた。

世界銀行はこの成功要因について，安定した経済運営，高水準の国内貯蓄，すぐれた教育政策と労働力の技能向上，外国技術の積極的受入と規制緩和，農業の発展などの基礎的政策がすぐれていたことに加えて，「多くの国においては，何らかの形で政府は組織的に複数のチャンネルを通して開発，時には個別産業の開発の育成に介入した。（中略）主に北東アジアの2，3の国々では，いくつかの場合，政府の介入はそれがなかった場合よりもより高くより公平な成長をもたらした」（世界銀行 1993: 5-6）とし，従来，世界銀行はじめ先進国において認められてきた市場ベースの競争を支える基礎的な政策に加えて，輸出振興や特定産業育成のための経済支援に関して，政府の選択的な介入を一部認めるに至った。また，日本の審議会方式に代表されるような，経済発展や工業化を促す官民一体となった制度・組織の存在も好意的に捉えられた。

「奇跡」後のアジア

しかしながら，「奇跡」とまで称されたアジア経済は，その後1990年代後半

図12-2　所得の不平等度とGDP成長率（1965～89年）

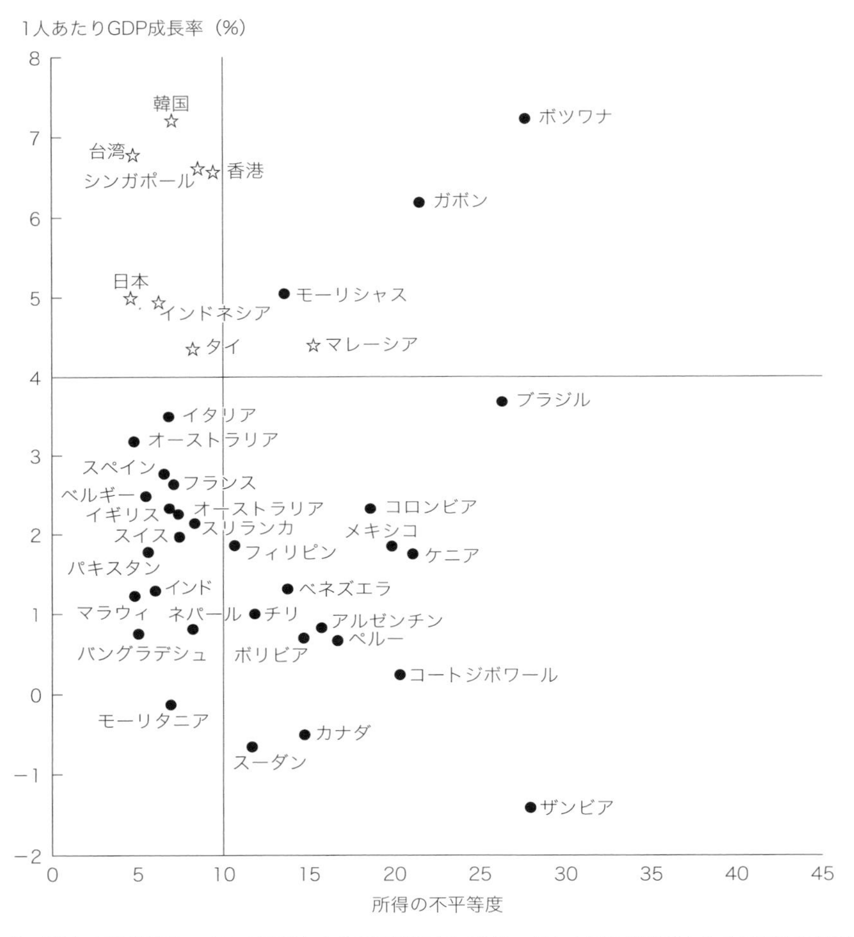

注：所得の不平等度は，人口の20%を占める最富裕層の所得シェアと人口の20%を占める最貧層の所得シェアの比率により求められる。
出所：世界銀行（1993: 33）。

に大きな動揺をみせることとなる。高い経済成長と同時に様々な国内の規制緩和を進めていたアジア諸国においては，金融市場の自由化も進められ，世界中から巨額のマネーが流入するようになった。タイには海外からの短期資本が急流入し，その資金は株式や不動産に流れ，実力以上に評価された「バブル」状態となっていた。1997年7月にタイの株式，通貨市場で大暴落が発生すると，その波はインドネシア，マレーシア，韓国など周辺の国々にも波及し，各国の通貨や株式の暴落，海外からの投資の流出などが相次いだ。資金繰りに窮した金融機関は次々と破綻し，融資が得られなくなって多くの企業が倒産した。タイやインドネシア，韓国では，国が借金を返済できない債務不履行（デフォルト）寸前にまで追い込まれ，IMF（International Monetary Fund，国際通貨基金）に緊急支援を要請することとなった。IMFから支援の代わりに条件として突き付けられたのが処方箋である「コンディショナリティ」の履行であった。そこでは，これまで高度経済成長を支えたとされた様々な「奇跡」の条件が，市場構造を歪め，腐敗と汚職を生む要因であるとして，改革・廃止の対象とされたのである。通貨危機の背景には国内，国外複数の要因が絡み合っており，また，その評価も巨大な政府の存在とその役割の評価，制御が困難なグローバルなマネーの存在，IMFがおこなったコンディショナリティの有効性などについて様々な意見があるものの，独裁的長期政権と結びついた縁故主義やクローニーキャピタリズムが生んだ非効率や腐敗を通貨危機が露呈させたことは事実であろう。

通貨危機を克服したアジア諸国は，2000年代にふたたび経済成長軌道に回復し，近年では，相対的にアジア域内でも開発が遅れていたインドシナ半島のASEAN諸国（ベトナム，ラオス，カンボジア，ミャンマー），さらに南アジアなどへも経済成長が波及している。さらにアジアのなかでも，中国やインドの急激な経済成長が注目されるようになっている。中国は1978年の「改革開放」政策の導入以降，社会主義を標榜しながらも外国企業の投資を受け入れるようになり，1990年代からは「社会主義市場経済」を公式に標榜している。また，2001年にはWTO（World Trade Organization，世界貿易機関）へも加盟し，ビジネス活動，貿易においても世界との結びつきを深めている。海外からの直接投資が急増し，国内の低賃金かつ豊富な労働力を活用した生産拠点が沿海部を中心に増加すると，中国は「世界の工場」とよばれるようになった。また，同様に国内保護の姿勢が強かったインドにおいても，1990年代以降規制緩和が進み，外国企業の投資を積極的に受け入れるようになると，とりわけIT分野やサービス産業における様々なビジネスプロセスの拠点としての注目が高まり，英語や数学の能力などの評価も相まってインドへの投資が急増した。中国・インド両国のもう1つの特徴は，国内の人口の多さである。15億人近い各国の人口は，それ自体が巨大な市場の存在を意味し，経済成長とともに国民の購買能力が上昇するにつれ，その市場を魅力として進出する企業も相次いでいる。インド，中国に加えてロシア，ブラジル，南アフリカの5か国は，英語の頭文字をつなげてBRICSとよばれ，急激に国際的な影響力をもつ新興国としての地位を高めつつある。

3 中所得国の罠

アジアにおける日系企業へのアンケート調査から

これらアジア地域に対して，企業はどのような魅力と有望性を感じているのだろうか。JBIC（Japan Bank for International Cooperation，国際協力銀行）が毎年実施している日本企業へのアンケート調査では，中期的（今後3年程度）観点から有望と考える事業展開先を尋ねる項目がある。2020年では，1位中国，2位インド，3位ベトナム，4位タイ，6位インドネシア，7位フィリピン，8位マレーシア，10位ミャンマーなど，アジアの国々が上位を占めている。これらの国々を有望とみる理由の多くは，経済成長に伴う現地の購買力の上昇によるマーケットとしての成長性やその規模，安価な労働力，優秀な人材の存在といった，市場，労働力，低賃金の魅力である。他方で，途上国ゆえに様々なビジネス展開の基盤となるインフラや法律の整備が遅れていること，労働力確保がかつてほど容易ではなくなってきており，人件費が向上しつつあることなどが，課題としてあげられている（国際協力銀行 2021）。JETRO（Japan External Trade Organization，日本貿易振興機構）がアジア太平洋地域に進出する日本企業を対象に毎年実施している調査の結果からも，国によって大きな格差が存在しているものの，低賃金とされる国々においても徐々に人件費が上昇していることがわかる（**図12-3**）。

発展途上国にとって，所得が低く国内で十分な雇用をまかなう産業が存在しない段階では，外国企業の投資を呼び込む魅力のひとつは「豊富かつ低廉な労働力の存在」である。また，工業化の初期は繊維産業や玩具，プラスチック製

図12-3　アジア太平洋地域の主要国における前年比昇給率

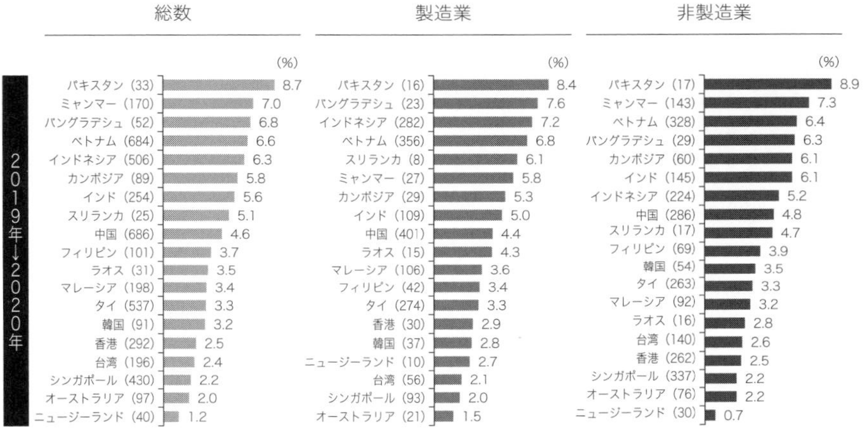

2019年→2020年

総数 (%)

国	%
パキスタン (33)	8.7
ミャンマー (170)	7.0
バングラデシュ (52)	6.8
ベトナム (684)	6.6
インドネシア (506)	6.3
カンボジア (89)	5.8
インド (254)	5.6
スリランカ (25)	5.1
中国 (686)	4.6
フィリピン (101)	3.7
ラオス (31)	3.5
マレーシア (198)	3.4
タイ (537)	3.3
韓国 (91)	3.2
香港 (292)	2.5
台湾 (196)	2.4
シンガポール (430)	2.2
オーストラリア (97)	2.0
ニュージーランド (40)	1.2

製造業 (%)

国	%
パキスタン (16)	8.4
バングラデシュ (23)	7.6
インドネシア (282)	7.2
ベトナム (356)	6.8
スリランカ (8)	6.1
ミャンマー (27)	5.8
カンボジア (29)	5.3
インド (109)	5.0
中国 (401)	4.4
ラオス (15)	4.3
マレーシア (106)	3.6
フィリピン (42)	3.4
タイ (274)	3.3
香港 (30)	2.9
韓国 (37)	2.8
ニュージーランド (10)	2.7
台湾 (56)	2.1
シンガポール (93)	2.0
オーストラリア (21)	1.5

非製造業 (%)

国	%
パキスタン (17)	8.9
ミャンマー (143)	7.3
ベトナム (328)	6.4
バングラデシュ (29)	6.3
カンボジア (60)	6.1
インド (145)	6.1
インドネシア (224)	5.2
中国 (286)	4.8
スリランカ (17)	4.7
フィリピン (69)	3.9
韓国 (54)	3.5
タイ (263)	3.3
マレーシア (92)	3.2
ラオス (16)	2.8
台湾 (140)	2.6
香港 (262)	2.5
シンガポール (337)	2.2
オーストラリア (76)	2.2
ニュージーランド (30)	0.7

出所：JETRO（2020: 98）。

品などのいわゆる「軽工業」の生産・輸出拠点となる場合が多いが，その後，徐々にその技術レベルを上げながら産業の高度化が目指される。かつては日本がその立場にあった低賃金を武器にした様々な製造業の生産・輸出拠点は，その後，NIEs，ASEAN，中国，さらにASEANの後発国へとシフトを続けている。これは，経済成長の著しい地域が相次いで登場していることを示すのと同時に，かつて豊富かつ低廉な労働力を武器として先発国にキャッチアップすることを目標に掲げてきた国々が，同時に自らもさらに低賃金の国々からキャッチアップされる存在にもなったことを意味する。末廣（2000）はこれを「キャッチアップ型工業化」と形容している。

「中所得国の罠」

ただし，追われる立場にもなった国々がその技術力と産業構造をさらに高度化させていくことは容易なことではない。世界銀行が2007年に発表した報告書では，「東アジア諸国の多くは低所得国の段階をすでに終え，中所得段階に達しているが，これまで同様の発展パターンでは，ラテンアメリカ諸国や中東地域のように『**中所得国の罠**（Middle-income trap）』に陥り，いずれ停滞を余儀なくされる可能性がある」（Gill and Kharas 2007）と指摘している。「中所得国の罠」とは，多くの発展途上国において，経済発展が進み中程度の所得水準にまでは達したとしても，その後，経済発展の原動力であった低賃金の労働力などの競争力を失ういっぽうで，新たな成長戦略への転換が進まないがために，成長率が低迷してしまう現象である。これまで高い経済成長を誇り豊かさを享受しつつあるアジア諸国において，そのプロセスが今後も持続できるかどうかは必ずしも明らかではない。かつて「東アジアの奇跡」に対して，クルーグマンは「アジアの経済成長は資本や労働といった物的投入量が急増した結果にすぎず，技術進歩など生産性の向上が伴わなければ，その成長はやがて行き詰まる」と指摘した（Krugman 1994）。日本政府と世界銀行による共同研究では，アジアにおけるさらなる経済成長のためには，「イノベーション（技術革新）」を持続的に引き起こすことが不可欠であるとしており（ユスフ 2005），大野はこれまでのアジア各国で積み重ねてきた政策からベストプラクティスを積み上げ，相互に学ぶことで中所得国の罠を突破するきっかけを作る必要があると指摘している（大野 2013）。今後アジア諸国がさらに持続的な成長軌道を歩むことができるのかどうかが注目されるところである。

おわりに

第二次世界大戦後，日本に始まりNIEs，ASEAN，中国，さらにASEANの後発国やインドなど，高い経済成長を遂げる国々が相次いだ。他の地域と比べても，その成長率は確かに高いものであり，また，その結果として，1人あたり所得で1万ドルを超えるような国も相次いで登場していることは事実である。政治的独立を達成したものの，国民が失業と貧困にあえぎ，主たる産業もなかった国々では，いまや高層ビルが立ち並び，最先端のビジネスがおこなわれ，都市には豊かさを享受する人々が数多く存在する。

ただし，GDPの成長率や，1人あたり所得といった数値は，統計上あらわれるマクロのデータの1つであって，その担い手は誰なのか，その恩恵が都市や農村，様々な階層の人々にどのように行き渡ったのか，政府が取り組んだ政策によってどのような産業や企業が成長し，恩恵を受けたのか，その陰でどのような課題を各国は抱えているのか，といった点については，より詳細な分析が必要である。

たとえば，本書のなかで扱われている，格差や貧困の問題や民主化の問題，汚職と賄賂の問題，環境問題など，様々な視点を重ね合わせながら，アジア各国で経験した経済成長の成果がどのようなものであったのか，また，そのなかでどのような変化と課題が生じているのかについて，それぞれの地域の経済成長のプロセスと合わせながら検討してみてほしい。

【井出文紀】

参考文献

井出文紀「アジアにおける『国家と企業』——産業政策の変容と『国家』の役割をめぐって」松下冽編『途上国社会の現在——国家・開発・市民社会』法律文化社，2006年，35-52頁。

OECD著，大和田悳朗訳『新興工業国の挑戦』東洋経済新報社，1980年。

大野健一『産業政策のつくり方——アジアのベストプラクティスに学ぶ』有斐閣，2013年。

国際協力銀行『わが国製造業企業の海外事業展開に関する調査報告——2020年度海外直接投資アンケート結果』，2021年。

末廣昭『キャッチアップ型工業化論——アジア経済の軌跡と展望』名古屋大学出版会，2000年。

世界銀行著，白鳥正喜監訳『東アジアの奇跡 経済成長と政府の役割』東洋経済新報社，1993年。

台湾行政院主計総処『国民所得統計摘要 民国40年至109年』，2021年。

日本貿易振興機構（JETRO）『2020年度海外進出日系企業実態調査（アジア・オセアニア編）』，2020年。

前田啓一・塩地洋・上田曜子編『ASEANにおける日系企業のダイナミクス』晃洋書房，2020年。

ユスフ，S.著，関本勘次ほか訳『東アジアのイノベーション——成長への課題』シュプリンガー・フェアラーク東京，2005年。

Gill, Indermit and Homi Kharas, *An East Asian Renaissance: Ideas for Economic Growth,* The World Bank, 2007.

Krugman, Paul, "The Myth of Asian's Miracle," *Foreign Affairs,* Vol. 73, No. 6, 1994, pp. 62-78.（山岡洋一訳「アジアの奇跡という幻想」『クルーグマンの良い経済学，悪い経済学』日本経済新聞社，1997年）

Malaysia, Economic Planning Unit, *Address by the Prime Minister, Introducing the Motion to Table The Mid-term Review of The Eighth Malaysia Plan,* PNMB, 2003.

World Bank, World Development Indicators Database, http://wdi.worldbank.org.

文献紹介

① 杉原薫『世界史の中の東アジアの奇跡』名古屋大学出版会，2020年。

多くの世界史の分析視点がイギリスの産業革命やヨーロッパにおける近代の成立に大きな意義を見出しているのに対して，本章でも取り上げた「東アジアの奇跡」をもう1つの焦点としたグローバル・ヒストリーを描こうとするものである。本章中で紹介した「東アジアの奇跡」に関わる文献と合わせて読んでいただきたい。

② 遠藤環・伊藤亜聖・大泉啓一郎・後藤健太編『現代アジア経済論――「アジアの世紀」を学ぶ』有斐閣，2018年。

経済成長著しい東アジア・東南アジアを対象に，経済統合やグローバルな生産拠点としての位置づけ，資本や人の移動，中国の台頭，都市化，技術革新などの新たな姿と，そのなかで生じている高齢化，格差の拡大，環境問題などの問題を分析したものである。本章最後で触れた「中所得国の罠」と向き合うアジア各国の状況については，**トラン・ヴァン・トウ／苅込俊二『中所得国の罠と中国・ASEAN』（勁草書房，2019年）**もあわせておすすめしたい。

③ 国際協力銀行（JBIC）『わが国製造業企業の海外事業展開に関する調査報告』，各年版。

日本企業が数多く進出するアジア地域で，どのような事業活動がおこなわれ，進出先を企業がどのようにみているのか，毎年実施されているアンケート調査を継続してみていくことができる。同じく本章でも紹介した**日本貿易振興機構（JETRO）**は，**『海外進出日系企業実態調査』**を毎年実施しており，両調査ともインターネットで公開されている。その他にも様々な現地レポートが充実しており，進出企業ならびに現地の状況を知りたい方は両機関のホームページにアクセスしてほしい。

第13章 一帯一路構想

中国の「一帯一路」構想をめぐる現状と課題

“中国の「一帯一路」構想をめぐる現状と問題点は何か”

中国・習近平政権が提唱する「一帯一路」構想は，近年，アジアを中心に世界で大きな注目を集めています。この章では，「一帯一路」構想とは何か，中国が「一帯一路」構想を提唱する狙いは何か，また同構想の進展状況と課題や問題点はどのようなものかを考えていきましょう。そのうえで，日本の「一帯一路」構想への関わり方やアジアのインフラ投資のあり方についても考えてみましょう。

キーワード シルクロード経済ベルト（一帯），21世紀海上シルクロード（一路），債務の罠，人類運命共同体，デジタル・シルクロード
関連する章 第22章，第23章，第25章

はじめに

「一帯一路」構想とは，中華人民共和国（以下，中国）の習近平（中国共産党中央委員会総書記・国家主席・中央軍事委員会主席）が2013年9月と10月に提唱した，中国内陸部から中央アジアを経由して陸路で欧州と結ぶ「**シルクロード経済ベルト**」（**一帯**）と，中国沿岸部から東南アジア，インド洋北部，アラビア半島周辺海域を経てアフリカ東岸を結ぶ「**21世紀海上シルクロード**」（**一路**）の交易路を整備することを通じて，中国を中心とした経済圏を構築しようとするものである（**図13-1**）。

そもそも，誰もが一度は耳にしたことがあるだろう「シルクロード」とは，アジア（東洋）とヨーロッパ（西洋）をつなぐ歴史的な交易路を指す。「シルクロード」は，その名のとおり，中国の特産品だった絹（シルク）が西方の南ア

図13-1　「一帯一路」構想のイメージ図

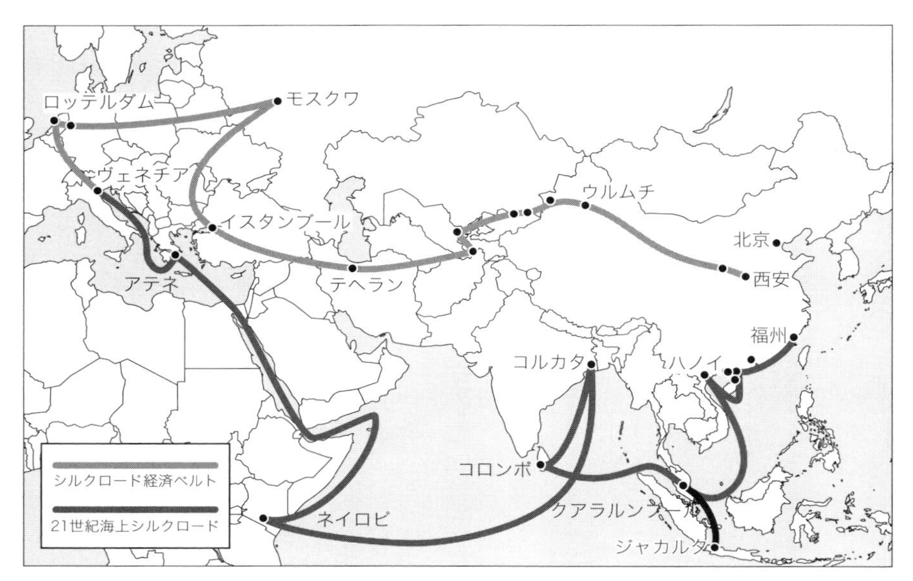

出所：新華ネットなどをもとに筆者作成。

ジアや中東，ローマに代表される欧州へと運ばれたことに由来する。この交易路を通じて，東洋と西洋は経済的な交流はもちろん，政治，文化，宗教など幅広い分野において相互に影響を及ぼし合ってきた。

中国は，自国の発展を支援し，自国の周辺部に沿った国々，および周辺部を越えた国々との経済的統合を深化させるべく，輸送・貿易上のグローバルな結びつきを強化するための様々な政策を「一帯一路」構想としてまとめあげていった。そのプロセスのなかで，中国は外交戦略としてよりも「国内向けの発展戦略」の一環としての位置づけを強化してきた（増田 2017: 221）。

具体的には，中国は豊富な外貨準備高や中国国内の鉄鋼・建設を中心とした余剰生産力，労働力を背景に，鉄道や道路，港といった輸送インフラ，石油・天然ガスといった天然資源のパイプライン，水力発電や原子力発電などのエネルギー関連施設，および世界中の技術・工業団地への投資，建設，発展，さらにはデジタルや健康協力面での連結性を「一帯一路」のもとで進め，沿線国との関係を強化しようとしている。

このことから，「一帯一路」は「広域経済圏」構想であると広く認識されているが，実際にはその定義は必ずしも明確ではなく，中国と「一帯一路」沿線国との政策協調，施設の連結，貿易の円滑化，資金の融通，人々の相互理解といった幅広い分野での協力を重点としている。そのため，沿線国に対する貿易投資や経済協力をはじめとして，あらゆるプロジェクトが「一帯一路」に結びつけて語られている。

そのため，「一帯一路」構想は，中国が提示する多くのプロジェクトを結びつけた「星座」のようなものであると指摘されている（高原 2020: 15-24）。プロジェクトの包括的なリストはないため，「一帯一路」関連の支出や全体像を見積もることは難しいが，2027年までに中国は「一帯一路」構想のもとでインフラ投資を支援するため1兆3,000億ドルもの資金を費やすとの試算もある（Morgan Stanley 2018）。

しかし，「一帯一路」を単に「広域経済圏」構想として捉えることは，森を見て木を見ないようなものであり，投資総額や参加国数でみることや，経済政策としての効果を分析することに，どれほどの意味があるだろうか。他方で，個々のプロジェクトを仔細に分析することは重要だが，木を見て森を見ないようなもので，個別のプロジェクトの成否が「一帯一路」構想全体，ひいては中国の戦略の成否にどれほどの影響を与えるだろうか。

「一帯一路」構想は，その提唱から丸7年が経過した現在，参加国も増加して実体を伴うようになってきたとの評価がある一方，多額の債務によって債務国が中国に有形無形の拘束を受ける「**債務の罠**」をはじめとする様々な懸念や批判も多く，今なお評価が分かれている。そこで本章では，「一帯一路」構想についての分析，評価をおこなうための基礎として，同構想の進展状況と日本の対応についてみていきたい。

1 アジアにおけるこれまでの「一帯一路」構想の進展状況

2017年5月には，北京で第1回「一帯一路」国際協力サミットフォーラム（一帯一路サミット）を開催し，29か国から首脳級が出席，合計130以上の国と約70の国際組織の代表が参加した。習近平は開幕式で「100か国以上が一帯一路を支持している」，中国は「シルクロード基金に対して1,000億元（約1兆6,000億円）を増資し，中国国家開発銀行，輸出入銀行に対しても，それぞれ2,500億元，1,300億元の特別融資を提供する」と述べた。

翌2018年8月27日，習は「一帯一路」建設推進5周年の座談会で，今日の世界は大発展・大変革・大調整の時期にあり，グローバルな視野を樹立し，リスク意識をもち，歴史的チャンス意識をもって，未曾有の大変局のなかで方向性を把握するよう努めなければならないと指摘した。また，「一帯一路」は，経済のグローバル化の健全な発展の促進を助けるものであり，「**人類運命共同体**」構築のための実践プラットフォームであると強調した。

さらに，2019年4月の第2回「一帯一路」サミットにも，37か国の首脳級を含む数多くの国や国際組織の代表が参加した。このサミット開催までに，中国は150超の国・団体と覚書を結び，直接投資額は900億ドル（約10兆円）超，関連融資額は4400億ドル（約490兆円）超，沿線国との貿易額は2018年に約1.3兆ドルに達し，2013年に比べて2割増加しており，着実に進展しているように思われた。ただし，過剰な債務を負わせて政治的影響力を強化する「債務の罠」との懸念や「新植民地主義」との国際的な批判に対して軌道修正を迫られることとなった。

しかし，2020年の新型コロナウイルス感染症の世界的流行の影響を受けて，「一帯一路」構想は深刻な岐路に立たされている。多くのインフラ建設がパンデミックにより停止となり，当該国の経済にも影響を及ぼしているからである。また，こうした状況を受けて，中国も「一帯一路」構想への公的な機会での言及数を減らしている。さらに，2021年春に予定されていた第3回「一帯一路」サミットも実施が見送られることとなった。

それでも，アジア地域を中心として，世界には依然として膨大なインフラ需要が存在していることに変わりはない。「一帯一路」構想は，中国が主導して，中国と「一帯一路」沿線諸国を鉄道や港湾をはじめとするインフラや投資などで結びつけることで各国の経済発展を促そうとするものでもある。その意味で，中国が自らの豊富な経済力や外貨準備高を背景に，アジアを中心とする世界のインフラ建設や連結性の強化，経済発展などを推進することはパンデミック後も重要な意味をもつ。

2「一帯一路」構想の拡大と「人類運命共同体」の構築

中国にとっても，パンデミックの影響で「一帯一路」構想への言及数が減少したとはいえ，「一帯一路」構想は国家戦略と密接に結びつけられた重要な戦略であることに変わりはない。

2017年10月に開かれた中国共産党第19回全国代表大会では，「中国共産党規約」の修正案が採択され，規約の前文に「一帯一路」を推進するという内容が盛り込まれた。これは「一帯一路」構想の成功が党の至上命題となったことを意味する。同月26日に開かれた外交部記者会見で，耿爽（こうそう）スポークスパーソンは「各国とともに一帯一路を築き上げ，新たな国際関係を形成し，人類運命共同体を構築していくための強力な後押しとなるものだ」と述べた。

2018年6月22日から23日にかけて北京で開催された中央外事工作会議では，中国共産党第18回全国大会以降の中国の「歴史的成果」を総括し，新時代の外交においてどのように対外工作をおこなうかについての理論的，実践的な問題について議論がおこなわれた。同月25日の外交部記者会見では，耿スポークスパーソンは，同会議に関する記者の質問に対して以下のように回答した。

「この会議の最も重要な成果は，『習近平外交思想』の指導的地位を確立し，中国の特色ある大国外交を継続的に推進するための基本的なガイドラインを提供したことにある。習近平外交思想の指導のもと，中国の特色ある大国外交は，『人類運命共同体』の構築という旗を高く掲げ，より公正で合理的なグローバル・ガバナンス・システムの発展を促進する。『共商・共建・共享』の原則を堅持し，『一帯一路』建設を着実により深く，安定的で長期的なアプローチで推進し，対外開放の新たな段階への扉を開く」。

この発言から明らかなように，「一帯一路」の拡大と「人類運命共同体」の構築という理念は習政権下の外交の重要なキーワードであるだけでなく，両者は中央外事工作会議で確立した「習近平外交思想」の一部として密接に関連している。中国は，一帯一路を「人類運命共同体という概念の重要な実践プラットフォーム」として促進している。つまり，「人類運命共同体」の構築が「究極的な目標」で，その中核となるのが「一帯一路」構想なのである。

中国が「WIN-WIN」の「人類運命共同体」という理想を掲げる真意はどこにあるのであろうか。中国は，政治的恩顧主義（クライエンテリズム）にもとづき，中国の国際社会における立場や主権主張の支持の見返りに投融資をおこなうか，あるいは逆に経済協力や投融資をおこない，対中依存を深め，中国への支持を迫っている。このことから，「一帯一路」建設による「人類運命共同体」の構築は，中国共産党の体制維持を目的とした対外政策として中国の戦略を支えるべく，沿線国との戦略的パートナーシップを強化し，またそのネットワークを拡大し，国際秩序の改革を前進させる一助としようとするものであると理解することができよう。

3 「一帯一路」構想が抱えるリスク

こうした中国の政治的恩顧主義の手法は，これまでに台湾と断交して中国と国交を結んだ国々や，東南アジア，中央アジア諸国など「一帯一路」沿線国との外交関係で数多く見られる。とりわけ，非民主的，専制的な政治体制の国家は中国と「運命共同体」を結ぶことに抵抗が少ない。そのため，中国にとって，東南アジア諸国をはじめとする「一帯一路」参加国との「運命共同体」関係を結ぶことで，中国にとって有利な国際環境を構築しやすいとみられる。

中国と「運命共同体」を構築した諸外国の政権は，文字どおり中国と運命を共にするリスクを背負うことになる。仮に中国の政治・経済体制に揺らぎが生じたり，崩壊すれば，対中依存度を高めた「運命共同体」を構築した諸外国の政治・経済体制にも直接的な影響が及ぶ。すなわち，中国の経済が停滞し，投融資が打ち切られると，その投融資の受注によって国内の支持を受けていた当該国の政権基盤を揺るがす可能性がある。

また，それ以前に，返済能力を考慮しない過度な融資を受けて債務不履行に陥る国が相次いでいる。米シンクタンク・国際開発センターの調査では，「一帯一路」沿線国における2016年の債務データから，ジブチ，キルギス，ラオス，モルディヴ，モンゴル，モンテネグロ，タジキスタン，パキスタンの8か国が「深刻な債務リスク」に直面しており，その他スリランカやカンボジアな

表13-1 「一帯一路」沿線国における対中債務残高（伸び率上位10か国，2014～19年）

債務国	対中債務残高			全債務に占める中国の割合	
	2014	2019	伸び率	2014	2019
ジブチ	179	1195	568%	21%	56%
モルディヴ	157	851	442%	21%	38%
ウガンダ	399	2149	439%	9%	25%
カーボベルデ	511	2397	369%	6%	16%
パキスタン	4931	20235	310%	10%	28%
バングラデシュ	923	3600	290%	4%	9%
パプアニューギニア	226	843	273%	15%	20%
バヌアツ	38	131	245%	31%	39%
セネガル	360	1225	240%	7%	10%
ケニア	2230	7493	236%	15%	25%

注：単位は100万米ドル，%。
出所：World Bank International Debt Statistics; IIGF Green BRI Center（2020）。

ど15か国が「高い債務リスク」に直面していると推定されている。実際，「一帯一路」構想の進展に伴い，多くの沿線国では対中債務残高が急速に増加している（**表13-1**）。

こうした事態に対して，2018年11月17日，ペンス（Mike Pence）米副大統領（当時）は，アジア太平洋経済協力会議（APEC: Asia Pacific Economic Cooperation）首脳会議に先立ち開催されたAPEC「最高経営責任者（CEO）サミット」で，「主権を危うくする外国融資を受けるべきではない」と警告を発した。また，同時期に公表された米議会の超党派諮問機関である米中経済安全保障調査委員会（USCC）の年次報告書でも「一帯一路」構想に対する厳しい評価が下されている。

実際に，スリランカは中国からの融資で南部にあるハンバントタ港を開発したものの，利用する船は1日に1隻程度で，多額の返済に行き詰まり，債務免除と引き換えに2017年7月から99年間にわたって中国国有企業の招商局港口に対してハンバントタ港の運営権を譲渡した。パナマのマルガリータ島港やパキスタンのグワダル港などにも，建設したインフラを一定の期間租借し，操業を請け負うBOT（建設・運営・譲渡）方式が採用されている。

4 反発に直面し，譲歩を迫られる中国

ただし，こうしたBOT方式のプロジェクトの採算性が総じて低いことから，中国の国有企業や地方政府が債務超過に陥り，中国自身が「債務の罠」に掛かるリスクもある。また，マレーシアやミャンマーのように，「債務の罠」に陥ることを懸念する債務国から計画の中止や再交渉を迫られ，国際的な威信をかけたインフラ建設プロジェクトの頓挫を回避するために，中国側が大幅な譲歩を示すといった事例が出始めている。

一方，「債務の罠」に陥る懸念があるにもかかわらず，アジアの国々が中国の「一帯一路」構想に参加するのは，各国側にも様々な思惑や背景があるからである。たとえば，マレーシアは，政府系投資ファンドの負債を埋めるべく，中国からの融資を受け入れ，「チャイナマネー」依存を深めていたことが指摘できよう。また，ミャンマーは，西部ラカイン州のイスラム系少数民族ロヒンギャに対する迫害問題で日米欧による関与が弱まったことが，中国による投資を歓迎する一因となっている。パキスタンやスリランカは，中国との関係を強化することで，南アジア地域におけるインドの影響力を相殺しようという意図もあるものとみられる。

こうした中，これまでに13か国が中国の一帯一路に参加する了解覚書（MOU）を結んでいるEUも，欧州委員会が2019年に入って対中国戦略の見直しを進めており，3月に「EU――中国の戦略的展望に関する共同文書」を発表した。他方，イタリアが2019年3月に主要7か国（G7）として初めてMOUを締結した。ただし，イタリアはポピュリズム（大衆迎合主義）政党による連立政権で，インフラ投資などで外資を呼び込もうとしているためとみられている。

ただし，イタリア政権内部でも意見が分かれており，マッテオ・サルヴィーニ（Matteo Salvini）副首相兼内務大臣（当時）は，イタリアが一帯一路に参加することで中国の「植民地になる」と警告した。しかし，トリエステ港の整備拡張や物流，エネルギー，科学技術分野で中国と協力することで，外資を呼び込み，雇用を増やしたというイメージを有権者に対して訴えたい連立政権の極左

政党「五つ星運動」側の意向が反映された形となった。

このような「一帯一路」参加国の国内では，依然として，中国の「一帯一路」構想が，豊富な外貨準備高や余剰労働力，セメント・鉄鋼・建設セクターにおける中国の国有企業の過剰な生産などを使った国外での公共投資にすぎないといった批判は根強い。また，中国の対外援助の特徴として，現地の労働者が得られる雇用機会は大きくなく，建築作業自体も多くの現地雇用を生み出さない。事実，中国が海外で手掛けている交通インフラ事業投資の約9割は中国企業が契約を獲得している。こうした現地に裨益しない中国の手法が強い反発を招いている。

中国の対外投資に対する反対運動は，いわゆる「中国脅威論」の一環である。中国はこうした「中国脅威論」などを懐柔可能とみてきた。しかし現実には，パキスタンやスリランカをはじめ，世界各地で中国企業による港湾の買収に対する反対運動が大規模なデモや暴動，テロに発展するケースも少なくない。こうした動きは，現地の治安情勢を悪化させることから，同地域に進出している企業にとってのビジネスリスクとしても注視する必要がある。

5 「デジタル・シルクロード」と海外基地建設への懸念

中国の手法が反発や懸念を招いている背景には，「人類運命共同体」構築による中国依存の深化とそれに伴う「債務の罠」やエコノミック・ステイトクラフト（経済的国策）に脆弱になるといった懸念が，いずれも「一帯一路」構想が中国の覇権主義的な野心に対する警戒と結びついていることを指摘できよう。とくに「一帯一路」沿線国における**「デジタル・シルクロード」**構想と海外基地建設は，そうした中国の野心への警戒を高めている。

2015年，中国は「一帯一路」における「デジタル・シルクロード」構想を打ち出した。同構想は，中国が中心となって「一帯一路」沿線国に，航法衛星システム，人工知能（AI），量子コンピューティングなどを含むデジタル・インフラのネットワークを構築しようとするものである。その過程で，中国は，産業の過剰生産能力を輸出し，中国のテック企業の拡大を促進し，沿線国で大規模データにアクセスしようと努めていることが指摘されている。

大規模な情報データの取得は情報を基盤とする新興技術の発展の基礎となる。2017年に中国で成立した国家情報法は，中国の組織および個人は中国政府の要請に応じて情報を提供しなければならないと規定している。同法にもとづけば，「デジタル・シルクロード」において中国企業が保有している光ケーブルや5Gネットワークなどを経由した情報について，中国政府は提供を要請することが可能となるため，各国で懸念が高まっている。

一方，「一帯一路」のプロジェクトの一部は，中国の拡大しつつある利益を保護することを理由とした，インド洋，地中海および大西洋に至る遠方の海域において海軍がアクセス可能な海外の港湾や基地の建設と結びついていることが指摘されている。中国は，2008年にソマリア海賊対策として初めて艦船2隻をインド洋に派遣したが，こうした遠隔地へ艦隊を展開するためには，燃料補給のための拠点を確保することが不可欠である。

そのため，中国は近年インド洋を中心に，要衝に位置する国々に対して積極的に経済的・軍事的結びつきを深め，燃料の補給路となる港湾の整備を支援している。こうした港湾整備は，習政権下では「21世紀海上シルクロード」構想の一部として包摂されている。中国が支援するこれら港湾は，広く人口に膾炙しているように，世界地図上でインドを取り巻くようにみえることから「真珠の首飾り（String of Pearls）」ともよばれている。

こうした「真珠の首飾り」，あるいは「21世紀海上シルクロード」構想の沿線国に対する港湾整備支援は，将来的には，中国人民解放軍海軍が外洋展開する際の拠点となる可能性が指摘されている。

おわりに

こうした「債務の罠」をはじめとする「一帯一路」構想を推進するなかで生じる諸問題や懸念については，中国側も十分に認識している。たとえば中国の政府系シンクタンクがそれらをまとめ，対策を建議している。直面する諸問題に対して，全体もしくは一部のプロジェクトの縮小，変更，あるいは軌道修正を図りつつも，少なくとも習近平政権下においては国家戦略の中核に位置づけられている以上，中国のプレゼンスや影響力を残す形で続けられるだろう。

前述のとおり，2020年から続く新型コロナウイルス感染症の世界的流行の影響で，多くのインフラ建設の延期や中止が相次ぎ，当該国の経済にも影響を及ぼすなど，「一帯一路」構想は深刻な岐路に立たされている。こうした事態を踏まえ，中国は，沿線国の中国離れを回避すべく，アジアをはじめとする諸外国に医療・衛生物資を供給する「マスク外交」や「ワクチン外交」を積極的に展開している。

また，中国は新型コロナウイルス感染症の世界的流行の早い段階から，感染症との戦いにおける国際協力を進め，「健康シルクロード」建設のために貢献したいとよびかけている。2021年4月におこなわれたボアオ・アジアフォーラムにおいても，「健康シルクロード」サブフォーラムを開催するなど，公衆衛生分野における協力により，各国との相互接続（コネクティビティ）を強化することで，パンデミック後の経済復興協力の推進につなげようと試みている。

他方，「債務の罠」に対する懸念を払拭すべく，習近平は，前述の2019年4月の第2回「一帯一路」サミットにおける演説で，「一帯一路」建設は「国際スタンダードにもとづいて実行し，各国の法律・法規を尊重しなければならない」と述べるなど，財政上の持続可能性を確保する必要性を訴えている。加えて，「融資金利を下げるため，国際開発金融機関や参加国の金融機関の参加を歓迎する」とも述べた。これは日米が主導するアジア開発銀行（ADB: Asian Development Bank）や世界銀行にとっても歓迎すべき発言である。

日本政府は当初，中国の「一帯一路」構想に対して積極的な姿勢を示していなかったが，2017年に入って条件つきで支持を表明した。安倍晋三総理大臣（当時）は，2017年5月の第1回「一帯一路」サミットに政府代表団を派遣し，同6月には東京で「一帯一路」構想にもとづく第三国でのインフラ開発協力について，適正融資による対象国の財政の健全性，プロジェクトの開放性，透明性，経済性の4条件が満たされるのであれば協力していくと述べた。

そこで，日米が主導するADBが，中国が設立したアジア・インフラ投資銀行（AIIB: Asian Infrastructure Investment Bank）との協調融資を進めているように，ADBや世界銀行が「一帯一路」構想の事業を支援していくことで，開発プロジェクトの開放性や透明性，債務の返済可能性の向上につながるだろう。また，「一帯一路」事業は基本的に中国を軸とする二国間プロジェクトであるが，国際公共財の提供という観点からも，多国間の枠組みで実施していくことが有用だろう。

また，参加の前提の1つとして，中国が対外援助，経済協力の詳細を公表し，対外融資の透明性を確保することも望まれる。中国は主要な債権国政府と債務国政府が二国間の公的債務の再編協議をおこなう非公式会合である「パリクラブ」の正式メンバーではなく，経済協力開発機構（OECD: Organisation for Economic Co-operation and Development）の援助開発委員会（DAC: Development Assistance Committee）にも加盟していない。そのため，対外債権の情報を公表していないが，世界の主要な債権国として，その透明性を確保していくことが求められよう。

【土屋貴裕】

参考文献

新華ネット，http://www.xinhuanet.com/.

人民ネット，http://www.people.com.cn/.

中華人民共和国外交部，https://www.fmprc.gov.cn/.

中華人民共和国人民政府，http://www.gov.cn/.

高原明生「中国の一帯一路構想」川島真・遠藤貢・高原明生・松田康博編『中国の外交戦略と世界秩序』昭和堂，2020年，15-24頁。

増田雅之「中国の『一帯一路』戦略」日本再建イニシアティブ『現代日本の地政学 13のリスクと地経学の時代』中央公論新社，2017年，215-240頁。

Morgan Stanley, "Inside China's Plan to Create a Modern Silk Road," March 14, 2018, https://www.morganstanley.com/ideas/china-belt-and-road/, 2021年5月28日アクセス。

Mengdi Yue, Christoph Nedopil Wang, "Public Debt Situations in BRI: How Covid-19 has exacerbated an Ongoing Problem in Countries of the Belt and Road Initiative (BRI)," Green BRI Center, International Institute of Green Finance, Chinese University of Finance and Economics, Beijing, December 8, 2020.

Office of the Secretary of Defense, "Annual Report to Congress: Military and Security Developments Involving the People's Republic of China 2020," United States Department of Defense, September 1, 2020.

文献紹介

① トム・ミラー著，田口未和訳『中国の「一帯一路」構想の真相』原書房，2018年。

「一帯一路」構想の壮大な目標と地政学的，経済的影響，とくにアジア地域における中国の影響拡大をグローバルな視点から論じた良書。平易な文章で書かれているため，ぜひとも英語版での通読もすすめたい。また，Bruno Macaes, *Belt and Road: A Chinese World Order*（Hurst & Co Publishers Ltd., 2019）は，中国が世界秩序，とりわけ経済構造とグローバルバリューチェーンをどのように変化させようとしているのかを理解することができる。

② 金子芳樹・山田満・吉野文雄編『「一帯一路」時代のASEAN――中国傾斜のなかで分裂・分断に向かうのか』明石書店，2020年。

本書は，2010年代前半から新型コロナウイルス感染症発生前の2019年までを対象に，中国の台頭と米中対立のなかで進められてきた「一帯一路」構想が，東南アジア地域へ及ぼす様々な影響と，東南アジア諸国や東南アジア諸国連合（ASEAN）による対応を分析している。「一帯一路」構想によって中国傾斜が進んだ同地域が，パンデミックを経て「一帯一路」関連プロジェクトおよび同地域における中国の影響がどのように変化するのか，他の沿線国においてはどうか，といった比較考察をおこなう際に，本書でASEANにおける中国との関係の変化や「一帯一路」構想の変遷を学ぶことで，理解が深まるだろう。

③ The World Bank, *Belt and Road Initiative*, 2018, https://www.worldbank.org/en/topic/regional-integration/brief/belt-and-road-initiative; OECD, *China's Belt and Road Initiative in the Global Trade*, Investment and Finance Landscape, 2018, https://www.oecd.org/finance/Chinas-Belt-and-Road-Initiative-in-the-global-trade-investment-and-finance-landscape.pdf.

「一帯一路」構想については，世界銀行やOECDをはじめとする国際機関が，貿易や投資などの定量的なマクロ統計データをまとめ，分析している。また，**米国の外交問題評議会（Council on Foreign Relations）**の“Belt and Road Tracker”（**https://www.cfr.org/article/belt-and-road-tracker**）も中国との二国間貿易の推移をグラフィカルに理解することができる。こうした国際機関やシンクタンクのウェブサイトは情報量も多く，関連する研究も紹介されている。これらを中国の公式発表と比較することで，「一帯一路」構想の経済的側面をより正確に理解することが可能となるだろう。

第14章　開発・貧困

「開発」の進展と課題

“今日的な意味での「開発」を問う”

アジアの目覚ましい経済成長は世界の耳目を集めています。たとえば中国は世界第2位の経済規模を誇るまでに成長し，その存在感を高めています。その他のアジア諸国の経済成長も顕著です。しかしこのような経済成長ゆえに，アジアの将来を楽観視してはたしてよいのでしょうか。本章では今日的な意味での「開発」に焦点を当て，アジアの現況，そして将来を考えます。

キーワード 開発，貧困，MDGs，SDGs，開発のミクロ経済研究
関連する章 第3章，第5章，第12章

はじめに

2000年9月，世界が直面する課題を克服することを目的に世界的な目標としてミレニアム開発目標（**MDGs**: Millennium Development Goals）が策定された。そこでは8つの目標が定められた。第1の目標が極度の貧困と飢餓の撲滅，第2が初等教育の完全普及，第3がジェンダー平等の促進と女性のエンパワーメント，第4が乳幼児死亡率の削減，第5が母親の健康の改善，第6がHIV/AIDSとマラリアその他疾病の撲滅，第7が環境の持続可能性の確保，第8が開発に向けて世界的なパートナーシップを促進することである。

MDGsで掲げられた目標は途上国で深刻だった課題，とくに**貧困**削減を念頭に策定されたものであったといえる。1990年代，中国やインドなどの一部の国々では経済成長へと離陸しつつあったものの，飢餓や貧困，健康や生死の問

題，低い識字率などの教育の問題等が多くの国々でいまだ深刻であった。MDGsの目標をみるかぎり，「**開発**」(development) という言葉から「経済成長」という言葉をイメージすることはほとんど不可能である。

2015年，MDGsは一定の成果を残し，一旦その役割を終えることとなった。しかしすべての課題が解決され，掲げられた目標すべてが完璧に達成されたわけでは決してない。世界全体の数値でみれば達成したかにみえる目標も，国や地域個別にみればなお多くの課題が残されているのが現状である。2015年以降は持続可能な開発目標 (**SDGs**: Sustainable Development Goals) へと引き継がれ，2030年までさらなる努力が世界的に必要とされている。

SDGsはMDGsをベースとし，2015年までに未達の目標の達成をめざすとともに次の段階を見据え，途上国のみならず先進国を含むすべての国々と地域がめざすべき目標を掲げたものである。MDGsからはいくぶん姿を変え，SDGsでは17の目標が掲げられることとなった (**表14-1**)。そこでは，持続可能な開発の3つの次元——経済，社会，そして環境——は不可分であり，これらを統合しバランスをとることが重要であるとの認識がある。そして今後の社会を考えるうえで示唆的であるのは，「誰ひとり取り残さない」(United Nations 2015) という考え方であろう。

MDGsでは「経済成長」という言葉を目にすることはほとんどなかったが，SDGsでは目標8で「経済成長」という言葉が明記されている。とはいえ17ある目標のうち，それは「開発」の単なる手段としてほんの一部を構成するにすぎない。かつて"development"という言葉は「経済成長」(economic growth) とほぼ同義であったが，今日ではより広く，そしてより重い意味を内包する言葉として用いられているといえよう。ただし市場の活用，そして一人ひとりの所得の向上が「開発」に大きく貢献するケースは多い。それをことさらに軽視することなく，人々の生活の質の改善をめざすことが必要とされている，といい換えられよう (Sen 1999: 14)。本章ではこのような点に留意しつつ，世界各地域とアジアの比較，そしてアジア各国の「開発」状況について各種指標により検討する。

表14-1　SDGs

1. あらゆる場所で，あらゆる形態の貧困に終止符を打つ
2. 飢餓に終止符を打ち，食料の安定確保と栄養状態の改善を達成するとともに，持続可能な農業を推進する
3. あらゆる年齢のすべての人の健康的な生活を確保し，福祉を推進する
4. すべての人に包摂的かつ公平で質の高い教育を提供し，生涯学習の機会を促進する
5. ジェンダーの平等を達成し，すべての女性と女児のエンパワーメントを図る
6. すべての人に水と衛生へのアクセスと持続可能な管理を確保する
7. すべての人に手ごろで信頼でき，持続可能かつ近代的なエネルギーへのアクセスを確保する
8. すべての人のための持続的，包摂的かつ持続可能な経済成長，生産的な完全雇用およびディーセント・ワーク（働きがいのある人間らしい仕事）を推進する
9. 強靭なインフラを整備し，包摂的で持続可能な産業化を推進するとともに，技術革新の拡大を図る
10. 国内および国家間の格差を是正する
11. 都市と人間の居住地を包摂的，安全，強靭かつ持続可能にする
12. 持続可能な消費と生産のパターンを確保する
13. 気候変動とその影響に立ち向かうため，緊急対策を取る
14. 海洋と海洋資源を持続可能な開発に向けて保全し，持続可能な形で利用する
15. 陸上生態系の保護，回復および持続可能な利用の推進，森林の持続可能な管理，砂漠化への対処，土地劣化の阻止および逆転，ならびに生物多様性損失の阻止を図る
16. 持続可能な開発に向けて平和で包摂的な社会を推進し，すべての人に司法へのアクセスを提供するとともに，あらゆるレベルにおいて効果的で責任ある包摂的な制度を構築する
17. 持続可能な開発に向けて実施手段を強化し，グローバル・パートナーシップを活性化する

出所：国連開発計画（UNDP）駐日代表事務所ウェブサイト（https://www.jp.undp.org/content/tokyo/ja/home/sustainable-development-goals.html，2021年7月26日アクセス）。

1 世界の動向

第二次大戦後の世界人口は増え続けている。世界開発指標（WDI: World Development Indicators）によると1960年で約30億人だった世界人口は，2019年に約77億人となっている（**図14-1**）。世界の地域別人口割合も徐々に変化をみせている。1960年には高所得地域で暮らす人口は世界の約4分の1を占めていたが，2019年には16%まで低下している。一方，南アジアでは19%から24%へ，サハラ以南アフリカでは8%から15%へとそれぞれ増加している。

つぎにこのように増え続ける人口を支える経済の動向を概観する。高所得地

図14-1　世界人口の推移

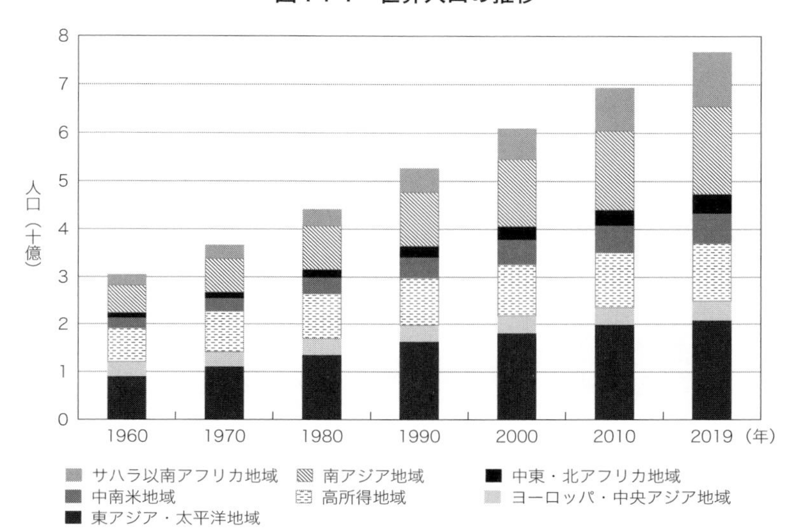

注：高所得地域は2020年の世界銀行の定義により1人あたり国民所得が12,535米ドルより高い国や地域を指す。これら高所得地域を除いて地域別に示したのが本グラフである。
出所：World Development Indicatorsより筆者作成。以下すべて同じ。データは次のURLより利用可能（https://datacatalog.worldbank.org/dataset/world-development-indicators, 2021年7月26日アクセス）。

域の経済は1960年以降右肩上がりに拡大している一方，その他の地域では停滞あるいは低成長にとどまっていることがわかる（**図14-2**）。とはいえ1970年代以降のアジアNIES（韓国，台湾，香港，シンガポール）などのように早期に経済的離陸を果たした国々もある。また冷戦終結後の1990年代以降，東欧や中央アジアで混乱が発生する一方，中国やインド，東南アジアなどの各国では経済活動の活発化が顕著となりつつあった。1990年の世界のGDPシェアでは，高所得地域が世界の4分の3以上の経済的富を手中にしていたが，2019年にはそのシェアは64%にまで低下している。他方で存在感を徐々に高めているのは経済成長著しい中国を含む東アジア・太平洋地域で，4%から17%と大幅にシェアを拡大させている。これに対し，その他の地域の停滞がなお目立つのは懸念材料である。とくにサハラ以南アフリカ地域の停滞は顕著で，今後の動向に注視する必要があろう。

東アジア・太平洋地域で目覚ましい経済の拡大があるとはいえ，人口増加が

図14-2　世界経済の推移

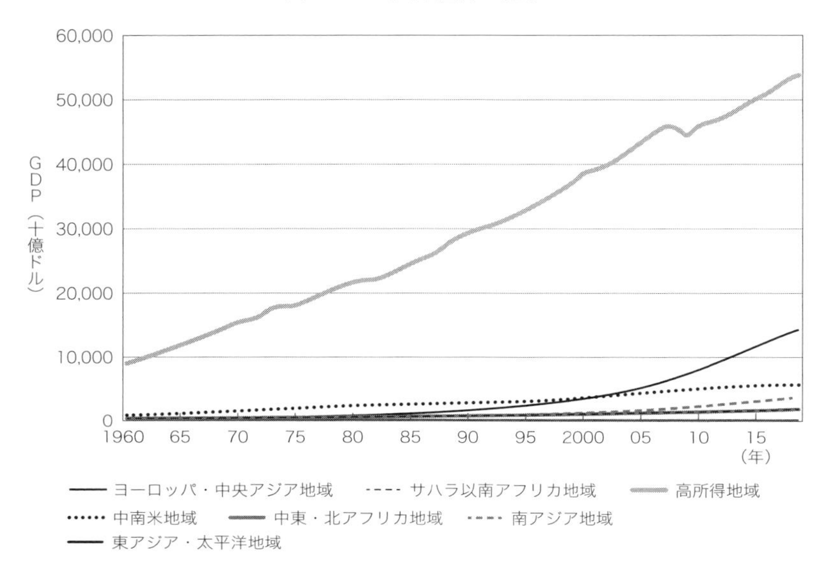

図14-3　世界の1人あたりGDPの推移

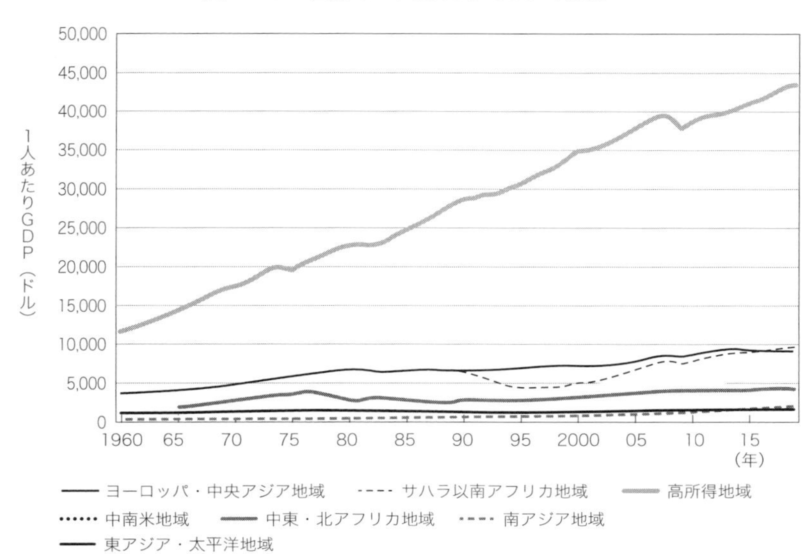

上記の通り急激であることになお注意が必要である。**図14-3**は1人あたりGDPの推移を示すものである。このグラフから明らかなとおり，高所得地域とその他の地域とのあいだにはいまなお大きな格差が存在する。東アジア・太平洋地域には中国が，南アジアではインドと，それぞれ約14億という人口を抱えており，地域内の格差も顕著である。市場の活用は徐々に浸透し，経済の活発化が人々の生活改善に貢献してきてはいるものの，なお十分とはいい難い。

以上，世界経済の動向を通じ，アジアにおける経済の動向を概観した。しかしニュースや新聞等で目にするGDPや経済成長率など，一般的なマクロ指標から我々が受ける印象と，実際の現地の人々の生活とのあいだには，大きな乖離があるかもしれない。すでに述べたとおり，「開発」という言葉が内包する意味は「経済成長」とはまったく次元を異にするものであり，GDP等にのみ目を向けるのは「開発」を考えるうえで適切でない。以下では「開発」と深く関連するいくつかの指標によって，人々の生活の実態を検討する。

2 アジアの「開発」の動向

すでに述べたとおり“development”という言葉はかつて「経済成長」とほぼ同義であったが，両者はいまやまったく異なる言葉であるといってよい。というのも，所得の向上や経済成長は人の福祉を改善するための手段にすぎず，それそのものが目標たりうることはないという考え方が浸透しているからである。今日では「貧困削減」という場合，「貧困」という言葉は一般的に所得貧困を指す言葉ではない。そこでは，人が価値があると考える様々なことが剝奪されている状況を指して「貧困」と定義される。すなわち「貧困」は多面的な現象と捉えるべきものとされる（World Bank 2000）。そのようにして捉えられる「貧困」を改善してゆくことこそが“development”――すなわち「開発」――なのである。

とはいえ，所得の向上や経済成長が人の福祉の改善と相関するケースは多い。ゆえにこれを完全に無視することも最善ではない。1990年以降，国連開発計画（UNDP: United Nations Development Programme）から刊行されている『人間

表14-2　HDIの推移

債務国	各年度のHDIと順位				2019年の各指標の値			
	1990	2000	2010	2019	平均寿命	期待教育年数	平均教育年数	1人あたり所得(2017PPP$)
バングラデシュ	0.394 (123)	0.478 (130)	0.557 (140)	0.579 (133)	72.59	11.60	6.22	4976.21
ブータン	-	-	0.574 (137)	0.618 (129)	71.78	12.98	4.07	10745.84
ブルネイ	0.767 (24)	0.802 (33)	0.827 (41)	0.838 (47)	75.86	14.31	9.14	63965.09
カンボジア	0.368 (128)	0.424 (150)	0.539 (143)	0.565 (144)	69.82	11.47	4.97	4246.18
中国	0.499 (103)	0.588 (112)	0.699 (101)	0.731 (85)	76.91	13.98	8.06	16057.40
インド	0.429 (114)	0.495 (127)	0.579 (135)	0.616 (131)	69.66	12.16	6.50	6681.35
インドネシア	0.523 (100)	0.603 (108)	0.665 (116)	0.690 (107)	71.72	13.61	8.17	11459.10
ラオス	0.405 (118)	0.471 (132)	0.552 (141)	0.589 (137)	67.92	10.99	5.29	7413.33
マレーシア	0.643 (69)	0.723 (55)	0.772 (63)	0.791 (62)	76.16	13.68	10.37	27534.10
ミャンマー	0.342 (132)	0.414 (153)	0.515 (151)	0.550 (147)	67.13	10.67	5.03	4960.53
ネパール	0.387 (124)	0.453 (140)	0.537 (144)	0.576 (142)	70.78	12.76	5.01	3456.71
パキスタン	0.402 (120)	0.447 (142)	0.512 (152)	0.530 (154)	67.27	8.28	5.16	5005.03
フィリピン	0.593 (84)	0.632 (99)	0.671 (110)	0.696 (107)	71.23	13.15	9.39	9777.80
スリランカ	0.629 (72)	0.691 (70)	0.754 (72)	0.773 (72)	76.98	14.11	10.63	12707.37
タイ	0.577 (88)	0.652 (91)	0.724 (91)	0.742 (79)	77.15	15.03	7.94	17781.19
ベトナム	0.483 (106)	0.586 (114)	0.661 (120)	0.683 (117)	75.40	12.69	8.32	7432.71
データのある国の数	144	174	188	189				

注：カッコ内の数値は順位。
出所：Human Development Reportsウェブサイト（http://hdr.undp.org/en/content/download-data, 2021年7月26日アクセス）。

開発報告書』で示されている各国の「人間開発指数」は，このことを端的に表しているといえよう。「人間開発指数」（HDI: Human Development Index）は3つの指標――平均寿命，教育水準，1人あたり実質所得――から計算される指数である。簡潔にいえば3つの指標はそれぞれ，その年観測されたすべての国の数値幅（最小値～最大値）のなかでその国の相対的な位置を表す変数に変換される。その3つの幾何平均をとったものが「人間開発指数」である。計算式が示すとおり，その時点における各国における人々の福祉状況のいわば相対的な達成度を表すものである。人の福祉をこの3つの指標から構成されるとする考え方には批判も多いが，所得以外の側面へと注意を向けさせる点にこの指数の意義は見出されよう（黒崎 2009: 20）。

表14-2はアジア各国のHDIと世界におけるランキングを示したものであ

る。アジア各国はその目覚ましい経済成長ゆえに世界の耳目を集めているが，この表にみられるとおり「開発」の面で世界における相対的な位置づけはこの30年でそれほど大きく変わっていない。また，中国は20近くランキングを上げているが，インドの順位は20近く低下するなど，変動の方向も一定ではない。これらに示唆されるようにアジアにおける「開発」はさらなる改善の余地が大きいのが現状であり，ニュース等から抱かれるような一般的な印象とは異なる感想をもつ人も多いかもしれない。上述のとおりHDIはあくまでも相対的な達成度を示すものであるため，人々の絶対的な福祉水準が必ずしも悪化しているわけではないが，経済成長著しいとされるアジアでさえ「開発」における課題はいまなお多いという現状をこれらは示している。次節ではHDIを構成する3指標に関連する変数を取り上げ，1990年以降の30年間におけるアジア各国の「開発」の動向について個別に検討する。

3 アジア各国における「開発」

本節ではWDIにもとづきアジア各国における「開発」の進展について検討する。本章冒頭で述べたとおり，MDGsの第1の目標は極度の貧困と飢餓の撲滅である。そこでは1日1ドル未満で暮らす人々を「極度の貧困者」と定義し，世界の「極度の貧困者」の割合を1990年の水準から2015年までに半減させることをめざすとされた（1985年の購買力平価で1日1ドル，その後2009年以降は2005年の購買力平価で1日1.25ドル，2015年以降は2011年の購買力平価で1日1.90ドルと貧困線は改訂されている）。アジアにおける削減，とくに巨大な人口を抱える中国における改善が目覚ましく，2015年よりも早くこの目標は達成されることとなった。しかし地域別にみればサハラ以南アフリカの多くの国々でこの目標は未達成であり，濃淡は世界各地で大きく異なる。

中国のみならず，その他のアジア諸国においてもこの30年で順調に改善していることがわかる（**表14-3**）。マレーシアやタイでは極度の貧困者はほとんど存在しなくなった。一方でバングラデシュ，インド，ネパール，ラオスでは直近のデータで10パーセントを超える水準にあり，改善の余地はなお残されている。アジアにおいても「極度の貧困」の状況は多様であり，「開発」の進捗

表14-3　極度の貧困の推移

バングラデシュ	年	1991	2000	2010	2016
	貧困者比率（%）	43.5	34.2	19.2	14.3
ブータン	年		2003	2012	2017
	貧困者比率（%）		17.8	2.2	1.5
中国	年	1990	2003	2010	2016
	貧困者比率（%）	66.3	31.7	11.2	0.5
インド	年	1993		2011	
	貧困者比率（%）	47.6		22.5	
インドネシア	年	1990	2000	2010	2019
	貧困者比率（%）	54.9	34.9	13.3	2.9
ラオス	年	1992	2002	2012	2018
	貧困者比率（%）	31.1	32.1	14.5	10
マレーシア	年	1992	2003	2011	2015
	貧困者比率（%）	1.3	1.2	0.1	0
ミャンマー	年				2017
	貧困者比率（%）				1.4
ネパール	年	1995	2003	2010	
	貧困者比率（%）	66	49.9	15.0	
パキスタン	年	1990	2001	2010	2018
	貧困者比率（%）	60.6	31.0	8.3	4.4
フィリピン	年		2000	2012	2018
	貧困者比率（%）		13.7	10.4	2.7
スリランカ	年	1990	2002	2012	2016
	貧困者比率（%）	9.3	8.8	10.4	2.7
タイ	年	1990	2000	2010	2019
	貧困者比率（%）	9.2	82.4	0.1	0.1
ベトナム	年	1992	2002	2010	2018
	貧困者比率（%）	52.3	37.0	4.0	1.8

度合いにも濃淡があることが想起されよう。

生存に関する指標は基礎的な「開発」の状況の一端を知る手がかりとなる。**表14-4**はアジア各国の平均寿命の動向を示したものである。1990年に平均寿命が50歳代だったのは表の17か国のうち7か国にのぼる。当時の生存環境の厳しさが窺われるが，2020年には平均寿命が50歳代である国は消滅し，低く

表14-4　平均寿命の推移

	1990	2000	2010	2020
バングラデシュ	58.2	65.4	69.9	72.6
ブータン	52.9	60.9	68.4	71.8
ブルネイ	70.2	72.8	74.7	75.9
カンボジア	53.6	58.4	66.6	69.8
中国	69.1	71.4	74.4	76.9
インド	57.9	62.5	66.7	69.7
インドネシア	62.3	65.8	69.2	71.7
北朝鮮	69.9	65.3	69.6	72.3
ラオス	53.4	58.8	64.3	67.9
マレーシア	70.9	72.6	74.5	76.2
ミャンマー	56.8	60.1	63.5	67.1
ネパール	54.4	62.3	67.6	70.8
パキスタン	60.1	62.8	65.3	67.3
フィリピン	66.4	68.8	69.8	71.2
スリランカ	69.5	71.3	75.4	77.0
タイ	70.2	70.6	74.2	77.2
ベトナム	70.6	73.0	74.8	75.4

表14-5　乳幼児死亡率の推移（‰）

	1990	2000	2010	2020
バングラデシュ	143.8	86.5	48.7	30.8
ブータン	127.0	77.1	42.2	28.5
ブルネイ	13.3	10.3	9.7	11.4
カンボジア	115.9	106.3	44.0	26.6
中国	53.8	36.8	15.8	7.9
インド	126.2	91.8	58.2	34.3
インドネシア	84.0	52.2	33.9	23.9
北朝鮮	43.4	60.0	29.5	17.3
ラオス	153.0	106.4	68.0	45.5
マレーシア	16.6	10.2	8.1	8.6
ミャンマー	114.6	89.0	63.4	44.7
ネパール	139.8	81.0	46.6	30.8
パキスタン	139.5	107.5	87.1	67.2
フィリピン	56.6	37.7	31.7	27.3
スリランカ	21.9	16.5	11.6	7.1
タイ	36.9	22.0	13.6	9.0
ベトナム	51.3	29.7	22.9	19.9

注：単位が‰（パーミル，千分率）であることに注意されたい。

表14-6　識字率の推移

国					
バングラデシュ	年	1991	2000	2010	2016
	識字率（%）	35.3	47.5	58.8	74.7
ブータン	年		2005	2012	2018
	識字率（%）		52.8	55.3	66.6
カンボジア	年		1998	2009	2015
	識字率（%）		67.3	76.1	80.5
中国	年	1990	2000	2010	2018
	識字率（%）	77.8	90.9	95.1	96.8
インド	年	1991	2001	2011	2018
	識字率（%）	48.2	61.0	69.3	74.4
インドネシア	年	1990		2011	2018
	識字率（%）	81.5		92.8	95.7
ラオス	年	1995	2000	2011	2015
	識字率（%）	60.3	69.6	58.3	84.7
マレーシア	年	1991	2000	2010	2018
	識字率（%）	82.9	88.7	93.1	94.9
ミャンマー	年		2000		2016
	識字率（%）		89.9		75.6
ネパール	年	1991	2001	2011	2018
	識字率（%）	33.0	48.6	59.6	67.9
パキスタン	年		1998	2010	2015
	識字率（%）		43.0	55.4	59.1
フィリピン	年	1990	2000	2010	2018
	識字率（%）	93.6	92.6	95.9	97.3
スリランカ	年		2001	2010	2018
	識字率（%）		90.7	91.2	91.7
タイ	年		2000	2010	2018
	識字率（%）		92.6	96.4	93.8
ベトナム	年	1989	2000	2009	2018
	識字率（%）	87.6	90.2	93.5	95.0

ても60歳代後半となり，多くが70歳代へと改善している。平均寿命の改善に大きく貢献したのが乳幼児死亡率（5歳未満死亡率）の改善であろう（**表14-5**）。1990年当時は乳幼児死亡率が100‰を超える国は8か国で，子どもの生存環境

はきわめて厳しい状況にあったが，2020年にはそのような国はアジアには存在しなくなった。とはいえ先進国では乳幼児死亡率は10‰に満たない水準にあることを勘案すれば，パキスタンの67‰，ラオスの46‰，ミャンマーの45‰という数値は，人々の生存環境はいまなお厳しい状況にあることを示唆している。

つぎに各国の教育の状況をみてみよう。**表14-6**は各国の16歳以上人口の識字率の推移を示したものである。1991年当時，ネパールで33%，バングラデシュで35%，インドで48%など，きわめて深刻な状況にあったことがわかる。データソースは異なるが1995年版の『人間開発報告書』によると，1992年の成人識字率はブータンで36%，カンボジアで37%，パキスタンで36%など，いずれもきわめて厳しい教育環境を示す。しかしこの30年で教育環境も大幅な改善をみせる。2020年にはいずれの国においても識字率は大きく向上し，90%を超える国が半数近くとなる。他方，大きく改善はしているものの，ブータンとネパールではいまなお国民の約3分の1が非識字者である。「識字」がきわめて素朴な指標であることにかんがみれば，両国ではさらに教育環境を改善すべく一層の努力が求められよう。

アジアにおける人々の教育環境について楽観視できない状況は，「識字」という指標から「初等教育」へと目を転じればより明瞭となる（**表14-7**）。初等教育の卒業率に関して比較可能な直近のデータではブータンの20%が際立つが，バングラデシュ，カンボジア，ネパール，パキスタンと50%に満たない国が多く存在する。インドは51%，タイは61%で，これらに関しても楽観できる状況とはいい難い。「前期中等教育」の卒業割合をみれば，その状況はより顕著となる。40%に満たない国が6か国あり，なかでもカンボジアの16%は際立って低水準である。インドネシアの45%も決して高いとはいえない数値である。相対的に良好な国々にしても7割前後の水準であり，今後なお課題は多い。教育は人的資本蓄積という意味で社会全体にとって，また個人にとっても将来を大きく左右するものとしてきわめて重要である。今後一層の改善の努力が求められよう。

生存に関しても教育に関しても，そこで観察されるジェンダー問題は今日なお大きな課題のひとつである。かつてのMDGsの目標3であり，今日のSDGs

表14-7　初等教育と前期中等教育の卒業率

	年	初等教育卒業率（%）	前期中等教育卒業率（%）
バングラデシュ	2011年	48.9	35.3
ブータン	2012年	20.4	
カンボジア	2009年	35.6	15.5
インド	2011年	51.4	37.6
インドネシア	2011年	74.4	44.5
マレーシア	2010年	91.2	68.2
ネパール	2011年	40.5	26.9
パキスタン	2010年	46.2	33.4
フィリピン	2010年	82.1	66.8
スリランカ	2010年		74.0
タイ	2010年	60.8	38.7
ベトナム	2010年		65.0

注：年度が近く比較可能なデータがない国を除外している。なお初等教育は８年，中等教育は４年である（前期と後期の２年ずつに分けるケースもある）。

表14-8　性比（女性／男性）の推移

	1990	2000	2010	2020
バングラデシュ	0.938	0.945	0.965	0.977
ブータン	0.945	0.959	0.904	0.884
ブルネイ	0.896	0.967	0.940	0.926
カンボジア	1.074	1.057	1.054	1.049
中国	0.949	0.949	0.946	0.949
インド	0.927	0.923	0.922	0.924
インドネシア	0.992	0.999	0.986	0.986
北朝鮮	1.060	1.051	1.047	1.045
ラオス	1.000	1.008	1.019	0.992
マレーシア	0.968	0.964	0.940	0.945
ミャンマー	1.054	1.063	1.073	1.075
ネパール	1.014	1.003	1.018	1.193
パキスタン	0.927	0.937	0.941	0.943
フィリピン	0.979	0.985	0.983	0.991
スリランカ	0.978	1.001	1.049	1.084
タイ	1.018	1.022	1.039	1.054
ベトナム	1.021	1.019	1.012	1.003

表14-9　乳幼児死亡率の男女比（女性／男性）の推移

	1990	2000	2010	2019
バングラデシュ	0.951	0.922	0.895	0.869
ブータン	0.925	0.898	0.851	0.826
ブルネイ	0.828	0.839	0.830	0.810
カンボジア	0.871	0.866	0.810	0.791
中国	0.918	0.897	0.875	0.881
インド	1.070	1.110	1.105	1.036
インドネシア	0.858	0.844	0.817	0.803
北朝鮮	0.833	0.856	0.815	0.806
ラオス	0.892	0.865	0.837	0.812
マレーシア	0.809	0.813	0.830	0.859
ミャンマー	0.875	0.864	0.844	0.824
ネパール	0.990	0.951	0.900	0.866
パキスタン	0.955	0.928	0.897	0.876
フィリピン	0.830	0.812	0.814	0.807
スリランカ	0.840	0.844	0.833	0.844
タイ	0.815	0.798	0.807	0.818
ベトナム	0.733	0.711	0.711	0.711

の目標5で取り上げられているように，遠い過去から現在に至るまでいまだ解決されない世界的な難題である。**表14-8**は性比（人口の男女比）の推移を示すものである。男女が等しく栄養を適切に摂取し，必要に応じて医療保健ケアを受けた際，全人口では女性人口が男性を5%前後上回るとされる。これは日本を含む先進国でみられる傾向である。ところが**表14-8**から明らかなとおり数値が1を下回り，女性人口が男性より少ないという歪な人口構成をもつ国が多いことが確認できる。

乳幼児死亡率にも同様な歪みを確認できる。**表14-9**は乳幼児死亡率の男女比（女性／男性）を表したものである。上記のとおり，女性に比して男性のほうが早死にするのが一般的な傾向であり，つまりこの表では数値が1未満であれば一般的傾向に近いといえる。ほとんどの国が1未満の値を示しているが，唯一インドのみが1を上回る。深刻なジェンダー問題がいまなおインドに存在することを示唆するものだが，これは20世紀初頭から指摘されてきた忌むべき特徴である。このようなことが生じている原因として，インドで根強い男児選好の影響が指摘されている。栄養摂取や医療保健で幼少期における扱いに男女差があることが主な要因とされるが，それは成人後の経済力に男女差があることに起因している可能性が古くから指摘されている（たとえば，Bardhan 1974）。

しかし人口構成に歪な傾向が現れるのは，実はインドだけではない。**表14-10**は，出生性比を示したものである。出生に関しては，女子にくらべて男子のほうが5%前後多いのが一般的傾向である。すなわち1.05前後が一般的な値ということになるが，中国，インド，パキスタン，ベトナムでは1.10前後と高い数値を示す。これは性別選択による産み分けがおこなわれていることを示唆するものであり，アジアにおけるジェンダー問題はいまなお深刻であることに留意が必要である。たとえばインドでは出生後のジェンダー問題は徐々に改善する傾向を示しているのだが，実は問題の発生する段階が出生前に移行しただけで根本的な解決には向かっていないと指摘する研究もある。問題は悪化しているともいえよう。今後の動向を注視してゆく必要がある。

教育においても男女の格差はいまなおきわめて深刻である。**表14-11**は初等教育と前期中等教育の男女別の卒業率と，卒業率の男女比を示したものである。カンボジア，ネパール，パキスタンでは初等教育と前期中等教育のいずれも，女子の卒業率は男子の半分程度にすぎない。家庭内から家庭外におけるあらゆる社会生活の場面まで，女性のエンパワーメントが好ましい影響をもたらしうることを指摘する実証研究は数多い（たとえば，Chattopadhyay and Duflo 2004，Duflo 2012などを参照）。エンパワーメントのひとつの経路として，教育は最も重要なもののひとつである。教育のさらなる拡充を図るとともに，教育におけるこのような男女格差を早期に縮小してゆくことが喫緊の課題である。

4 近年の「開発のミクロ経済研究」：家計，個人，実験

戦後長らく世界は経済成長をめざしてきた。経済成長の恩恵はやがて貧しい人にも滴り落ちるといういわゆる「トリックル・ダウン仮説」がそこでは共有されていた。しかし現実には，先進国と途上国の格差，そして途上国国内にお

表14-10　出生性比（男性／女性）の推移

	1990	2000	2010	2019
バングラデシュ	1.049	1.049	1.049	1.049
ブータン	1.040	1.040	1.040	1.040
ブルネイ	1.055	1.055	1.055	1.055
カンボジア	1.036	1.034	1.055	1.051
中国	1.104	1.160	1.158	1.122
インド	1.100	1.112	1.100	1.100
インドネシア	1.050	1.050	1.050	1.050
北朝鮮	1.050	1.050	1.050	1.050
ラオス	1.050	1.050	1.050	1.050
マレーシア	1.060	1.060	1.060	1.060
ミャンマー	1.030	1.030	1.030	1.030
ネパール	1.050	1.071	1.054	1.065
パキスタン	1.064	1.096	1.087	1.087
フィリピン	1.060	1.060	1.060	1.060
スリランカ	1.042	1.045	1.042	1.041
タイ	1.053	1.062	1.063	1.062
ベトナム	1.065	1.081	1.121	1.113

注：ここではWDIの数値をそのまま利用し，男性人口／女性人口で示している。

表14-11　初等教育と前期中等教育の男女格差

		初等教育卒業率（%）			前期中等教育卒業率（%）		
		男児	女児	男女比	男児	女児	男女比
バングラデシュ	2011年	54.9	43.0	0.783	41.1	29.6	0.783
ブータン	2012年	26.3	14.7	0.955			
カンボジア	2009年	47.9	25.3	0.527	22.2	9.9	0.527
インド	2011年	62.2	40.3	0.648	47.1	27.7	0.648
インドネシア	2011年	79.2	69.7	0.880	49.2	39.9	0.880
マレーシア	2010年	94.4	88.0	0.933	71.3	65.1	0.933
ネパール	2011年	56.1	27.6	0.492	38.7	17.2	0.492
パキスタン	2010年	60.8	30.2	0.498	44.9	20.7	0.498
フィリピン	2010年	80.8	83.3	1.031	65.8	67.7	1.031
スリランカ	2010年				75.5	72.7	0.963
タイ	2010年	64.2	57.6	0.897	41.4	36.1	0.897
ベトナム	2010年				71.2	59.4	0.835

注：女比は女性／男性で計算。

ける貧富の格差は拡大していき，1970年前後から経済成長一辺倒の考え方に疑念が生じ始める（絵所 1997: 98）。全体としての経済成長ではなく，個々の問題，すなわち人々の雇用，貧困，所得分配へと徐々に目が向けられるようになる。そのひとつの成果が「ベーシック・ニーズの充足」への注目であろう。

しかしベーシック・ニーズに注目するアプローチは表面的な問題提起にとどまり，根本的な開発のあり方を問うための哲学的基礎をもたないという弱点があった。その哲学的基礎を提供したのがアマルティア・センの「ケイパビリティ」（capability）という概念である。「潜在能力」と和訳されることもあるが，「ケイパビリティ」とは「ある人が経済的，社会的，および個人の資質の下で達成することのできる，さまざまな『であること』と『すること』を代表する，一連の選択的な機能の集まり」と定義される（絵所 1997: 198）。より詳しくはSen（1985），Sen（1999），絵所・山崎編（2004）などを参照されたい。

徐々に「ケイパビリティ」への注目が高まりつつあった1980年代，時を同じくして途上国の家計，そして個人を対象としたミクロデータの蓄積も徐々に進められていった。これによって**開発のミクロ経済研究**が急速に充実してゆく。家計を最小単位としたデータの分析ではみえなかったものがみえてくるようになったのである。家計内資源配分の問題はその最たるものであろう。

すでに上でみたとおりインド等で観察される歪な人口構成は，栄養摂取や医療保健ケアなどの様々な面で女性が深刻な不利を受けてきたことを端的に示すものである。これは家計内部での資源配分に偏りがある可能性がきわめて大きいことを示唆しているのだが，個人を対象としたミクロデータはそれを実証的に明らかにしたのである。経済学でジェンダー問題を扱うものとしては，家計内資源配分における夫婦間の交渉力とその家計厚生への影響を検証する研究があげられよう。1990年の*Journal of Human Resources*誌に掲載されたダンカン・トーマスの論文（Thomas 1990）を嚆矢とし，夫に対する妻の交渉力の向上——いわゆる「女性のエンパワーメント」のひとつと捉えられる——によって家計の福祉が向上するなどの好ましい効果がもたらされることがミクロデータを用いた多くの実証研究によって明らかにされている（同時期の論文としてはSchultz 1990などもあげられる）。

2000年代に入ると開発のミクロ経済研究はデータの充実と相俟ってさらに

洗練されていく。開発政策を考えるにあたり，人々の福祉の改善を目的とした政策が実際にいかなる効果を有したかを正確に把握することが強く求められるようになってきたのである。いわゆる「証拠にもとづく政策立案」(EBPM: Evidence Based Policy Making) である。実証分析によって開発政策の効果を定量的に把握しようと試みる際，今日では必ず考慮しなければならないのが因果関係を特定することである。端的にいえば相関関係を検討するのみではきわめて不十分であり，原因と結果という因果関係を特定したうえでの計量経済分析が不可欠とされるようになったのである。そこで問題となるのが内生性である。

たとえば何らかの開発政策を評価する際，ごく単純には当該政策の実施前後で状況を比較すること，また受益者（あるいは当該政策を実施した地域）と非受益者（あるいは実施していない地域）とを比較することが真っ先に思い浮かぶかもしれない。しかしこのようにして得られた数値にはバイアスが含まれる可能性が高い。前者のケースでは当該政策以外の社会経済状況の変化等様々なその他要因の影響を受けている可能性がある。これに加えて後者の場合には，各個人（各地域）は完全に同質ではなく固有の要因の影響を受けている可能性が指摘される。いずれのケースでも計量経済分析においては，説明変数と誤差項とのあいだに相関が生じ，推定値にはバイアスが含まれることとなる。すなわち内生性の問題が生じるのである。

このような問題を解決する方法はいくつか存在する。まず「差の差」(DID: Difference-in-Difference) の分析手法があげられよう。受益者（政策実施地域）と非受益者（非実施地域）に関し，政策実施前後の2時点の比較によって政策効果を測定しようという分析手法である。ただし，受益者（政策実施地域）と非受益者（非実施地域）とが似通っていない場合には，DIDによる推計結果はやはり内生性の問題を免れることはできない。その他，傾向スコアマッチング法 (propensity score matching) もあげられるが，観察不可能な要因から生じる内生性の問題がやはり起こりうる。

そこで近年隆盛をきわめているのがランダム化比較実験 (RCT: Randomized Controlled Trials) であろう。受益者（政策実施地域）をランダムに選んで政策を実施し，そのアウトカムを非受益者（非実施地域）と比較することでその効果の有意性を検証するものである。「ランダム」であるがゆえに誤差項との相関が生じず，内生性の問題を避けうることとなる。RCTは開発経済学の様々な分野において用いられているが，メキシコにおける奨学金プログラムであるPROGRESAが有名である（たとえば，Schultz 2004などを参照）。また家計内の夫婦の行動に関しては，フィリピンのミンダナオ島の人々を対象に，夫婦間に情報の非対称性がある場合の両者の行動の選択に関する実験をおこなったAshraf (2009) があげられよう。それ以降もこの分野の研究はさらなる展開をみせているが，いまなお未知の部分は多い。たとえば家計内意思決定に関する実証分析において問題となるのは夫婦間の協力関係だが，いかなるケースで協力的な関係を築けるのか，その際に政府はいかなる開発政策を実施できるのかなど，未解明の課題はなお多い（Doss and Quisumbing 2019のサーベイ論文に詳しい）。

RCTはきわめて有用な手法だが，いくつかの留意すべき点が存在する。第1にマクロ経済政策や大型インフラプロジェクトなど，RCTに向かない政策があるという点である。第2に，政策のインパクトを測定することには長けているが，どのような影響経路でその帰結が得られたのかというメカニズムに対する理解が深まらない，という点である。近年RCTの設計を工夫することでこれを克服する試みも増えつつあるが，今後一層の研究の蓄積が待たれるところである。なお開発経済学のミクロ実証研究における内生性の問題，そしてそれに対処する計量経済分析手法に関しては不破（2008）や黒崎・山形（2017）の第3章も大いに参考となろう。

おわりに

本章では「開発」の現況について，まず世界におけるアジアの位置づけ，そしてそれをふまえてアジア各国における状況を概観してきた。各国の順調な経済成長のおかげもあり，「極度の貧困」は大きく低下した。しかし生存環境や教育など人々の福祉を決定づけるうえで重要とされる様々な面で，アジアにおいてもなお楽観視できない状況にあることも同時に確認された。

また「開発」の潮流をかなり大雑把ではあるが概観し，今日における「開発」の意義について簡単に説明した。またその流れのなかで近年の開発経済学における研究は，ミクロデータの充実とともにより洗練された分析手法――

RCTなど——がさらなる進展をみせていることも簡潔に述べた。筆者が経済学の観点から取り組んでいる途上国におけるジェンダー問題——とくに家計内資源配分における意思決定の問題——に関しても，1990年代には未知であった部分が2000年代，2010年代と時が進むにつれ徐々に明らかとなってきている。ジェンダー問題は途上国のみならず多くの先進国も直面するユニバーサルな課題である。今後さらなる研究の進展が待たれるところである。

【和田一哉】

参考文献

絵所秀紀『開発の政治経済学』日本評論社，1997年。

絵所秀紀・山崎幸治編『アマルティア・センの世界——経済学と開発研究との架橋』晃洋書房，2004年。

黒崎卓『貧困と脆弱性の経済分析』勁草書房，2009年。

黒崎卓・山形辰史『開発経済学——貧困削減へのアプローチ 増補改訂版』日本評論社，2017年。

不破信彦「実証開発経済学の分析手法の最近の動向について——計量経済分析における『内生性』問題を中心に」『農業経済研究』79巻4号，2008年，233-247頁。

Ashraf, Nava, “Spousal Control and Intra-Household Decision Making: An Experimental Study in the Philippines,” *American Economic Review,* 99 (4), 2009, pp. 1245-1277.

Bardhan, Pranab, “On Life and Death Questions,” *Economic and Political Weekly,* Vol. 9, Nos. 32-34 (August), 1974, pp. 1293-1304.

Chattopadhyay, R. and E. Duflo, “Women as Policy Makers: Evidence from a Randomized Policy Experiment in India,” *Econometrica,* 72 (5), 2004, pp. 1409-1443.

Doss, S. and A. R. Quisumbing, “Understanding Rural Household Behavior: Beyond Boserup and Becker,” *Agricultural Economics,* 51, 2019, pp. 47-58.

Duflo, Esther, “Women Empowerment and Economic Development,” *Journal of Economic Literature,* 50 (4), 2012, pp. 1051-1079.

Schultz, T. Paul, “Testing the Neoclassical Model of Family Labor Supply and Fertility,” *Journal of Human Resources,* 25 (4), 1990, pp. 599-634.

Schultz, T. Paul, “School Subsidies for the Poor: Evaluating the Mexican Progresa Poverty Program,” *Journal of Development Economics,* 74, 2004, pp. 199-250.

Sen, Amartya, *Commodities and Capabilities,* Elsevier Science Publishers B. V., 1985.（鈴村興太郎訳『福祉の経済学——財と潜在能力』岩波書店，1988年）

Sen, Amarthya, *Development as Freedom,* Oxford University Press, 1999.（石塚雅彦訳『自由と経済開発』日本経済新聞社，2000年）

Thomas, Duncan, “Intra-Household Resource Allocation: An Inferential Approach,” *Journal of Human Resources,* 25 (4), 1990, pp. 635-664.

United Nations, *Transforming Our World: The 2030 Agenda for Sustainable Development,*

RES/70/1, 2015.
World Bank, *World Development Report 2000/2001: Attacking Poverty*, Oxford University Press, 2000.

文献紹介

① 黒崎卓・栗田匡相『ストーリーで学ぶ開発経済学――途上国の暮らしから考える』有斐閣，2016年。

開発のミクロ経済学の入門書。親しみやすい語り口と実例による説明で読みやすい。初学者向けとはいえRCTの事例も含まれるなど，開発経済学の最新の研究動向にも触れており内容は濃い。

② 速水佑次郎『新版 開発経済学――諸国民の貧困と富』創文社，2000年。

中級レベル。日本の開発経済学研究の第一人者による標準的な教科書。数式やグラフ，実証分析例による詳細な説明があり，マクロからミクロまで基礎的な開発経済学を学ぶ際には最適。

③ アビジット・V・バナジー／エステル・デュフロ著，山形浩生訳『貧乏人の経済学――もういちど貧困問題を根っこから考える』みすず書房，2012年。

ジェフリー・サックスとウィリアム・イースタリーの援助論争からスタートし，豊富なミクロ実証研究を取り上げ様々な開発のミクロ経済学のトピックについて紹介する。いくぶん進んだ内容ではあるが，数式等による説明はなく初学者にも読みやすい。

第 15 章　資源・エネルギー

アジア経済の中の天然資源とエネルギー

“各国はどんな天然資源をもち，どんな課題を抱えているのだろうか”

天然資源の輸出は外貨獲得に大きな役割を果たす一方で，経済成長はエネルギーや資源の需要の増大につながります。この章では天然資源の輸出に依存することで生じる問題と，アジアの主要各国の天然資源やエネルギー状況にまつわる事柄を概観します。

キーワード 天然資源，石油・ガス，水，電力，資源価格
関連する章 第12章，第17章，第18章

はじめに

エネルギー資源（石炭，原油，天然ガス），あるいは鉱物資源（鉄，銅など）は様々な面で人間の社会と関わっている。外貨の獲得や国際収支の均衡，為替レートの変化といった国際貿易に関する側面でも，**天然資源**輸出は国々の経済に大きく影響する。また，産業が発展するにはエネルギー・鉱物資源が必要であり，所得が増えるにつれ自動車・飛行機などの燃料の需要も増えるほか，エネルギー資源は軍備にも関連する。自国の天然資源をどう使うか，資源が乏しい場合にはどう確保するかが一国の将来に大きく影響するため，エネルギー安全保障といった政治的な問題や，資源をめぐる地政学的な争いにもつながる。他方で，18世紀の産業革命以降，石炭，原油などの天然資源が動力源として主に用いられるようになったが，今日ではCO_2の排出や環境汚染といった点で，地球環境とも大きく関わる。とくに多くの人口を抱えるアジアの国々の天

然資源消費の動向は世界全体に大きな影響を与える。

1 天然資源と社会，経済との関わり

コモディティとしての天然資源

西欧諸国による帝国主義の進展と並行して，19世紀末頃から世界各地で国際石油会社による石油の商業生産が盛んになった。アジアもほとんどの国が植民地支配を受けたが，今日でも天然資源を輸出する経済構造と植民地の歴史は切り離せない。ミャンマーやインドネシアの石油，あるいはマレーシアのスズを代表とする鉱物資源は植民地から宗主国へ向けた輸出品であり，独立以降もコモディティ（一次産品）として貿易品目の大部分を占めてきた。世界には現在もこのような植民地経済型のコモディティ輸出に依存する国がみられる。他方，天然資源を他国へ輸出するのではなく自国の経済活動のために活用する国も増えている。

国際資源価格の動き

かつて国際的な原油価格は欧米の石油会社による秘密協定でコントロールされ，1973年と79年の石油危機以降は石油輸出国機構（OPEC: Organization of the Petroleum Exporting Countries）が影響を及ぼすようになった。しかし今日の原油を含めた**資源価格**は国際市場で決定されており，世界の経済・政治動向によって資源価格は大きく変動する。

2000年代以降の国際先物市場の発展により，原油など一部の天然資源は実際の需要供給とは別に将来の予測によって価格が変化する市況商品となった。また天然資源は外貨建てで取引されるため，資源価格や資源収入の変動が通貨価値の変動を生むほか，資源国通貨自体も国際市場で取引される。このため資源輸出国の貿易収支や政府収入は不安定になりがちである。通貨価値の上昇は国際競争力の低下を通じ，製造業や農業など国内の他の産業セクターの停滞を生むこともある。

資源輸出依存型の経済が抱える問題

上でみた問題に加え資源依存には多くの弊害がある。天然資源開発は資本集約的かつ労働節約的な産業であり，産業の規模の割に雇用を生まない。また資源開発には莫大な収入が絡むことから，資源採取地における土地の権利争い，民族紛争や暴力を助長することもある。資源開発に関する政府側の決定権や莫大な外貨収入を得る機会とそれを求めて競う企業の存在は，汚職や資金の流用・散逸を生みがちである。この点に関し，とくに発展途上国における石油，天然ガス，鉱物資源および木材といった採取産業の透明性を高め企業や政府の説明責任を強めるための国際的な取り組みとして，「採取産業透明性イニシアチブ」がある。2021年の時点でフィリピン，インドネシア，ミャンマー，東ティモールなどが参加している。

歴史的には多くの国が豊富な天然資源から生じた様々な問題に悩まされてきたが，アジアにはこれらの問題を克服し，製造業分野など他のセクターの育成に成功して経済成長を進める国々がある一方，資源依存と経済停滞の問題を抱える国々もある。

2 各国の経済と天然資源

現在のアジア地域には，天然資源の一大消費国・生産国として世界全体に大きな影響力をもつ中国，中国を追いかけるインドのほか，植民地支配の影響を受けながらも資源依存を克服・回避した国々，天然資源依存型経済の不安定性に悩む国々などが含まれる。エネルギー資源に着目すると，他地域への一方的な供給をおこなうアフリカ地域などと比べ，現在のアジアでは域内需給が比較的バランスしている。なお原油や天然ガスを産業で利用するためには，石油製品として精製し自国内に流通させるための産業インフラが必要になる。アジアは2019年時点で世界の約8％の原油生産シェアをもつ一方で，世界の約35％の石油精製能力をもっている（BP 2020）。これは域内の多くが産油国であり，世界の約9％の原油生産シェアをもつアフリカ地域の石油精製能力が世界の約3％に過ぎないこととは対照的である。

資源を飼いならした経済——インドネシアとマレーシア

インドネシアとマレーシアは，国家の独立と前後して豊かな石油・天然ガス資源を得ながらも，資源に依存することなく製造業セクターを育成し，経済成長を続けてきたという点で，その経験は注目に値する。

インドネシアは世界でも早い時期から多くの欧米資本が石油開発に乗りだした。1885年にオランダ領東インドであったスマトラでの石油がRoyal Dutch Companyの設立につながっている（Vassiliou 2009）。現在もアジアにおける最大のエネルギー資源輸出国であり（**図15-1**），第二次世界大戦期にはエネルギー資源を求めた日本による侵略の対象ともなった。

インドネシアは1945年のオランダからの独立に際し，憲法で国営石油会社の設立を規定し，その後徐々に外国企業を締め出す政策を進め，原油から得られる収益の大部分をインドネシアが得られるように国有化を進めた。1968年には3つの国営石油会社を統合しプルタミナが設立された。1970年にはボルネオで大規模なオフショア石油が発見され，1973年の第1次石油危機の価格上昇の際には大きな利益を得ている（Vassiliou 2009）。

インドネシアについて特筆されるのは，一時は国営石油会社の過剰債務や貿易赤字などの問題を抱えたものの，開発独裁下で国営石油会社を立て直す一方，他の産油国とは異なり資源輸出から生じる製造業や農業の停滞といった問題を回避した点である（Gelb et al. 1988）。スハルト政権下では為替レートを定期的に切り下げることによって通貨の過大評価を防ぎ輸出を促進した。また主食である米の自給率向上のため，肥料補助金政策を打ち出し農業分野を支援した（Karl 1997）。石油収入を用いた大規模な小学校建設のプロジェクトも資源から得られる利益を社会的に投資した成功例として知られる（Duflo 2001）。

現在，インドネシアでは財輸出に占める天然資源の割合が約20％であるのに対し，工業製品輸出が占める割合は46％であり（2019年），重要な資源輸出国ではあっても資源依存経済ではない（World Bank 2021）。近年では経済成長に伴い国内のエネルギー消費が増加しており，2003年には石油は純輸入に転じた。天然ガスの国内消費は依然横ばいであり純輸出国だが，2010年のピーク以降産出量が減少しつつあり，2015年には生産量でマレーシアに抜かれた（IEA 2020）。今後は自国のエネルギー供給が大きな課題となる。

図15-1　アジア主要国のエネルギー供給と貿易量

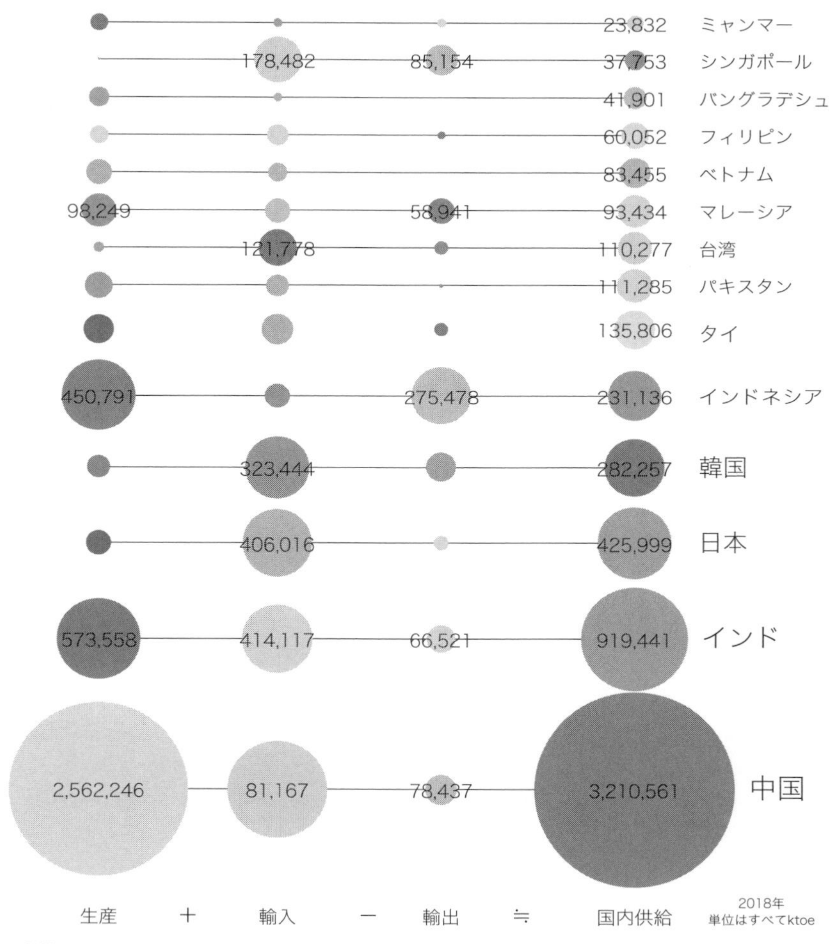

注：単位ktoeはkilo tone oil equivalentの略で石油換算キロトン。
出所：*World Energy Balances*（International Energy Agency 2020）。

インドネシアの経験は1963年に国家として成立したマレーシアにとって良い手本となった。マレーシアの国営石油会社であるペトロナスは，インドネシアのプルタミナをまねて1974年に設立された。マレー化政策として政府が長期的な政治的意図をもち，また国際的な株式会社の仕組みを巧みに利用しながら，自国の天然資源を扱う会社が国内経済とマレー人の資産形成に資するように動いた。斜陽産業であったスズやすでに生産のピークを越えた原油に代わり，マレーシアではペトロナス主導による天然ガスの生産が，国家建設期の財政収入，国営企業育成事業の財政面を支えた（ジェスダーソン 2003; Yusof 2011）。ペトロナスは首相直属の組織という形を取り，外貨の獲得や財政収入に大きく貢献する一方で，インドネシアのプルタミナとは異なり，政治的な思惑から独立した企業運営をおこなってきた（若生 2007; 茅根 2016）。

現在のペトロナスは欧米の石油資本と競合するほどの力をつけた国際的な優良企業である。ペトロナスが開発する資源の約4割が国外のものであり，収入面では2018年時点で海外での操業からの収入が32%，輸出による収入が39%，国内事業からの収入が29%となっている（PETRONAS 2018: 43）。ペトロナスからの配当，税，ロイヤリティといった政府への支払いは，2019年末で1.2兆リンギ（約2,900億米ドル）に上る（PETRONAS 2019）。政府歳入に占める割合でみると，2009年には41.3%だったものが徐々に減少し，2020年は22%となっている（MOF Malaysia 2021: 113）。政府は**石油・ガス**関連収入への依存度をさらに減らし，資源依存を脱したい意向を示している。

マレーシアでは燃料輸出が財輸出に占める割合が2019年に15%を切った一方，製造業の占める割合は70%に達した（World Bank 2021）。インドネシアと同様，マレーシアも自国のエネルギー消費が増加しており，今後は国内での天然ガス利用に向けたインフラ投資が課題となるだろう。

資源を飲み込む経済――中国とインド

アジア地域の一次エネルギー消費は世界の43%を占める（BP 2020）。日本や韓国といった経済協力開発機構（OECD: Organization for Economic Co-operation and Development）の加盟国やシンガポールといった高所得国を除いても，アジアが世界のエネルギー供給量に占める割合はなお36%を占める（IEA 2020）。その大部分を占めるのが中国とインドである。人口規模が大きいながらも所得の低い国々ではエネルギー消費量も少ないが，今後所得の増大とともにエネルギー需要が大幅に拡大すると予想される（**図15-2**）。

中国は巨大な資源産出国である。1959年の大慶油田の発見以降，陸上，海域で多くの大型石油・ガス開発がおこなわれている（斉藤・神原 1979; 神原 2002:

図15-2　アジア主要国の1人あたり消費エネルギー

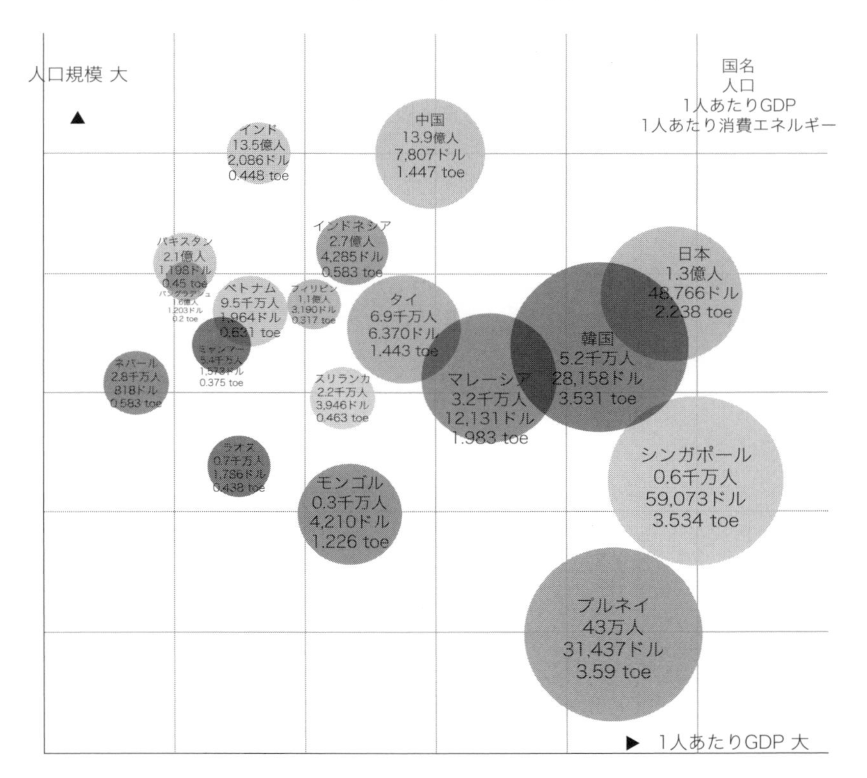

注：円の大きさが1人あたり消費エネルギーの多さを表す。人口は2018年，単位ごとに適宜四捨五入。1人あたりGDPの単位は実質米ドル（2010年US$）。単位toeはtone oil equivalentの略で石油換算キロトン。
出所：人口，1人あたりGDPは*World Development Indicators*（World Bank 2021），1人あたり消費エネルギーは*World Energy Balances*（International Energy Agency 2020）。

69; 竹原 2008）。中国では2018年の時点で，エネルギー源の約6割が石炭，約2割が石油である（IEA 2020）。資源消費量も莫大であり，世界の石炭消費の51%（2019年）を中国が占める（BP 2020）ほか，鉄鉱石消費では53%（2017年），銅消費でも49%（2015年）を占めている（USGS 2015, 2017）。

2000年代からの急速な経済成長に伴い，中国はすでに国内で産出する資源では需要を賄いきれず，エネルギー資源の輸入が増加しているが，資源外交によるアフリカやその他地域の資源保有国への影響力の増大が指摘されている（Alden 2007; Brautigam 2009）。資源の安全保障は2013年からの習近平による「一帯一路」構想の重要な構成要素ともなっている（平川 2019）。

国外での資源確保のため，2000年頃から多くの中国資源会社が海外での資源開発に乗り出している。とくに代表的なものには中国石油天然気集団，中国海洋石油，中国石油化工集団などがある。これらの企業は中国政府が株式の大部分を保有する国営企業であるが，マレーシアのペトロナス同様，株式上場し国際的企業として経営されている。

1997年の京都議定書以来，CO_2の排出量削減と気候変動の抑制に向けた国際的な取り組みが進むなか，2015年のパリ協定には中国も参加しており，2020年9月22日の国連総会では，中国は排出量のピークを2030年までに迎え，2060年までに実質排出ゼロとする目標に向けて努力すると表明された。2035年までにガソリンエンジン車の販売を規制する方針も打ち出された。排出量削減に向けては石炭・石油から天然ガスおよび再生可能エネルギーの利用へシフトする必要があり，今後天然ガス利用のためのパイプラインや港湾の整備などが進むと予測される（竹原 2021）。その一方で2015年の中国統計によると，産業別で最も従業者数の多いのが石炭産業とされる（Wang et al. 2018）。今後，石炭産業が斜陽に向かうとすれば，国内の経済構造や労働者の状況変化から生じる社会問題も懸念される。

一方，現在中国と並ぶ人口を抱えるインドは，2026年頃には中国の人口を追い越すと見込まれる（UN 2019）。しかし現在のエネルギー消費量は中国に比べてはるかに少なく，将来消費の爆発的な伸びが見込まれる（**図15-2, 図15-3**）。インドも石炭への依存度が高く，2017年度では国内の**電力**供給の7割から8割が石炭を使った火力発電による（Srikanth 2018: 326）。国内における石油産出は多くない一方で石炭埋蔵量は豊富であり，生産量では世界の47％を占める中国に次いでインドは9.3％と第2位，埋蔵量では世界第5位の量を占める（BP 2020）。インドもCO_2の排出量削減に向けて大きな課題を抱えるが，パリ協定については2030年までにCO_2排出を30～35％削減するため電力供給の4割を非化石燃料によっておこなうと表明している（Shrimali 2021）。実際，2018年から2019年にかけてのインドの石炭消費量の伸びは0.3％にとどまっており，同期間の石炭消費量の増加が中国では2.3％だったのと比較すると注目に値する（BP 2020）。インドは2019年時点で世界第3位のLNG輸入国であるが，一次エ

図15-3　中国とインドのエネルギー生産と純輸入量

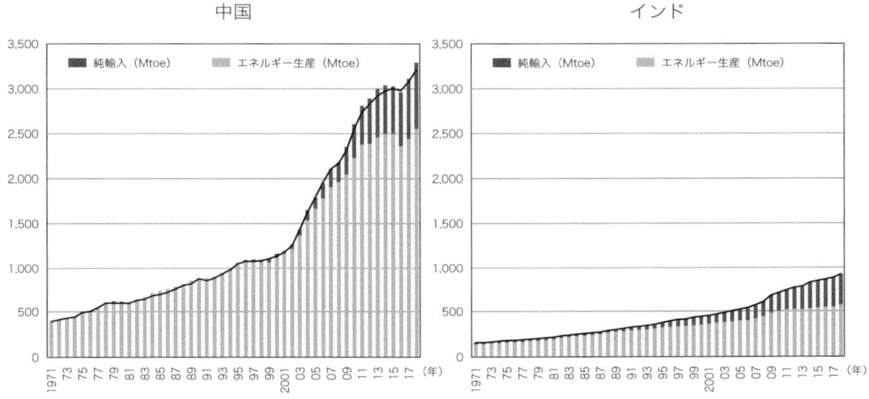

注：単位Mtoeは million tone oil equivalentの略で石油換算百万トン。比較のために縦目盛りを揃えてある。線グラフはエネルギーの国内供給量（Mtoe）を表す。
出所：*World Energy Balances*（International Energy Agency 2020）。

ネルギー消費に占める天然ガスの割合を現在の6%から15%に高める政府目標を打ち出している（JOGMEC 2020: 97）。また2019年時点のインドの再生可能エネルギーによる発電の割合は2割とされ，他の先進国に比べると比較的先行しているといえる（IEA 2020）。他方で，インド国内において充分な電力へのアクセスが国民に行き渡っているとはいい難い（Srikanth 2018）。未電化の問題は，貧困削減や国連の「持続可能な開発目標（SDGs: Sustainable Development Goals）」に鑑みてもインドが直面する大きな課題である。

資源の可能性を探る経済――ミャンマーとラオス

アジアの多くの国々が外国資本による投資の誘致，製造業セクターの育成をおこなう一方で，今日でも産業育成が伸び悩み，天然資源輸出に頼る経済もある。

ミャンマー（ビルマ）は世界的に最も古い産油地の1つであり，18世紀にはエーヤーワディー川沿いの地域ですでに手掘り式の油井が掘られていた（Longmuir 2001）。植民地支配下でビルマは英領東インドへ併合されたが，それと並行してスコットランド資本のビルマ石油会社が設立され，石油はインド市場へ供給された（Vassiliou 2009）。また，ビルマ石油会社は大英帝国の中東での石油生産への足掛かりとしても重要な役割を果たした（ヤーギン 1991; Longmuir 2001）。1948年にビルマ連邦として独立した後も石油生産は継続され，1963年の軍部によるミャンマーの社会主義化を経て，90年代から軍政下の外資誘致によりガス油田が発見されている（坂本 2012）。これまで石油ガス公社（MOGE）と外国資本による資源開発がおこなわれているが，民主化の進展や後退と連動して投資と開発も一進一退を繰り返している。ミャンマーで開発される資源の多くが外貨獲得のために輸出されているが，1998年以降，輸出は原油から天然ガスへ移行した（IEA 2020）。天然ガスは1999年にタイ向けの輸出が始まって以降徐々に増加し，2014年からは中国へも輸出されている（UNCTAD 2021）。しかし生産量は2015年をピークに近年は減少している（BP 2020）。

ミャンマーでは近年，工業製品輸出が増加し資源輸出の占める割合が低下してきた（**図15-4**）。しかし，ミャンマーから中国へのヒスイ輸出が実際には公式統計の10倍から30倍にも上ると推計されるなど，実際の天然資源輸出への依存度はさらに高い可能性がある（Heller and Deleagues 2016: 5）。また2021年2月の軍事クーデターの影響から外国投資の引き揚げが生じれば，工業製品輸出が落ち込み資源依存度が高まる可能性もある。

ミャンマーでは石油・ガス以外の採取産業も数多くの国営企業が運営・管理しているが，これらの企業が得た利益の少なくない部分が国庫に入っておらず，資金が一部の権力者に流れている可能性や軍による採取産業関連国営企業への影響力の大きさが指摘されている（Heller and Delesgues 2016）。また，ミャンマー西部から中国までをつなぐパイプライン敷設地域における環境汚染・人権抑圧問題も市民団体などによって指摘されている。

一方，植民地支配下のラオスではフランスが鉱物資源開発を計画していたが，自然の地形上の問題で開発が進まなかった（山田 2018: 100）。第二次世界大戦後も冷戦とベトナム戦争に巻き込まれた形の内戦が続いたが，1975年のラオス人民民主共和国の成立以来，鉱物資源の輸出が貿易の大部分を占めてきた。ただし，2000年代に入るまでは比較的低技術で採掘される石こうなどの産出にかぎられていた（杉本 2010）。2000年代以降は外国投資により金や銅な

図15-4　ラオスとミャンマーの輸出カテゴリの内訳（%）

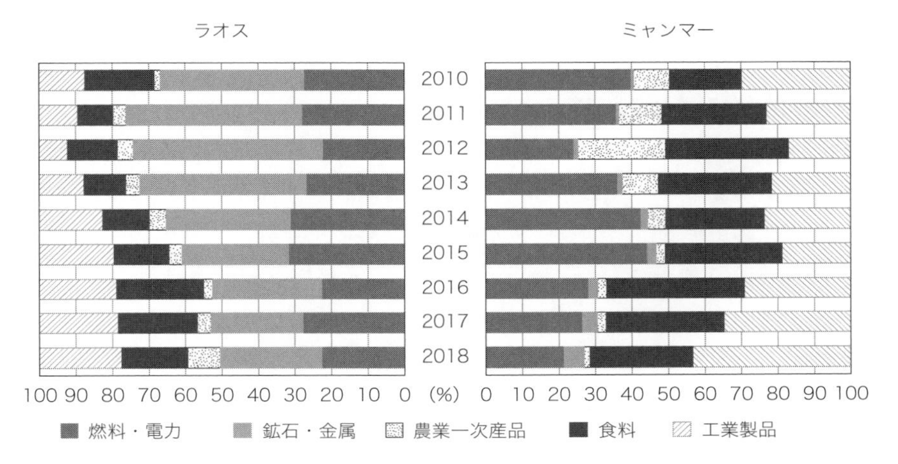

注：実質米ドルで換算した金額ベース（2010年US$)。
出所：*World Development Indicators*（World Bank 2021)。

どが開発されているが，行政能力や道路などの交通インフラ未整備のため，埋蔵鉱物資源の豊かさの割に開発が進んでいない（JOGMEC 2021)。ラオスからの鉱物資源輸出のほとんどがタイと中国向けである。他方，ラオスは国を南北に流れるメコン川による**水**資源が豊かであり，多くの水力発電プロジェクトが国内電力供給および電力輸出のため進んでいる。電力は2005年からほとんどがタイへ輸出されているが，2013年からは少量がベトナムへも輸出されている。

燃料・電力と鉱石・金属を併せると，ラオスでは2018年でも輸出の半分を占める（**図15-4**)。なお一般的に天然資源の問題とは枯渇性資源を指すが，水資源は再生可能であり，水力による発電は再生可能エネルギーである。しかしメコン川は中国，ミャンマー，ラオス，タイ，カンボジア，ベトナムを通る国際河川でありながら，上流に位置する中国雲南省でのダム建設のため，下流域の水量減少が報告されている（日経 2021)。今後，河川の利用について国家間で適正な管理と調整がなされなければ，将来的に水資源も枯渇し，農業や生活への利用が困難になる可能性がある。また2018年にはセーピアン・セーナムノイ副ダムで決壊事故が起きるなど，水力発電事業推進による環境破壊の問題も懸念される。

3 岐路に立つ資源と経済

環境配慮への動きと資源開発

2006年に当時のコフィ・アナン国連事務総長のイニシアチブによって始められた国際的な取り組みである「責任投資原則」は，徐々に世界の投資家に影響を与え始めている。この責任投資原則には環境，社会とガバナンスに配慮した「ESG投資」をおこなうことが含まれる。国際的な資源会社はこれまでも企業の社会的責任を重視してきたが，新たな投資基準が普及するにつれ，資本集約的であり自然・地球環境への影響が大きい採取産業にも影響を及ぼし始めている。アジアにおける産油国・ガス産出国の鉱区は古いものが多く，環境や社会への配慮を十分におこなうと採掘から得られる利益がコストに見合わないと判断され，欧米の企業が撤退するケースも増えている（加藤 2018）。資金・技術面から自国のみで資源開発をおこなうことができない国々にとって，天然資源輸出の減少に伴う収入の減少が，政府の財政赤字や国際収支赤字と債務の累積につながるリスクもある。天然資源への経済の依存度が大きい国は，ますます経済構造の変革を迫られている。

持続可能性と経済成長

上でみた国々以外にも資源の課題を抱える国は多い。ブルネイは人口約43万人の小国であるが，経済をほぼ石油輸出に依存し，石油収入によって国民へ無償の国家福祉を提供するサウジアラビア型の産油国である。しかし民間セクターが零細であり，産業育成による経済の多様化が急務である。現在のペースで採掘を続け，新たに大規模な油田が発見されなければ，石油はあと24年で枯渇する計算になる（BP 2020）。

また，バングラデシュは日本よりも多い人口を抱える。現在は自国で産出される天然ガスを利用するなど，エネルギー自給率は8割（2018年）と高いが停電も多く国内の電力・エネルギーは不足している（IEEJ 2018）。今後の経済成長に伴い，大幅にエネルギー輸入の必要性が高まる可能性がある。他方，これまで戦争や社会主義化のために国内の資源開発が進まなかったベトナムの石油埋蔵量はマレーシアの1.5倍，ガスはインドネシアの半分ほどもある（BP 2020）。今後の資源開発の行方とともに，現在4割と多い石炭への依存をどう削減するかも課題となる。

おわりに

莫大な人口を抱えるアジアが今後さらに豊かになりエネルギー需要が増えていけば，自国の天然資源をどのように活用するかが大きな課題となる。天然資源は現在生きている国民だけでなく，将来生まれてくる世代も恩恵に預かるべき「国家の富」である。天然資源をどのようなペースで採掘し，資源収入をどのように使い，地球環境とどう折り合いをつけるかの判断には，世代間の公平性という意味でも大きな責任が伴う。

これまで欧米や日本など一部の先進国が大量に輸入・消費してきた天然資源を，中国やインドをはじめ多くの国々が必要としている。地球上にある限られた天然資源を国家間や人々の争いの元にしないためにも，経済的，政治的に今後一層の国際協調が求められる。

【出町一恵】

参考文献

IEEJ「第3章 バングラデシュ」『平成29年度石油産業体制等調査研究』日本エネルギー経済研究所，2018年，23-35頁。
石井正紀『石油技術者たちの太平洋戦争』光人社，2008年。
石井正紀『陸軍燃料廠』光人社，2013年。
加藤望「ミャンマーにおける天然ガス開発投資の課題」『石油・天然ガス資源情報』石油天然ガス・金属鉱物資源機構，2018年，1-28頁。
茅根由佳「民主化期のインドネシアにおける政治的競争パターンの変化―― 石油ガス政策を事例として」『アジア研究』62巻4号，2016年，1-15頁。
神原達「中国の石油と天然ガス」『アジアを見る眼』103号，2002年，53-194頁。
コール，スティーブ著，森義雅訳『石油の帝国』ダイヤモンド社，2014年。
斉藤隆・神原達「中国の石油」『石油の開発（石油・天然ガスレビュー）』6号，1979年，37-58頁。
坂本茂樹「ミャンマー――民主化・経済開放政策に転じたミャンマーの石油ガス開発の展望」『石油・天然ガス資源情報』石油天然ガス・金属鉱物資源機構，2012年，1-14頁。
ジェスダーソン，ジェイムス・V.著，朴一監訳『エスニシティと経済』クレイン，2003年。

JOGMEC「世界の鉱業の趨勢 2020 ラオス」『金属資源情報』石油天然ガス・金属鉱物資源機構，2021年，1-3頁。
JOGMEC「天然ガス・LNGをめぐる動向」『石油・天然ガスレビュー』54巻6号，2020年，63-98頁。
杉本真一郎「ラオスにおける鉱業発展」山田紀彦編『ラオスチンタナカーン・マイ（新思考）政策の新展開』調査研究報告書，アジア経済研究所，2010年，1-27頁。
竹原美佳「中国は石油・天然ガス探鉱開発のホット・エリアか」『石油・天然ガスレビュー』42巻1号，2008年，1-14頁。
竹原美佳「中国――低炭素や市場化推進も天然ガス不足再来で供給システムの脆弱ぶりを露呈」『石油・天然ガス資源情報』石油天然ガス・金属鉱物資源機構，2021年，1-39頁。
日経「メコン川水位急低下，中国ダム放水半減で」『日本経済新聞』2021年2月26日，電子版，2021年。
平川均「『一帯一路』構想とアジア経済」平川均・町田一兵・真家陽一・石川幸一編『一帯一路の政治経済学』文眞堂，2019年，3-29頁。
ヤーギン，ダニエル著，日高義樹・持田直武訳『石油の世紀』日本放送出版協会，1991年。
山田紀彦『ラオスの基礎知識』めこん，2018年。
若生芳明「ペトロナス成功の秘密」『石油・天然ガスレビュー』41巻2号，2007年，33-45頁。
Alden, Chris, *China in Africa,* Zed Books, 2007.
BP, *Statistical Review of World Energy,* 2020.
Brautigam, Debrah, *The Dragon's Gift,* Oxford University Press, 2009.
Duflo, Esther, "Schooling and labor market consequences of school construction in Indonesia: Evidence from an unusual policy experiment," *The American Economic Review,* 91 (4), 2001, pp. 795-813.
Gelb, Alan and associates, *Oil Windfalls: Blessing or Curse?* Oxford University Press, 1988.
Heller, Patrick R. P. and Lorenzo Delesgues, *Gilded Gatekeepers: Myanmar's State-Owned Oil, Gas and Mining Enterprises,* Natural Resource Governance Institute, 2016.
IEA, *World Energy Balance,* International Energy Agency, 2020.
Karl, T. L., *Paradox of Plenty,* University of California Press, 1997.
Longmuir, Marilyn V., *Oil in Burma: The Extraction of "Earth Oil" to 1914,* White Lotus, 2001.
MOF Malaysia, *2021 Fiscal Outlook and Federal Government Revenue Estimates,* Ministry of Finance, Malaysia, 2021.
PETRONAS, *Annual Report 2018,* Petroliam Nasional Berhad, 2018.
PETRONAS, *Annual Report 2019,* Petroliam Nasional Berhad, 2019.
Shrimali, Gireesh, "Managing power system flexibility in India via coal plants," *Energy Policy,* 150, Article 112061, 2021.
Srikanth, R., "India's sustainable development goals: Glide path for India's power sector," *Energy Policy,* 123, 2018, pp. 325-336.
UN, *World Population Prospects 2019* [Online Edition. Rev. 1], United Nations, Department of Economic and Social Affairs, Population Division, 2019.
UNCTAD, *UNCTADStat,* United Nations Conference on Trade and Development, 2021.
USGS, *2015 Minerals Yearbook [Copper],* U.S. Department of the Interior, U.S. Geological

Survey, 2015.
USGS, *2017 Minerals Yearbook [Iron Ore]*, U.S. Department of the Interior, U.S. Geological Survey, 2017.
Vassiliou, M. S., *Historical Dictionary of the Petroleum Industry*, The Scarecrow Press, Inc., 2009.
Wang, Delu, Kaidi Wan and Xuefeng Song, "Coal miners' livelihood vulnerability to economic shock: Multi-criteria assessment and policy implications," *Energy Policy*, 114, 2018, pp. 301-314.
World Bank, *The World Development Indicators*, 2021.
Yusof, Zainal Aznam, "The Developmental State: Malaysia," in Paul Collier and Anthony J. Venables eds., *Plundered Nations?* Palgrave Macmillan, 2011, pp. 188-230.

文献紹介

① ダニエル・ヤーギン著，日高義樹・持田直武訳『石油の世紀』日本放送出版協会，1992年。

帝国主義・植民地の拡大，そしてグローバル資本企業の台頭には，石油が大きく絡んでいる。本書はエネルギー資源，国際政治と資本主義が作り上げてきた現在の社会を理解するための必読書。

② スティーブ・コール著，森義雅訳『石油の帝国』ダイヤモンド社，2014年。

国際石油会社エクソン・モービル社についてのドキュメンタリー。インドネシアでは2001年からのアチェでの紛争に際し，インドネシア軍によるアチェ人の虐殺がおこなわれており，当時よりインドネシアで操業していたモービル社（のちにエクソン・モービル）が間接的に暴力に手を貸していた。インドネシアのほか，ナイジェリア，赤道ギニア，チャドなど，人権問題が深刻な国で石油・ガス開発をおこなう企業の内情や各国政府，政治との関わりを知ることができる。

③ 石井正紀『陸軍燃料廠』光人社，2013年。

第二次世界大戦ではエネルギー資源を求めるという日本の動機が他のアジアの国々への侵略につながった。戦時中の日本軍で燃料確保のために試行錯誤した技術者たちの記録。同著者による**『石油技術者たちの太平洋戦争』（光人社，2008年）**も併せて読みたい。

第 16 章　農業・食料

モンスーンアジアの食と農の変容

"モンスーンアジアの農業が抱える問題とは何か"

モンスーンアジアでは，稲作を中心とした農業が長いあいだ営まれてきましたが，近年の急速な経済発展に伴い，食と農をめぐる状況が大きく変化しています。この章では，過去50～60年間における食と農の変容について説明し，モンスーンアジアの現代農業が抱える問題とは何かを考えます。

キーワード モンスーンアジア，稲作，緑の革命，経済発展，環境問題，都市の拡大
関連する章 第12章，第14章，第17章

はじめに

東アジアの一部，東南アジア大陸部，東南アジア島嶼部および南アジアの一部を含む地理的境域は，**モンスーンアジア**とよばれている。この地域は全世界の陸地面積の12％強を占めるにすぎないが，世界総人口の52％を抱え（久馬 2016），きわめて高い人口扶養力を有している。この高い人口扶養力は，**稲作**を中心とした農業に支えられたものである。コムギ，トウモロコシおよびコメは世界三大穀物といわれるが，1ヘクタールあたりのカロリー収量は，コメが最も高く栄養バランスに優れている。そのため，稲作はほかの2つの穀物栽培と比べて多くの人口を養うことが可能である。

モンスーンアジアの生態環境に適応した稲作は，文化や社会も包摂しながら持続的に営まれてきたが，1960年代半ばからの**緑の革命**とその後の**経済発展**により大きく変容している。本章では，この地域の生態環境と稲作の関係につい

て述べた後，緑の革命と経済発展に伴う人口移動について説明し，最後に食の変容と集約的農業によって生じた**環境問題**について説明する。

1 モンスーンアジアの稲作

太陽から地表面に供給される熱エネルギーは，赤道付近で高く，両極にいくほど低くなる。このため，赤道付近の大気は温められて上昇気流が発生する一方で，両極域の大気は冷やされて下降気流を生む。ここに地球の自転の影響が加わって，赤道域から極域にかけて3つの大気循環が生じ，熱エネルギーが赤道域から極域に輸送される。この大気循環に伴い大気中の水も輸送され，熱帯域および中緯度帯に降水がもたらされて湿潤気候となる。一方，南北緯度20～30度付近は亜熱帯高圧帯とよばれ，一般的に乾燥気候が卓越する。西アジア・西アフリカ・南アフリカ・オーストラリアの乾燥地域は，このような全球レベルの大気・水循環によって形成されたものである。

しかし，これらの緯度帯を含むにもかかわらず，モンスーンアジアは全体的に湿潤な気候となっている。**図16-1**（a）は，年間の乾燥月数と稲作の分布を示したものである。この図をみると，本来は乾燥地域（目安として乾燥月数が9か月以上）となるはずの東南アジア大陸部やインド亜大陸の東側などで，乾燥月数が2～6か月程度と短くなっていることがわかる。これは，ヒマラヤ山脈とチベット高原により，この地域の大気・水循環が変化したためである。この結果，モンスーンアジアでは夏に南西方向から吹く湿った季節風の恩恵を受けることとなった。

1980年代初頭における稲作分布を**図16-1**（b）に示した。北海道を除く日本，朝鮮半島，中国の華東・華中および西南部の一部，隆起山地を除いた東南アジア大陸部，マレー半島・スマトラ島・ジャワ島・フィリピンなどの東南アジア島嶼部，ヒンドゥスターン平原やインド半島部の沿岸地帯・スリランカなどで稲作の割合が高くなっている。

気候，土地，水文環境などの生態環境条件は，モンスーンアジアの内部でも大きな変異が認められ，これに対応した多様な稲作が発達してきた。たとえば，南インドのタミル・ナードゥ州では，限られた降水を有効活用するために

図16-1　モンスーンアジアの降雨パターンと稲作

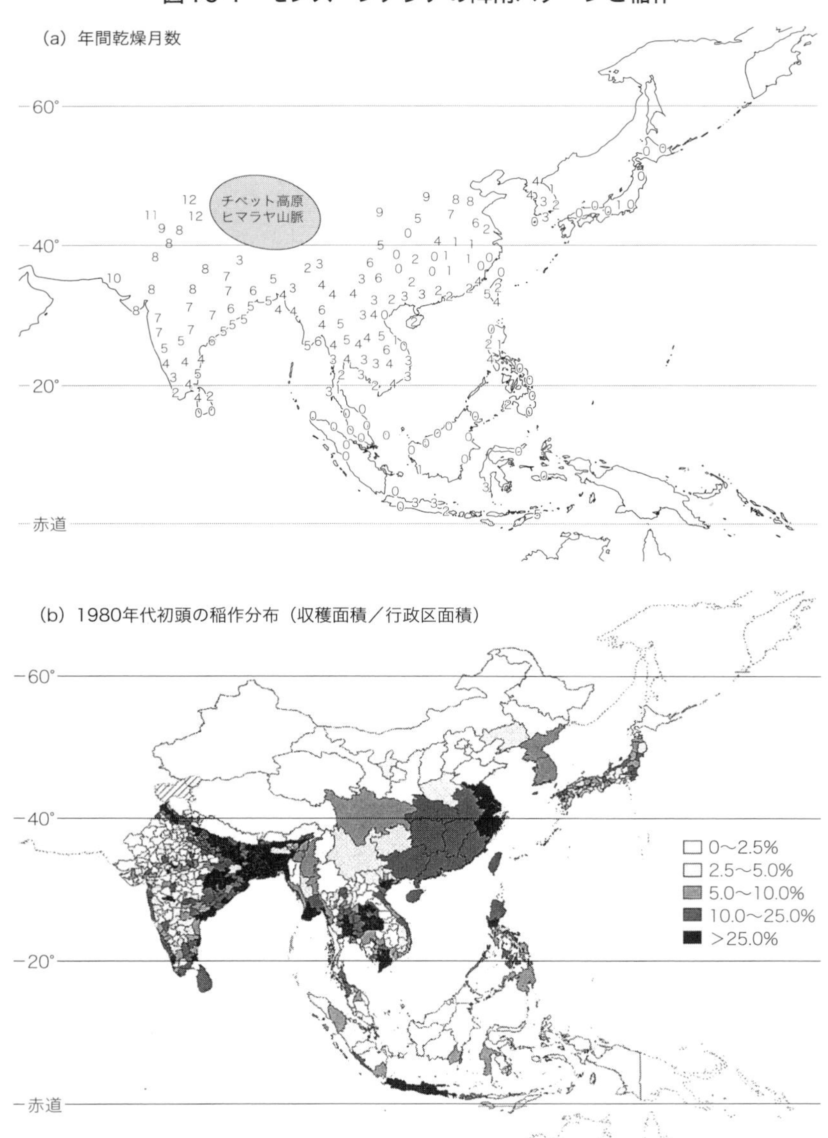

出所：(a) 高谷（1985）をもとに筆者作成。(b) BBS（2018），CAST（1981），CBSI（1982），E-Stat（2021），FAO（2021），GSOV（2000），Huke（1982），ICRISAT（2021），NSCL（2005），MAFFC（1993），PSA（2018）をもとに筆者作成。

溜池を利用した稲作が古くからおこなわれてきた。かつては，溜池を中心とした村落共同体が存在し，稲作に直接従事するか否かにかかわらず，職分に応じて生産物としてのコメが分配されていた。同様の事例は他の地域でも認められる。このように，モンスーンアジアの稲作は，地域固有の生態環境に適応しつつ，文化や社会も包摂しながら歴史的に発達してきたといえるだろう。

2 緑の革命と社会経済の変容

アジアにおける緑の革命

熱帯アジアの伝統的イネ品種は，地域特有の環境ストレスや病害虫に強く，単位面積あたりの生産量（単収）は低くても安定した生産をおこなうことができる。しかし，伝統的品種の多くは，草丈が高く茎が細いという形態的特徴をもっており，肥料を施すと穂先が重くなってイネが倒れてしまう。イネが倒れると全体が水に浸かり，成長が止まって腐敗したり，穀粒をネズミに食べられてしまうことになる。

フィリピンのロス・バニョスに1960年に設立された国際イネ研究所（IRRI：International Rice Research Institute）では，伝統的品種と比べて草丈は低いが茎が太く短い「半矮性」という特性をもつ新品種の育種により，イネの生産性向上をめざしていた。1966年，IR8という高収量品種の開発に成功し，その後現在に至るまで数多くの高収量品種の育成をおこなっている。フィリピンの伝統的品種の1ヘクタールあたりの単収は1トン程度であったが，IR8の栽培実験では平均単収が9.4トンに達したという（IRRI 2016）。

また，IRRIと各国研究機関で構成される研究ネットワークにより，「非感光性」品種の開発・普及も進められた。開花後の生長が，高い温度や短い日長によって促進される性質を感温性および感光性というが，熱帯では温帯と比べて年間の温度変化が小さいため，生育期間の長さは日長に大きく影響される。この性質を緩和した非感光性品種が導入されると，生育期間の短縮や年複数回の作付が可能となった。このような近代品種の導入に伴い，1960年代半ば以降アジアのコメ生産量が急増したことを緑の革命とよんでいる。

図16-2は，モンスーンアジア諸地域における緑の革命の進展を示したもの

図16-2　モンスーンアジアにおける緑の革命

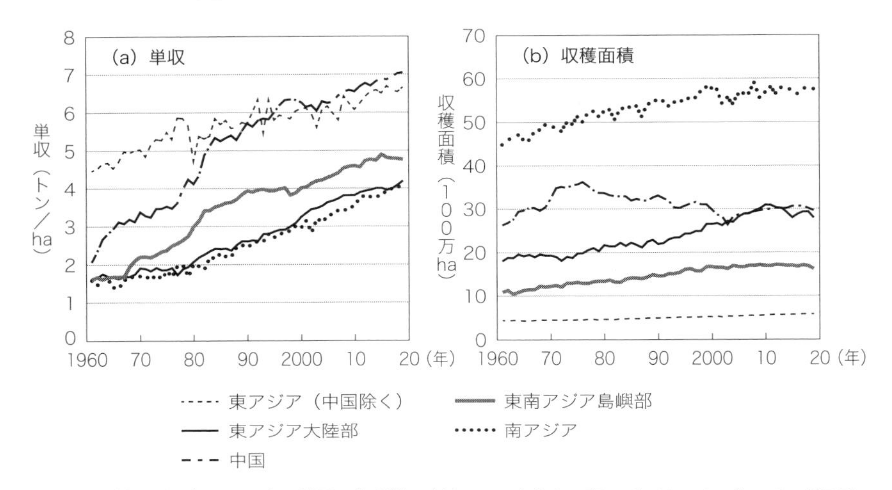

注：東アジア（中国除く）は，日本・韓国・北朝鮮・台湾のデータから，南アジアは，インド・バングラデシュ・スリランカ，ブータンおよびネパールのデータから算出したもの。
出所：FAO（2021）。

である。単収をみると，中国では1960年代初頭に1ヘクタールあたり2～3トン程度だった単収が1980年代に5トンを超え，近年では日本や韓国，台湾などの水準を上回っている。東南アジア島嶼部でも，過去60年間で単収が2倍以上に増加した。これらの地域ほど顕著ではないものの，東南アジア大陸部や南アジアでも，1980年以降単収が右肩上がりで増加している。

つぎに収穫面積をみると，東南アジア大陸部では1960年からの50年間でおよそ1.5倍増加し，南アジアでも増加が認められる。これは，年間作付回数の増加や，乾燥した地域や季節に稲作が広がったためである。東南アジア大陸部や南アジアのデルタ地帯では二期作や三期作が増加し，インド亜大陸や東南アジア大陸部では，より乾燥した内陸部に稲作が広がった。

このように，近代品種の開発と普及は，モンスーンアジアにおける稲作の生産性向上に大きく貢献した。しかしながら，近代品種がもつ潜在能力を開花させるには，灌漑・水利条件の整った圃場で十分な肥料を与え，除草などを丁寧におこなう必要があった。そこで各国政府は，灌漑設備の整備を大規模に進めるとともに，化学肥料などに対して補助金を支給し，近代品種の普及を後押しした。この結果，モンスーンアジアの稲作は，生産性向上のために生態環境を改変するという，これまでとは違った方法でおこなわれるようになった。

農業部門の相対的縮小と人口移動

緑の革命は稲作の生産性向上をもたらしたが，同時期，モンスーンアジア各国で経済自由化や対外開放政策が進められたことで工業化も進展し，急速な経済成長が起こった。**表16-1**に，2018年の各国人口と1人あたりGDPと，これらの値の1970年からの増加率を示した。モンスーンアジア全体でみると，2018年の人口は1970年の193%，1人あたりGDPは585%となっている。1人あたりGDP（2018年）をもとにこれらの国々を4つのグループに分けると，人口増加率はグループ4が最大，グループ1が最小となった。グループ2の1人あたりGDPは，中国の経済成長によって1970年の2886%ときわめて大きな伸びを示し，グループ3，4でもそれぞれ509%，485%となった。

しかし，工業化による経済発展は，国内経済における農業部門の相対的縮小をもたらした。GDP総額に占める農業部門の割合を各グループでみてみよう。グループ2では，1970年代にGDP全体の60%以上を占めていた農業部門の生産額が，2019年には7.8%と急激に低下している（FAO 2021）。グループ3と4でも，49.7→15.2%，31.7→11.9%と大きな低下がみられる。

このような農業部門の相対的縮小は，より高い賃金を求める農村の人々の都市への移動を引き起こした。1990～2019年の29年間で，全労働人口に占める農業就業人口の割合は，グループ2，3，4でそれぞれ59.3→29.3%，57.2→29.9%，64.3→42.8%と，いずれも大きく低下している（World Bank 2021）。工業化が十分に進んでいない国々では，都市のインフォーマル部門で働く人々によるスラム形成や，国際人口移動も生じた。近年，何かと日本で話題となる技能実習生には，モンスーンアジアの農村から移動してきた人々も多い。

表16-1　モンスーンアジア各国の人口と1人あたりGDP（2018年）

グループ	国名	人口（千人）		人口1人あたりGDP（USドル，2015年基準値）	
1	シンガポール	5,757	(278)	59,607	(852)
	日本	127,202	(121)	35,555	(261)
	韓国	51,172	(159)	31,304	(1581)
	ブルネイ	429	(331)	29,802	(78)
	台湾	23,726	(159)	25,091	(2525)
	計	208,287	(135)	33,972	(343)
2	マレーシア	31,528	(292)	11,068	(701)
	中国	1,427,648	(173)	9,452	(3375)
	タイ	69,428	(188)	6,471	(688)
	計	1,528,604	(175)	9,349	(2886)
3	スリランカ	21,229	(170)	4,245	(566)
	インドネシア	267,671	(233)	3,733	(653)
	フィリピン	106,651	(298)	3,325	(240)
	ブータン	754	(254)	3,096	(900)
	ラオス	7,062	(263)	2,477	(636)
	ベトナム	95,546	(220)	2,457	(737)
	計	498,913	(238)	3,404	(509)
4	インド	1,352,642	(244)	1,952	(527)
	バングラデシュ	161,377	(251)	1,494	(294)
	ミャンマー	53,708	(197)	1,428	(913)
	カンボジア	16,250	(232)	1,368	(253)
	東ティモール	1,268	(222)	1,233	
	ネパール	28,096	(233)	860	(290)
	北朝鮮	25,550	(177)	616	(103)
	計	1,638,890	(241)	1,844	(485)
モンスーンアジア全体		3,874,694	(193)	6,733	(585)

注：カッコ内の数字は1970年からの増加率（%）を示す。
出所：FAO（2021），SBRC（2021）。

3 経済成長と食・農の変容

都市の拡大と食の変化

筆者はインド・タミル・ナードゥ州マドゥライ市近郊を対象として調査をおこなっているが，2010年頃から市内や郊外でスーパーマーケットやショッピングセンターが建設され始めた。生鮮食品はあまり扱われていなかったが，カップラーメンやジュース，お菓子などがびっしりと並べられている。また，この頃から羊や鶏肉を使ったノンベジタリアン・カレーを出す食堂も増えた。ベトナムやタイ，インドネシア，フィリピンなどの大都市や地方都市の郊外でも，生鮮食品売場やフードコート，外国料理店を併設した巨大なショッピングセンターが建設され，家族連れなどで賑わっている。

稲作が広くおこなわれてきたモンスーンアジアの国々において，食の中心にあるのはコメである。しかしながら，**都市の拡大**は人々の食にも大きな変化をもたらした。**表16-2**は1961年と2018年における，食物区分別のエネルギー供給量の変化を示したものである。まず総エネルギー供給量をみると，いずれのグループでも1日あたりの値は増加している。内訳をみると，グループ1ではコメからのエネルギー摂取が大きく減少した一方で，肉類・卵・乳製品などの動物性タンパク質や，植物および動物油脂といった脂肪の摂取量が顕著に増加している。コメからのエネルギー摂取は，グループ2および3では増加し，グループ4では変化していないが，動物性タンパク質や脂肪の摂取量はいずれのグループも増加している。

農村の人々がより高い所得を求めて都市に移動した結果，モンスーンアジアの都市は急速に拡大し，通勤時間が増加した。また，女性の社会進出も進んでおり，共働き世帯では家庭での調理に十分な時間をとれず，レディーメイド製品やインスタント食品の利用が急増しているようだ。**表16-2**に示した食物区分別のエネルギー供給量の変化は，食の西欧化や外食の増加，調理に手間のかからない食品の摂取が進んでいることを示している。

表16-2　食物区分別エネルギー供給量の変化（kcal／人／日）

食物区分	グループ1		グループ2		グループ3		グループ4	
	1961	2018	1961	2018	1961	2018	1961	2018
コメ	1,157	641	467	831	985	1,258	782	784
その他穀物・イモ類	554	701	647	763	400	513	552	680
糖類	142	320	24	97	108	190	170	212
マメ類	28	16	97	14	25	16	187	136
肉類・卵・乳製品	97	493	46	608	64	234	81	186
魚介類	92	140	8	67	27	70	6	19
植物および動物油脂	93	531	35	245	68	237	112	307
野菜類	60	114	59	237	25	59	24	60
その他	286	500	124	555	175	337	102	212
合計	2,449	3,342	1,448	3,180	1,852	2,855	1,992	2,536

注：ブルネイおよびシンガポール（グループ1），ブータン（グループ3）を除く。
出所：FAO（2021）。

農業変容と環境問題

工業化の進展により生産額が相対的に縮小したモンスーンアジアの国々の農業はどのように変化したのだろうか。**図16-3**は，作目区分別の作付面積の変化を表したものである。まず，総作付面積の経年変化をみると，グループ1では連続的な低下傾向にあり，グループ2ではあまり変化がなく，グループ3では連続的に増加，グループ4は緩やかな増加傾向と，4つのグループで異なる特徴を示している。

グループ1における作付面積減少の要因は，イネを含む穀類の作付減少である。果樹や野菜などの商品作物の比率は60～80年代に増加したが，その後はあまり変化していない。グループ2では，90年代にアブラヤシなどの油糧作物の作付が拡大し，果樹・野菜類の作付も増加している。グループ3では，穀類と油糧作物，果樹・野菜類の作付増加によって総作付面積が増加しているが，2000年代半ば以降は穀類の作付はあまり変化していない。グループ4では穀類の作付面積増加が80年代に入って鈍化し，その後は油糧作物や果樹・野菜類などの作付が緩やかな増加傾向を示している。4つの図を総合すると，すべてのグループにおいて，稲作面積は2010年以降大きく変化していないこと，油

図16-3　作物区分別作付面積の変化

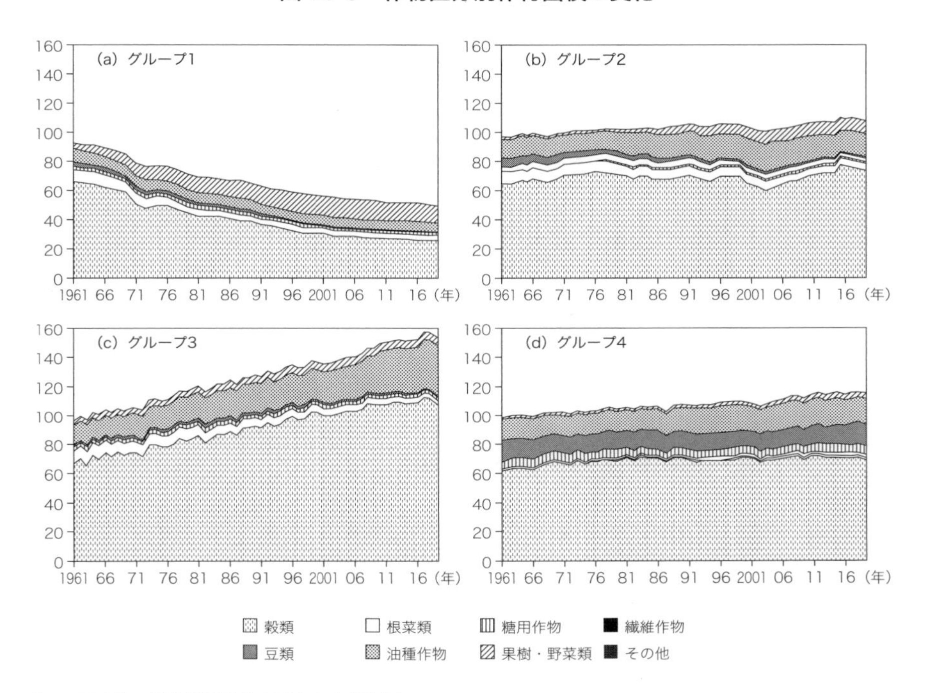

注：1960年の総作付面積を100とした相対値。
出所：FAO（2021）。

糧作物や果樹・野菜類などの商品作物の栽培が増加していることがわかる。

このような農業の変化は，モンスーンアジアの各地で様々な環境問題を引き起こしている。ベトナムのメコンデルタ（グループ3）では，現在，稲の3期作がおこなわれている。これは，堤防建設によって毎年8～11月の洪水を回避し，乾田化を進めたことで可能となった。しかし，年間作付回数が増加した結果，病虫害の発生が頻発しており，これを回避するために農薬が多量に使用されている（Stuart et al. 2018）。また，インド（グループ4）では，灌漑の多くを地下水灌漑に依存しているが，一部の地域では，より多くの水を必要する作物を導入した結果，地下水位の急速な低下が進んでいる（Sato et al. 2013）。マレーシア（グループ2）やインドネシア（グループ3）で導入が進むアブラヤシは，天然林を開墾して植栽されることが多いため，森林面積や生物多様性を減少させるとともに，大規模森林火災の原因となっている（林田 2021）。また，中国の都市近郊で拡大する野菜栽培では，化学肥料の大量投入によって，水質汚染が引き起こされている（Tanaka et al. 2013）。

モンスーンアジアの稲作を中心とする農業は，地域の生態環境に適応しながら発達してきた。しかしながら，緑の革命と工業化による経済成長により，地域の生態環境を改変して経済的利益を追求する農業へと変容している。モンスーンアジアの持続可能な発展のためには，私たちが現在享受している物質的繁栄について，いま一度考える必要があるのではないだろうか。

おわりに

本章では，生態環境に適応したモンスーンアジアの稲作が，緑の革命によって生態環境を改変して経済的利益を追求する農業へ変容したこと，その結果，様々な環境問題が発生していることについて説明した。日本で流通するパーム油や果樹，野菜類の多くはモンスーンアジア各国から輸入したものであり，私たちは上述した環境問題の責任の一端を担っているとも考えられよう。モンスーンアジアにおける農業変容は，私たちが享受している物質的繁栄について考えるための機会を提供しているのではないだろうか。

【佐藤孝宏】

参考文献

久馬一剛「モンスーンアジアの土と水――とくにその低湿地利用について」『水利科学』第60巻40号，2016年，1-30頁。

高谷好一『東南アジアの自然と土地利用』勁草書房，1985年。

林田秀樹『アブラヤシ農園の問題研究I グローバル編――東南アジアに見る地球的課題を考える』晃洋書房，2021年。

BBS（Bangladesh Bureau of Statistics），45 years Agriculture Statistics of Major Crops, 2018.

CAST（Center for Agricultural Statistics, Thailand），*Agricultural Statistics of Thailand,* 1981.

CBSI（Central Bureau of Statistics, Indonesia），*The Statistical Year book of Indonesia 1980/81,* 1982.

CIA（Central Intelligence Agency），*The World Factbook: North Korea,* 2021, https://www.cia.gov/the-world-factbook/countries/korea-north/#introduction, 2021年7月4日アクセス。

E-Stat『作物統計調査』農林水産省，2021年，https://www.e-stat.go.jp/stat-search/files?page

=1&layout=datalist&toukei=00500215&tstat=000001013427&cycle=7&year=20160&month=0&tclass1=000001032288&tclass2=000001032753&tclass3=000001095996, 2021年7月1日アクセス。

FAO（Food and Agriculture Organization of the United Nations）, *FAOStat,* 2021, http://www.fao.org/faostat/en/#home, 2021年7月4日アクセス。

GSOV（General Statistics Office of Vietnam）, *Statistical Data of Vietnam Agriculture, Forestry and Fishery 1975-2000,* 2000.

Huke, R. E., *Rice Area by Type of Culture: South, Southeast, and East Asia. 1982,* International Rice Research Institute, Philippines.

ICRISAT（International Crop Research Institute for the Semi-arid Tropics）, *VDSA Database,* 2021, http://vdsa.icrisat.ac.in/vdsa-database.aspx, 2021年7月4日アクセス。

IRRI（International Rice Research Institute）, *Rice Today - Special supplement focusing on IR 8,* 2016, http://books.irri.org/RT_Supplement-IR8.pdf, 2021年7月4日アクセス。

MAFFC（Ministry of Agriculture Forestry and Fisheries, Cambodia）, *Bulletin of Agricultural Statistics and Studies,* 1993.

NSCL（National Statistics Centre, Laos）, *1975-2005 Basic Statistics,* 2005.

PSA（Philippine Statistics Authority）, *OpenStat,* 2018, https://openstat.psa.gov.ph/, 2021年6月7日アクセス。

Sato, T. et al., "Beyond water-intensive agriculture: Expansion of Prosopis juliflora and its growing economic use in Tamil Nadu, India," *Land Use Policy,* 35, 2013, pp. 283-292.

SBRC（Statistic Bureau of Republic of China（Taiwan））, *National Statistics,* 2021, https://eng.stat.gov.tw/point.asp?index=1, 2021年6月7日アクセス。

Stuart, A. et al., "On-farm assessment of different rice crop management practices in the Mekong Delta, Vietnam, using sustainability performance indicators," *Field Crops Research,* 229, 2018, pp. 103-114.

Tanaka, T. et al., "Irrigation system and land use effect on surface water quality in river, at lake Dianchi, Yunnan, China," *Journal of Environmental Science,* 25（6）, 2013, pp. 1107-1116.

World Bank, World Development Indicators, 2021, https://databank.worldbank.org/source/world-development-indicators, 2021年6月30日アクセス。

文献紹介

① 高谷好一『東南アジアの自然と土地利用』勁草書房，1985年。

少し古い本なので入手が困難かもしれないが，東南アジアの生態環境とこれに適応した土地利用の概略をつかむための良書である。東南アジア大陸部における生態，社会，文化に関しては，**河野泰之／ダニエルス・クリスチャン／秋道智彌責任編集『論集 モンスーンアジアの生態史――地域と地球をつなぐ』全3巻（弘文堂，2008年）**が詳しい。

② 石毛直道『世界の食べ物――食の文化地理』講談社，2018年。

食文化における日本の第一人者が記した入門書。世界各地域の風土や歴史と食生活の関係性について述べられた後で，食べ物からみた世界を描き出している。各国の食文化の詳細は，全21巻からなる**石毛直道監修『世界の食文化』（農山漁村文化協会，2009年）**を参照のこと。

③ 大野昭彦編『開発経済学――アジアの農村から』放送大学教育振興会，2018年。

南アジアおよび東南アジアの農村における豊富なフィールド経験を有する3名（大野昭彦，藤田幸一，加治佐敬）が，これまでの研究蓄積をふまえて，「人口と農業」「むら共同体」「財市場」「金融市場」という4つの視点からアジア農村の変容を解説したもの。放送大学における開発経済学のテキストだが，他の開発経済学の本と異なり，難しい数式がほとんど出てこないので読みやすい。**黒崎卓・栗田匡相『ストーリーで学ぶ開発経済学――途上国の暮らしを考える』（有斐閣，2016年）**もおすすめである。

第 17 章 環境・公害

グローバル化するアジア環境問題

"グリーン・リカバリー，エシカル消費，SDGsはなぜ必要か"

深刻化するアジア環境問題の背景には，貧困・開発・政治・経済・社会・グローバル化など国内外の様々な要因が複合的に存在します。他国で発生している環境問題は自分たちと関係がないようにみえても，グローバルな経済のつながりにより，無意識に製品・商品を「消費」することによって，当地の環境問題を深刻化させている場合も多々あります。本章では，このようなアジアの環境問題をめぐる構造を捉え，何をすべきか考えましょう。

キーワード 経済成長，開発，貧困，環境の不公平性，グリーン・リカバリー，エシカル消費（倫理的消費），SDGs
関連する章 第9章，第13章，第15章

はじめに

アジアでは，急速な**経済成長・開発**に伴う資源・エネルギー消費の拡大，大量生産・大量消費社会の浸透により，環境問題が各地で深刻化している。アジア環境問題は，高度成長期の日本で発生した深刻な産業公害の様相を呈するもの，局地的，広域的に深刻化する大気汚染，水汚染，森林破壊，および地球温暖化，気候変動問題など多様かつ広範囲で越境性を伴う環境問題が混在して発生している。さらに，環境問題の背景にはグローバル化，開発など国境を超えた外部からの影響によって，開発途上国の生産現場や**貧困**層，周辺環境に環境汚染が集中する「**環境の不公平性**」が存在する。日本もアジア各地で環境の不公平性を作り出す多くの要因を抱えている。

本章は，第1節でアジアにおける環境問題の現状と特徴，第2節で環境問題を発生させる国内外の構造と不公平性など重要な論点を考察する。第3節では，これらの問題を改善していくために必要なグリーン・リカバリー，エシカル消費，SDGsなど今後の展望と日本や消費者の責任について考える。

1　地球環境の命運を握るアジア環境問題

アジア環境問題は地球環境の命運を握る。アジアの人口は世界で最も多く，世界人口の約56%を占める。中央アジア・南アジアで19億9,100万人，東アジア・東南アジアでは23億3,500万人で計43億2,600万人に達する（United Nations 2019: 6）。膨大な人口を有するアジアで，大量生産・消費社会が浸透し，経済開発，資源・エネルギー利用が日々おこなわれ，各地および地球の持続可能性を脅かす甚大な環境汚染，環境問題が発生している。

日常の脅威としての大気汚染

アジア環境問題でとくに深刻な状況が指摘されているのが大気汚染である。世界の大気汚染状況と健康リスクについて報告書を公開している米国の非営利団体Health Effects Institute（2020: 15-17）は，2019年，世界で大気汚染が667万人の早期死亡に影響を与え，屋外でのPM2.5（微小粒子状物質）がその最も大きな要因であると指摘している。

世界各地の大気汚染モニタリングスポットからデータを集約しているIQAir（2020: 4）によれば，2019年，PM2.5濃度が世界で最も高い地域は，南アジア，東南アジア，西アジアであった。これら地域355都市のうち，世界保健機関（WHO: World Health Organization）のPM2.5年間平均値基準（10μg /m^3）以下はわずか6都市であった。

表17-1は，2019年における世界のPM2.5年平均濃度ワースト10（国，首都）である。国，首都ともにすべてをアジアが占める。なお，PM2.5大気汚染の深刻さで知られる中国は11位（39.1μg /m^3）で，近年の大気汚染対策の強化で，ワースト10に名を連ねていた状況からは改善の傾向がみられる。ただし，依然として中国のPM2.5年平均濃度基準35μg /m^{3}を超過していることや，平均濃

表17-1　世界のPM2.5大気汚染状況（PM2.5年平均濃度，μg/m³，2019年）

順位	国	PM2.5 年平均濃度	首都	PM2.5 年平均濃度
1	バングラデシュ	83.3	デリー（インド）	98.6
2	パキスタン	65.8	ダカ（バングラデシュ）	83.3
3	モンゴル	62.0	ウランバートル（モンゴル）	62.0
4	アフガニスタン	58.8	カーブル（アフガニスタン）	58.8
5	インド	58.1	ジャカルタ（インドネシア）	49.4
6	インドネシア	51.7	カトマンドゥ（ネパール）	48.0
7	バーレーン	46.8	ハノイ（ベトナム）	46.9
8	ネパール	44.5	マナーマ（バーレーン）	46.8
9	ウズベキスタン	41.2	北京（中国）	42.1
10	イラク	39.6	タシュケント（ウズベキスタン）	41.2

出所：IQAir（2020: 8-9）より筆者作成。

度からはわからない汚染状況の地域差など依然注視すべき問題が存在する（知足 2016)。

なぜ，アジアは大気汚染がかくも深刻なのであろうか。アジア各国におけるPM2.5大気汚染の人為的要因は，都市部では自動車による排気ガス，工場や石炭火力発電所からの排煙，建設現場からの粉塵，農村部では野焼きなどがある。また，屋外のみならず，屋内の大気汚染による健康被害が深刻な地域が多数存在する。屋内大気汚染の要因は，主に農村地域で暖房や調理に使用する薪，石炭，木炭，牛糞などの燃焼によるものである。前者の屋外要因はいずれも経済成長や開発，後者の屋内要因は，貧困や生活様式が起因する。

すなわち，アジアでは資源・エネルギー浪費，環境破壊型の経済成長，開発が急速に進んでいること，貧困問題を抱えていること，これら両方が大気汚染の要因となり，各地が深刻な健康被害に直面している。さらに，越境大気汚染となって国や地域を超えた影響を相互に及ぼし合っており，一国の対応では済まない状況にある。

多様かつ複合化する環境問題

アジア開発途上国は，衛生面のインフラ（上下水処理，廃棄物処理など）が依然脆弱で不十分な状況下で，様々な環境問題に直面している。水汚染，森林破壊・生物多様性の損失，海洋汚染，廃棄物問題など多様かつ複合的な環境問題に直面し，越境環境問題，地球環境問題の影響も甚大である。地球温暖化による気候変動に関連する被害への脆弱性も指摘されている。たとえばバングラデシュでは，1,900万人の子供たちが気候変動に関連する自然災害（洪水，サイクロン，旱魃など）の危機にさらされている（UNICEF 2019: 7)。ベトナム，フィリピンなど各国で気候変動の影響とみられる台風被害が深刻化している。

国連環境計画（UNEP: United Nations Environment Programme）は，アジアにおける不平等と貧困が環境劣化をさらに進め，その環境リスクが貧困層と女性に不平等なリスクを課す悪循環を強調している（UNEP 2017: 11)。

アジアの開発途上国では，貧困層が環境を悪化させてしまう燃料や生産技術を利用する。これは，資金不足のため代替物を活用できないこと，十分な情報や教育が受けられないことに起因する。その結果，森林や水，天然資源，貧困層の生活の糧が汚染され，貧困層や女性は生計手段を失い，深刻な健康被害を受ける。

すなわち，アジア開発途上国は衛生面でのインフラの欠如，貧困と環境悪化の悪循環，多種多様な環境問題，さらに地球規模の気候変動によって，持続可能性を脅かす多層にわたる苦難に直面している。

2 アジア環境問題の重層的構造と課題

それでは，アジア環境問題は貧困が原因なのであろうか。もちろん，それだけではない。国内，国外双方で様々な要因が存在する。そしてそれらは，この環境と貧困の問題をさらに悪化させる要因でもある。ここでは，アジア開発途上国で公害・環境問題を発生させる国内要因，環境の不公平性を生む国外要因について，鍵となる「経済と環境・開発」の視点から考えてみよう。

環境問題の国内要因

まず，アジアの開発途上国で公害・環境問題が発生し，対策が進まない国内要因を考えてみよう。公害・環境問題を発生させる主因は，経済活動，開発であり，その主体である企業にある。企業による環境汚染を統制するためには，政府（当地および国）の厳格な環境規制と対策が不可欠となる。しかし，企業による経済活動・開発は，地方，国にとって経済的利益をもたらし，税収をもたらすため，企業にコスト負担をもたらす環境規制は，経済的利益を優先することでたびたび形骸化する。また，この過程では，企業と政府・官僚とのあいだで汚職が頻繁に発生する。深刻な環境汚染，公害が発生していても，厳格な規制がおこなわれないのは，このような経済活動をめぐる企業・政府間の「利害関係」が存在するためである。

以上のような関係・構造から生じる環境問題を解決するためには，その責任を問い，改善を促す第三者である市民（NGOやジャーナリズムを含む）の訴えが不可欠となる。しかし，国家権力が強く，市民の参加や自由な活動，公正な裁判が制限されている国であればあるほど，情報が統制され，公害の事実は存在しないものになる。また，被害を受けている市民も放置され，救済されない。とくに貧困層など権利が侵害される社会的弱者であれば，なおさら救済の対象とはならない。

このような構造下で環境問題が発生していても，対策は国や地方政府の判断にのみ委ねられ，健康被害を回避したい市民の意向を反映したものにはならない。アジアでは，程度や状況の違いはあれ，各国がこのような矛盾を抱えたまま経済成長，開発を進めていることが環境問題を深刻化させている大きな要因である。

環境問題の国外要因

つぎに，国外要因（国境を越えた経済活動による要因）について考えてみよう。第1に，「公害輸出」がある。これは，先進国の多国籍企業が開発途上国に直接進出あるいは合弁会社等の共同経営などの形で進出し，当地で公害を起こす現象であり，すでにアジアで多くの実例が指摘されている。

第2に，「開発援助による環境問題」がある。これは，国際機関や政府による開発援助プロジェクトと銘打ったものが，当地の環境問題を引き起こすケースである。たとえば日本の政府開発援助（ODA: Official Development Assistance）によるインドネシア，スマトラ島のコトパンジャン・ダム建設プロジェクトが，現地住民の人権，環境問題となっている事例があげられる。近年では，インドネシア西ジャワ州における火力発電所の建設プロジェクトに関する大気汚染被害が報告され，日本の支援に対する批判があがっている。

第3に，「底辺への競争」がある。これは，開発途上諸国が先進国からの企業進出を受け入れるために，当地の環境基準・労働基準の切り下げ競争をおこない（これらの基準が高ければコスト負担増となり進出の妨げとなるため），結果的に開発途上諸国の両基準が最低水準へ向かうという現象である。これは国内の地域間でも起こりうる。類似の現象として，当地の環境基準が厳しくなったために操業できなくなった汚染企業を，他の地域が経済的利益を目的に受け入れる「汚染リレー」がある。

第4に，「グローバル経済をめぐる環境問題」がある。これは，自由貿易の進展によってグローバル化が進み，先進国が公害，環境問題の直接の原因者となっていなくても，グローバルな貿易，企業活動のサプライチェーン（原材料調達から製造，消費に至るまでの全過程）を通じて開発途上国の生産現場（下請け工場や農場など）における環境・労働問題に影響を与えているケースである。労働コストが安価な開発途上国の生産現場で低賃金かつ劣悪な労働環境を強いるケースが多発し，「Sweatshop（搾取工場）」と称されることもある。E-waste（廃電気電子機器）やプラスチックのような再生資源をめぐる国際分業による環境汚染も発生している。この問題の特徴は，生産者だけでなく，消費者も間接的な原因となることであろう。具体的には，アジアではつぎのようなグローバル経済をめぐる環境問題が発生している（**表17-2**）。

いずれも，国内の需要に加え，国外（先進国）の消費や使い捨てなど大量生産・消費型の生活様式が当地の公害，環境問題に影響を与えている。日本でも大量に輸入し，日常的に利用する製品，食料が当地の環境問題に影響を与えている。たとえば，インドネシアの森林破壊・生物多様性の損失に関連するパーム油は，日本人の生活用品や食料品に植物油脂として多用されるものである。**表17-2**の環境問題は，すべて日本の消費者にも起因する。

以上の国外要因4点は，すべて開発途上国の貧困地域，貧困層に公害・環境汚染の被害をもたらす「環境の不公平性」を引き起こす。これまでみてきた国内外の重層的構造を**図17-1**に整理した。

このような重層的構造が顕著にあてはまり，環境問題が激化してきたのが，

表17-2　アジアにおける「グローバル経済をめぐる環境問題」の例

環境問題	主な発生国	主な原因
森林破壊，生物多様性の損失	インドネシア，マレーシア	天然林の伐採，プランテーション化（ゴム，アブラヤシ，紙パルプ）
鉱山開発，鉱物資源採掘と環境汚染	インドネシア，中国など	レアメタル，スマートフォンなどに利用する鉱物資源の乱開発
化学工場と環境汚染	中国など	化学製品製造過程における廃水，煤煙，廃棄物などの不十分な処理
プラスチック汚染	各国	膨大なプラスチック利用，国際リサイクルをめぐる不適切な処理
E-Waste汚染	中国，ベトナムなど	E-Wasteの不適切な国内・国外リサイクル
バナナ・エビなど食料生産をめぐる環境・労働問題	フィリピン，インドネシアなど	農薬散布，養殖池転換によるマングローブ林の破壊など

出所：筆者作成。

グローバル経済のなかで生産拠点が集中し「世界の工場」と称されてきた中国である。2011年に中国で米国大使館がPM2.5濃度を計測・公開して以降，深刻なPM2.5大気汚染の実態が徐々に明らかとなった。他にも，鉱山開発，化学工場による水汚染などが起因するとみられる「癌村」，E-wasteリサイクル汚染，プラスチック環境汚染，世界最大のCO_2（二酸化炭素）排出，など多種多様な環境問題が深刻化してきた（知足 2015）。そしてその影響は，貧困地域の人々や市民に広範囲で降りかかった。近年，中国のPM2.5大気汚染は対策によって減少傾向にあるものの，依然として国の基準を満たすまでには至らず，新型コロナ禍における経済統制からのリバウンド（経済活動，発電，工業の再開）による汚染再来の兆候もみられる。

また，中国は「一帯一路」（本書の**第13章**を参照）によって，沿線各国の開発プロジェクトへの関与も深め，付随する環境汚染への懸念が高まっている。すなわち中国は，環境の不公平性の拠点であると同時に，他国へも甚大な影響を及ぼす開発プロジェクトを担う主体でもあり，アジア環境問題の動向に決定的な影響を与える核心部になっている。

図17-1　環境の不公平性，持続可能性の損失をもたらす重層的構造

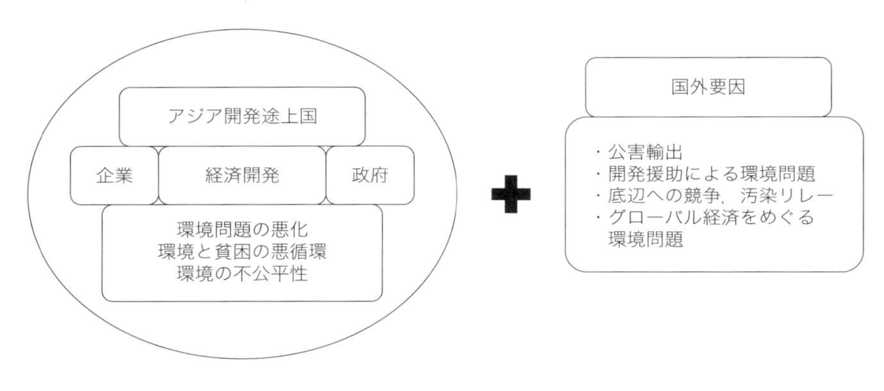

出所：筆者作成。

3 アジア環境問題の改善へ向けた課題

それでは，ここまで複雑化，重層化したアジア環境問題の解決へ向けた道筋はあるのだろうか。経済成長のあり方，国際協力，個人など変革すべき課題が多く残されている。

アジアの経済成長と環境問題のあり方

ある国において経済成長の初期段階では環境汚染が悪化するが，一定の所得水準を超えると環境保護意識の高まりや規制によって逓減していく。このような仮説を「環境クズネッツ仮説」という。アジアでは，残念ながら現状のままではこの仮説どおりの途を辿ることは容易ではない。比較的規制がおこないやすい汚染物質は減少させることができるとしても，PM2.5，CO_2や廃棄物は，ある一定の高基準まで達した国ですら，逓減に向かうための道筋は立っていない。経済成長に伴い，いまだ増加の一途を続けている国や地域もある。また，グローバル経済をめぐる環境問題の構造によって，ある国で汚染物質が減っても，別の国で増えるといった現象も存在する。

そもそも，汚染物質の排出量がピークに達する以前に，環境破壊型の経済成長から環境保全を重視した社会へ転換する途はないのであろうか。アジア開発途上国は，先進国の後追い型の経済成長で環境汚染をピークまでもたらさずに減少傾向に持ち込む，先進国とは異なる発展を遂げるべきであるという議論がおこなわれてきた。しかし，実際には再生可能エネルギーの導入などは進められてきたが，国内外の重層的構造により，先進国と同様の途，もしくはさらに深刻な途に進んでいる。

ここで，大きな転換点となりうるのは，新型コロナ禍以後の経済復興のあり方である。2020年以降，新型コロナ禍におけるロックダウン等の経済活動の制限によって，アジア諸国でも大気汚染など環境汚染が一時的に軽減された。環境破壊が経済活動と密接な関係があることがあらためて示された今，EUなどで新型コロナ禍からの復興のあり方として，「**グリーン・リカバリー**」（緑の復興）が提唱されている（松下 2021）。これは，新型コロナ禍の経済不況からの復興を，主に気候危機への取り組みの強化（脱炭素化へ向けた再生可能エネルギーの普及策や関連分野への投資など）と同時におこなう考え方である。

甚大な環境リスクを抱えるアジアは，グリーン・リカバリーが最も必要な地域であり，それは気候危機のみならず，すべての環境問題の改善，貧困問題を見据え，復興へ向けた新たな施策を展開する必要があるだろう。

多方面の変革

アジア各国では，これまでに様々な環境対策や環境保護を対象とした国際協力が実行されてきた。しかし，経済成長・開発重視の発展戦略が志向され，環境問題を主軸に置いた発展戦略は実行されてこなかった。また，大気汚染のような越境環境問題を抱えていながら，東アジア，東南アジア，南アジアといった地域ごとでも，地域内で規制や削減目標を伴う強い環境政策はいまだ実行されてきていない。

環境と経済が密接に関係することに鑑み，自由貿易の拡大によりさらに地域・国の経済相互依存が進んでいく状況を考慮すれば，アジア地域の経済活動におけるサプライチェーンの環境対策，環境協力が不可欠である。すなわち，すべての企業は経済活動の上流から下流すべてに環境対策の責任があることを再確認したうえで，サプライチェーン上流の汚染源（当地の下請け工場など）への責任を，下流のメーカーも把握して負う必要がある。生産コストが安いという理由で当地の汚染企業から供給される製品を納入・販売することは，汚染やその構造を容認し続けることになる。

環境の不公平性を助長する消費のあり方を足元から変革するために，個人が消費者としてできることもある。フェアトレード，環境・労働問題などを配慮した認証ラベル，地産地消，これらの商品を選択することは従来型の消費とは区別され，「**エシカル消費（倫理的消費）**」とよばれる。エシカル消費とは，人権・社会・環境に配慮されている商品・製品を倫理的に選択して消費・選択することである。エシカル消費は，食料・衣類など生活に関わる身近なところから人々が実行できるものであり，消費者のエシカルな選択が企業の商品と消費のあり方を変革する。サプライチェーン全体の環境対策を把握・情報公開しているか，認証ラベルを取得しているか，環境，人権への配慮がなされているか，といった判断基準にもとづくエシカル消費は，グローバル化するアジア環境問題の構造を変革するために不可欠である。

2015年に国連総会で採択された2030年までの国際目標「持続可能な開発目標（**SDGs**: Sustainable Development Goals）」は，この消費，生産のあり方（目標12: つくる責任，つかう責任）を含めた17目標を定め，貧困，ジェンダー，環境など，アジアが変革するうえで不可欠な要素を含んでいる。アジア環境問題はSDGs17目標の要素が複合する問題であり，個別の問題に加え，その繋がりを捉えたうえで，改善策を実行していかなければならない。そして，政府・企業のみならず，市民，NGOは，SDGsを実現していくために大きな役割を担う。それは，SDGsの17目標とターゲットは，政府・企業・市民の協力によって解決すべき課題が多いからである。

すなわち，アジアの複合化した環境問題を改善するためには，**図17-1**のような重層的構造を変革する政府，企業，国際機関，そして地域環境協力の強化，グリーン・リカバリー，この問題を認識した市民による変革への様々な活動と実践のすべてが必要となる。

おわりに

アジアは環境問題が深刻化し，すでに持続可能性において大きなリスクを抱え，改善のための方策を模索・実行していくことが待ったなしで求められている。

今後，アジアで新型コロナ禍において制限された経済活動が活発化すれば，化石燃料依存度の高い国，環境対策が緩慢な国ほどリバウンドによる大気汚染，環境問題がさらに深刻となるであろう。環境問題に起因する被害・コストは可視化されにくいことから，いわば人や自然環境，地球への「見えない甚大な損失」が蓄積し続けていくことになる。

アジアがグリーン・リカバリーを実践していくことは，すでに表面化している市民の健康リスクを軽減するため，当地や地域，地球の持続可能性をこれ以上脅かさないために不可欠であろう。そしてそれは，SDGsの達成，環境の不公平性の変革とともに進める必要がある。

アジアの持続可能な発展への変革のためには，みえない，認識しない環境問題と構造を可視化し，認識することが最初の一歩となる。そのうえで，各アクター（国際機関・政府・企業・市民など）の責任のさらなる追究と改善のための変革，行動が，アジアの環境問題をめぐる不平等性，持続可能性の未来を変えるために不可欠である。

【知足章宏】

参考文献

知足章宏「中国の大気汚染はなぜなくならないのか」SYNODOS，2016年，https://synodos.jp/international/17036，2021年2月25日アクセス。

松下和夫『気候危機とコロナ禍――緑の復興から脱炭素社会へ』文化科学高等研究院出版局，2021年。

Health Effects Institute, *State of Global Air/2020: A Special Report on Global Exposure to Air and Its Health Impacts,* Health Effects Institute, 2020, https://www.stateofglobalair.org/, 2021年3月5日アクセス。

IQAir, *2019 World Air Quality Report: Region and City PM2.5 Ranking,* 2020, https://www.iqair.com/world-most-polluted-cities, 2021年2月7日アクセス。

United Nations, Department of Economic and Social Affairs, Population Division, *World Population Prospects 2019: Highlights*, 2019, https://population.un.org/wpp/Publications/, 2021年3月11日アクセス。

UNICEF, *A Gathering Storm Climate Change Clouds the Future of Children in Bangladesh*, UNICEF, 2019, https://www.unicef.org/rosa/reports/gathering-storm, 2021年3月7日アクセス。

UNEP, *GEO-6: Global Environment Outlook: Regional assessment for Asia and the Pacific*, UNEP, 2017, https://www.unep.org/resources/report/geo-6-global-environment-outlook-regional-assessment-asia-and-pacific, 2021年3月7日アクセス。

文献紹介

① 豊田知世・濵田泰弘・福原裕二・吉村慎太郎編『現代アジアと環境問題――多様性とダイナミズム』花伝社，2020年。

アジア環境問題の様相を全体の傾向，各国の特徴から捉え，各地の状況や共通する課題が明らかにされている。地域研究者らが各国の環境問題を捉えていることで，環境問題の状況だけでなく，政治・経済・社会・文化的な背景についても理解することができる。また，同書に加え，**日本環境会議／「アジア環境白書」編集委員会編『アジア環境白書』（東洋経済新報社，1997/98，2000/01，2003/04，2006/07，2010/11）**のシリーズ5冊は，アジア環境問題の実態，状況，多様性，対策の変遷を理解するうえで重要である。

② 知足章宏『中国環境汚染の政治経済学』昭和堂，2015年。

中国で環境問題が激化してきた背景・要因・構造などを大気汚染，産業公害，廃棄物問題，気候変動問題から明らかにしている。本章で指摘した重層的構造により発生する環境汚染，環境問題，被害の実態，および改善策の課題など，現地でのフィールドワークをもとに，中国環境問題の実態について理解することができる。

③ 石井正子編『甘いバナナの苦い現実』コモンズ，2020年。

バナナの生産地フィリピンにおける農薬散布，健康被害など深刻な実態が明らかにされている。**鶴見良行『バナナと日本人』（岩波書店，1982年）**によって指摘された構造がいまだ顕在化している事実が明らかにされ，アジアの環境・労働問題の不公平性を考えるうえで重要な文献である。**内田道雄『燃える森に生きる――インドネシア・スマトラ島 紙と油に消える熱帯林』（新泉社，2016年）**は，紙，パーム油をめぐる森林破壊等の環境問題を臨場感ある多くの写真とともに理解することができる。

第 18 章　都市化

アジア都市の発展メカニズムと都市問題

“アジア諸国における急速な都市化のメカニズムと問題はなにか”

アジアは欧米に比べて短期間で都市化を遂げており，その様子は「圧縮された都市化」ともいわれています。アジアの都市化の仕組みや都市化の背後で生じている問題はどのようなものがあるのでしょうか。また，都市内部ではどのような現象が起こっているのでしょうか。本章は，主に人口移動の側面から都市化のメカニズムを明らかにするとともに，都市内部で生じている実態や諸問題を提示します。

キーワード 都市化，インフォーマル・セクター，郊外，プライメイトシティ，世界都市

関連する章 第5章，第28章，第35章

はじめに

アジアの都市成長は比較的近年になって急速に進展したものである。1950年における世界の主要都市圏人口をみると，ニューヨークの1,234万人を筆頭に，東京圏1,127万人，ロンドン836万人，近畿圏701万人，パリ628万人などであった（United Nations 2018)。近世以降，産業革命による近代工業化が**都市化**および都市発展に大きく作用し，それがいち早く生じた欧州やアメリカ合衆国，そして日本で都市化が進展したのである。1950年時点ではアジア勢が上位30都市（圏）に8つ名を連ねていたのが，2015年では上海や東京，デリー，マニラなど19都市圏にまで増加した。

このように現代におけるアジア新興国では顕著な都市化の進展がみられる。一方，急速な都市化や都市発展の背後には種々の軋轢や問題が生じている。い

い換えると，都市発展はその地域性をはらみつつ，様々な矛盾を生じさせながら展開しているものである。本章では，アジア諸国にみられる都市化という現象に着目し，都市化のメカニズムと実態，さらに都市化がもたらす様々な問題を検討する。

1 都市化のメカニズム——なぜ人は都市に集まるのか

人の移動と都市化の論理

都市経済学者の泰斗，山田浩之によれば「都市化とはなにかは都市研究の根本問題」(山田 1978: 4) であり，都市化は経済的基礎過程と社会的文化過程に分けられると指摘している。経済的基礎過程とは，都市人口の増加，高層ビルに代表されるような都市的土地利用や都市的景観の面的拡大といったことを，また社会文化的過程とは，都市的生活様式の拡がりといったことをそれぞれ指す。本章では前者における都市化を取り上げる。

第二次世界大戦後，アジア諸国では人口爆発が発生した。都市部において急増した人口は，都市内での自然増加よりも農村地域からの社会増加によりもたらされた。アジアの都市化は農村人口により支えられてきたといっても過言ではない。

なぜ人々は農村から都市へと集まるのだろうか。そのことを明らかにしようとしたのが以下に紹介する理論である。まず，開発経済学の古典的な理論として，アーサー・ルイスが1954年に発表した「無制限労働供給による経済発展」(Lewis 1954) がある。ルイス・モデルないし二重経済モデルとよばれているこのモデルは，発展途上国における農村の伝統的な農業部門 (生存部門) と都市の近代的な工業部門 (資本主義部門) とに分け，農村における豊富で不完全就業の特徴を有する労働力が，より高い賃金を求めて都市の工業部門へと恒常的に流入していくことによって，工業部門の拡大が可能となることを論じたものである。

とはいえ，農村と同様に都市部でも完全雇用が成立しているわけではなく，都市へ出てきたとしても失業する可能性がある。にもかかわらず都市での労働を求めた移動が収束しないのはなぜなのか。この点に着目したのがハリス・トダロモデルである（Harris and Todaro 1970）。このモデルは，農村在住の労働者が農村で就労することによって得られる実際の賃金と，都市に移動して就労することによって得られると予想される賃金（期待賃金）とを比較し，期待賃金のほうが前者を上回る場合に都市への労働移動が生じるというものである。しかし，農村出身の労働者は未熟練であり，都市へ移動しても簡単には雇用の機会に恵まれず，したがって就業の比較的容易な**インフォーマル・セクター**（非公式部門）で賃金を稼ぎながら，近代的部門での就業機会をうかがう。また，農村出身者は農村で得られる賃金が期待賃金と等しくなるまで都市への労働移動を続けることになる。このように，ハリス・トダロモデルは都市化のメカニズムを深化させると同時に，都市におけるインフォーマル・セクターの存立についても示したのである。

インフォーマル・セクターについては，都市論の視点から過剰都市化（論）と結びついて論じられてきた側面がある。また，ルイス・モデルやハリス・トダロモデルが理論的思考であったのに対し，インフォーマル・セクターに関する研究は現実社会における問題として生起してきた。過剰都市化という現象は，1970年代頃までの途上国にみられた工業化なき都市人口の増加のことを指している。大量の流入人口は都市のサービス部門を中心としたインフォーマル・セクターに吸収され，工業化なき都市化が進んでいった。また，流入人口は都市内部でスラムを形成する中心的な担い手となり，都市における貧困問題をスラムが景観的に表象していった。ところが，1980年代以降はグローバル経済の進展とともにアジア諸国の工業化が生じ，過剰都市化論はその限界の認知（新田目 2010）とともに次第に論じられなくなっていった。現代アジアにおけるグローバル経済の影響は縁辺地域の村にまで及んでいるが，各国首都を代表とする大都市への影響は一層大きいものがある。その結果，都市化のさらなる進展，都市の新中間層とインフォーマル・セクターの拡大などが生じ，都市内での社会階層間格差や都市・農村間の格差，さらには都市間の格差が広がっている。

アジアの圧縮された都市化

一般に，都市化を測る指標として用いられるのは都市人口比率である。都市人口比率とは，ある国において都市に居住する人々の割合のことである。

発展途上国では，先進諸国にみられた都市化の進展度合いよりも早く進み「圧縮された都市化」といわれるような状況が確認されている。以下で取り上げる国連による都市人口比率の定義は，国や国内の地域，また時代ごとに行政単位や人口規模などを基準としたものなど様々であり，必ずしも実態に即したものではないが，都市化の推移の傾向を読み解くには妥当であろう。

図18-1はアジアと欧米の主要国における1950年以降の都市人口比率の推移を表したものである。世界全体の都市化率は1950年に29.6%であったのが，1985年には41.2%，2010年に51.7%とその上昇率は年々高まっている。アジア主要国における1950年時点の都市化率は，中国11.8%，タイ16.5%，インド17.0%，韓国21.4%，フィリピン27.1%，日本53.4%などであった。これらより低い国としてはラオス7.2%，バングラデシュ4.3%，ネパール2.7%などがある。一方，いち早く近代工業化した欧米の主要国では1950年の時点ですでに軒並み5割以上に達している。後述するように，短期間のうちに生じた「圧縮された都市化」はその都市や国において様々な問題を引き起こす。

2 都市化の空間的諸相

都市内部の変化

国や都市によって差はあるものの，アジアでは1980年代から都市中心部の再開発が進展してきた。大都市中心部には，外資企業によるオフィス機能の立地が進展するとともに，新中間層の出現を背景としたコンドミニアムや高層マンションが開発されていく。再開発の対象は中心部に展開していたスラム地域や工業・港湾用地などであった。

また，アジアの大都市では都心部でジェントリフィケーションが発生している。ジェントリフィケーションは，1960年代以降にロンドンなど先進資本主義国の大都市中心部で最初にみられた現象である。当該諸国の都市中心部では，年齢が比較的若く専門技術職や芸術家など新しいワークスタイルを選好する新中間階級が，都心部での生活や歴史的建造環境などに魅力を感じることなどを背景に都市中心部へ流入していった。これにより，開発年次の古い住宅地

図18-1　アジアと欧米の主要国における都市化率の推移

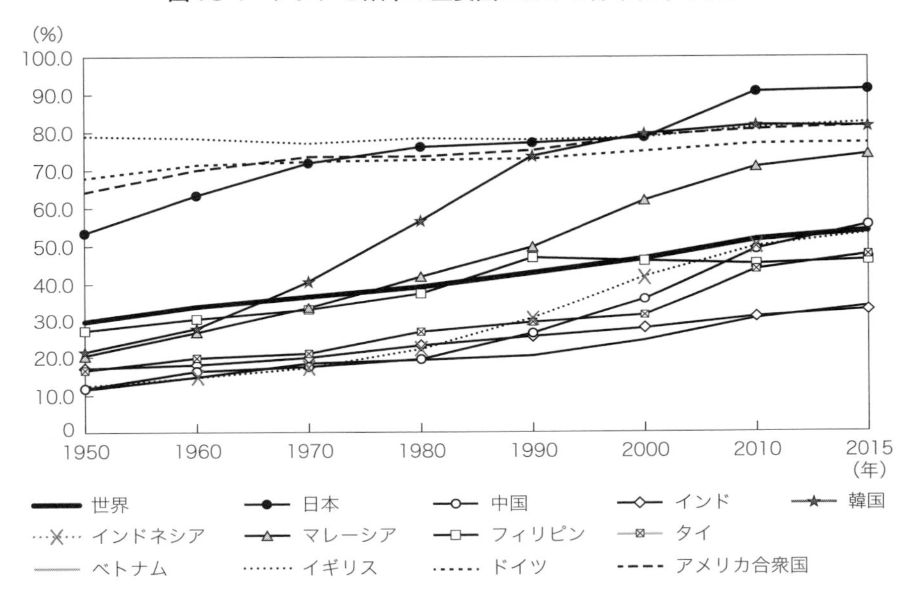

注：都市化率は都市人口比率を表しており，国連による算出にもとづく。
出所：United Nations（2018）をもとに筆者作成。

域では伝統的様式の住居が保全されるとともに，老朽化した住居は取り壊されて高級マンション等が建設されることなどによって，近隣地域が再活性化していく。こうした現象をジェントリフィケーションという。さらに，家賃上昇や住宅の建て直し等によって，従来の安価な家賃水準で居住してきた低所得者や高齢者などの社会経済的弱者は立ち退きを迫られ，社会問題化する。

アジア諸国にみられるジェントリフィケーションは欧米諸国のそれとは異なる。すなわち，都市化がアジア諸国に先んじた欧米諸国では，郊外化が進展した後の脱工業化の時期にジェントリフィケーションが生じたのに対し，中国，台湾や韓国では都市化と郊外化が並行するなかでジェントリフィケーションが発生したこと，そして，東アジア諸国における都市中心部の再開発は政府による公共政策との関連性がより強いことである（黄 2017）。

中心部の再開発と同時に生じてきた大都市**郊外**の発展は目を見張るほど急速である。都市中心部と郊外の開発の差異を端的に表現するならば，前者は建物の高層化という垂直的な土地利用の拡大，後者は農業的土地利用から都市的土地利用への転換といった水平的な土地利用の拡大といえよう。都市郊外は中心部と高規格道路等で結ばれ，外資企業による製造工場が入居する工業団地が造成される。さらに団地内外にはワーカー層や新中間層の職場空間が形成される。インドネシアでは，ジャカルタの都市開発によってその郊外に立地する人口稠密な農村地域が都市開発にのみ込まれ，農村（農業）と都市（非農業）が混在していった（スプロール現象）。農村では伝統的な生活様式が残存しながら，住民は郊外に進出した工場で就労するといった都市的要素と農村的要素の共存もみられる。地理学者のマギーはこうした状況が確認される地域を「デサコタ」（デサは村落，コタは都市を意味する）とよんだ（McGee and Robinson 1995）。次項では，インドにおける都市の郊外化について紹介する。

大都市の拡大と郊外化――インド・デリーの事例

デリーは複数の為政者によって開発され，多重・多層な都市的性格を有することから，「多重都市」（荒松 1993）と称されている。都市構造の観点からみるならば，オールド・デリー（伝統的なムスリム都市），ニューデリー（イギリスによる計画都市），およびその郊外（グローバル経済都市）という3つの地域が歴史的，社会経済的に明瞭な差異を有している。ここでは都市化が進展している郊外について注目しよう。

デリーでは市街化区域の外延的拡大が著しく，デリー連邦直轄地を超えて隣州にまでそれが広がっている。なかでもデリー南部やそれに隣接するハリヤーナー州グルガーオン（グルグラム）では，多国籍企業のオフィスが集積するほか，コンドミニアム，マンション，ショッピングモールが乱立している（写18-1）。デリー首都圏においては専ら郊外地域が経済発展やグローバル化の進展に伴う開発の受け皿として機能している。

こうした大規模な都市開発の一方で，都市周辺部では従来から所在していた農村集落の周辺が短期間のうちに都市計画にもとづいて開発され，都市開発地域に囲まれてしまうことがある。こうした農村集落は都市計画区域から除外されており，アーバンビレッジとよばれている（澤ほか 2018）。アーバンビレッジの農村住民のなかには，農地を手放した収入を元手にして，近隣工業団地で就労する移動労働者向けのアパート経営に乗り出したり，残された農地で都市向けの商品作物を栽培したりするといった動きがみられる。

また，デリーの市街地にはスラム街やインフォーマル・セクターの集積する地域が点在している。たとえば，市街地の東部を流れるヤムナー川沿いのムスリム居住地では，主に北インド出身のムスリム男性が地縁・血縁を頼りに職を求め流入している。居住地内の5，6階建てビルの一角には，オールド・デリーなどの卸売・小売業者へ出荷される女性向け衣服を製造する零細縫製工場が密集している。これらはインフォーマル・セクターに該当する。労働者のなかには独立して自身の工場を開設する者や，国内の他繊維産地を渡り歩く者もおり，多様な社会的・空間的移動がみられる（宇根・友澤 2019）。

写18-1　デリー郊外のショッピングモール

出所：筆者撮影（2013年2月22日）。

3 タイ――プライメイトシティ型国家の苦悩

ランク・サイズ・ルールからみたタイの都市

東南アジアで最も工業化に成功したといわれるタイは，首都のバンコクおよびその周辺に圧倒的多数の人口が集中している。タイの人口は6,598万人であり，日本と比べると約半分である（2010年，National Statistical Office）。このうちバンコク都には830万人（12.6%）が居住し，これにバンコク都近隣の5県（サムットプラカーン，ノンタブリー，パトゥムタニ，ナコーンパトム，サムットサコーン）を加えたバンコク首都圏（Bangkok Metropolitan Region）の人口は1,462万人（22.2%）と，全国の4分の1にのぼる。

都市や都市化現象を捉えるには，都道府県などの広域自治体よりも都市（市町村）を単位として理解するほうがより実態に接近できる。**図18-2**は，タイにおける都市別の市街地区域の人口規模を大きい順に並べたものである。バンコ

図18-2　タイにおける人口規模からみた順位規模曲線

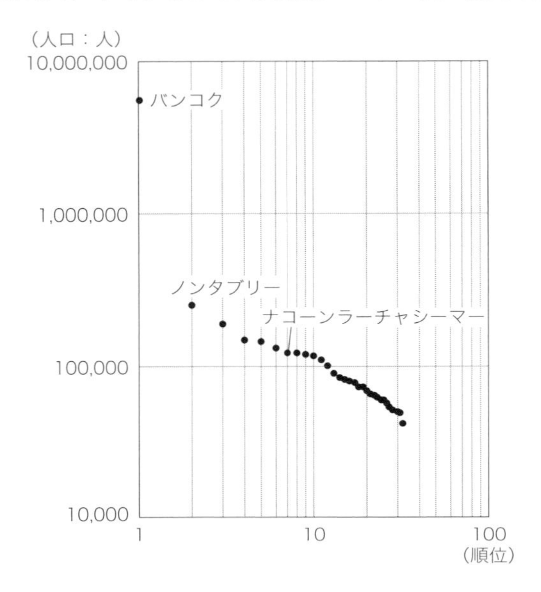

出所：National Statistical Office of Thailand, “Number of Population from Registration and Percentage of Population in Urban by Region and Province: 2011-2020”をもとに筆者作成。

クは2位のノンタブリー以下を大きく引き離しており，突出した都市規模を有していることが明らかである。

人口や企業集積数など都市の規模に関する指標を，その値が大きい都市の順に並べて両対数グラフに表示し，各点（各都市）を線で結んだものを順位規模曲線という。また，都市規模と順位とのあいだにみられる一定の法則性のことをランク・サイズ・ルール（順位・規模法則）という。都市地理学では，ベリーが確率概念を用いて都市のランク・サイズ・ルールが理論化された（Berry 1961）。都市の順位規模曲線において首位（首座）が突出している形態は**プライメイトシティ**（首位都市卓越）型とよばれ，国家の都市群が秩序状態にあるときや，面積や人口が小規模で社会・経済・政治構造が比較的単純であるといった国ほどこの形態が出現する（村山 1994）。タイは典型的なプライメイトシティ型国家である。新興国がプライメイトシティ型の都市規模分布となりやすい要因として，以下の点が指摘できる。新興国は資源輸出や加工貿易型経済に傾斜しがちであり，その窓口となる首都や港湾都市は首位都市として発展する。外資の活動拠点となるのも首位都市であることが多く，グローバル経済の進展により，首位都市はますます成長を加速させる。なお，都市群が無秩序状態にある場合は順位規模法則（対数正規分布）型となる。

バンコク一極集中と地域間格差

バンコクへのヒトの一極集中は，モノ・金・情報などのそれをも引き起こす。国内外企業の管理機能がバンコクに集中し，中心部の業務地区（CBD：Central Business District）にあたるシーロム地区周辺は高層オフィスビルが林立している（写 18-2）。これらのオフィスのなかにはタイ一国を管轄するだけでなく，東南アジア全体を管轄・統括する機能を有するものもある。ジェトロが2020年に実施した調査によると，タイには約7,300社の日系企業（日本法人もしくは日本人が10%以上出資している企業）が立地している。

日系企業で働く日本人やその家族，現地採用の日本人は膨大である。日本外務省の海外在留邦人数調査統計によれば，タイに在留する日本人は8.1万人（4位），このうちバンコクに在留する数は5.8万人（ロサンゼルス都市圏に次ぐ2位）である（2020年）。日本人をターゲットに，日本人社員が応対する不動産賃貸業，日本からの輸入食材を販売するスーパーマーケット，日本人の好みに合う料理を提供する居酒屋などもバンコクに集積する。スクムウィット地区はそうした日本人向け事業所や居住施設が集中する場所として著名である。

1980年代の前半頃まで，東南アジアの都市研究では過剰都市化論と首位都市への人口移動・集中およびスラム論に特徴づけられていた。また，当時は経済のグローバル化も現在ほどは進展しておらず，都市化をめぐる諸現象は一国のみの経済社会的枠組みで説明できる部分が大きかった。ところが，経済のグローバル化の進展によって，都市化や都市発展は国外の企業や各種枠組みの影響を強く受けるようになり，多国籍企業が各地域を管理・管轄するオフィスが集積する**世界都市**が東南アジアにも出現してきた。バンコクは世界都市化によってますます国内での首位的性格を強めている。こうした変化は，もはや過剰都市化論などで東南アジアの都市発展を説明できないことを意味しており，世界都市バンコクの発展を維持しつつ，バンコクの成長の果実を如何に国内の他

写18-2　バンコクのオフィス街遠景

出所：筆者撮影（2015年9月24日）。

地域へ拡大・分散していくか，また地域格差を縮小していくかが重要な課題となっている。

バンコク一極集中の問題解決の方向性

バンコク一極集中の緩和策として，タイではバンコク首都圏（大都市圏）の南東約100km～200kmに位置するチョンブリー県，ラヨーン県，チャチェンサオ県を東部臨海地域と称し，当該地域の集中的な開発が1980年代から実施されてきた。具体的には，バンコクまでの高速道路網や国際商業港の整備，シャム湾で採掘された天然ガスを活用した石油化学コンビナートの開発が実施されてきた。同時に，東部臨海地域ではタイ政府による工業分散化政策（1987～2014年）や官民による活発な工業団地開発が奏功し，同地域は自動車産業を中心とした一大工業地帯へと発展した。その後，タイは「中進国の罠」を回避し持続的な経済発展を目指すため，20年という長期的な国家戦略「Thailand4.0」を2016年より実施している。その政策展開において東部臨海地域を東部経済回廊と改称して中核的な開発地域に位置づけている。これらの開発や政策により，東部経済回廊では人口増加や小都市の発展がみられ，バンコク一極集中は徐々に緩和されてきている。しかしタイ全土からみると，バンコク首都圏からその周辺へと開発地域が外延的に拡大したにすぎないと理解するほうが自然であろう。

一方，地方ではわずかながら変化が生じている。ここではバンコク都に次いで人口が多いナコーンラーチャシーマー県（264.8万人，2019年）を取り上げよう。同県はバンコク都まで約250kmであり，約1,900万人を抱えるタイ東北地方とバンコクとを結ぶ交通要地に位置する。県庁所在都市ナコーンラーチャシーマーの2020年における市域人口は12.3万人であり，バンコクとは比べものにならないものの，全国7位の規模である。近年は中心部に近い幹線道路沿いにショッピングモールが複数開業し，地元客で賑わっている。郊外には，同市とバンコクを結ぶ高速道路が造成中であるほか，工業団地が2か所造成され，日系企業などが進出している（**写18-3**）。こうした動きはバンコクに比べてこれまであまりみられなかった地方都市の成長を表しており，ナコーンラーチャシーマーの今後の動向が注目される。

写18-3　市街地開発の進むナコーンラーチャシーマー

出所：筆者撮影（2019年9月21日）。

大都市への一極集中を緩和する方策として首都の移転を実施・計画する国もあるが，限定的である。ミャンマーは2006年に，首都ヤンゴンから300kmほど離れたネピドーに首都が移転されることとなり，国会議事堂や省庁が移動した。ただし軍事政権下での首都移転であり，多くの民主主義国家が同じように首都移転をなしうるものではない。

インドネシアではジョコ大統領がジャカルタ（ジャワ島）からボルネオ島東部への移転を2019年に表明し，2021年から移転が実施される予定であったが，新型コロナウイルスの影響により延期されている（2021年8月時点）。

おわりに

前節で紹介したナコーンラーチャシーマーでは，製造業企業の進出によって都市化に関わる新たな動きがみられる。筆者は2019年にナコーンラーチャシーマー市の郊外に立地する日系製造業企業を訪問した。そのオフィスで働くタイ人のなかに，かつてバンコクで働いていたけれども，実家や親元近くで働きたいといった理由からナコーンラーチャシーマーに戻って仕事しているという事例を複数確認した。これは日本でいわれるUターン（地方から都市部へ移住した後に地方へ戻る），Jターン（地方から都市部へ移住した後，地方の近隣にある都市部へ移住）にあたるだろう。

タイで地方出身者が農外就業をめざす場合，先述したルイス・モデルのごとくバンコクやその周辺へ出てゆくことが第一の方法とみなされてきたが，このように近年は日系企業などによる地方圏への進出によって，新たな選択肢が増えてきた。これまでバンコクの都市化と人口増加を支えてきた農村地域出身，とりわけ若者の移動パターンが変化する兆しがみえつつある。

一方，アジア諸国においても高齢化が徐々に進み（大泉 2007），中長期的には若年人口が減少していく。タイ東北地方のいくつかの県ではすでに人口減少局面に入っている。アジアの都市化を人口面で支えてきた農村地域からの若者流入は無尽蔵で恒常なものではない。この点はハリス・トダロモデルの限界も示唆している。アジアの大都市は発展を維持できるか，また地方都市では経済のグローバル化の果実を受け取れるか。都市化という現象は都市・農村関係からグローバル・ローカルに捉えながらみてゆかねばならない。

【宇根義己】

参考文献

新田目夏実「アジア都市の健在――グローバル化と都市経済，コミュニティ，文化の変容」『日本都市社会学年報』第28号，2010年，53-63頁。

荒松雄『多重都市デリー』中央公論新社，1993年。

宇根義己・友澤和夫「インド・デリーのインフォーマル工業部門における産業集積の存立構造」『地理学評論』第92巻第3号，2019年，153-174頁。

大泉啓一郎『老いていくアジア――繁栄の構図が変わるとき』中央公論新社，2007年。

黄幸「ジェントリフィケーション研究の変化と地域的拡大」『地理科学』第72巻第2号，2017年，56-79頁。

澤宗則・森日出樹・中條暁仁「都市近郊農村からアーバンビレッジへの変容――インド・デリー首都圏の1農村を事例に」『広島大学現代インド研究――空間と社会』第8号，2018年，1-25頁。

村山祐司「都市群システム研究の成果と課題」『人文地理』第46巻第4号，1994年，44-65頁。

山田浩之「都市経済学の対象と課題」山田浩之編『都市経済学』有斐閣，1978年，1-16頁。

Berry, B. J. L., “City Size Distributions and Economic Development,” *Economic Development and Cultural Change*, Vol. 9, No. 4, 1961, pp. 573-588.

Harris, J. R. and M. P. Todaro, “Migration, Unemployment and Development: A Two-sector Analysis,” *The American Economic Review*, Vol. 60, No. 1, 1970, pp. 126-142.

Lewis, W. A., “Economic Development with Unlimited Supplies of Labour,” *The Manchester School of Economic and Social Studies*, Vol. 22, No. 2, 1954, pp. 139-191.

McGee, T. G. and I. M. Robinson, *The Mega-Urban Regions of Southeast Asia*, UBS Press, 1995.

National Statistical Office of Thailand, “Population and Housing Census 2010.”

National Statistical Office of Thailand, "Number of Population from Registration and Percentage of Population in Urban by Region and Province: 2011-2020."
United Nations, "World Urbanization Prospects: The 2018 Revision; Online Edition."

文献紹介

① 末廣昭・大泉啓一郎『東アジアの社会大変動――人口センサスが語る世界』名古屋大学出版会，2017年。

中国，香港，韓国，ASEAN4か国，ベトナム，東ティモール・ブルネイの人口センサス（国勢調査）をもとに，人口構造，高齢化，家族構造の把握にとどまらず都市化や人口移動等の傾向が随所に示されている。各国における人口センサスの調査項目や調査体制なども紹介されていて，日本の国勢調査との比較から理解するとおもしろいだろう。

② リチャード・フロリダ著，井口典夫訳『クリエイティブ都市論――創造性は居心地のよい場所を求める』ダイヤモンド社，2009年。

『クリエイティブ資本論』（ダイヤモンド社，2008年）で著名な著者が，新しい経済的な地域単位として，大都市を核としてその周辺都市や工業地域等を含む「メガ・リージョン」を抽出し，その重要性について論じている。夜間に撮影された衛星写真から光量の連続する場所を地域的単位とし，そこから人口や地域別GDP，世界におけるトップ科学者数や特許数といった指標が集中する世界上位40地域をメガリージョンとして取り上げた。アジアでは日本の4地域を含め14か所があげられている。

③ マイク・デイヴィス著，酒井隆史監訳，篠原雅武・丸山里美訳『スラムの惑星――都市貧困のグローバル化』明石書店，2010年。

『要塞都市LA』（青土社，2001年）を上梓した都市社会学者マイク・デイヴィスの著書。スラムの多面的な理解ができる一冊。インドや東南アジア，中国といったアジア地域だけでなく中南米，アフリカ世界の様々なスラムに関する豊富な具体的事例が随所に提示されている。幅広い文献渉猟もされており，スラム研究には必読。

第19章 観光

日本とアジアにおける国際観光の現状と課題

“日本とアジアにおける国際観光の現状と課題はどうなっているのだろうか”

グローバル化の進展で，国と国とのあいだを移動する国際観光客数は増え続けています。近年，日本を訪れる訪日外国人も急速に拡大しましたが，国や地域による偏りがみられます。一方で海外を訪問する日本人は，近年微増にとどまり，イン（訪日外国人）とアウト（日本人海外旅行者）のバランスは崩れつつあります。このような状況に対して，今後どうすべきでしょうか。身近なアジアの国々との国際交流という観点から考えてみましょう。

キーワード 国際観光，インバウンド，アウトバウンド，国際交流，ツーウェイツーリズム，オーバーツーリズム
関連する章 序章，第12章，第33章

はじめに

2009年のリーマン・ショック以降，世界経済は緩やかな回復傾向が続いているが，中長期的には成長の鈍化が予想されている。今後先進国では，高齢化や人口減少問題が顕在化し経済成長率は低い水準にとどまり，さらに新興国においても現状は比較的高い水準にあるものの，長期的には緩やかな低下が予想されている（山口・椎野編 2018: 82）。

一方，国連世界観光機関（UNWTO: United Nations World Tourism Organization）が発表した「世界観光統計」によると，2019年の海外旅行者総数は前年度より4％増加し14.6億人となっている（UNWTO 2021: 2）。これは，UNWTOが2010年に発表した長期予測（2020年に14億人達成）をすでに超え，想定以上の伸びを示

図19-1　国際観光客到着数および国際観光収入

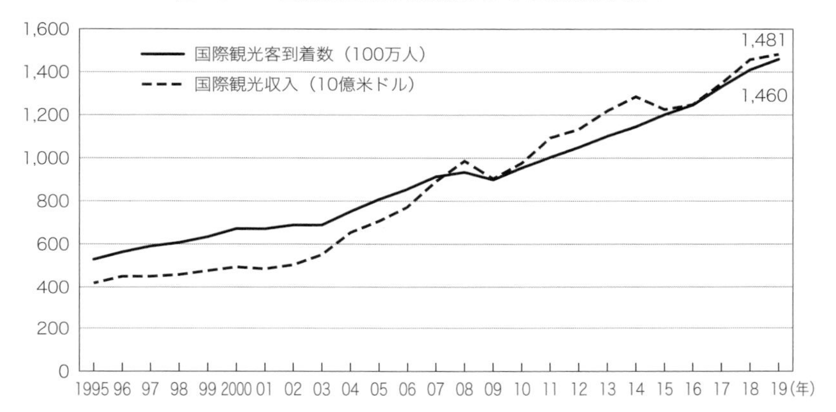

注：2020年11月現在のデータ（暫定データ）。
出所：UNWTO（2021: 3）。

している。UNWTOは，今後も世界的なグローバル化の流れやDX（デジタルトランスフォーメーション）の進展，ビザの緩和やLCC（Low Cost Carrier）の浸透により，さらに海外旅行市場は拡大し，2030年には18億人に到達すると予測している（UNWTO 2021: 2）。また2009～2019年までの10年間における世界のGDPの伸び率が44％であるのに対し，海外旅行者総数の伸び率は54％と経済成長以上に伸びている（同上）。このような海外旅行者数の増加は，出発国，到着国双方の人々の交流だけにとどまらず，様々な効果をもたらす。

世界的な経済成長の鈍化が予想されるなか，世界の先進国といわれる国々は，観光産業による経済の活性化をめざしている。それは，観光行動には輸送，宿泊，飲食など様々な消費活動が伴うため，とくに到着国に大きな観光消費額が発生するからである。このような海外旅行者による消費額の総数を「国際観光収入」とよぶ。

UNWTOの調査によると，2019年の国際観光収入は1兆4,810億米ドルに達し，海外旅行者総数（国際観光客数）に比例し伸びている（**図19-1**）。また，この国際観光収入は，世界総輸出の7％を占め国際経済への影響力も大きい。

本章では，日本とアジアの**国際観光**の現状と課題について考える。第1節では，まず世界の国際観光の潮流を概観し，つぎにアジアと日本の国際観光について解説する。第2節，第3節では，日本の国際観光における課題を指摘したうえで，国際観光の成熟市場である東アジアの国々と発展市場である東南アジア諸国の現状を把握し，市場の違いを明らかにする。第4節では，コロナ禍を経て，新たな日本の国際観光のかたちとしてめざすべき方向性を，**国際交流**の観点から考えてみたい。

1 世界と日本の国際観光の現状

世界の国際観光の潮流を概観する前に，国際観光の定義について述べておこう。国際観光とは，一般的には「人が自国を離れて，再び自国に戻る予定で外国の文物，風景を鑑賞，遊覧する目的で旅行すること」である（津田 1969: 8）。国際観光を1国単位で捉えた場合，**インバウンド**（外国人が自国を訪れること）と**アウトバウンド**（自国民が外国へ旅行すること）に分けられ，双方向の観光を合わせて国際観光という。

国際観光の始まり

第二次世界大戦が終了し，落ち着きを取り戻した1950年，世界の人口は25億人であった。その後，世界の人口は経済の発展とともに増え続け，2020年には78億人，さらに2050年には97億人に達すると予測されている（国際連合広報センター 2019）。同様に観光は，平和産業であるといわれるように，本格的な国際観光の始まりは，1950年以降である。その後，観光産業は紛争やテロ，感染症の蔓延などにより，一時的に停滞した時期もあったが，その都度回復し70年間にわたり世界経済を支える成長を続けている。また，観光関連産業はその裾野の広さから雇用の拡大にも寄与し，観光先進国といわれる国々では，欠かせぬ産業となっている。

世界ではこれまでにない数の「デスティネーション（目的地）」が開発され，観光関連の投資がおこなわれ，観光は雇用と事業の創出，輸出収入，インフラ開発を通じ，世界経済の発展を牽引する重要な役割を果たしてきた（UNWTO 2018: 2）。その結果，国際観光客数は1950年の2,500万人から，1980年には2億7,800万人，2000年には6億7,400万人，2019年には14億6,000万人と世界全体で増加してきた（UNWTO 2018: 1; UNWTO 2021: 2）。また，国際観光収入も同じく，1950年の20億米ドルから，1980年には1,040億米ドル，2000年には4,950億米ドル，2019年には1兆4,810億米ドルと急増している（同上）。

世界の国際観光の現状

このように急速に拡大してきた国際観光客数であるが，伸び率は地域により格差が出てきている。「UNWTO2030長期予測」では，世界全体の国際観光客数は，2010年から2030年にかけて年平均3.3％増加すると予測している。この成長率は当初の3.8％から2030年に向けて2.9％まで徐々に減少していくとみられているが（UNWTO 2018: 16），地域別で最も力強い成長が期待されているのはアジアである（**図19-2**）。

さらに，アジアのなかでも最も伸び率が高いのは，南アジアである。南アジアでは世界第2位の人口をもち，経済成長も著しいインドが牽引しネパールやパキスタンも伸びている。また東南アジアでは，最大のデスティネーションであるタイやベトナムが牽引し，インドネシアやフィリピンも堅調である。そして，アジア最大のボリュームをもつ北東アジアでは，アメリカと並ぶ経済大国であり観光大国となった中国を中心に，日本，韓国などが競い合っている。その結果，アジアの国際観光客数は，2010年の3億3,100万人から2030年には5億3,500万人（年4.9％増）に達すると予測されている（同上）。中東地域やアフリカ地域も伸び率は高いものがあるが，全体的なボリュームが少なく，中東で6,100万人から1億4,900万人，アフリカで5,000万人から1億3,400万人と予測されている（同上）。

一方，ヨーロッパやアメリカの比較的成熟したデスティネーションは低成長により，世界市場におけるシェアは，アジアが2010年の22％から2030年には30％に上昇し，中東は6％から8％，アフリカは5％から7％と増加するが，ヨーロッパは51％から41％，アメリカは16％から14％と低下していくと見込まれている（同上）。このように，今後ますます世界の国際観光は，アジアを中心に成長していくのである。

図19-2　国際観光客到着数の年平均伸び率予測

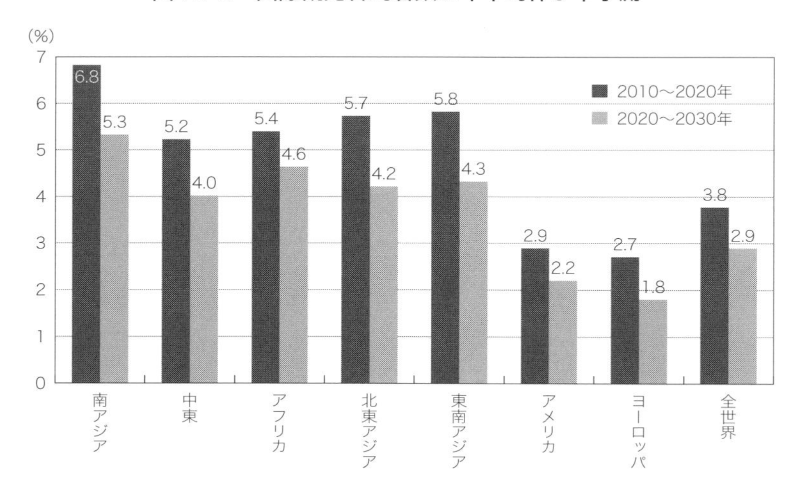

出所：UNWTO（2018: 15）。

日本の国際観光の変遷

日本の国際観光は，1893年の明治政府による，来日した外国人観光客に対する接遇を目的とした「貴賓会」を設立したことが始まりといわれている。当時の日本は，国策の一環として国際親善・国際収支（外貨獲得）を目的に，積極的にインバウンドへの取り組みを始めたのである。その後，第二次世界大戦を経て，日本経済の急成長に伴い1964年に日本人の海外旅行が自由化されるようになり，当初は庶民には高嶺の花であった海外旅行（アウトバウンド）がやがて身近なものとなる。

さらに，1987年に日本政府は，貿易黒字の是正のため日本人の海外旅行を推奨する「テンミリオン計画」（海外旅行倍増計画）を発表し，急激な円高や好景気により1990年に目標の1,000万人は達成され，2000年には1,781万人まで拡大し，アウトバウンドの全盛を迎えることとなった。その後，テロや戦争，パンデミック（感染症の流行），経済状況の悪化などによりアウトバウンドも停滞を迎えるのである。そして，直近の10年間（2011年～2020年），日本の国際観光は大きな転換期を迎えた。すなわち，日本の国際観光客数の推移（**図19-3**）をみてもわかるように，日本の観光政策が，従来のアウトバウンド中心からイン

図19-3 日本の国際観光客数推移（2011～20年）

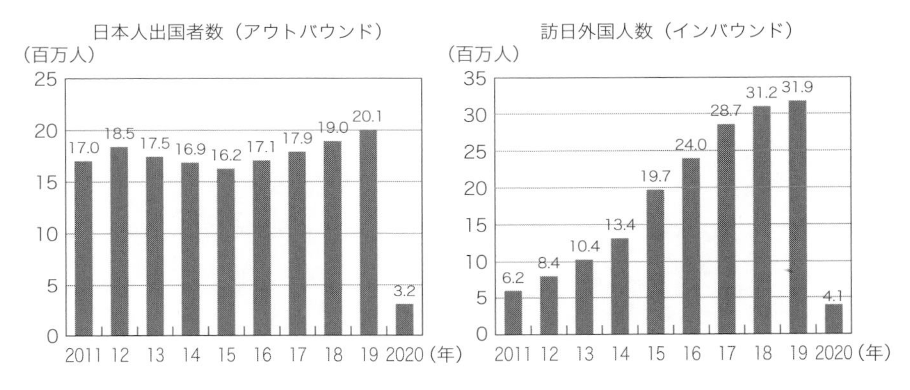

出所：トラベルボイス（2021a, 2021b）。

バウンド中心へと舵を切られたのである。

その契機となったのは，2003年の小泉純一郎内閣による「観光立国宣言」である。そしてそれを受けて，同年ビジットジャパン事業（訪日旅行促進事業）をスタートさせ，外国における日本旅行の広報活動や，日本国内における外国人旅行者向けの観光インフラ整備を進めたのである。さらに，2008年には観光庁が設立され，その主導のもとに「観光立国推進基本計画」が策定された。その後，具体的な施策である訪日プロモーションやビザ要件の緩和等の効果があらわれ，ビジットジャパン事業がスタートしてから10年目の2013年に訪日外国人観光客が1,000万人を超えることとなった（JTB 2016: 2-58）。

さらに，2015年にはアウトバウンドとインバウンドの数字が逆転し，その後インバウンドがさらに差を広げることとなる。一方，しばらく停滞が続いたアウトバウンドも若い女性を中心に回復傾向がみられ，2019年には悲願の2,000万人を達成し，2018年に3,000万人を超えていたインバウンドと合わせ国際観光客総数5,000万人を達成した。

このように，日本の国際観光は国の政策や外的要因により大きく変化してきたが，2020年1月から世界的に蔓延した新型コロナウイルスは，人と人との交流を遮断し，すべてをリセットさせることとなったのである。

2 東アジアの国々と日本の国際観光

2019年に日本の国際観光客総数は5,000万人を達成し，一見順風満帆のようにみえる。しかし，国際交流という観点からみたときに，2つの課題が浮かび上がってくる。

1つ目は，インバウンド総数とアウトバウンド総数の差が拡大傾向にあることである。すでに2019年にインバウンドはアウトバウンドの1.5倍に拡大し，コロナ禍がなければこの差はさらに拡大していたであろう。そもそも観光庁の目標設定には，2020年に4,000万人，2030年に6,000万人というインバウンドの目標はあるが，アウトバウンドの明確な目標設定はない（観光庁 2016: 1）。

2つ目は，**表19-1**で示しているように，日本のインバウンド総数に占めるアジア圏比率が84%，アウトバウンド総数に占めるアジア圏比率が74.5%とどちらも非常に高いことである（JNTO 2021）。さらに，そのなかでも東アジアの中国，韓国，台湾，香港が上位を占めている。このように現在の日本の国際観光は，東アジア偏重といういびつな状況にある。

以下，本節と次節を通じて，日本の国際観光の主軸をなす東アジア（中国，韓国）地域の特徴と成長著しい東南アジア（タイ，ベトナム）地域の特徴を比較することで，上記2つの課題を解決するためのヒントを検討してみたい。

国際観光の本質は，人が生活圏を離れて海外の風景や異文化に触れることにより，刺激を受け，人間の活力と成長につながるという点にある。さらにそこに，見知らぬ人と人との出会いにより，やがて信頼関係と相互理解が生まれるという点も重要である。しかし，それが偏った国々とだけの交流や，一方通行のみの理解では，本来の国際交流とはならない。観光先進国の仲間入りをめざす日本にとって，インとアウトのバランスが取れ，かつ，世界の様々な地域の国々との幅広い交流ができること，それが国際観光と国際交流の理想のあり方なのである。

中国の国際観光

世界で最も人口の多い中国は，2019年に14億3,400万人に達し，いまだ緩

表19-1　国別アウトバウンド数，インバウンド数順位

順位	アウトバウンド（日本人訪問客数）2018年		インバウンド（訪日外国人客数）2019年	
	国別	人数（千人）	国別	人数（千人）
1	アメリカ	3,439	中国	9,594
2	韓国	2,949	韓国	5,584
3	中国	2,690	台湾	4,890
4	台湾	2,168	香港	2,290
5	タイ	1,656	アメリカ	1,723
6	香港	1,288	タイ	1,318
7	シンガポール	830	オーストラリア	622
8	ベトナム	827	フィリピン	613
9	フィリピン	632	マレーシア	501
10	ドイツ	585	ベトナム	495
	アジア圏 比率	74.5%	アジア圏 比率	84%

出所：トラベルジャーナル（2021: 26, 27）および日本政府観光局（2021: 3）より筆者作成。

やかに増加している（JNTO 2020a: 36)。さらに経済発展も著しく，2019年の実質経済成長率は6.1%と非常に高い数字となっている（JNTO 2020a: 44)。中国の人たちにとって，かつて外国旅行は一部の富裕層のものであったが，経済発展に伴い，都市部の中間層にまで広まってきている。いいかえれば，中国人にとってかつて外国旅行は，一種の社会的地位を表すものであったが，経済発展に伴う所得の向上等により都市部の一般市民（約8億人）が気軽に楽しめる段階にきている（JNTO 2020a: 45)。

中国の外国旅行者数は，2014年に初めて1億人を突破し，2017年には1億4,273万人に達した（JNTO 2020a: 47)。そのなかでも中国人にとって治安面で安心な日本は，生活環境も近く，家族連れでも安心して楽しめる行先として人気があるため，香港，マカオ，台湾を除くと1位のタイ（985万人）に次ぐ2位（736万人）となっている（同上)。

中国では近年，スマートフォンの普及が加速し2015年にはすでに13億台を超え，普及率も93.2%を占めている（JNTO 2020a: 43)。そのため様々な情報をインターネット上の記事や動画共有サイトから得るなど，SNSを日常的に活用している。また，モバイル決済も広く普及し，飲食，買い物，公共サービス

などのキャッシュレス化が進んでいる（同上）。外国旅行の旅行形態は，パッケージツアー（団体旅行）が中心であったが，各国の査証の取得条件が緩和されるとともに，中国人の個人旅行需要は拡大傾向にある（JNTO 2020a: 55）。訪日旅行においても2009年に個人観光査証が導入され，その後段階的に条件緩和がおこなわれてきた。そのため2016年には個人旅行と団体旅行の比率は逆転し，今後も個人旅行化は進む（2019年62.3%）と予想される（同上）。中国人の個人観光旅行はリピーターも多く，個人のこだわりを追求する傾向が強いため，主要観光地だけでなく地方への訪問率が高まっている（同上）。

訪日中国人の特徴として，旅行消費額の多さもあげられる。2015年には「爆買い」が話題となったが，日本製品への信頼感や家族・親類へのお土産を買う習慣などもあり，2019年の訪日外国人旅行消費額全体の36.8%（1兆7,704億円）を占めている（JNTO 2021）。このように中国は，日本の国際観光にとって訪日外国人客数，旅行消費額ともに全体を牽引する重要な国であるが，一方で危うさも兼ね備えている。2012年に尖閣諸島の領有権問題が再燃した際には，日本製品の不買運動とともに訪日観光客も減少するなど，外交問題に左右されやすいため今後も注意が必要である。

韓国の国際観光

2000年代後半まで5%前後で推移していた韓国の経済成長率は，2011年以降2～3%台にとどまっている（JNTO 2020a: 6）。旅行は韓国人にとってストレスの解消や，娯楽の一般的な手段となっており，なかでも外国旅行の人気は高く，2019年には韓国の人口5,127万人の56%にあたる2,870万人が外国旅行を経験している（JNTO 2020a: 9）。訪日旅行も年々増加を続け，2016年以降は日本が最大の訪問国となり，2018年には754万人まで伸びたが，2019年一転して558万人（前年比74%）に落ち込んだ（同上）。それはこの年，いわゆる「徴用工問題」で日韓関係が急速に悪化したからである。これまでも経済情勢や自然災害，政治問題などで短期的に旅行者数に影響を及ぼすことがあり，根本的な解決には長い年月を要するであろう。

しかし，政治と文化や日本製品への好感度を分離して考え，日本の文化を楽しむ姿勢は韓国では世代を問わず共通してみられる傾向である。とくに若者たちの双方の国に対する好感度は高く，日本における韓流ブーム，韓国における日流ブームを牽引している（JNTO 2020a: 21）。

隣国である韓国の訪日旅行の特徴として，国内旅行と同じような短期間の個人旅行が多いことがあげられる。訪日韓国人の滞在日数は平均2.9泊（2019年）（JNTO 2020a: 15）で，旅行会社の団体パッケージツアーの利用は少なく，87％が個人旅行で訪日旅行を楽しんでいる（JNTO 2020a: 17）。その背景には，OTA（Online Travel Agent）やLCCの台頭による，販売経路や商品の多様化などが要因としてあげられる。

韓国の航空業界では，LCCの比率が年々増加している。2017年のLCCの旅客シェアは45％まで伸びており，とくに短距離である日本路線は，機材稼働率を高めやすくLCCの強みを活かしやすいことから，2018年には60％を超えるまでになっている（JNTO 2020a: 25）。またLCCは，従来の主要路線だけではなく，地方都市を拠点とする航空会社も増え，日韓双方の地域活性化の動きも活発になってきている。

3　東南アジアの国々と日本の国際観光

タイの国際観光

敬虔な仏教徒が9割を占めるタイは，「微笑みの国」として世界の国々から観光客が訪れる観光大国である。タイ政府の観光政策はインバウンドが中心であり，2018年タイを訪れた観光客は，3,827万人（世界第9位）に達している（UNWTO 2019: 19）。観光産業はタイにおける基幹産業のひとつである。一方，タイ人のアウトバウンドが盛んになったのは，1980年代後半からである。それまで外国旅行は一部の富裕層にかぎられていたが，経済の発展やLCCの就航などにより，近隣諸国を中心に中間層，若年層にも拡大した（JNTO 2020a: 215）。2018年タイ人の外国旅行は996万人に達し，訪問国については陸路で接しているラオス，マレーシア，ミャンマーの近隣国に次いで，日本が132万人と4位である（同上）。

2019年に実施した新聞通信調査会の「日本の好感度」調査によると，タイ人の96.5％が「好感が持てる」と回答しており，他国と比べてもタイは世界有数の親日国である。その理由として，①日本とタイは1887年に国交を樹立して以来，長年にわたり日本の皇室とタイ王室に交流があることや，②製造業を中心に商業，サービス業など1,700社以上の企業がタイ国内で企業活動をおこない，多数のタイ人を雇用し経済的に重要なパートナーとして関係を築いてきたことなどがあげられる（JNTO 2020a: 220）。

熱帯に位置し，季節の変化を感じにくいタイの人たちにとって，四季があり桜や紅葉，雪などにより景色や表情が変わる日本へのあこがれは強い。また，家電，家庭用品，食材を含め日本製品への信頼も厚く，アニメや音楽などの人気も高い（JNTO 2020a: 224）。2019年タイ人の外国旅行の形態は，団体旅行が22%，個人旅行が78%と年々個人旅行化が進んでいる（JNTO 2020a: 222）。その背景として2つの理由が指摘できる。1つ目はタイから日本への相次ぐLCCの就航により訪日旅行の低廉化が進んだことである。2つ目はタイ人の訪日旅行者をめぐる環境が年々良くなっていることである（同上）。

従来は宿泊や交通機関の利用の際，言葉の壁があり，そのため団体旅行のニーズが一定程度あったが，近年インターネットの発達によりタイ語のサイトやタイ語表記が増えたことにより，個人でも旅行できるような環境になってきている。このようなことから，初めて団体旅行で訪日した人が，リピーターとして個人旅行で訪れるようになり，リピーター率も70%と個人旅行比率とともに高まっており，今後もこの傾向が続いていくであろう（同上）。

ベトナムの国際観光

南北に1,200kmと細長い国土をもつベトナムは，北部と南部で気候，文化，習慣などに違いがある。人口は2019年に9,650万人に達し，また平均年齢は31歳と若く，2040年頃まで人口増加は続くと予測されている（JNTO 2020a: 175, 176）。ベトナムのGDPは1990年代から2000年の10年間に2倍以上に伸び，2010年以降も6～7%台の高い成長率で推移し（JNTO 2020a: 179），アジアのなかでも最も成長が期待される国である。2010年頃までのベトナム経済は，製造業の拠点というイメージが強く安価な労働力が注目されたが，経済の発展により所得も増え中間層の拡大に伴い，飲食，小売，ITなど消費市場として注目されるようになってきている（JNTO 2020a: 180）。

観光産業は外貨獲得の収入源であることから，ベトナムにおいても観光総局により長期的な観光開発計画が策定されている。2018年にベトナムを訪れた観光客は，1,540万人と大きく伸びた（UNWTO 2019: 19）。一方，ベトナム人の外国旅行者数は中間層の拡大により，2018年には1,326万人まで拡大している（JNTO 2020a: 183）。訪日旅行者数も2012年はわずか5.5万人であったが，2019年には50万人まで増加し，前年比の伸び率では諸外国を抑え1位である（JNTO 2020a: 182）。その要因としては，ベトナムからのLCCの拡大により日本行き旅行商品価格が低下したことや訪日査証の緩和措置が段階的にとられ，より行きやすくなったことがあげられる（同上）。

ベトナム人は，概して日本好きの人が多い。電通（2018）の「ジャパンブランド調査2018」では，ベトナムはタイやフィリピンと並んで世界一の親日国となっている（**表19-2**）。Asia Plus（2019）がおこなった調査でも，「行ってみたい国」の1位は日本という結果が出ており，また，習得したい言語としては英語，中国語を抜き日本語がトップとなっている。このため年々日本への留学生も急増し，2019年のベトナム人留学生は73,389人となり中国に次ぎ2位となっている。

ベトナムの訪日旅行者を目的別にみたときに，他国にはみられない特徴がある。それは留学生や技能実習生などが55％を占め，観光が35％しかないことである。アジアの他国ではフィリピンが10％，中国が6.7％，他は2～3％であり，ベトナムが突出している（JNTO 2020a: 51, 152, 185）。かれらは学生生活やアルバイトなどの社会生活を通して，日本の習慣や仕事の進め方を理解している。そのため有能な人材を観光産業に採用できれば，訪日旅行者の懸念材料である言葉の問題の解決策にもつながり，日本とベトナムの架け橋となる人材として活躍が期待される。

4 バランスのとれた国際観光へと変化するには

日本の国際観光の課題は，すでに指摘したとおり，インバウンドとアウトバウンドのバランスが取れていないこと，そして訪日国のなかで東アジア（とくに中国と韓国）の比率が非常に高いことである。日本がめざす国際観光とは，近

表19-2　日本に対する好意度ランキング

<table>
<tr><th>順位</th><th>2018年</th><th>2017年</th><th>2016年</th></tr>
<tr><td>1</td><td rowspan="4">台湾・タイ・フィリピン・ベトナム</td><td rowspan="3">タイ・フィリピン・ベトナム</td><td>タイ</td></tr>
<tr><td>2</td><td>ベトナム</td></tr>
<tr><td>3</td><td>フィリピン</td></tr>
<tr><td>4</td><td>香港</td><td rowspan="2">シンガポール・マレーシア</td></tr>
<tr><td>5</td><td>マレーシア</td><td>台湾</td></tr>
<tr><td>6</td><td>香港</td><td>マレーシア</td><td>香港</td></tr>
<tr><td>7</td><td rowspan="2">インド・シンガポール</td><td rowspan="2">インドネシア・ロシア</td><td rowspan="2">台湾・インド</td></tr>
<tr><td>8</td></tr>
<tr><td>9</td><td>インドネシア</td><td>インド</td><td rowspan="2">インドネシア・ブラジル</td></tr>
<tr><td>10</td><td>イタリア</td><td>シンガポール</td></tr>
</table>

出所：電通（2018: 5）。

隣諸国だけではなく，世界の様々な地域の国々との幅広い交流と，アウトバウンドとインバウンドのバランスが取れた双方向の交流（**ツーウェイツーリズム**）の拡大が必要である。アウトバウンドが増えることにより，日本人の国際感覚の向上が進み，異文化理解に発展することが，ひいてはインバウンドのさらなる拡大に貢献し，それが真の国際交流につながっていくのである。

つぎに，日本のアウトバウンドを推進する政策について考えてみよう。2018年の日本の出国率（出国者数／人口）は15％しかないが，隣国の韓国は52.1％，台湾は70.5％であり，他国に比べると非常に低い数字である（JNTO 2021; JNTO 2020a: 2, 9, 74, 82）。また，日本人のパスポート保有率も諸外国に比べ極端に低く，2018年の実績で約4,330万冊と全国民の35％しかない（外務省 2020: 1）。

日本人のパスポート保有率を上げるためには，若い世代（小・中・高校生）に海外経験を積ませる機会を与えることが大事である。そのためには国家の政策として，海外修学旅行や海外語学研修などを奨励し，国の補助金制度やパスポート取得費用の助成などによる国の支援が求められている。

おわりに

コロナ禍以前，日本のインバウンドは急拡大し，それに伴い訪日外国人旅行者の旅行消費額も2019年には4兆8,135億円まで拡大した。しかし，急激なインバウンドの増加は京都や鎌倉などの人気観光エリアにおいて，「**オーバーツーリズム**」という新たな問題を引き起こすこととなった。交通渋滞やゴミ問題，地域住民とのトラブルなど，デメリットが目立つようになり自然環境への悪影響も指摘されるようになった。

しかし，世界的なコロナの蔓延は，すべての人の動きをストップさせ，インバウンドへ突き進んでいた日本の国際観光を一度立ち止まって考えさせる機会となった。アフターコロナの世界では，国際観光はどのように変化するのだろうか。

近年の国際観光は，価値観の多様化やITの進展に伴いマスツーリズム（団体旅行）から個人旅行化への流れが続いていたが，アフターコロナでは「三密」の回避から，より一層個人旅行化が進むだろう。旅行の目的も個人旅行本来の，本物，独自性，希少といったキーワードに加え，安全性，清潔感，健康といったものによりスポットがあたる。

そして今後は，人で混み合う既存の観光地は避けられ，地方の観光地への関心が増していくのではないだろうか。そのなかでは地域の自然や食材に特色があり，新たなキーワードを備えた観光地が好まれるだろう。それに呼応するように，航空産業も大手航空会社による大型機材で主要拠点を結ぶ戦略から，新規参入のLCCを中心に機材の中・小型化が一層進み，地域間同士を直接結ぶ新たなデスティネーションが生まれている。このような地域間同士の新たな交流の積み重ねが，真の国際交流へとつながっていくのではないだろうか。

【北 邦弘】

参考文献

Asia Plus『ベトナム市場情報　Q&Me』，2019年，https://qandme.net/ja/report/overseas-trip-motivation-vietnamese.html，2021年3月2日アクセス。

外務省『旅券統計2019年』，2020年，https://www.mofa.go.jp/mofaj/files/100005171.pdf，2021年3月30日アクセス。

観光庁『明日の日本を支える観光ビジョン』，2016年，https://www.mlit.go.jp/common/001126598.pdf，2021年3月30日アクセス。

国際連合広報センター『世界人口推計2019年版：要旨』，2019年，https://www.unic.or.jp/news_press/features_backgrounders/33798/，2021年2月15日アクセス。

国連世界観光機関（UNWTO）『International Tourism Highlights 2017年日本語版』，2018年，https://www.e-unwto.org/doi/pdf/10.18111/9789284419296，2021年2月12日アクセス。
国連世界観光機関（UNWTO）『International Tourism Highlights 2018年日本語版』，2019年，https://unwto-ap.org/wp-content/uploads/2019/01/Tourism-HL-2018.pdf，2021年2月12日アクセス。
国連世界観光機関（UNWTO）『International Tourism Highlights 2020年日本語版』，2021年，https://www.e-unwto.org/doi/epdf/10.18111/9789284422470，2021年6月10日アクセス。
JTB総合研究所『インバウンド概論』JTB総合研究所，2016年。
津田昇『国際観光論』東洋経済新報社，1969年。
電通『ジャパンブランド調査2018』，2018年，https://www.dentsu.co.jp/news/release/pdf-cms/2018051-0427.pdf，2021年3月2日アクセス。
トラベルジャーナル『週刊トラベルジャーナル』，2021年1月25日号。
トラベルボイス／観光産業ニュース『日本人出国者数直近10年間推移』，2021年1月20日（a），https://www.travelvoice.jp/20210120-147985，2021年3月30日アクセス。
トラベルボイス／観光産業ニュース『訪日外国人直近10年間推移』，2021年1月20日（b），https://www.travelvoice.jp/20210120-147984，2021年3月30日アクセス。
日本政府観光局（JNTO）『訪日旅行データハンドブック2020』，2020年（a），https://www.jnto.go.jp/jpn/statistics/jnto_databook_2020.pdf，2021年2月18日アクセス。
日本政府観光局（JNTO）『最新観光動向』，2020年（b），https://www.mhlw.go.jp/content/11600000/000815854.pdf，2022年2月21日アクセス。
日本政府観光局（JNTO）『月別・年別統計データ（訪日外国人・出国日本人）』，2021年，https://www.jnto.go.jp/jpn/statistics/visitor_trends/index.html，2021年2月15日アクセス。
山口一美・椎野信雄編『新版 はじめての国際観光学』創成社，2018年。

文献紹介

① 山口一美・椎野信雄編『新版 はじめての国際観光学』創成社，2018年。

国際観光は人と人との交流にとどまらず，経済や異文化への理解など様々な分野に影響を与えるが，本書ではホスピタリティマネジメント，観光ビジネス，文化交流の観点から問題点を検証し国際観光の意義についてヒントを与えている。

② 公益財団法人日本交通公社『インバウンドの消費促進と地域経済活性化』ぎょうせい，2018年。

本書はインバウンド消費と地域への経済効果について，具体的な事例紹介を取り上げて，インバウンド振興の重要性を明らかにしている。

③ 寺島実郎『新・観光立国論』NHK出版，2015年。

現在の日本の経済構造と直面する課題から，その解決策として「移動と交流」をもたらす観光が重要であり，本書はその方向性を示している。

第III部
政　治

第20章 民主化・民主主義

アジアにおける民主化と民主主義の後退

“アジアの民主化と民主主義の後退をめぐる現状はどのようなものか”

過去を振り返るとアジアには独裁的な体制が多く存在しましたが，1980年代以降，多くの国・地域で民主化が進みました。現在，アジアの政治体制は民主主義的なもの，独裁的なもの，その中間的なものと多様性に富んでいます。そうしたなか近年，少なからぬ国で民主主義の後退が指摘されています。この章では，アジアの民主化と民主主義の後退に関する現状と課題を考えましょう。

キーワード 民主主義，民主化，民主主義の後退，権威主義
関連する章 第10章，第21章，第26章

はじめに

アジアは政治の変動が活発な地域である。独立後に**民主主義**の国として歩み始めた国々が間もなく相次いで独裁化し，その後，多くが民主化運動の発生や**民主化**を経験している。近年では，ミャンマーでの軍事クーデターによる民主主義の崩壊や香港やタイでの民主化を求める運動，いくつかの国における民主主義体制下での強権化などの政治的な変動が起こっている。そうしたアジアを政治体制といった観点から俯瞰すると，実に多様性に富んだ地域だといえる。日本や韓国，インドのような民主主義体制の国もあれば，中国やベトナムのような一党支配体制の国，タイやミャンマーのような軍事政権あるいは軍の政治力が強い国，ブルネイのような王政の国，北朝鮮のような全体主義の国などがある。

本章では，こうしたアジアの民主化や民主主義のあり方に焦点を当て，現状や課題を検討したい。構成は以下のとおりである。第1節では，民主主義の指標を用いてアジアの民主主義を俯瞰するとともに，民主化や民主主義を理解するための基礎知識を確認する。第2節では，アジアにおける民主化を振り返り，第3節では，昨今の**民主主義の後退**や強権化を，第4節では，強権化と一般市民の支持について検討する。

1　アジアの民主主義を俯瞰する

民主主義の指標とアジア

まずは現在のアジアの民主主義の状況を俯瞰的にみてみよう。

世界各国の政治体制を定量的に捉えるために作成された指標，いい換えれば，民主主義体制か否かや民主主義の程度を測定する指標がいくつか存在する。最も言及されることの多いのが，国際NGOのフリーダムハウスが公表する指標（フリーダムハウス指標）であろう。ここでは，フリーダムハウス指標を用いて，現在のアジアにおける民主主義の状況を概観したい。

フリーダムハウス指標は，自由で公正な選挙，政治的多元主義，政治参加，政府の機能などからなる「政治的権利」と，表現や信条の自由，結社の自由，法の支配，個人の自律などからなる「市民的自由」という2つの要素から構成される。政治的権利のスコアを最高40点，市民的自由のスコアを最高60点とし，それらの合計100点で対象国を評価する。そして，このスコアにもとづいて，対象国を「自由」(free),「部分的自由」(partly free),「非自由」(not free）のカテゴリーに分類する。スコアが高ければ民主主義の程度が高いということになり，単純化すれば,「自由」に分類される国は民主主義国,「非自由」に分類される国は独裁的な国,「部分的自由」はその中間的な国と捉えることができる。フリーダムハウスのホームページで公表されている最新の指標（2021年）では，アジアの25の国と地域の指標は**表20-1**のようになっている。なお，中東や中央アジアも「アジア」に含むことができるが，以下では，東アジア，東南アジア，南アジアを「アジア」として検討を進めたい。

2021年の最新の指標によると，アジアでは,「自由」に分類される国・地域

表20-1　アジアの国・地域のフリーダムハウス指標（2021年）

自由		部分的自由		非自由	
国・地域	スコア	国・地域	スコア	国・地域	スコア
日本	96	インド	67	タイ	30
台湾	94	ブータン	61	ミャンマー	28
モンゴル	84	インドネシア	59	ブルネイ	28
韓国	83	フィリピン	56	カンボジア	24
東ティモール	72	ネパール	56	ベトナム	19
		スリランカ	56	ラオス	13
		香港	52	中国	9
		マレーシア	51	北朝鮮	3
		シンガポール	48		
		モルディヴ	40		
		バングラデシュ	39		
		パキスタン	37		

出所：Freedom Houseウェブサイトより筆者作成。

が5,「部分的自由」が12,「非自由」が8となる。地域的にみてアジアの特徴はどのようなものであろうか。それぞれのカテゴリーに分類されている国・地域の数をパーセンテージにして他地域と比較してみると**表20-2**のようになる。

EUはほぼすべての国，中南米はおよそ6割の国が「自由」に分類されている。他方で，中東は「非自由」の国の割合が高く，アフリカは「部分的自由」と「非自由」が同程度である。こうしてみると，アジアは他地域に比べて，民主主義の国の割合が低いが，かといって独裁的な国の割合が極端に高いわけでもない。地域の特徴を見出すとすれば，アジアには民主主義と独裁の中間的，いい方を変えれば曖昧な政治体制の国・地域が割合としては多いといえそうだ。

民主化・民主主義とは

民主化や民主主義を理解するための基礎的な知識を確認しておこう。

ある国の民主化という政治変動や民主主義の実態について考える際，その国が民主主義体制か否か，といった問題設定と，その国の民主主義の程度はどの

表20-2　地域別の各カテゴリーの割合

	アジア（25）	EU（27）	中南米（33）	中東（15）	アフリカ（54）
自由	20%（5）	96%（26）	58%（19）	7%（1）	17%（9）
部分的自由	48%（12）	4%（1）	33%（11）	13%（2）	41%（22）
非自由	32%（8）	0%（0）	9%（3）	80%（12）	42%（23）

注：カッコ内は国・地域の数。
出所：Freedom House ウェブサイトより筆者作成。

ようなものか，といった問題設定ができる。前者では，独裁体制が民主主義体制へ変わることを民主化と捉える。加えて後者のように，民主主義の程度が上昇することを民主化と捉えることもできる。

独裁体制から民主主義体制へと変化することを民主化という場合，用いられる民主主義の定義は制度的・手続き的定義となる。すなわち，競争的選挙を通じて国民が指導者を選抜する制度，いい換えれば，複数政党制にもとづく自由で公正な普通選挙の存在が，民主主義体制の鍵となる。また，こうした形式的な要件に加えて，政治論争や選挙運動に必要な言論，出版，集会，結社などの自由といった市民的自由が伴っている必要がある（武田 2001: 15-17）。これらが存在せず，人々が選挙に参加できない，選挙が自由公正でない，特定の政治勢力が権力を独占する，言論の自由が制限されている，反対勢力を暴力的に弾圧する，などの特徴をもつ独裁的な政治体制については，**権威主義**体制という言葉が用いられることが多い。

そもそも民主化とは良いことなのだろうか。民主化したからといって人々の暮らしが良くなるとはかぎらない。民主化しても貧困や格差は残るし，民主主義のもとで汚職が広がる場合もある。しかし，独裁体制とは異なり，人々に政治的な自由を保障し，権力を監視し，権力者の交代を可能とする制度的な枠組みがあることは，権力者の暴走を防ぐことができると考えられている。完全な制度ではないにしても，民主主義の制度が独裁体制より好ましい統治の仕組みであると，多くの国において合意されている（川中編 2018: 2）。

2 アジアの権威主義体制と民主化

アジアでは1980年代以降，多くの国が民主化運動の発生や民主化を経験している。ここでは地域的な潮流を確認したうえで，具体的な事例をいくつかあげて民主化をみてみよう。

権威主義体制の時代

アジアでは1970年代以降に権威主義的な政治体制が増加した。1975年から84年ごろのアジアにおける政治体制を概観すると，民主主義体制といえるのは日本，インド，スリランカだけであった。その他の国・地域は程度の差こそあれ，権威主義的な政権が占める期間が長かった。これらの体制を，誰が，あるいはどのような組織が権力中枢を構成しているのかによって大まかに類型化すると，韓国，タイ，ミャンマー，パキスタン，バングラデシュは直接・間接の違いはあるが事実上の軍による支配体制，フィリピン，インドネシア，ブルネイは個人に権力が集中する個人支配体制，中国，北朝鮮，カンボジア，ラオス，モンゴル，ベトナム，ラオス，シンガポール，マレーシア，台湾は単一政党が実質的に体制を支配する一党独裁体制となる。この時期，アジアはまさに権威主義体制の時代にあったといえる。

民主化の時代

1970年代に南欧の非民主主義体制が相次いで民主化し，1980年代には民主化の動きが中南米やアジアへ，90年代には旧ソ連，東欧へと波及した。この時期に，多くのアジアの国で一般の市民による民主化運動が発生し，少なからぬ数の国が民主化した。他方で，いくつかの国では運動が挫折し権威主義体制が続いた。アジアで民主化運動が発生した国・地域は，フィリピンと台湾（1986年），韓国（1987年），ミャンマー（1988年），中国（1989年），ネパールとモンゴル（1990年），バングラデシュ（1991年），タイ（1992年），インドネシア（1998年）である。これらのなかで，中国とミャンマーでは民主化運動が挫折したが，それ以外の国・地域では民主化がおこなわれた（岩崎 2009）。

フィリピンでは1972年9月にマルコス（Ferdinand Marcos）大統領が戒厳令を布告し独裁体制を築いていたが，1980年代に入り，経済危機などを契機にマルコス政権への批判が高まっていた。1983年8月，マルコスへの批判で国民的な人気を集めていたベニグノ・アキノ（Benigno Aquino）元上院議員が亡命先のアメリカから帰国直後に暗殺された事件が国民のマルコス批判を爆発させた。民主化を求める民衆がマニラ首都圏を中心に各地でマルコス退陣要求デモを繰り広げた。1986年2月，民衆による民主化運動が高揚するなか，軍の一部の離反やカトリック教会のよびかけなどが運動をさらに加速させた。その後マルコスがアメリカへ亡命し，マルコス政権が終焉，民主化へと展開した。

韓国では1961年5月に朴正熙率いる軍が，政党政治の混乱と経済再建を口実にクーデターで権力を奪取し，以降，軍を中心とする独裁政権が続いた。1979年10月の朴正熙大統領暗殺事件を契機に，国民のあいだで民主化を求める運動が盛り上がった。しかし，1980年5月に軍は戒厳令を発令して運動の弾圧を開始し，光州市でデモに参加した学生や民衆に対する弾圧で数千人におよぶ死者を出した。その後，民主化運動は，政治的自由の回復と大統領直接選挙をスローガンに掲げて展開し，1987年には憲法改正と全大統領の退陣を要求する市民デモが高揚した。国民の強い圧力を受けた政権は，1987年6月に，大統領直接選挙，投獄中の野党政治家の釈放，言論の自由の容認などを受け入れた「6・29民主化宣言」を発表し，民主化が達成された。

ミャンマーでは1948年の独立直後から，少数民族や共産党勢力の武装蜂起により政治的混乱が続いた。そうしたなか，1962年3月に軍が秩序維持を口実にクーデターを起こして実権を握り，軍幹部が構成員となる政党を立ち上げ統治を進めた。しかし，1980年代後半になると軍の統治に対する国民の不満が爆発し民主化運動が発生した。1988年3月に首都ラングーンの学生を中心に発生したデモが，運動の指導者となるアウンサンスーチー（Aung San Suu Kyi）の参加により全国規模に拡大し，政権の退陣，複数政党制下での選挙の実施などを要求する数十万人規模のデモへと発展した。しかし，事態収拾に乗り出した軍の武力弾圧により民主化運動は挫折した。その後，選挙が実施され，アウンサンスーチーが率いる国民民主連盟が圧勝したが，軍は選挙結果を無視して居座り，2010年まで軍が主導する政権が続いた。

中国では，1949年の建国以来，中国共産党による一党支配が続いていたが，1989年に共産党の強圧的統治に対する不満が表面化し，自由化と民主化を求める学生や知識人の運動やデモが首都の北京を中心に活発化した。当初，共産党幹部の一部のあいだには民主化要求に対して理解を示す動きがあったが，運動の過激化と体制の動揺を懸念した強硬派が実権を握ると運動の抑圧へと方向転換した。そして1989年6月，天安門広場に集結したデモ参加者を軍が武力で弾圧して多数の死者を出す大惨事をまねいた。体制引き締めに転じた共産党の厳しい姿勢により，民主化運動は挫折した。

アジアで続発した民主化をめぐる動きに共通してみられたのは，権威主義体制の支配に反対して一般市民が声をあげた点である。これは上記の例に加えて，1992年のタイ，1998年のインドネシアでもみられた光景である。例外はあるが，アジアでは民主主義を求める一般市民が民主化の大きな原動力となったといえる。

3　アジアにおける民主主義の後退

近年，「民主主義の後退」が国際的な潮流として指摘されるなか，民主化が進んだアジアの国でも同様の現象が観察されている。ここでは，民主主義の後退について確認したうえで，アジアのいくつかの国の事例をみてみよう。

世界的な民主主義の後退

1980年代後半から1990年代末にかけては民主化が世界的な潮流であったが，2000年代に入ると，一転して民主主義の後退が国際的な潮流として指摘されるようになった。たとえばフリーダムハウスが毎年発行するレポート『Freedom in the World』は，近年のレポートのタイトルを「Democracy under Siege（四面楚歌の民主主義）」（2021年），「Democracy in Retreat（後退する民主主義）」（2019年），「Democracy in Crisis（危機に陥る民主主義）」（2018年）としている。

民主主義の後退とは，民主主義制度によって決定された権力の配分や政策に対し，民主主義制度にのっとらない形で変更を強いようとする行動が観察される状況である。たとえば，選挙で負けた勢力が選挙結果を受け入れず街頭行動を起こして勝者の政権を崩壊させようとする。あるいは，民主主義制度を活用しているようにみえて，国民に対して様々な制約を課したうえで，権力者が一方的に政策を決定する。権力者が司法やメディアに強い圧力をかけ，人々の政治的自由を制限したなかで統治を進める，などである（川中編 2018: 2）。

アジアでも，いくつかの国で民主主義の後退といえる状況がみられる。「民主主義の崩壊」，「民主主義体制下での強権化」，「民主主義の後退と中国」といった順でいくつか実例をみてみよう。

民主主義の崩壊

民主主義の後退現象のなかでも民主主義の制度が廃止・停止されるような事例は，民主主義体制が崩壊したと表現できる。

1992年の民主化以降，タイでは定期的な選挙の実施や選挙による複数回の政権交代など，民主主義制度の定着がみられ，民主主義の「優等生」ともいわれるようになった。しかし，2001年の選挙で成立したタクシン（Thaksin Shinawatra）政権のもとで政治的対立が激化するなか，2006年9月，軍がクーデターにより権力を奪取し民主主義体制が崩壊した。その後，選挙による政権の樹立と政権に反対する大規模デモの発生といった混乱を繰り返すなか，2014年5月に，プラユット（Prayut Chan-o-cha）陸軍司令官が率いる軍がクーデターを起こした。憲法は停止され，議会は解散，政党活動は禁止された。報道は規制され，クーデターや軍を批判する行為はすべて取り締まりの対象となり，批判した市民は軍の施設で拘束された。同年5月には軍主導の暫定政権の首相にプラユットが就任し，2019年3月に実施された総選挙の結果，7月にプラユットを首相とした軍に近い政権が発足した。

ミャンマーでは，1990年の選挙結果を無視して軍が政権に居座っていたが，軍の主導のもとで2010年に民政移管した。当初は軍事政権が横滑りしたような軍の影響力が強く残る政権であったが，2015年に実施された総選挙でアウンサンスーチー率いる国民民主連盟が勝利し政権を奪取した。長らく民主化運動の中心を担ってきたアウンサンスーチーが国家顧問となり，事実上，同国の指導者となった。2020年の総選挙でも国民民主連盟が勝利し民主主義が定着していくかにみえたが，政権と軍が対立を深め，2021年2月，軍がクーデターにより政権を奪取した。多数の国民が民主主義の回復を要求するデモに参加し「市民的不服従運動」を展開するなか，軍が国民に向け発砲し多くの死傷者を出している。

民主主義体制下での強権化

制度的には民主主義体制を維持している国において，実態として強権的・恣意的な権力行使が横行し権威主義体制の要素が目立つという現象は，民主主義体制下での強権化と表現できる。アジアでは近年，このような事例が増加している。

バングラデシュでは1975年に軍によるクーデターによって軍事政権が成立した。1991年の議会選挙で民主主義体制に復帰した後に民主制が定着し，バングラデシュ民族主義党とアワミ連盟の二大政党が政権獲得をめぐって争う状況が続いた。そうしたなか，2014年の総選挙以降，選挙で勝利したアワミ連盟による事実上の一党支配のもとで，野党勢力に対する徹底した弾圧，各地の地方選挙における不正疑惑，メディアへの圧力など言論の自由の抑圧，NGO活動への規制強化などが顕著になり，権威主義化が進行していると指摘される。また，2016年7月に首都のダカで発生したテロ事件以降，テロ組織の取り締まりを口実に野党勢力の弾圧がおこなわれているとの批判もある（湊 2018: 97-98）。

フィリピンでは1986年の民主化以降，たびたび問題を露呈しながらも民主主義体制が続いてきた。そうしたなか2016年7月に発足したドゥテルテ（Rodrigo Duterte）政権下では，民主主義の後退を思わせる強権性の増大が散見される。ドゥテルテ大統領は政権発足直後から，フィリピンに蔓延する麻薬問題への対策を強力に推進したが，それは，麻薬取引容疑者の超法規的な殺害を奨励するというものであった。2020年10月時点の累計では，5,800人を超える麻薬取引関係者が警察などによって超法規的に殺害されたと報告されている。また，大統領に批判的な個人や組織へは容赦ない攻撃を加えている。たとえば，政権に批判的な上院議員の逮捕，最高裁長官の解任，インターネットメディア代表の逮捕，大手メディアに対する免許更新の際の圧力，強硬な麻薬取り締まりを非難する人権委員会に対する予算削減による圧力などである（川中

2021)。

東南アジアではフィリピンのほかにも，タイ，マレーシア，インドネシアなどで，新しいタイプの権力基盤や統治スタイルをもった強権的な政治指導者，いわゆる「ストロングマン」が民主主義体制のもとで登場している。彼らは以前の権威主義体制の指導者とは異なり，軍部との直接的なつながりはなく，既存のエリート層出身でもないが，人権侵害を伴うほどの強権的な統治スタイルをもち，一部の指導者には汚職の噂もつきまとう（外山ほか編 2018）。

そのほか，インドでは2014年5月に，モーディー（Narendra Modi）首相率いるインド人民党政権が成立して以降，報道と言論の自由の抑圧，警察や税務当局を使った反対派の弾圧があからさまにおこなわれるようになっている。また，カンボジアでは，内戦終結後の選挙で民主化への道を歩み始めたが，フン・セン（Hun Sen）首相が率いる与党人民党による野党やメディアの弾圧により，権威主義的な傾向を強めている。カンボジアでは2018年に実施された総選挙により，与党が議会の議席を独占することになった。

これらの国では民主主義体制が崩壊したわけではなく，民主主義の制度のもとで強権化が生じている。また，民主主義の崩壊の例としてあげたタイでは，その後，軍主導による選挙が実施され軍のトップが首相に就くなど，制度的に民主主義の外観を整えている。アジアには民主主義と独裁の中間的，曖昧な政治体制の国・地域が多いと上述したが，それは制度的には民主主義だが実態に多くの疑問符がつく事例が多いことによると考えられる。

民主主義の後退と中国

共産党の一党支配下にある中国では，2012年に発足した習近平政権で，共産党の一党独裁の強化，習近平への権力の集中，社会の管理・統制の強化が進行した。胡錦涛の時代に進んだ共産党内の民主化が後退し，中央政治局常務委員の人員の評価や選出基準も習近平個人の政治思想などが重視された。2018年初頭に，従来は2期までとされていた国家主席の任期延長が可能となる憲法改正がおこなわれた。また，国家安全保障を最優先するための集権的な法制度の整備が進められ，イデオロギー面の取り締まりの強化，サイバー空間の安全管理にまでおよんだ（川島 2020）。社会の管理・統制の強化は，デジタル技術の活用によって進められる。全国に6億台あるといわれる監視カメラによる直接的な監視，大多数の外国のプラットフォーム企業のサイトやサービスへのアクセス制限，SNSサービス上での言論の監視と検閲がおこなわれている。強権的な政治体制がデジタル技術を活用して社会の関心と世論をつぶさに観測し，管理・統制を強め，監視や検閲を通じて統治をおこなう現象を「デジタル権威主義」とよぶことがあるが，中国はこの代表例と認識されている（伊藤 2020: 170-175）。

中国はこうした国際関係のみならず様々な領域で存在感を強めているが，中国の周辺国の民主主義へ与える影響も大きい。フン・セン首相のもとで強権化が進むカンボジアは，中国から多くの支援を得ている。ミャンマーで民主主義を崩壊させた軍も，軍事政権の時代から中国との関係が深い。一党独裁のラオスは，経済面で中国依存が進んでいる。軍事政権下のタイでは，インフラ整備に中国からの投資が進み，中国の存在感が増加した。フィリピンのドゥテルテ政権も前政権に比べて中国との関係を格段に強めている。欧米諸国がアジア諸国に援助や投資をするにあたって，対象国の民主主義のあり方に注文を付けることは，アジアの政治指導者の行動に対して一定の影響があった。そうしたなか，政権の強権性を不問に付して援助や投資を実施する中国の存在は，強権的な政権下にあるアジアの国の民主化や民主主義の展開に小さからぬ影響があると考えられる。

4 民主主義の後退と市民

1980年代から90年代に活発化したアジアでの民主化をめぐる動きにおいて，原動力となったのは一般市民の運動であった。そうしたことから市民社会の成長と民主化の進展が関連づけられることがある。しかし他方で，昨今の民主主義の後退では，強権化が一般市民に支持される状況が散見される。たとえば，上述した東南アジアにみられる「ストロングマン」は，民主的な選挙で勝利し政権を掌握した後，強権性を顕在化させながら，同時に市民からの高い支持を獲得している（外山ほか編 2018）。

近年のフィリピンでは，ドゥテルテ大統領の強権的な政治手法が問題視されるが，2020年9月の世論調査では，回答者の91％が大統領を支持すると答えている。強面の統治姿勢が統治能力を強化しているという印象を国民に与え，それが民主主義の機能向上と解釈され高い支持を受けている。こうした状況は本質的な統治能力の強化はそれほど進んでいないにもかかわらず，印象だけで生まれている。たとえば，ドゥテルテ政権下でも前政権後半からの汚職の拡大傾向は止まっていない（川中 2021）。

一般の市民が政治指導者の強権性を受け入れる現象は，民主主義体制以外でも観察できる。中国では，国家による社会の管理・統制の強化を国民が受け入れている。たとえば，サイバー空間を通じた個人情報の管理や統制に対して，中国社会全体が強く反発しているわけではない。いわば，自らの個人情報を差し出すことによって，むしろきわめて便利で安全な生活を手に入れることができるという，ある種の取引が成立してしまっている（川島 2020: 134）。

他方で，民主主義を求める運動を推進する主体として，一般の市民は依然として重要な存在である。ミャンマーではクーデターにより民主主義を崩壊させ政権を奪取した軍に対して，多くの国民が民主主義の回復を求めて命がけで抵抗している。タイでは学生を中心として，元軍首脳の首相の退陣や民主的選挙にもとづく体制の構築などを求めるデモが断続的におこなわれている。香港では中国政府およびその影響下にある香港政府の締め付け強化による民主主義や市民的自由の後退に対し，近年，学生や市民による反対デモが相次いで発生している。アジア各地での民主化を求める市民や学生によるデモにみられるのは，デモ参加者が他国で先行して起こったデモから手法などを学び，参考にしていることである。たとえば，現在ミャンマーでデモを組織する若者たちは，先んじて大規模なデモを展開してきた香港やタイでみられたコスプレやSNSの活用といった手法・スタイルをとり入れている。住む国は違っても，東アジアの市民が，民主化という共通の目的のもとに国境を越えてつながっているのである。

こうした市民のつながりを促進しているのが，デジタル技術の発展，とりわけSNSの普及である。SNSの普及は，政治権力者への批判や人々の政治参加を活性化させるとともに，同様の問題に直面する市民の国内および国境を越えた連帯を可能としている。しかし，デジタル技術の発展は民主化を求める市民の側にだけ利点を生み出したわけではない。上述した中国の例にみられるように，権力者が統治を円滑に進める際の道具や，情報操作あるいはフェイクニュースの拡散などによる権力維持の手段として用いられることも大いにある。いずれにしても，SNS等のデジタル技術を介した国家および政治権力者と市民の関係が，アジアの民主化と民主主義の今後の展開に大きく影響することは間違いないであろう。

おわりに

本章では，アジアの民主化と民主主義の後退をめぐる現状を概観した。アジアの政治体制の特徴として指摘できるのは，民主主義体制と権威主義体制の中間的な体制，言い方を換えれば曖昧な体制の国が多い点である。そしてそれは，民主化後に民主主義制度の下で強権化が生じている現象が関連している。民主化の推進という観点からは強権化をいかに防ぐかが課題となりそうだが，一般市民が強権化を受容している事例に鑑みると，民主化か強権化か，といった単純な問題ではないことがわかる。

本章では十分に取り上げることができなかったが，アジアの民主化や民主主義の状況を考える際，当該国と中国の関係や中国の動向を無視できない時代になったといえる。また，コロナ禍の世界を見渡すと，感染拡大防止などの対応を口実として政治指導者が強権性を強めている例が少なくない。アジアでもそうした例がみられる。

加えて，アジアの国・地域における民主化や民主主義の状況を学ぶことはアジアを知るために重要なことであるが，その学びを契機・参考にして，日本の民主主義の内実はどのようなものなのだろうかと考えてみてほしい。

【山根健至】

参考文献

伊藤亜聖『デジタル化する新興国――先進国を超えるか，監視社会の到来か』中央公論新社，2020年。
岩崎育夫『アジア政治とは何か――開発・民主化・民主主義再考』中央公論新社，2009年。

川島真「現代中国政治の『強靭性』――胡錦涛・習近平政権への視座」日本比較政治学会編『民主主義の脆弱性と権威主義の強靭性』日本比較政治学会年報第22号，2020年，123-142頁。
川中豪編『後退する民主主義，強化される権威主義――最良の政治制度とは何か』ミネルヴァ書房，2018年。
川中豪「支持される権威主義的反動――世論調査から見るフィリピン政治の現在」アジア経済研究所『IDEスクエア』，2021年，https://www.ide.go.jp/Japanese/IDEsquare/Analysis/2021/ISQ202110_001.html，2021年4月7日アクセス。
武田康裕『民主化の比較政治――東アジア諸国の体制変動過程』ミネルヴァ書房，2001年。
外山文子・日下渉・伊賀司・見市建編『21世紀東南アジアの強権政治――「ストロングマン」時代の到来』明石書店，2018年。
湊一樹「非政党選挙管理政府制度と政治対立――バングラデシュにおける民主主義の不安定性」川中豪編『後退する民主主義，強化される権威主義――最良の政治制度とは何か』ミネルヴァ書房，2018年，71-102頁。
Freedom House, https://freedomhouse.org/countries/freedom-world/scores，2021年4月16日アクセス。

文献紹介

① 岩崎育夫『アジア政治とは何か――開発・民主化・民主主義再考』中央公論新社，2009年。

アジア諸国の独裁体制と民主化について網羅的に取り上げているため，アジアにおける民主化の全体像を把握するのに有益な本である。ただし，2009年出版であるため近年の民主主義の後退などについてはカバーされていないので，他の本をあたってもらいたい。

② 外山文子・日下渉・伊賀司・見市建編『21世紀東南アジアの強権政治――「ストロングマン」時代の到来』明石書店，2018年。

民主主義体制下での強権化について東南アジアの事例を取り上げ，なぜ国民が強権的な政治指導者を支持するのかを分析している。昨今の民主主義の後退を考える際に示唆に富む知見を提供してくれる。

③ 山本圭『現代民主主義――指導者論から熟議，ポピュリズムまで』中央公論新社，2021年。

本章で扱ったようなテーマを考えると，結局のところ民主主義とはどのようなものなのか，といった問いに行き着くだろう。答えは容易ではないが，本書を通してこうした問いに関する試行錯誤の軌跡を学ぶことができる。

第21章 香港・台湾

緊張する中国との関係

“香港・台湾と中国の関係はどのような問題を抱え，どのような方向へ向かうのか”

中国にとって，香港と台湾はいずれも「屈辱の近代史」のなかで奪われた領土であり，国家統合のためには欠かせない一部であると考えられています。これに対し，近年の香港と台湾の市民社会では，中国からの統合圧力に対する反発と抵抗が強まり，自分は「香港人」あるいは「台湾人」であり，「中国人」とは異なるというアイデンティティが高まっています。このような齟齬の根底には，両者の志向する政治体制や価値の相違という問題があり，その解消は容易ではありません。この章を通して，香港・台湾と中国の関係を考えてみましょう。

キーワード 中国，香港，台湾，一国二制度，民主化
関連する章 第13章，第20章，第22章

はじめに

中国の経済発展と大国化に伴い，中国共産党が**香港**や**台湾**に対して中国への統合を求める様々な働きかけは，かつてない規模で展開されるようになった。中国は経済的な依存関係を深化させることによって，香港や台湾を政治的にも取り込もうとしてきた。ところが，香港や台湾の市民社会において，自分は「香港人」ないしは「台湾人」であり，「中国人」とは異なるという人々のアイデンティティは高まり，中国に対する自立を求める運動が盛り上がった（**図21-1**）。そのため，中国は一方的な法の執行，外交的圧力，軍事的威嚇など，より強硬な手段を用いて，香港や台湾の自立を阻もうとしている。

香港では，中国政府が規定する「**一国二制度**」が施行され，政治的な**民主化**

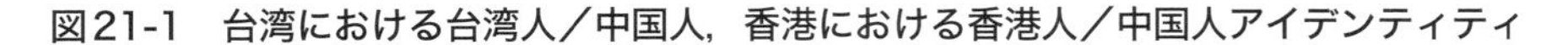
図21-1　台湾における台湾人／中国人，香港における香港人／中国人アイデンティティ

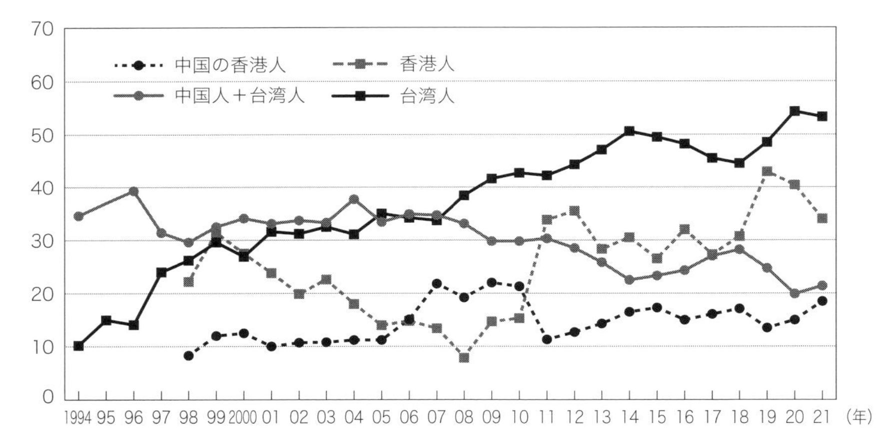

出所：台湾については，国立政治大学選挙研究センター（http://esc.nccu.edu.tw），香港については，香港大学民意研究計画（https://www.hkupop.hku.hk）および香港民意研究所（2011年以降，https://www.pori.hk）の各年６月データをもとに筆者作成。

は制限されている。それにもかかわらず，中国の影響力から人々の尊厳や自由を守ろうとする民意が社会運動を起こし，民主化要求が途絶えることはない。他方で，台湾に中国政府の統治はおよんでおらず，台湾の政治的な民主化はすでに成熟期を迎えている。そのため，中国からの自立を志向する民意は社会運動にとどまらず，中国からの自立を志向する政権を誕生させ，継続させている。このように香港・台湾と中国の距離感や，中国からの自立を志向する民意の盛り上がりがもたらした結果は異なるものの，2つの市民社会は共鳴し，連帯を強めている（福田 2019: 62-63）。

香港や台湾において高まる統合への抵抗に，習近平政権はどのように向き合おうとしているのだろうか。本章では，まず歴史的な経緯を振り返りつつ，今日の中国と香港・台湾の関係を規定している諸条件についてまとめる。つぎに，香港・台湾の統合を前進させようとする中国の影響力が，近年いかに増大し，反発を産み出してきたのかを振り返る。そして最後に，強まる中国からの統合圧力に対して，香港や台湾の市民社会はいかに抵抗し，連帯しようとしているのかを紹介したうえで，今後の中国・香港・台湾の関係について考えてみたい。

1 中国・香港・台湾の関係

中国の国家統合と香港，台湾

香港や台湾は，中国にとっては「屈辱の近代史」のなかで帝国主義諸国に「奪われた」領土であり，いまだに統合が完成していない地域である。ただし，これらの地域は歴史的にみると必ずしも歴代王朝の「中央」から重要視されていたとはいえない。香港は貧しい漁村であったし，台湾は「化外の地」とよばれたほどの僻地であった。ところが，欧米列強諸国が東アジアに進出するなかで，その地政学的重要性が脚光を浴びた。1842年にアヘン戦争に敗れた清朝は香港島を英国に割譲し，続くアロー戦争と日清戦争にて，九龍半島や新界など今日「香港」とよばれる大部分をイギリスの租借地とした。清朝はまた，日清戦争後の下関条約にて，台湾を日本に割譲した。

中国では清朝が倒れた後，列強諸国の中国進出への抵抗と並行して，近代国家への模索が続いた。日中戦争，太平洋戦争，国共内戦などを経て，1949年に中国共産党が中華人民共和国の成立を宣言した時，香港はイギリスの統治下にあった。日本は敗戦に伴い，台湾を放棄したが，台湾は国共内戦に敗れた国民党政権の最後の拠点となった。その後，1950年代から1970年代は，香港や台湾は冷戦の最前線であった。中国共産党は香港に対して「積極的に利用し，有効に管理する」という方針を採り，返還を急がず，西側諸国との窓口として利用した。他方で，共産党は「台湾解放」を掲げたが，朝鮮戦争を契機とした米国の台湾防衛および対中封じ込め政策がそれを阻んだ。

1980年代に入ると，中国共産党は香港返還と台湾の「平和統一」を実現し，香港と台湾にそれぞれ「一国二制度」を適用して国家統一を完成させることを掲げた。この背景には，1970年代に国連での中国代表権を獲得し，米国をはじめ西側諸国との外交関係を樹立した，国際環境の変化があった。経済政策を「改革開放」へと転換した中国は，台湾に対して「通商」，「通運」，「通郵」の「三通」を求め，直接的な経済交流をよびかけた。80年代初頭，鄧小平は香港返還よりも先に台湾との統一を実現することに自信をみせていたともいわれる。しかし，実際は英国との交渉で1997年の香港返還に目処が立ったのに対し，台湾を統一できる見通しは立たなかった。蔣経国は中国との交流を漸進的に開放しつつも，共産党に対する警戒心を緩めることはなく，むしろ台湾内部の政治改革をおこなうことで体制を保持しようとした（福田 2019: 64）。

香港における「一国二制度」

中国は1970年代以降，九龍半島や新界の租借期限が切れる時期を見据えて，イギリスに対して香港返還を求める意向を明確化した。そして，1984年の中英共同声明で，1997年に香港が中国へ返還されることが決まった。それから返還までの過渡期に，中国政府は一方で，香港財界を中心とするエリートに接近し，香港において「高度な自治」をおこなうための人材を獲得しようとした。他方で，英国政府は香港の民主化を開始し，限定的ではあったが区議会や立法会に普通選挙を導入した。この間，1989年に北京で天安門事件が起きたことにより，香港市民は返還後の北京との関係を憂慮するようになり，英国は返還までの香港民主化をさらに推進しようとした。しかしながら，1990年4月に中国全国人民代表大会（以下，全人代）で採択された香港特別行政区基本法（以下，基本法）にもまた，天安門事件の影響が色濃くみられた。すなわち，返還後の香港にて「ミニ憲法」の役割を果たす基本法において，行政長官の直接選挙や立法会全議席の普通選挙は「目標」にとどまり，緊急時に中央政府が香港管轄権を行使することや国家転覆活動を禁止することが明記された（倉田・張 2015: 6-7，61-63）。

結局，1997年に香港が中国に返還された時点では，行政長官を選出する選挙委員会や普通選挙枠以外の立法院議員は「職能別選挙」によって選ばれるにとどまり，香港の民主化は未完となった。香港政治を専門とする倉田徹によれば，このような体制は中国政府が一方では「実質的には香港を制御する仕組みを持ちつつ，また，香港の大陸への影響を排除しつつ，表面的には自治を尊重する開明的なイメージを内外にアピールでき」るものであったが，他方では「職能別選挙で選ばれる財界人には利益を分配し，市民には将来の民主化の期待を持たせ続けることで，彼らに中央政府の統治を受け入れさせることが必要とされ」た（倉田・倉田編 2019: 132）。

実のところ，返還後にアジア金融危機やSARS流行などに直面した香港を，中国政府は積極的に支援したし，香港において選挙制度等の民主化を継続することに関しても否定しなかった。その後，中国は世界貿易機関（WTO: World Trade Organization）への加盟を契機に経済発展を加速させ，2000年代には中国経済における香港の重要性が相対的に下がる一方で，香港経済の対中依存は急速に高まった。このような状況を背景に，香港政府は2003年，基本法に記された「国家転覆活動の禁止」を具体化するための「国家安全条例」を制定しようとしたが，市民による大規模デモが発生し，提案を取り下げざるをえなかった。この時も，中央政府は香港との経済連携緊密化取決め（CEPA）を締結し，中国人の香港への個人観光を漸次自由化するなど，香港との経済的依存関係をさらに深化させることで，統合を促そうとした（倉田・張 2015: 79-81）。

台湾に対する「一国二制度」と「一つの中国」

1980年代以降，中国と台湾の経済関係も拡大したが，共産党が当初構想したように，こうした交流が台湾との「平和統一」へと結びついたわけではなかった。台湾では，蔣経国政権期末期の政治改革のなかで，台湾出身のエリートである李登輝が副総統職に抜擢され，結党の禁止が解かれたことにより台湾本土派が民進党を結成し，1949年以来続いた戒厳令も解除された。蔣経国が死去すると，憲法の規定により臨時的に総統となった李登輝が実権を握り，議会の全面改選（1991年），台北市や高雄市など直轄市の首長直接選挙（1994年），総統直接選挙（1996年）などを実現し，台湾の政治的民主化が完成した。この間，北京での天安門事件の様子は，台湾の人々にも大きな衝撃を与えた。また，1996年の総統直接選挙にあわせて，中国は台湾周辺の海域に向けたミサイル軍事演習をおこない，「第三次台湾海峡危機」を起こした。これらの結果，中国が台湾によびかける「平和統一」は次第に説得力を失った。

返還後の香港に適用されることとなった「一国二制度」も，台湾においては一貫して不人気であった。台湾において中国に対する業務を管轄する行政院大陸委員会は，香港返還前から「中国が提起する『一国二制度』モデルによる両岸問題の解決」に関する世論調査をおこなっていた。それらの調査によれば，返還前も返還後も7割から8割の民意が「一国二制度」によって中国との問題を「解決」することに「反対」の意思を表明している。このような状況を認識してか，中国共産党も胡錦濤政権期には台湾に統一をよびかける際に，「一国二制度」を前面に出さなくなった（福田 2019: 64-65）。

とはいえ，中国政府は「一国二制度」を適用した台湾との「統一」を諦めた訳ではなく，胡錦濤政権は台湾の民意に配慮しつつ，「統一」を促すための経済交流を推進した。中国と台湾がともにWTOに加盟した2000年代以降，台湾経済の対中依存は加速し，中国との関係をいかに管理するのかが政治課題となった。中国共産党と陳水扁・民進党政権（2000～2008年）は緊張関係にあり，中台間の様々な規制は緩和されなかった。これに対して，中国共産党と台湾の国民党は接近し，2008年に台湾で馬英九・国民党政権が発足すると，中国人観光客の受け入れ拡大，中台直行便の拡充，台湾企業の対中投資規制の緩和，中国企業・資本の対台湾投資規制の緩和など，対中経済交流を促進するための規制緩和が次々と打ち出された。さらに2010年には，中台間の経済連携協定に類し，中港間のCEPAに相当する経済協力枠組み協議（ECFA）も締結された（福田 2017: 43-44）。

2 「一国二制度」に対する抵抗と連帯

香港におけるデモ

普通選挙が保証されていない香港において，デモは市民が政治に意見を反映させる主要かつ重要な手段であった。イギリス統治時代にも，香港市民は香港政庁の様々な施策や社会問題に対するキャンペーンを展開してきた。返還後の香港でも，とくに2000年代の後半から，中国との経済関係の深化が，格差の拡大，不動産価格の高騰，若者の就職難などの社会問題をもたらし，香港市民の「香港人意識」が高まった。それにもかかわらず普通選挙拡大などの民主化を進めず，香港社会への管理を強めようとする政府の姿勢が明らかになってくると，香港では市民によるデモが頻発した。とりわけ，2003年の「国家安全条例」反対デモ，2012年の「愛国主義教育」反対デモなどは，政府による新たな政策導入を阻止し，市民にとっての成功体験となった（倉田・張 2015: 100-102）。しかし，こうした香港での市民の抵抗に直面するほど，中央政府は香港での普通選挙実施に消極的になった。

2014年9月から12月にかけて，若者を中心とする香港市民は市街の主要道路3か所を占拠し，「真の普通選挙」を要求する「雨傘運動」を展開した。きっかけは，同年8月31日に全人代常務委員会が中国政府の意に沿わない民主派候補を事実上排除する行政長官選挙制度の改革案を提出したことにあった。この改革案を不服とするデモ隊が政府本庁舎周辺の道路を占拠し，以前から普通選挙を訴えて同地域で座り込みをおこなう計画を持っていた団体もこれに加わった。さらに，政府が催涙弾を使ってデモ隊の排除を試みたことにより，一般の市民もデモに加わり，占領地区も拡大した。市民の市街地占拠は79日間に及んだが，選挙制度改革に関する成果を得ることはできなかった（福田 2017: 45）。

雨傘運動後，運動に加わった若者らを中心に，小政党が結成され，香港では2049年以降の「前途問題」に関する議論が活発化した。なぜなら基本法において「一国二制度」は「50年不変」だとされる，その期限が2049年に訪れるからである。そのなかには，民主的な投票によって香港の前途を決定すべきであるとする「自決派」や，民主化よりも中国との関係を問題視し，香港の利益優先を訴える「本土派」などがあり，2016年9月の立法会選挙では民主派の躍進に加えて，「自決派」や「本土派」からも複数の当選者が出た。ところが，政府はこうした勢力からの出馬資格を一部認めなかったのみならず，当選者の議員宣誓が「中華人民共和国香港特別行政区」に忠誠を誓わなかったとして，6名の議員資格を剥奪した（倉田・倉田編 2019: 135-137）。その後もとくに「自決派」や「本土派」で，デモなどに関わってきた人物や政党に対する政府の監視や取り締まりは強化され，行動を制限されたり，選挙への立候補を認められなかったりする事例が相次いだ。また，こうした政府からの攻撃によって，市民は新勢力を積極的に支援することを敬遠し，議会においても親政府派の影響力が勝るようになった。

台湾の選挙

馬英九・国民党政権の発足以降，中国との経済関係が急速に緊密化した台湾でも，不動産の高騰や若者の就職難など，香港と共通する問題が起きた。そして，中国との関係が緊密化するほど，市民の「台湾人意識」が高まるという現象もみられた。2014年3月，台北では「ひまわり学生運動」が起きた。この運動の発端は，与党国民党が医療や金融などサービス産業の分野でECFAを具体化する「中台サービス貿易協定」を議会にて強行採決したことにあった。議場周辺で座り込み抗議をしていた学生らは，強行採決の翌日，議場に突入した。学生らによる議場占領は24日間続き，馬英九政権は学生側の要求に一部応じ，中国との協定締結を議会が監督するための条例案を提出せざるをえなかった（福田 2017: 45）。

「ひまわり学生運動」を契機に，台湾でも若者を中心とする小政党が結成された。また，同運動は馬英九・国民党政権をレイムダック化させる契機となり，最大野党であり，運動の主張と党の立場の親和性が高かった民進党に浮上の機会を与えた。2016年1月におこなわれた台湾総統・立法委員ダブル選挙においては，中国への依存からの自立を主張し，新たな政治勢力との選挙協力を模索した民進党が躍進し，同党党首の蔡英文氏が総統に当選した。民進党は結党以来独立志向の強い政党であるが，蔡英文政権は「独立」を主張して中国を刺激することには慎重であり，台湾内部の経済改革や第三国との関係を強化することによって，実態として中国から自立することを重視している。ところが，中国政府はこのような蔡英文政権を対話の相手として認めず，直接的，間接的な圧力を次第に強めた。

連帯する市民社会

台湾にて「ひまわり学生運動」，香港にて「雨傘運動」が起きた2014年頃から，台湾と香港の市民社会どうしの連帯は強まった。台湾にて「ひまわり学生運動」が起きると，香港の民主派や学生運動家は支持を表明し，香港でも応援デモをおこなった。かれらは台湾の学生が占拠する議場を相次いで視察し，香港と台湾における市民運動家の交流が始まった。「ひまわり学生運動」のなかでは，中国の影響力に屈してはならないというネガティブな意味で，「今日の香港は，明日の台湾」というスローガンが使われた。そして，約半年後，台湾の運動家たちは「雨傘運動」に参加し，香港市民とともに座り込みをおこなったり，台湾で応援デモをおこなったりした。ここでは，香港でも台湾のように民意によって現状を変えようというポジティブな意味で，「今日の台湾は，明日の香港」というスローガンがみられた。

香港における「雨傘運動」は成功したとはいえず，運動を契機に形成された政治勢力の前途も厳しいが，「今日の台湾は，明日の香港」をめざす連帯は続いた。運動を契機に誕生した香港と台湾の政党は対話を継続し，台湾では「香港の民主に関心を持つ台湾議員連盟」が結成された。このような政治勢力どうしの連帯は中国政府が最も嫌うことで，妨害にもあいやすい。しかし，香港と台湾の市民社会どうしのより緩やかなつながりは，拡大し続けている。たとえば，香港から台湾への渡航，若者の留学，人々の移住などは，近年いずれも増加傾向にあり，台湾は自由を奪われた香港の市民社会にとって，一種の「避難先」になっている（福田 2019: 71-73）。また，こうした動向をふまえて，蔡英文政権は香港市民の台湾への入境，居住および定住に関する規定を改め，香港からの人材獲得に努めている。

香港と台湾の市民社会に対して，中国は経済力を中心とした取り込み政策を継続しつつも，自らに対抗する勢力に対する直接的，間接的な圧力を強化している。香港においても，台湾においても，現実として中国経済への高度な依存状態が存在する以上，経済政策による取り込みは今日においても一定の効果を上げている。しかし，このような中国の戦略は，香港や台湾の市民社会における対中脅威認識や反発を高め，中国離れを引き起こしていることもまた事実である。

3 強まる中国からの統合圧力

香港における統治の強化

香港において，習近平政権は「一国二制度の堅持」という論理のもと，「自決」や「普通選挙」を主張する勢力への圧力を強め，「二制度」よりも「一国」の要素が強まるような制度変更を志向し，香港政府もそれに従うほかない。しかし，このような方法に対する社会の反発は強まるばかりである。2019年2月，香港政府は突如，既存の逃亡犯条例を改正し，「香港以外の中華人民共和国」への犯人引き渡しを可能とする修正を提案した。中国本土への犯人引き渡しに危機感を覚えた市民は，デモをはじめとする抗議行動を展開した。「雨傘運動」とは異なり，一連の抗議活動にリーダーは存在せず，様々な担い手が各々の手段で，広範かつ長期にわたり抗議活動を展開した（倉田・倉田編 2019: 36-39）。2019年9月に香港政府は条例改正案を完全撤回したが，市民は行政長官の完全直接選挙，警察の取締りを検証する委員会設置などを含む「五大要求」を掲げ，抗議活動を継続した。その後，香港政府は10月に緊急法と覆面禁止法を発動して，取締りを強めたが，抗議活動を収束させることはできず，そのようななかでおこなわれた区議会選挙では民主派が圧勝した。また，このような香港情勢に対する国際的な関心も高まり，米議会は「香港人権民主法案」を成立させた（倉田 2021: 319-321）。

香港政府は中央政府と香港市民の板挟みとなり，運動を強制的に鎮圧することも，市民との妥協を成立させることもできない状態が続いた。その後，2020年初から本格化した新型コロナウイルスの流行を挟み，同年5月に全人代常務委員会が香港に「国家安全を守るための法律制度と執行メカニズム」を確立する決定を取りまとめ，6月末には「香港国家安全維持法」を制定した。同法は「国家分裂」や「政権転覆」，「テロ活動」，「外国勢力との結託」などを刑事罰に問い，しかもその判断や法解釈は香港政府ではなく中央政府がもつ，従来の「一国二制度」を大きく揺るがす法制である（廣江・阿古編 2021: 132-153）。同法制定後，「雨傘革命」後に結成された政党の多くは解散に追い込まれ，著名な運動家や知識人のなかには，香港を離れる者も増えた。実際，同法制定から1年も経たないうちに，同法違反の罪で逮捕された市民は100名を超えた。とくに，2021年1月に民主活動家55名が一斉に逮捕され，そのうち47名が「政権転覆」の罪で起訴されたことは，国際社会にも大きな波紋をもたらした。

香港社会の反発や国際的な批判にもかかわらず，習近平政権は香港との経済統合を進め，「愛国者」が香港を統治する制度を整えようとしている。とくに，習近平政権にとって，香港，マカオ，中国広東省から成る一大経済圏「粤港澳大湾区（グレーターベイエリア）」構想は，中国本土の経済成長を牽引するという意味でも重要な構想の1つであり，対象地域の開発への梃入れは続く。また，2021年3月の全人代では，「愛国者による香港統治」を決定し，選挙の候補者が「愛国者」か否かを事前に審査する選挙制度の改革案が同常務委員会にて可決された。そして，同年12月の立法会選挙では多くの民主派候補者が事実上排除され，親中派が圧勝した。

台湾に対する影響力行使

台湾の統合に向けた働きかけも，香港に対する働きかけとは異なるかたちで推進されている。習近平政権は「一つの中国」の前提に立たない蔡英文・民進党政権に満足せず，次第に圧力を強めた。近年，最も目立っているのは軍事力を用いた威嚇である。習近平政権は2016年以降，台湾周辺の海空域における中国人民解放軍の軍事行動を常態化させている。また，中国の国産空母遼寧号による台湾海峡通過も複数回公表された。中国政府はこれらの軍事行動が「台湾独立」を牽制する行動だと説明しているが，近年の軍事行動には台湾の周辺海空域が中国軍の行動範囲内にあることを既成事実化し，台湾海峡の軍事的な現状を変更しようとする意図もあるようにみえる。また，国際空間においても，中国は台湾と外交関係をもつ国に外交攻勢をかけ，国際機関から台湾を容赦なく締め出している。蔡英文政権発足後，台湾が外交関係をもつ国は過去最小の15か国にまで減少し，世界保健機関（WHO: World Health Organization）や国際民間航空機関（ICAO: International Civil Aviation Organization）など，馬英九政権期に総会へのオブザーバー参加が認められていた機関から台湾は招請されなくなった（福田 2021: 1)。

このような中国の台湾に対する強硬策は，中国の対外政策全体の強硬化とも相まって，国際社会においても懸念をよんでいる。米国は，1979年の台湾との外交関係断絶後も，議会が「台湾関係法」を制定し，台湾の安全保障に密接な関わりを持ってきた。現在，米中関係自体が競争や対抗の側面を強めていることもあり，台湾周辺での中国の軍事行動を米軍も警戒し，緊張が高まっている。国際空間の問題に関しても，台湾と外交関係を持つのは中米諸国など，米国が地政学上重視している諸国が多いこともあり，米国は台湾とともに中国の外交攻勢と戦っている。また，WHO総会への参加については，米国を筆頭に，G7を中心とする先進民主主義諸国が一丸となって，台湾の参加をよびかけるようになった。香港問題と同様に，中国政府はこれらを「内政干渉」だと一蹴しており，先進民主主義諸国との齟齬は深刻化している。

香港と同様に，習近平政権は台湾に対しても様々な圧力と並行して，社会の融合を進める政策も推進している。習近平政権は2018年2月に対台湾優遇策である「恵台31項目」，2019年11月に同「26項目」，2020年に同「11項目」を打ち出し，中国で活動する個人や企業に自国民とより近い待遇を与えるとしている。また，香港における「粤港澳大湾区」のように，台湾の対岸である福建省と台湾のあいだでも「融合発展」の「模範区」を設立し，台湾海峡両岸の「共同市場」を形成することを掲げている（福田 2021: 2-4）。これらの政策により，中国とより深く関わるようになった台湾の個人や集団が，将来的に台湾の民主政治にどのような影響を及ぼすのかは，依然として不透明である。

おわりに

このように，中国にとっての香港・台湾の統合は，中港，中台の二者間，中国・香港・台湾の三者間（これを中国語圏では「両岸三地」とよぶこともある），さらには関係諸国との関係いずれにおいても，中国と相手方との価値観や政治体制の違いが問われ，解決がきわめて難しくなっているといえる。なぜなら，中国にとって価値観や政治体制の問題は，共産党一党体制の存続に関わり，安易な妥協は決してできないからである。しかし，中国共産党にとっては，香港・台湾との統合を諦めることもまた，自らが語ってきた歴史や，将来あるべき「中国」の姿を否定することとなる。そうであるからこそ，中国共産党はもてる力と手段をすべて使って，香港や台湾が「中国」から離れていくことを阻止しようとしている。

香港や台湾，そして国際社会もまた，そのような中国の力にどのように向き合い，対応するのか，厳しい選択を迫られている。

【福田 円】

参考文献

倉田徹『香港政治危機――圧力と抵抗の2010年代』東京大学出版会，2021年。
倉田徹・倉田明子編『香港危機の深層――「逃亡犯条例」改正問題と「一国二制度」のゆくえ』東京外国語大学出版会，2019年。
倉田徹・張彧暋『香港――中国と向き合う自由都市』岩波書店，2015年。
廣江倫子・阿古智子編『香港 国家安全維持法のインパクト――一国二制度における自由・

民主主義・経済活動はどう変わるか』日本評論社，2021年。
福田円「習近平政権と香港・台湾――『以商囲政』とアイデンティティーのせめぎあい」『中国年鑑2017』中国研究所，2017年，43-48頁。
福田円「台湾から見た香港――『今日の香港は，明日の台湾』か，『今日の台湾は明日の香港』か」倉田徹編『香港の過去・現在・未来――東アジアのフロンティア』明石書店，2019年，62-73頁。
福田円「習近平政権の対台湾工作――その現状と展望」『交流』No. 961，2021年，1-6頁。

文献紹介

① 久保享ほか編『現代中国の歴史――両岸三地100年の歩み 第2版』東京大学出版会，2019年。

中国近現代史のテキストのなかで，香港や台湾の近現代史も含めてバランスよく論じているものは意外と少ない。本書は，本文のなかでも紹介した「両岸三地」という視点に立って，清朝末期以降の中国・台湾・香港（マカオ）の約100年にわたる歴史を1つの流れのなかで概観することに成功している。そもそも，中国にとって台湾や香港はいかなる存在なのか，台湾や香港における近代化は中国本土といかに異なっていたのかを理解することなしに，現在これらの「三地」の間に起きている様々な問題を論じることは不可能だろう。この第2版では，初版が出版された2008年以降の情勢をふまえた増補と改訂がおこなわれ，今日の諸問題の背景をさらに理解しやすくなった。

② 倉田徹・張彧暋『香港――中国と向き合う自由都市』岩波書店，2015年。

日本における現代香港政治研究の第一人者と，香港人の日本社会研究者が，「自由」をテーマに香港市民が政治に目覚めた背景とその現状を論じた新書。前半では倉田が香港の一国二制度，自由都市としての発展，そしてその「中国化」と香港市民の抵抗など，今日の香港政治を理解するための基礎知識や背景を明解に概観している。そのうえで，後半では張が社会や文化の視点から香港における「自由」とはいかなるもので，香港の市民運動にはいかなる特徴があるのかを紹介している。この本を読んだうえで，参考文献にあげた最近の香港情勢に関する一連の文献を読めば，香港で今起きていることに対する理解がさらに深まるだろう。

③ 若林正丈『台湾の政治――中華民国台湾化の政治史 増補新装版』東京大学出版会，2021年。

世界の台湾政治研究をリードしてきた著者による，台湾政治史の決定版。著者は「中華民国台湾化」という概念を用いて，台湾における政治的民主化，アイデンティティ政治の発展，それらと台湾を取り巻く国際関係の相互作用について，時系列に沿って分析している。大著であり，やや難解かもしれないが，著者の長年にわたる同時代的な観察にも裏打ちされた論述には説得力と躍動感があり，一気に読み進めることができる。この増補新装版には，2008年に出版された版に以降の展開を論じた補論がついており，今日の台湾で人々の台湾人アイデンティティが高まり，地域政治において台湾問題が争点化している背景も理解できる。

第 22 章　軍事化

南シナ海にみる大国の角逐

"アジアにおける軍事的緊張は解消できるのか"

過去30年にわたって軍事費を増額してきた中国は，この間，軍事力の質と量の強化を進めてきました。また近年では，南シナ海に軍事拠点を建設したり，南シナ海全域の領有権を主張したりするなど，権益拡大の意思を隠そうとしません。これに対し，米国およびその同盟国は，軍事的な対応によって中国の勢力拡大をけん制しています。日本もその例外ではなく，海上自衛隊が南シナ海での訓練を増やしたり，中国に近い南西諸島の防衛力を強化するなどしてこれに対応しています。軍事的緊張が高まるアジアの今日の姿について，南シナ海問題をケースとして考えてみましょう。

キーワード 軍事化，南シナ海，武力紛争，九段線，航行の自由作戦
関連する章 第12章，第23章，第25章

はじめに

21世紀に入り，アジア諸国の軍事費の拡大が顕著になっている。まず，その様子をグラフと表で確認しておこう。**図22-1**は，2010年から19年までの主要地域別の軍事費の推移である。この間，世界全体としては7.2%増加しているが，アジア・オセアニアは51%増加している。他方，南北アメリカが13%減少し，ヨーロッパは8.8%の増加にとどまっているのと比較すると，アジア・オセアニアの増加が著しいことがわかる。

つぎに，**表22-1**は2019年の国別の軍事費と国内総生産（GDP）の順位を示したものである。1位の米国は2位から10位の合計よりも多い圧倒的な額となっているが，それでも2010年と比較すると15%の減少となっている。対照的

図22-1　地域別の軍事費の推移

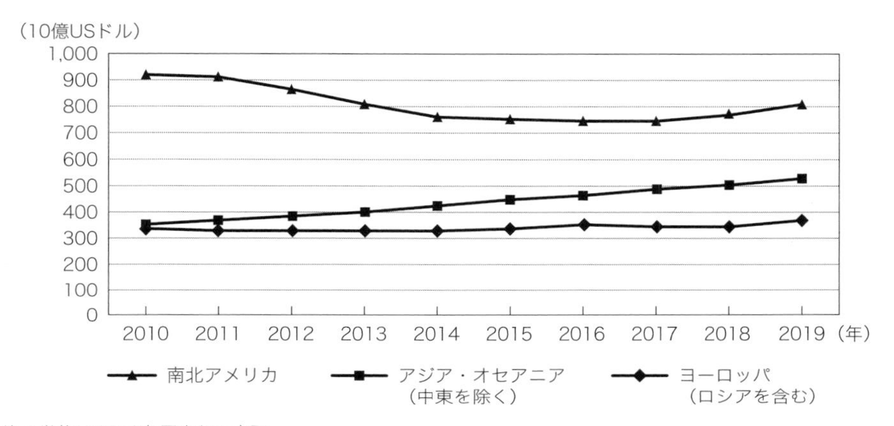

注：単位は2018年固定ドル表記。
出所：SIPRI（2020）にもとづき筆者作成。

表22-1　軍事費と国内総生産（GDP）の順位（2019年）

軍事費順位	国名	軍事費（100億ドル）	2010年からの変化（%）	〈参考〉GDP順位
1	アメリカ	73.2	-15	1
2	中国	26.1	85	2
3	インド	7.1	37	5
4	ロシア	6.5	30	11
5	サウジアラビア	6.2	14	18
6	フランス	5.0	3.5	7
7	ドイツ	4.9	15	4
8	イギリス	4.9	-15	6
9	日本	4.8	2	3
10	韓国	4.4	36	12

出所：軍事費はSIPRI（2020），GDPはWorld Bank（2019）のデータにもとづき筆者作成。

に，中国（85%）を筆頭に，インド（37%），そして韓国（36%）などのアジア諸国の軍事費の増加が著しい。**図22-1**でみたアジア・オセアニアの増加分は，こうした国々の寄与が大きいものと推測できる。もちろん，そのなかでの最大の寄与分は中国の増加額である。

とはいえ，ロシアとサウジアラビアを除けば，各国の軍事費は概ねGDPの規模と相関関係にあることがわかるだろう。その意味では，中国の「軍拡」は，中国の経済成長とも関係がありそうだ。ただし，中国は国防政策についてほとんど公表することがないため，周辺国はその目的をめぐって懸念や不安を募らせている。

本章では，今日最も**軍事化**が進行しているアジアに注目し，いま，この地域で何が起こっているのかを過去を参照しながら明らかにする。議論の順序として，第1節で軍事化の概念について簡単に説明する。第2節では，アジアの軍事化の歴史を東西冷戦の時代から振り返り，この地域の軍事化の背景について理解を深める。第3節では，軍事化が進行する**南シナ海**に注目し，米中を始めとする各国がこの海域で何を実現しようとしているのかを明らかにする。

1　軍事化とは何か

軍事化（militarization）という言葉はあまり日常的に用いることはないかもしれない。似たような言葉として軍国主義（militarism）がある。軍国主義とは軍事に関わる諸問題や価値が政治・経済・教育・文化などの諸領域において強い影響力をもち，政治・行政レベルでは軍事第一主義の思想が最優先される政治社会体制を意味する（纐纈 2001）。これに対し，軍事化とは軍事力や軍事費の増加に加え，国内・国際社会における価値配分の方法や様式として，強権や強制力に依拠する度合いが高まる傾向や過程を示す概念として説明される。また，近年では戦略的・政治的な目的を実現するために，紛争地域に軍事的資産を配備したり，軍事行動を活発化させたりする国家の活動を軍事化とよぶ傾向もある（Kuik 2016）。この定義を援用すると，本章で注目する南シナ海では，ここに関わるほぼすべての国が何らかの形で軍事化に関与していることになる。

とはいえ，アジアで生じた**武力紛争**の件数は現在よりも冷戦期のほうが多かった。次節では，第二次世界大戦以降のアジアで生じた紛争を概観するが，ここでは，①東西冷戦の構造下で生じた代理戦争，②国家間の紛争に分けて振り返る。ただし，広大なアジア全体をフォローすることはできないので，対象を東アジアから南アジアまでの地域に限定する。

2 アジアにおける軍事化の歩み

東西冷戦構造のもとで発生した軍事紛争

米国とソ連という2つの超大国を極とするいわゆる冷戦構造は，アジアにも大きな影響を与えた。米ソが直接戦火を交えることはなかったものの，その対立の図式のもとでおこなわれた戦争（代理戦争）がいくつか生じた。たとえば，朝鮮戦争（1950～53年）は，ソ連・中国が支援する北朝鮮と，米国等が支援する韓国とのあいだの戦争であった。第二次世界大戦の終戦まで日本の植民地だった朝鮮半島を，戦後は北半分をソ連が，南半分を米国が信託統治したことがきっかけとなり，やがて南北で政治体制の異なる2つの国家が誕生した。ちなみに，この戦争で米軍は，途中から参戦した中国軍と直接戦火を交えている。

同様に，1960年代に激化したベトナム戦争（1965～75年）も，ソ連や中国が支援する共産主義の北ベトナムと，米国が支援する資本主義の南ベトナムという分断国家の構図が背景にあった。1960年に北ベトナムの支援を受けて南ベトナム解放民族戦線（ベトコン）が南ベトナム国内に誕生し，政府軍とのあいだでの内戦が激化した。米国は，南ベトナムが共産化すると，やがて東南アジア一帯がドミノ倒しのように共産化するという論理（ドミノ理論）にもとづき1965年に南ベトナムに大量の地上軍を投入，南ベトナム政府軍を助けるのと同時にベトコンを支援する北ベトナムを空爆するなど，内戦に本格的に介入した。一時は60万人を超える兵力を投入した米国だったが，住民の支援を受けたベトコンおよび北ベトナム軍による抵抗と，国内外で高まる反戦運動のなか，1973年のパリ和平協定の締結によって全兵力の撤退に合意した。その後，南ベトナムが降伏し，1976年に南北が統一，ベトナム社会主義共和国が誕生した。

米国はこの戦争によって5万人を超える戦死者，巨額の戦費，世界的な威信の低下など多くのものを失ったが，当初いわれていた共産主義の「ドミノ倒し」は生じなかった。

国家間の紛争

国境線をめぐる国家間の武力紛争も，過去アジアでは多発していた。かつて英国の植民地であった英領インドは，ヒンドゥー教徒が多いインドとムスリムが多いパキスタンに分かれて独立した。この両国は独立後，三度にわたって戦争をおこなった。最初の二度（1947～49年，1965～66年）はインド北部のカシミール地方の帰属をめぐるものであり，三度目はかつて「東パキスタン」とよばれ，パキスタンの一部とされていた現在のバングラデシュの独立をめぐるものであった。

なお，カシミール地方は中国とインドとのあいだでも国境線をめぐる紛争が生じている。とくに，1959年から62年にかけて大規模な衝突が生じ，これ以降，中印関係は一定の緊張関係が続いた。また，折からの中ソ関係の悪化（後述）を受けて，ソ連が中国の敵となるインドを支援し，中国がインドの敵となるパキスタンを支援するという関係がみられた。

1949年の中華人民共和国の建国以降，同じ共産主義を標榜する中ソ両国は一定の友好関係にあったが，やがて両国の地政学的な利害の不一致やめざすべき共産主義の路線の違いなどが前景化したことで関係は悪化した。1969年には国境線をめぐってついに両国間の武力衝突が生じ，双方に戦死者が出たことで両国が全面戦争に備える状況が起こった（中ソ国境紛争）。この出来事をきっかけに，中国はソ連との対決に備えることを優先し，かつて朝鮮戦争で戦火を交えた米国との関係改善に乗り出した（米中国交正常化）。

国境をめぐる紛争ではないが，中国は1979年にベトナムとも軍事衝突を起こしている（中越紛争）。発端は，ベトナムが1979年にカンボジアに侵攻し，親中国派のポル・ポト政権を打倒したうえで，親ベトナム派のヘン・サムリン政権の樹立を果たしたことであった。また，国家統一後にベトナムがソ連との関係を強化し，ソ連からの経済援助の見返りとして南シナ海に面するカムラン湾（**図22-2**）の利用をソ連に認めたことから，中国の目と鼻の先にソ連海軍が駐留することとなった。中国の立場からすれば，ベトナムのこうした行動は，フランスからの独立戦争（第一次インドシナ紛争）やベトナム戦争時に多くの支援を与えたにもかかわらず，恩を仇で返すようなものと映った。そこで中国は，「懲罰」と称して1979年に国境線の全域でベトナム側に侵攻し，北部の複数の都

図22-2　南シナ海の地理

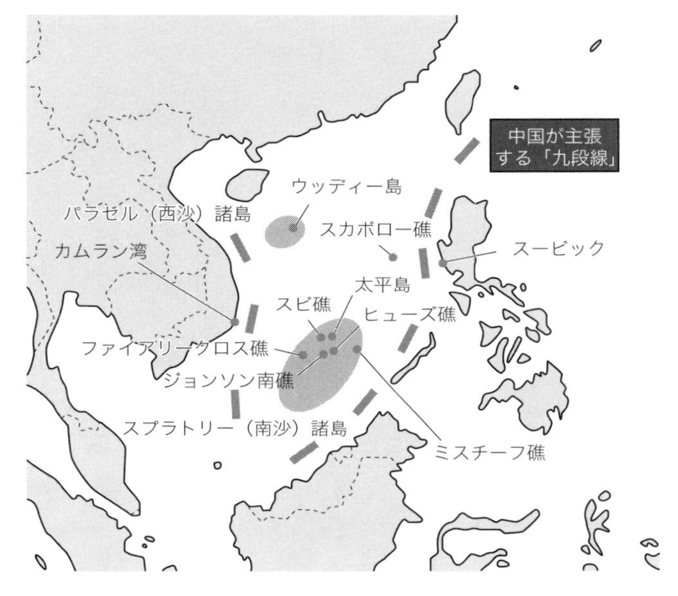

出所：筆者作成。

市を占領したが，米国との戦争を経験し，また武器も豊富であったベトナム側からの抵抗により大きな損害を受けた。やがて，中国は懲罰の成果を得られたとして撤退したが，これが軍の近代化の必要性を痛感する経験となった。

3 南シナ海の軍事化

前節でみてきたように，冷戦期のアジアは米国，ソ連，中国，そしてインドといった大国間の対立や代理戦争，そして直接的な衝突が生じた世界でも類をみない地域であった。ただ，冷戦後は中ロ間，中印間の関係改善が進み，また米国も「関与政策」にもとづいて中国との経済関係強化を進めるなど，大国間の関係は総じて穏やかなものとなった。しかし，2010年前後から南シナ海を中心に再び米国と中国の関係が先鋭化し，両国ともこの地域の軍事化を進めるに至った。本節ではこの南シナ海問題の構造と現状について議論する。

南シナ海問題の経緯

中国や東南アジア諸国に囲まれた南シナ海は，世界の海洋貿易の3分の1にあたる年間約5兆ドル規模の貨物が運ばれている。このうち1.2兆ドルが，米国向けないしは米国からの貨物である。また，世界の漁獲高の12%を占める広大な漁場でもある（ラトナー 2017）。この海域には，沿岸国が領有権を争っているパラセル（西沙）諸島およびスプラトリー（南沙）諸島が含まれる。パラセル諸島は中国とベトナムが，スプラトリー諸島は中国，ベトナム，フィリピン，マレーシア，ブルネイおよび台湾が一部，または全域の領有を主張している。

中国が南シナ海における自国の権利を明確にした数少ない公的文書として，2009年に国連事務総長に提出した口上書がある。ここでは，「中国は南シナ海の島と近接水域に対する争う余地のない主権を有しており，その関連水域と海底に主権的権利と管轄権を有する」と謳っており，同時に提出された地図には南シナ海を囲う9つの破線（段線）が引かれていた。これが「**九段線**」である。そもそも，九段線自体は，1953年の段階で中国が発表した地図に自国の権限が及ぶ範囲として記載されていたが，冷戦期に中国が九段線で囲った海域を実行支配することはなかった。この間，米国はフィリピンのスービックに建設した海軍基地をこの海域における重要な軍事拠点として活用していた。また，スプラトリー諸島で面積が最も大きい太平島は，日本の統治時代に台湾・高雄市に編入されたため，戦後一貫して台湾が部隊を駐屯させ実行支配を続けている。

南シナ海における中国の活動の変化は，パラセル諸島で始まった。1974年に中国と南ベトナムとのあいだで領有権をめぐる軍事衝突が発生し，これに勝利した中国が同諸島を領有した。スプラトリー諸島の情勢が大きく動いたのは1988年であった。ともに領有権を主張する中国とベトナムのあいだで小規模な海戦が起こり，これに勝利を収めた中国は，ジョンソン南礁，ファイアリークロス礁，ヒューズ礁，スビ礁などの岩礁や珊瑚礁を占拠した。さらに1995年にはフィリピンが領有権を主張していたミスチーフ礁を占拠し，ここに建造物を建設した。

その後，中国とASEANとのあいだで，南シナ海問題を外交交渉によって解決を図ろうとする機運が高まったことから，2002年に両者は「南シナ海行動宣言」を採択し，国連海洋法条約にもとづき，公海航行の自由の確認，問題の平和的解決，無人の島嶼に新たに兵員を配置しないことなどを確認した。この後，領有権をめぐる紛争は小康状態となる。

中国による現状変更

2008年以降，中国は再び強硬な姿勢をみせるようになり，他国の漁船や調査船の妨害をおこなうようになった。そして2012年にはフィリピンとのあいだで小競り合いを繰り返した後，2013年以降にスカボロー礁の実効支配を進めた。これを受けてフィリピンは，中国が主張する「九段線」にもとづく南シナ海の領有権は，国連海洋法条約上有効と認められるかどうかの判断を常設仲裁裁判所に委ねる請求を起こした。中国はこの仲裁裁判が無効であるとの立場から不参加を貫いたため，片方の当事国が不在のまま手続きは進み，2016年に本案の判断が下された。そこでは「九段線」の根拠として中国が主張していた「歴史的権原」が否定され，この海域の主権は認められないとの判断が示された。また，中国が占有するスカボロー礁やファイアリークロス礁などの地形は島ではなく低潮高地であって領有の対象とはなりえないこと，またいくつかの「島」も実態は「岩」であるために，領海は設定できても排他的経済水域を設定することはできないことなどが確認された。

そもそも，この仲裁裁判を無効としていた中国は，2014年以降にスプラトリー諸島の7つの地形の大規模かつ急速な埋め立てを進め，このうちファイアリークロス礁，ミスチーフ礁，スビ礁には大型の軍用機も離発着可能な滑走路が整備された。またレーダーや対空兵器の配備などもおこなわれているとみられており，スプラトリー諸島の軍事拠点化を推進している（防衛省 2020）。もちろんそれは，仲裁裁判所の判断に影響されるものではなかった。

米国の対応

南シナ海に領土主張をもたない米国は，この海域における領有権問題の当事者ではない。また，米国は原則として国家間の領土紛争についてどちらかの立場に肩入れすることはしない。では，南シナ海において米国は何を求めているのだろうか。その1つは，実力行使による現状変更の否定であり，もう1つは海洋に関する法の支配である。後者には，領土主張やそれに伴う海洋における権利主張は国連海洋法条約に則っておこなわれるべきだとする主張と，航行の自由原則が尊重され，米国の南シナ海への自由なアクセスがこれまでと同じように保障されるべきだとする主張が含まれている。

2009年に米海軍の音響測定艦「インペカブル」が南シナ海の公海上で中国船の妨害を受けた事件（インペカブル事件）が，米国の中国への懸念を深める1つの契機となった。その後，9.11テロ以降10年間にわたって中東に偏重していた米国の外交的，軍事的資源をアジア太平洋地域に振り向ける「リバランス」を2012年に発表，アジア太平洋地域が米国の戦略上最も重要な地域であることを明確にした。

さて，米国の南シナ海での主張を実現する方法の1つとして，米海軍による**航行の自由作戦**があげられる。これは，特定の国による過剰な海洋権益の主張に対して，「米国は受け入れない」とするメッセージを示すもので，1979年からおこなわれている。本来は中国だけを対象とする作戦ではなかったが，2015年以降，スプラトリー諸島内で中国が一方的に設定した「領海」内を米海軍の軍艦が航行するというケースが増えている。ただし，こうした米国の対応でも中国のスプラトリー諸島の軍事化を止めることはできなかった。

また，中国は航行の自由作戦をけん制するためしばしば海軍の艦艇を並走させたりするため，ここで両国艦艇による意図しない軍事衝突の可能性が指摘されている。世界でも有数のシーレーンである南シナ海で繰り返される米中間の「パワーゲーム」の行方に各国は注目している。

おわりに

本章では，南シナ海を中心とした近年の「アジアの軍事化」の様相を概観した。ここでは，経済力の拡大に伴って大国化した中国の権益拡大の主張と，これに対抗する米国および周辺国という構図が確認できた。とくに米国は南シナ海の一方的な軍事化に反発し，それに対する拒否の意思表示として航行の自由作戦を南シナ海で展開するが，これを嫌う中国とのあいだで，意図しない衝突の恐れが懸念されている。

この先，南シナ海をめぐる緊張関係が緩和に転じることはないのだろうか。現在までに，中国とASEANとのあいだでは，紛争防止を目的とした「行動規範」の成文化を進めることが合意されているが，日米などを含めたより広範な国々をカバーする取決めは存在しないし，現在のところ形成される機運すらみられない。そもそもアジアには欧州にあるような核兵器・通常兵器の軍備管理・軍縮の枠組みが存在しないため，この地域の軍事的緊張がどのようにコントロールされるのかは，ひとえに大国による行動の自重にかかっている。

さて，最初に掲げた本章の問いは，「アジアにおける軍事的緊張は解消できるのか」であった。もし，その主語を「私たちは」とおくならば，その答えは「きわめて困難」だと言わざるをえない。ただし，そうであっても，いかなる国も「法の支配」という国際秩序の原則を受け入れるべきだとする意思表示を，この規範を共有する国の人々とともに訴え続ける姿勢はもち続けたい。それが大国の行動に変容を迫ることを信じて。

【松村博行】

参考文献

纐纈厚「軍国主義」『日本大百科全書（ニッポニカ）』小学館，2001年，https://japanknowledge.com/，2021年6月1日アクセス。

佐島直子編『現代安全保障用語事典』信山社，2004年。

防衛省『防衛白書（令和2年版）』，2020年，https://www.mod.go.jp/j/publication/wp/，2021年6月1日アクセス。

防衛研究所『中国安全保障レポート 2018』2018年，http://www.nids.mod.go.jp/publication/chinareport/pdf/china_report_JP_web_2018_A01.pdf，2021年6月1日アクセス。

ラトナー，イーライ「中国の覇権確立を阻止するには——南シナ海とアメリカの対中抑止策」『フォーリン・アフェアーズ・リポート』No. 8, 2017, pp. 26-34.

Kuik, Cheng-Chwee, "China's 'Militarisation' in the South China Sea: Three Target Audiences," *East Asian Policy*, Vol. 8, No. 2, April 2016, pp. 15-24.

Stockholm International Peace Research Institute (SIPRI), *SIPRI Yearbook 2020: Armaments, Disarmament and International Security*, Oxford University Press, 2020.

World Bank Open Data, "GDP 2019 (current USD)," https://data.worldbank.org/indicator/NY.GDP.MKTP.CD，2021年6月1日アクセス。

文献紹介

① 阿南友亮『中国はなぜ軍拡を続けるのか』新潮社，2017年。

中国が軍事費を拡大するのはなぜか。その理由を理解する良書として本書をすすめたい。この本は中国共産党と人民解放軍の関係という国内問題の視点から軍拡の理由を説明する。

② 山本秀也『南シナ海でなにが起きているのか――米中対立とアジア・日本』岩波書店，2016年。

もし，南シナ海問題に興味をもったのであれば，まずは本書を手に取ってほしい。南シナ海における問題の背景にある歴史的経緯や中国の主張の背景についてわかりやすく簡潔に論じている。また，南シナ海における中国の立場を知りたければ，**呉士存・朱建栄編『中国と南沙諸島紛争――問題の起源，経緯と「仲裁裁定」後の展望』（花伝社，2017年）**などがある。

③ 小西誠『要塞化する琉球弧』社会批評社，2019年。

南西諸島への自衛隊配備を，「南西諸島の軍事化」という視点で批判的に分析している。遠く離れた本土に住む私たちは地図の上だけで語りがちだが，実際に新しく基地が建設される土地に住む人々の「リアル」も知っておきたい。

アジアにおける原子力技術の軍事利用と平和利用の遠景

“アジアの核兵器と原子力発電をめぐる現状と問題点は何か”

核兵器も原子力発電も，ともに核分裂連鎖反応で生じるエネルギーを用いています。すなわち，エネルギーの軍事利用が核兵器であり，平和利用が原発です。アジアには，核兵器に自国の安全保障を依存している国があります。また，原発を積極的に推進・開発している国もあります。この章では，アジアの核兵器と原発に関する現状と問題点を考えましょう。そのうえで，核兵器と原発に対する自らの立場も考えてみましょう。

キーワード 核兵器，原子力発電，核分裂連鎖反応，軍民両用技術，被爆，被曝
関連する章 第12章，第15章，第22章

はじめに

アジアでは，中国・インド・パキスタン・北朝鮮が**核兵器**を保有している。また，核兵器を保有してないものの，日本や韓国といったように，米国が提供する「核の傘」に自国の安全保障を依存している国もある。そして，アジアの**原子力発電**に目を転じれば，日本・韓国・台湾・中国・インド・パキスタン・バングラデシュが原発を推進もしくは開発している。

本章は，アジアにおける核兵器と原発の現状と問題点を述べる。そのうえで，**図23-1**を参照しながら，核兵器と原発に対する自らの立場がどれに該当するのかを考えてほしい。もし，核兵器と原発の両方に賛成であるならば，あ

図23-1　核兵器と原発をめぐる立場

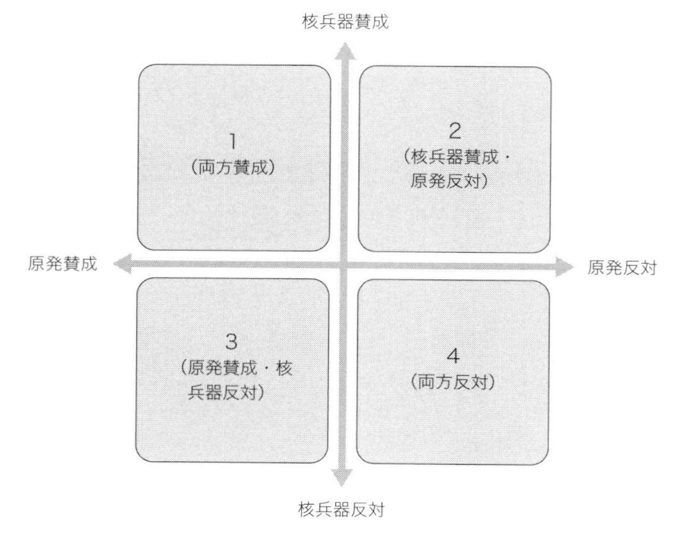

出所：筆者作成。

なたの立場は「1」となる。逆に，両方に反対だと考えるのであれば「4」の立場となる。そして，核兵器のみに賛成であるならば「2」に，原発のみに賛成なら「3」の立場となる。あなたの立場はどれだろうか。

本章の構成は以下のとおりである。まず，第1節では，核兵器と原発の関係を理解するために，原子力に関する基礎知識を確認する。第2節は，広島・長崎・福島の教訓を述べることで，核兵器と原発をめぐる問題点を示す。つづく第3節はアジアにおける核兵器の拡散について，第4節はアジアにおける原発の推進と開発について，それぞれの現状と背景を述べる。

1 核兵器と原子力発電の関係

核兵器と原発は，ともに核分裂連鎖反応で生じるエネルギーを用いている。異なるのは，そのエネルギーを軍事利用するか平和利用するかという点である。そこで，核分裂連鎖反応とは何か，また，ウランとプルトニウムの違いは何かなど，まずは原子力に関する基礎知識を簡単に確認しておこう。

核分裂連鎖反応

あらゆる物質は原子で作られている。原子は，陽子と中性子が集まった原子核と，その周りを飛んでいる電子で構成される。原子核に別の中性子を衝突もしくは吸収させると，2 ～ 3個の新たな中性子が飛び出す。これを「核分裂」といい，核分裂の際は熱エネルギーが放出される。さらに，核分裂により飛び出した中性子が別の原子核に衝突・吸収されると，また新たに2 ～ 3個の中性子が放出される。この繰り返しを「**核分裂連鎖反応**」という。

核分裂連鎖反応を起こす物質は「核分裂性物質」とよばれる。核兵器と原発で使用される核分裂性物資がウランとプルトニウムである。ウランには，核分裂しやすい「ウラン235」と，核分裂しにくい「ウラン238」がある。核分裂しやすいウラン235は，天然ウランの状態において，わずか0.7％しか存在していない。そのため，ガス拡散法や遠心分離法などの技術を用いて，ウラン235を濃縮する必要がある。

ウラン235の濃度を3 ～ 5％に高めたものが「低濃縮ウラン」，20％以上に濃縮したものが「高濃縮ウラン」とよばれる。低濃縮ウランは原発で使用され，高濃縮ウランは核兵器の原材料となる。約25キログラムのウラン235があれば，核兵器を製造することができる。なお，核兵器には，核分裂だけでなく，水素の原子核の融合，すなわち「核融合」によって生じるエネルギーを利用した「水素爆弾」もある。

プルトニウムは，ウランとは異なり，自然界に存在していない。そのため，原子炉のなかで，ウラン238に中性子を吸収させることにより，「プルトニウム239」を人工的に生成する。このプルトニウムを94％以上まで濃縮すれば，核兵器の原材料となる。約8キログラムで，プルトニウム型の核兵器を製造することができる。

プルトニウム原子炉での「使用済み燃料」のなかには，再利用できるウランやプルトニウムが残っている。そこで，化学的に「再処理」することで，ウランとプルトニウムを取り出して再利用する。これを「核燃料サイクル」という。再処理の工程で取り出したウランとプルトニウムを混合したものが「MOX燃料」である。

使用済み燃料の95％は再処理により再利用できる。残りの5％は放射能レベルの高い廃液であるため，「ガラス固化体」という状態で保管されている。これが「高レベル放射性廃棄物」，いわゆる「核のゴミ」である。

国際社会における原子力の軍事利用と平和利用

原子力技術は，いわゆる「**軍民両用技術**（Dual Use Technology）」であるため，軍事的にも平和的にも利用できる。核兵器は，核分裂連鎖反応を「瞬時に起こす」という原子力技術の軍事利用である。これに対して原発は，核分裂連鎖反応を「抑える」という平和利用である。原子力技術を軍事的もしくは平和的に利用するかどうかは，その国の政治的意思と決定に大きくかかっている。原子力技術そのものが，軍事利用と平和利用のどちらかを決定するわけではない。

国際社会は，核拡散防止条約（NPT: Nuclear Non-Proliferation Treaty，1968年署名，1970年発効）のもとで，核兵器の不拡散と原子力の平和利用に関する取り組みをおこなっている。NPTは，191か国・地域が加盟していることから（2020年1月現在），核軍縮・不拡散に関する最も普遍的な条約である。

まず，NPTによる核兵器拡散の防止からみていこう。NPTは締約国を「核兵器国」と「非核兵器国」に分類している。核兵器国とは，1967年1月1日よりも前に核兵器を製造・爆発させた国のことで（第9条3項），具体的には，米国・ソ連（ロシア）・英国・フランス・中国の5か国を指す。NPTの核兵器国には，核兵器を核兵器国以外に移譲などをしないこと（第1条），核軍縮に関する交渉を誠実におこなうこと（第6条）が義務づけられている。これに対して186か国・地域の「非核兵器国」は，NPT第2条のもとで，核兵器を受領・製造などをしないことを約束している。

つぎに，NPTが掲げる原子力平和利用の推進である。NPTの第4条は，原子力の平和利用を締約国の「奪いえない権利」とし，原子力平和利用のための設備や技術的情報などを交換する義務を定めている。しかし原子力技術は，平和利用の名のもとに軍事利用される可能性があることから，その転用を防止すべく，国際原子力機関（IAEA: International Atomic Energy Agency）の保障措置と査察による検証を受ける義務を非核兵器国は負っている（第3条）。

2 広島・長崎・福島の教訓

ここでは，広島・長崎・福島の教訓を知ることで，核兵器と原発をめぐる問題をおさえておこう。

広島・長崎の教訓——被爆の危険性

1945年8月6日の8時15分，広島にウラン型原爆の「リトルボーイ」が投下された。その3日後である9日の11時2分に，プルトニウム型原爆「ファットマン」が長崎に落とされた。これら2つの核兵器は，爆風，熱線，放射線の相乗効果により，一瞬で広島と長崎を灰燼に帰し，多くの無辜の人たちを無差別に殺害した。実際，1945年12月末時点で，広島では約14万人，長崎では約7万人が亡くなっている。

2020年3月現在，いわゆる「被爆者健康手帳」を所持している被爆者の数は13万6,682人で，その平均年齢は83.31歳となっている（厚生労働省 2020）。生き残った被爆者たちは，放射線による被害によって身体的苦痛を受けている。だが，それだけではない。被爆者たちは，トラウマなどの精神的苦痛も受けている（太田・三根・吉峯 2014）。たとえば，倒れた家屋の木材に挟まった家族や友人を見捨ててしまったのではないか，自分自身だけが生き残ってしまったのではないかという自責の念に駆られている。また，被爆者たちは，放射線の人体に対する影響がまだ解明されていなかった時代には，就職や結婚などで差別にあうという社会的苦痛にも苦しんだ。いまもなお，差別や偏見をおそれて，被爆を隠している人たちもいる。

広島・長崎への原爆投下は，核兵器が非人道的な兵器であるという点を世に知らしめた。にもかかわらず，次節で述べるように，国際社会には約1万3,400発もの核兵器がいまだに存在している。核兵器が存在するかぎり，私たちは**被爆**する危険性があるのだ。

福島の教訓——被曝の危険性

1979年のスリーマイル島事故，1986年のチョルノービリ（チェルノブイリ）事故，2011年の福島第一原子力発電所事故は，原子力の平和利用と人間の共存について，その実現可能性に疑問符をつけている。

2011年3月11日の14時46分，東日本大震災とそれに伴う福島第一原子力発電所事故が起こった。この事故により，福島だけでも，地震や津波の被災者を含めて最大16万4,865人が避難した。2020年10月現在，あれから約10年の歳月が流れたが，福島県内の避難者数は7,459人，県外への避難者数が2万9,441人，避難先不明者が13人で，計3万6,913人が避難している状況にある（福島県災害対策本部 2020: 1)。そして，事故を起こした原発の廃炉の見通しは不透明となっている。たとえば，核燃料デブリの除去作業は進んでおらず，また，「処理水」の問題も残っている（2021年4月，政府は2023年をめどに海洋放出を決定)。

また，原発事故で被曝した人たちは，いつ発症するかもしれないという恐怖におびえている。実際，自身への後年影響の可能性が「高い」および「非常に高い」と回答した割合は33.6%，子や孫といった次世代への影響については35.9%が「高い」および「非常に高い」と回答している（福島県放射線医学県民健康管理センター 2021: 1)。それだけではない。社会的な差別にあう／あうかもしれないという恐怖にも苦しむ。また，放射線量が高い地域は「帰還困難区域」として，バリケードで封鎖されたままである。自然環境への放射能汚染は，汚染地域に住む人たちの人生を狂わせるのだ。

福島の教訓，それは原発が存在するかぎりにおいて，私たちは事故や災害により**被曝**する危険性があるという点だ。また，「想定外」という名のもとで，事故の責任の所在をあいまいにしてはならないという点も重要な教訓である。

なお，事故や災害時だけでなく，「平時」においても原発は大きなリスクを抱えている。すなわち，原発から核物質が盗まれる危険性のほか，原発施設や核物質輸送船への破壊行為などの危険性もある。さらにいえば，「未来」においても原発は深刻なリスクをもたらしている。核のゴミ問題である。天然ウランと同じ放射能レベルになるまでには10万年以上かかるといわれているからだ。私たちは，現代に生きる人たちのことだけでなく，未来に生きる人たちのことも考えて，原発の問題を考えなければならないのである。

当事者としての被爆と被曝のおそれ

日本は，米国が供与する「核の傘」のもとで，軍事的安全保障を確保している。また，日本は，原発を稼動させることで，エネルギー安全保障を確保している。核兵器と原発は，私たちの日々の暮らしとつながっているのだ。そのため，直接の被爆もしくは被曝の被害者ではないからといって，核兵器と原発をめぐる問題を他人事のように考えることは間違っている。核兵器と原発をめぐる問題の当事者は，決して被爆者や被曝者だけではない。私たち自身も当事者なのである。

3 アジアにおける核兵器の現状と背景

それでは，世界に存在する核兵器の数を確認したうえで，アジアにおける核兵器拡散の状況を概観するとともに，国家が核兵器を保有する背景を簡単にみてみよう。

世界の核兵器の数

2020年1月現在，世界の核兵器（核弾頭）の総数は，約1万3,400発となっている（**表23-1**）。この数は，地球上の全人類を何度も殺戮できるという意味で，国際社会がオーバーキル（過剰殺戮）の状況にあることを示している。冷戦は終結したけれども，人類は核兵器の使用という脅威にさらされ続けているのだ。

核兵器を保有している国は，米国・ロシア・英国・フランス・中国・インド・パキスタン・イスラエル・北朝鮮の9か国である。このうち，米ロ英仏中はNPTの核兵器国である。インド・パキスタン・イスラエルはNPTに加盟していない。北朝鮮は，1993年と2003年にNPTからの脱退を表明している。核兵器を保有するのではないかとの疑いの目が向けられているイランは，NPTの締約国となっている。なお，これらの国は，当然のことながら，核兵器の製造や使用などを禁止した核兵器禁止条約（TPNW: Treaty on the Prohibition of Nuclear Weapons，2017年署名，2021年発効）に署名すらしていない。

つぎに，核兵器の総数の内訳をみてみよう。米国が5,800発，ロシア6,375発，英国215発，フランス290発，中国320発，インド150発，パキスタン160

表23-1　世界の核弾頭数（2020年1月現在）

国名	NPTの加盟状況	核実験の実施年	作戦配備の核弾頭	核弾頭の総数
米国	締約国	1945	1,750	5,800
ロシア	締約国	1949	1,570	6,375
英国	締約国	1952	120	215
フランス	締約国	1960	280	290
中国	締約国	1964	0	320
インド	非締約国	1974	0	150
パキスタン	非締約国	1998	0	160
イスラエル	非締約国	不明	0	90
北朝鮮	脱退国	2006	0	30-40
				約13,400

出所：SIPRI（2020: 326）をもとに筆者作成。

発，イスラエル90発，北朝鮮30～40発となっている。数だけみれば，米国とロシアが世界の核兵器総数の約9割を占めている。そのため，米ロ間の核軍縮条約の交渉は，核兵器のない世界の実現に向けて，きわめて重要である。なお，米ロ間の唯一の核軍縮条約として，新戦略兵器削減条約（新START）がある。これは，2010年4月に署名され，2011年2月に発効した条約で，配備する戦略核弾頭数を1,550以下に削減するといった内容を定めている（2021年2月，5年間の延長に合意）。

アジアにおける核兵器拡散の現状

アジアには，中国・インド・パキスタン・北朝鮮の核保有国が存在している。また，核兵器を保有してないものの，日本や韓国といったように，米国が提供する「核の傘」に自国の安全保障を依存している国もある。アジアの核保有国について，まずは中国からみていこう。

中国は，1950年の朝鮮戦争や1954・58年の金門島砲撃事件において，米国による核兵器使用の脅威にさらされた。にもかかわらず，同盟国であったソ連は，アジアでの米国との戦争に巻き込まれたくなかったため，中国に核の傘を差しかけることはなかった。それゆえ中国は，米国の核兵器に対抗するために，「ズボンをはかなくても原爆をもつ」という信念のもと，同兵器の開発に本格的に着手していく。その後，ソ連による技術協力の開始と停止を経ながらも，自力で核兵器を開発して，1964年10月に核実験をおこなった。いまも中国は，主として米国による核兵器の脅威を念頭に，核兵器やその運搬手段であるミサイルの戦力の向上を図っている。たとえば，戦略核兵器についていえば，大陸間弾道ミサイル（ICBM）である「DF-41」（最大射程約1万1,000km以上，10個の個別目標誘導複数弾頭［MIRV］の搭載可能）を開発している。また，戦略核戦略を強化させるために，潜水艦発射弾道ミサイル（SLBM）の「JL-3」（射程1万2,000～1万4,000km）を開発している（防衛省・自衛隊 2020: 61-62）。

中国の核武装は，インドの核武装を引き起こした。インドは，1947年の独立以降，英国やカナダの協力を得ながら，原子力の平和利用を推進していた。そのような状況のもと，1962年に中印国境紛争が起こり，インドは中国に大敗する。そして，1964年に中国が核実験を実施したことから，中国の脅威に対抗すべく，1974年5月に「平和目的核実験」をおこなった。このときのコードネームは「微笑む仏陀」であった。現在のインドは，主に中国とパキスタンによる核の脅威に対処するために，「プリトビ1」（射程約150km）に核弾頭を搭載している。また，「アグニ5」（射程5,000～8,000km）の発射実験や「アグニ6」（最大射程約1万km以上）も開発している（防衛省・自衛隊 2020: 143）。

インドの核武装は，パキスタンの核武装をもたらした。パキスタンは，カシミール地域の帰属をめぐってインドと争っている。1971年の第三次カシミール紛争では，東パキスタン（いまのバングラデシュ）を失うという敗北を喫した。また，米国の核の傘を信用することができず，加えて，インドが1974年に核実験を実施したため，「草を食べてでも核兵器をもつ」というスローガンのもと，中国の技術的援助を受けながら，核兵器の開発に乗り出していく。そして，1998年5月，インドが核実験をおこなったことから，その約2週間後にパキスタンは核実験を実施した。パキスタンは現在，インドの核兵器から自国の安全保障を確保するために，核弾頭搭載のミサイルなどの開発を進めている。たとえば，MIRV化された「アバビール」（射程約2,200km）やSLBMの「バーブル」（射程約750km）の発射実験をおこなっている（防衛省・自衛隊 2020: 144）。

このようにみてくると，**図23-2**が示しているように，アジアにおける核兵器拡散は，米国を起点に「米国に対抗する中国（①）→中国に対抗するインド

図23-2　アジアの核兵器をめぐる対立／協力の関係

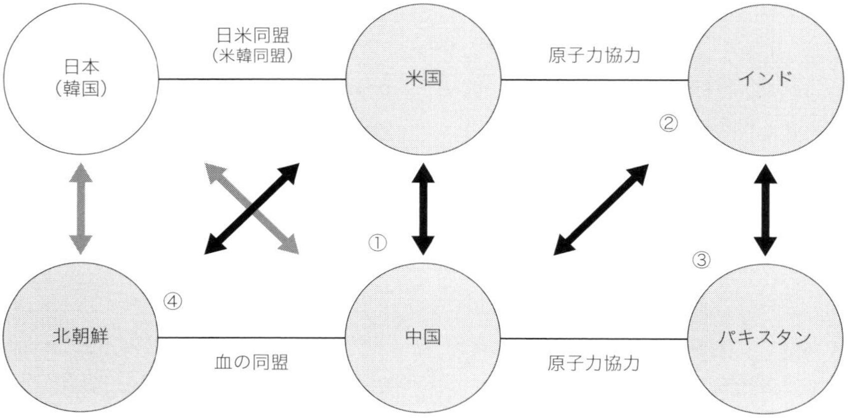

日本（韓国）
日米同盟（米韓同盟）
米国
原子力協力
インド
①
②
③
④
北朝鮮
血の同盟
中国
原子力協力
パキスタン

出所：筆者作成。

（②）→インドに対抗するパキスタン（③）」という連鎖反応で生じたことがわかる。アジアには現在，米中対立の度合い，とりわけ欧米主導型の国際秩序に挑戦する中国の行動が起点となって，核兵器拡散の連鎖反応が強まる危険性がある。なお，中国を共通の脅威とみなす米国とインドは原子力協力をおこなっている一方で，インドを共通の脅威を捉える中国とパキスタンは原子力の技術協力をおこなっている。

アジアには，米国を起点とした核兵器の拡散がもう1つある。「米国に対抗する北朝鮮（④）」である。朝鮮戦争の経験から北朝鮮は，米国に対抗するために核兵器の開発をめざしていた。実際，冷戦時代の北朝鮮は，ソ連から提供された黒鉛減速炉を用いて，平和利用を隠れ蓑に核兵器の開発をおこなっている。1991年の朝鮮半島非核化宣言，1994年の米朝枠組合意，2005年の第4回6者協議共同声明は，北朝鮮に核兵器の開発を放棄させることができなかった。このような状況のもと，北朝鮮は2006年10月に核実験を強行した。北朝鮮は現在，「ノドン」（射程1,300～1,500km），「ムスダン」（射程2,500～4,000km），「テポドン2派生型（火星15）」（射程1万km以上）などのミサイルを保有している。また，北朝鮮は，核兵器をミサイルに搭載するために，核兵器の小型化と弾頭化の開発を試みている。しかし，まだその実現には至っていないとみられている（防衛省・自衛隊 2020: 94）。

核兵器保有の背景

なぜ，国家は核兵器を保有するのだろうか。ここでは，重要な理由として，2つだけあげておこう。

1つ目は，安全保障に関する理由である。国家は，自国の安全保障を確保するために，核抑止論にもとづいて，核兵器の保有という選択肢を検討する。核抑止論とは，核兵器を使用するとの威嚇をおこなうことで，こちらが望まない攻撃を相手に思いとどまらせることができるというものである。この核兵器保有と安全保障の関係について，以下の点を考えることは大切であろう。まず，核抑止は機能するのだろうか。機能するとすれば，常に機能すると言い切れるのであろうか。つぎに，核兵器の保有という手段以外に，自国の安全保障を確保することはできるのだろうか。さらに問いかけるとすれば，安全保障環境が改善されるまで，国家は決して核兵器を放棄することはないのだろうか。

2つ目は，アイデンティティに関する理由である。国家は，核兵器を保有することで，大国意識をもつようになる。なぜなら，敵対する国や人たちを殲滅できるという強大なパワーをもっていることを，加えて，科学技術力が高い水準にあることを，周辺国や国際社会に対して示すことができるからである。この点について，たとえば，核兵器に「悪の烙印を押す（stigmatize）」ことで，大国意識というアイデンティティを揺さぶることはできるのだろうか。

4　アジアにおける原子力発電の現状と背景

つぎに，世界とアジアにおける原発の現状と背景をそれぞれ概観したうえで，原発を推進・開発する背景を簡単にみてみよう。

世界の原発の数

世界のエネルギーについて，その消費量のシェアをみてみると，石油は33.6％，石炭27.2％，天然ガス23.9％，水力6.8％，原子力4.4％，その他4.0％と

表23-3　世界における原発の現状（2020年1月現在）

順位	国	運転中		建設中		計画中		合計	
		出力	基数	出力	基数	出力	基数	出力	基数
1	米国	10,192.0	96	220.0	2	126.0	1	10,538.0	99
2	フランス	6,588.0	58	165.0	1			6,753.0	59
3	中国	4,874.2	47	1,230.5	13	3,294.0	30	9,398.7	90
4	日本	3,308.3	33	414.1	3	1,158.2	8	4,880.6	44
5	ロシア	3,024.1	33	616.7	7	1,577.8	14	5,218.6	54
6	韓国	2,341.6	24	560.0	4			2,901.6	28
7	カナダ	1,451.2	19					1,451.2	19
8	ウクライナ	1,381.8	15	200.0	2			1,581.8	17
9	英国	1,036.2	15	344.0	2			1,380.2	17
10	ドイツ	854.5	6					854.5	6

注：単位は万kW，出力はグロス電気出力。
出所：日本原子力産業協会（2020: 8）をもとに筆者作成。

表23-4　地域別でみた原発の現状（2020年1月現在）

順位	地域	運転中		建設中		計画中		合計	
		出力	基数	出力	基数	出力	基数	出力	基数
1	欧州	12,521.0	128	744.4	7	770.4	6	14,035.8	141
2	アジア	11,750.7	135	3,194.6	31	5,242.2	45	20,187.5	211
3	北米	11,643.2	115	220.0	2	126.0	1	11,989.2	118
4	CIS	4,446.7	49	1,055.5	11	1,817.8	17	7,320.0	77
5	中南米	536.8	7	140.5	1	100.0	1	777.3	9
6	アフリカ	194.0	2	0.0	0	480.0	4	674.0	6
7	中東	100.0	1	785.7	6	952.2	9	1,837.9	16
	計	41,192.4	437	6,312.7	59	9,316.6	82	56,821.7	578

注：単位は万kW，出力はグロス電気出力。
出所：日本原子力産業協会（2020: 9）をもとに筆者作成。

なっている（経済産業省資源エネルギー庁 2020: 169)。原子力は1割にも満たない。しかしながら，建設中の原子炉が59基，計画中の原子炉が82基あることから（日本原子力産業協会 2020: 8)，原発が占めるエネルギー消費量のシェアは高まっていくものと予想される。

2020年1月現在，世界のなかで原発の推進・開発に携わっている国・地域は39ある。運転中の原子炉は437基で，その合計出力は約4億1,200万kWとなっている。これに，建設中の原子炉と計画中の原子炉を加えれば合計578基となり，その合計出力は約5億6,800万kWとなる（日本原子力産業協会 2020: 8）。

ここでは，運転中の原子炉による出力に着目して，その上位10か国の推進・開発状況をみてみよう（**表23-3**）。順位は上から，米国・フランス・中国・日本・ロシア・韓国・カナダ・ウクライナ・英国・ドイツとなっている。米国は，運転中の原子炉の数と出力という点で，圧倒的な位置にある。だが，**表23-3**が示しているように，建設中と計画中の原子炉の数と出力を含めれば，中国は実質2位であり，米国の数字にかなり近づいていることがわかる。

つぎに，地域別に原発の推進・開発状況をみてみよう。上位3位は，欧州・アジア・北米の地域となっている。この上位3つの地域は，運転中の原子炉で出力されている世界の電気のうち，8割以上を占めている。また，**表23-4**が示しているように，運転中・建設中・計画中の原子炉の数と出力に着目すれば，アジア地域が実質1位となっている。

アジアにおける原発の推進・開発の現状

アジアにおける原発の推進・開発の現状はどうだろうか。運転中の原子炉という点で，出力が大きい国・地域の順番は，中国・日本・韓国・インド・台湾・パキスタン・バングラデシュとなっている（**表23-5**を参照）。中国・日本・韓国だけで，アジアにおける出力の7割以上を占めている。東アジアは，アジアにおける「原発銀座」ともいうべき状況になっている。

インドは，運転中の原子炉による世界出力トップ10に入っておらず，13位となっている。しかし，建設中と計画中の原子炉の数と出力を含めれば，インドは実質世界7位となる。なお，インドネシアは100万kWの原子炉を4基計画していたが，断念している。

2018年度における各国の総発電電力量に占める原発の比率は，韓国が22.3%，台湾10.2%，日本4.6%，中国4.2%，インド約2.3%の順番で大きくなっている（内閣府原子力委員会 2020: 139）。日本の比率が低いのは，2011年の福島第一原子力発電所事故の影響によるものである。事故前の2010年度の比率は

表23-5　アジアにおける原発の現状（2020年1月現在）

順位	国・地域	運転中		建設中		計画中		合計	
		出力	基数	出力	基数	出力	基数	出力	基数
1	中国	4,874.2	47	1,230.5	13	3,294.0	30	9,398.7	90
2	日本	3,308.3	33	414.1	3	1,158.2	8	4,880.6	44
3	韓国	2,341.6	24	560.0	4			2,901.6	28
4	インド	678.0	22	530.0	7	680.0	6	1,888.0	35
5	台湾	401.9	4					401.9	4
6	パキスタン	146.7	5	220.0	2	110.0	1	476.7	8
7	バングラデシュ			240.0	2			240.0	2
計		11,750.7	135	3,194.6	31	5,242.2	45	20,187.5	211

注：単位は万kW，出力はグロス電気出力。
出所：日本原子力産業協会（2020: 9）をもとに筆者作成。

28.6％であった（内閣府原子力委員会編 2017: 152）。

このようなアジアの原発をめぐる現状について，少なくとも以下の3点をおさえておきたい。まず，アジアで原発の推進・開発国の数が増加傾向にあるということ，それは，完全に安全な原発が存在しないかぎりにおいて，原発事故の危険性が高まっていくことを意味する。また，原子力技術は軍民両用技術である以上，原発の推進・開発国の増加は，核兵器を保有する国が増加する危険性が伴っていることも意味する。

つぎに，アジアにおける原発の開発は，建設中と計画中の原子炉の数と出力という点を踏まえれば，中国とインドが牽引しているという点である。これは，両国の経済成長率とそれに伴う電力需要の伸びと関連している。

最後に，中国は，広域圏経済構想である「一帯一路」の重点施策として，原発の輸出を積極的に試みているという点である。実際，パキスタンやアルゼンチンなどへ原発を輸出している状況にある（日本原子力産業協会 2020: 21）。

原発の推進・開発の背景

なぜ，国家は原発を推進・開発するのだろうか。ここでは，重要な理由を2つだけあげておこう。

1つ目は，エネルギー安全保障に関する理由である。アジアでは経済成長に伴って電力需要が伸びている。中国やインドといった新興国は，エネルギー安全保障を確保するために，原発に熱い眼差しを向けている。他方で，エネルギー安全保障の手段として，風力，太陽光，バイオマス，地熱，水力，海洋などの再生可能なエネルギーにも大きな期待がかけられている。はたして，再生可能なエネルギーの開発は，原発を不要とするまでに，電力需要を満たすことができるのだろうか。

2つ目は，温暖化対策に関する理由である。原発は，発電時に二酸化炭素を排出しない「非炭素電源」として，温室効果ガス排出抑制に貢献すると期待されている。日本では，菅義偉政権が脱炭素化社会をめざす「グリーン成長戦略」において，新型原発「小型モジュール炉（SMR）」の開発を盛り込んだ。この地球温暖化対策に貢献するとされる原発は，安全性に対する人々の不安や不信を払しょくすることができるのだろうか。

経済成長を遂げる新興国は，エネルギー安全保障および地球温暖化の対策として，原発に大きな期待をかけている。この「原子力ルネサンス」は，2011年の福島第一原子力発電所事故にもかかわらず，その熱気はまだ失われていない。アジアは，原子力ルネサンスをどのように受け止め，どのように対応していけばいいのだろうか。

おわりに

本章では，アジアの核兵器と原発をめぐる現状と問題点を概観した。あらためて冒頭の**図23-1**をみて，あなたはどの立場にあるのだろうか。また，もしあなたの立場が「4」であれば，軍事的安全保障とエネルギー安全保障を確保するために，どうすればよいのだろうか。そして，もしも「4」以外の立場であるならば，どのようにして，被爆／被曝する可能性を避けることができるのだろうか。

アジアにおける原子力技術の軍事利用と平和利用をめぐる問題を考える際，その遠景には中国の影響力が大きくみえる。アジア地域は，中国の好戦的な外交，いわゆる「戦狼外交」が起点となって，核兵器拡散の連鎖反応が強まる危険性がある。また，中国の原発輸出という原子力外交が起点となって，原発事故の危険性はもちろん，核兵器拡散の危険性が高まる可能性もある。中国の行動は，アジアの核兵器と原発をめぐる現状と問題点を大きく変えるかもしれないのだ。

アジア地域の被爆／被曝を避けるために，日本やアジアは一体どうすればよいのだろうか。核兵器が使用されるまで，もしくは，原発事故が起こるまで，核兵器や原発のことを意識していなかったし，何も知らなかったというのは，問題であろう。広島・長崎・福島での被爆と被曝を経験した日本に住んでいるからこそ，しっかりと考えていこう。

【佐藤史郎】

参考文献

太田保之・三根真理子・吉峯悦子『原子野のトラウマ――被爆者調査再検証 こころの傷をみつめて』長崎新聞社，2014年。

経済産業省資源エネルギー庁『エネルギー白書2020』，2020年，https://www.enecho.meti.go.jp/about/whitepaper/2020pdf/，2020年12月19日アクセス。

厚生労働省「被爆者数・平均年齢」，https://www.mhlw.go.jp/stf/newpage_13411.html，2020年11月28日アクセス。

内閣府原子力委員会編『原子力白書（平成28年版）』，2017年，http://www.aec.go.jp/jicst/NC/about/hakusho/hakusho2016/zentai.pdf，2020年12月21日アクセス。

内閣府原子力委員会『原子力白書（令和元年度版）』，2020年，http://www.aec.go.jp/jicst/NC/about/hakusho/hakusho2020/zentai.pdf，2020年12月21日アクセス。

日本原子力産業協会『世界の原子力発電開発の動向 2020年版』，2020年。

福島県災害対策本部「平成23年東北地方太平洋沖地震による被害状況即報（第1770報）」，2020年，https://www.pref.fukushima.lg.jp/uploaded/life/519332_1380340_misc.pdf，2020年11月28日アクセス。

福島県放射線医学県民健康管理センター「県民健康調査『こころの健康度・生活習慣に関する調査』について（案）」，2021年，https://www.pref.fukushima.lg.jp/uploaded/attachment/422932.pdf，2021年3月8日アクセス。

防衛省・自衛隊『令和2年版防衛白書』，2020年，https://www.mod.go.jp/j/publication/wp/wp2020/pdf/index.html，2020年11月28日アクセス。

Stockholm International Peace Research Institute (SIPRI), *SIPRI Yearbook 2020: Armaments, Disarmament and International Security,* Oxford University Press, 2020.

文献紹介

① 鈴木達治郎『核兵器と原発――日本が抱える「核」のジレンマ』講談社，2017年。

まずは，本書を通じて，核兵器と原発の関係を考えてみよう。また，**今井照／自治総研**

編『原発事故 自治体からの証言』（筑摩書房，2021 年）と**アジア・パシフィック・イニシアティブ『福島原発事故10年検証委員会 民間事故調最終報告書』（ディスカヴァー・トゥエンティワン，2021 年）**を読んで，福島原発事故の実態と教訓とは何かを考えてみよう。

② 日本原子力産業協会『世界の原子力発電開発の動向 2020年版』，2020年。

本書は，アジアにおける原発開発の現状を知るうえで，貴重な情報を提供してくれる。アジアの核兵器をはじめとする安全保障の問題を知るためには，**西原正監修，平和・安全保障研究所編『年報アジアの安全保障2018-2019』（朝雲新聞社，2018年）**が便利である。

③ 日本平和学会編『戦争と平和を考えるNHKドキュメンタリー』法律文化社, 2020年。

ドキュメンタリー番組を観ることで，被爆と被曝の非人道性を考えることもできる。本書の「第Ⅴ部 原爆と人間――ヒロシマ・ナガサキの人類史的意味」と「第Ⅵ部 ヒロシマ・ナガサキからチェルノブイリ・フクシマへ」は，核兵器と原発に関する19本のNHKドキュメンタリー番組を紹介するとともに，専門家による解説を付している。

第24章 平和構築

アジアの紛争と平和への取り組み

“内戦終結に至ったアジア地域の平和はどのように実現されたのだろうか”

アジアは多くの紛争を経験してきました。第二次世界大戦では，東南アジアから北東アジアの広い地域が戦場になり，その後多くの国が植民地独立戦争を経験しました。冷戦期は，ベトナム戦争など東西陣営の対立を反映した国家間紛争が起こりました。また同時に，少数派が分離独立を求める内戦が多くの国で発生しました。この章では，アジアに特徴的な分離独立紛争はどのようなもので，内戦終結後の和平がどのように実現されたのかを紹介します。アジアにおける平和構築の課題を考えてみましょう。

キーワード 分離独立，サブナショナル紛争，スリランカ，東ティモール，アチェ，ミンダナオ

関連する章 第7章，第9章，第20章

はじめに

二度の世界大戦を教訓に締結された国際連合憲章は，戦争を違法とした。しかし，世界から戦火が絶えることはなく，冷戦後はむしろ武力紛争が増加している。スウェーデンにあるウプサラ大学の紛争データプログラム（UCDP: Uppsala Conflict Data Program）によれば，近年起こる紛争のほとんどが，内戦と他国や外部の武装組織など国外からの介入のある国際化した内戦で占められているという。ここでいう「紛争」とは，戦闘に伴う1年間の犠牲者数が25人以上のもので，かつ紛争当事者の少なくとも一方が国家であるものを指す。第二次世界大戦のような国家間の大規模戦争はきわめて少なくなっている。

読者のなかには，武力紛争はアフリカや中東で起こっているイメージをもつ人がいるかもしれないが，2015年ごろまではアジアはアフリカ以上に紛争の多い地域であった。本章では，アジアの紛争の特徴を概説し，平和構築の取り組みを紹介する。本章の構成は以下のとおりである。まず，第1節は，アジアにおける紛争の傾向とその背景を述べる。第2節では，国連を中心とする平和構築活動の概要と課題を確認する。第3節で，紛争終結・平和構築の事例を紹介しながら，アジアにおける平和構築の課題を論じる。最後に，現在進行中のアジアの紛争に対し，先行する平和構築の取り組みからどのような含意が導き出されるか考えてみたい。

1　アジアにおける紛争

UCDPが武力紛争のデータを取り始めた1970年代は，内戦の増加と同時に植民地独立紛争が終結した時期でもあった。UCDPは，紛争を紛争当事者の少なくとも一方が国家であるもので，その対抗相手にもとづき4つ――国家間紛争（interstate wars），内戦（civil wars），国際的な内戦（internationalized civil wars），植民地紛争（colonial wars）――に分類して集計している。以下では，グローバルな紛争や暴力の傾向と比較して，アジアにおける紛争の傾向や特徴がどのようなものか概観する。

アジアにおける紛争の傾向と特徴

図24-1は，1946年から2019年までのアジアで発生した戦闘による死者数と紛争形態の変化を示している。アジアにおいても国家間紛争の発生は稀であり，たとえば，2019年に起こった国家間紛争は，カシミール領有権を争うインドとパキスタン間の紛争のみであった。また1962年を最後に植民地紛争は記録されていない。その一方，内戦は，1990年に最多の19件が発生した。2014年以降はそれまで少なかった国際化された内戦が増加している。

図24-1の折れ線は戦闘による死者数を示している。朝鮮戦争など多くの紛争があった1950年は，最多の54万6,211人が犠牲となった。その後，ベトナム戦争とカンボジア内戦によって2つ目のピークに達した1972年を境に死者

図24-1　アジアで発生した戦闘による死者数と紛争形態の変化

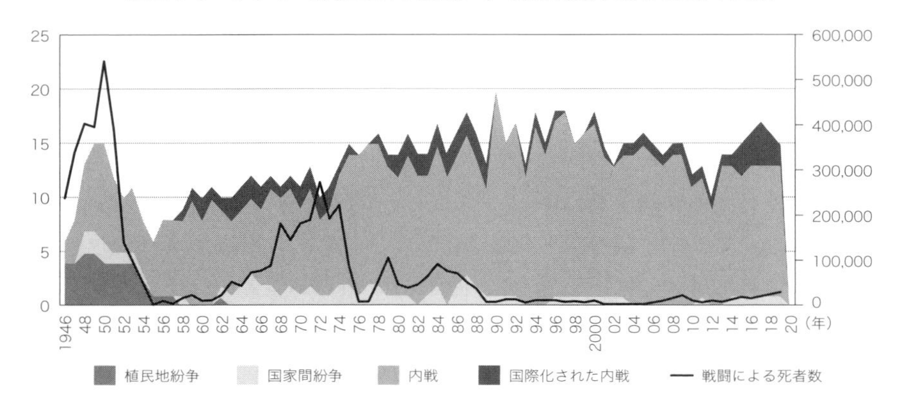

出所：*Conflict Trends in Asia, 1989-2019*をもとに筆者作成。

数は減少に転じたが，1979年の中越戦争，ベトナムのカンボジア侵攻などによって再び増加した。その後，紛争による死者数は，冷戦崩壊と軌を一にするように減少した。2016年以降，アフガニスタンでは若干増加したが，東南アジアと北東アジアにかぎれば，戦闘に伴う死者数は他地域に比べると低いレベルで維持されている。

冷戦後に特徴的な「新しい戦争」とよばれる内戦では，民族や宗教などアイデンティティを掲げて戦われるため，合理的な抑止が効かず，市民に対して凄惨な暴力が振るわれることが多い。アジアにおいても，政府，反政府勢力双方からの一方的な攻撃によって市民が犠牲になっているが，他地域と比較するとそれほど多くはない。政府側による暴力としては，2017年のミャンマー軍による少数派ムスリム（イスラーム教徒）のロヒンギャの虐殺があげられる。また，テロ組織などの非国家主体による市民への一方的暴力は，アフガン戦争の勃発後，タリバンやアルカイダ，いわゆる「イスラーム国」の活動によって増加したが，2015年以降は減少傾向にある。

以上をふまえると，アフガニスタンを除き，アジアでは，犠牲者数の比較的少ない内戦が数多く発生しているといえるだろう。では内戦の要因は何であろうか。**図24-2**と**図24-3**は，アジアとアフリカそれぞれの内戦の争点を統治（governmental）と領域（territory），混合（mix）の3点に分類して集計したもので

図24-2　アジアの内戦の争点

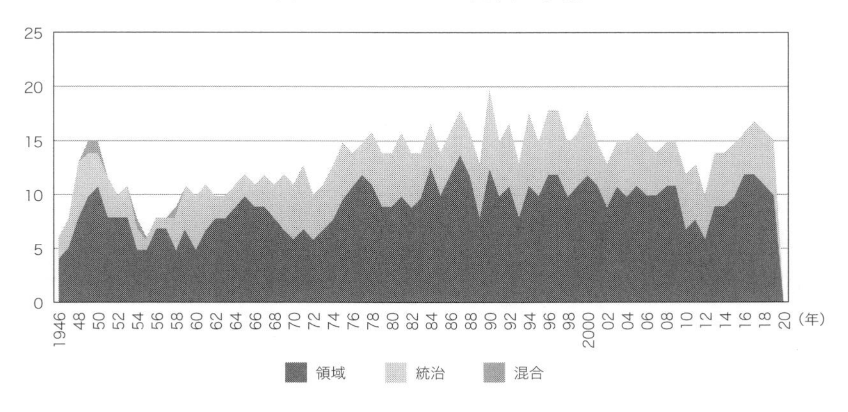

出所：*Conflict Trends in Asia, 1989-2019* をもとに筆者作成。

図24-3　アフリカの内戦の争点

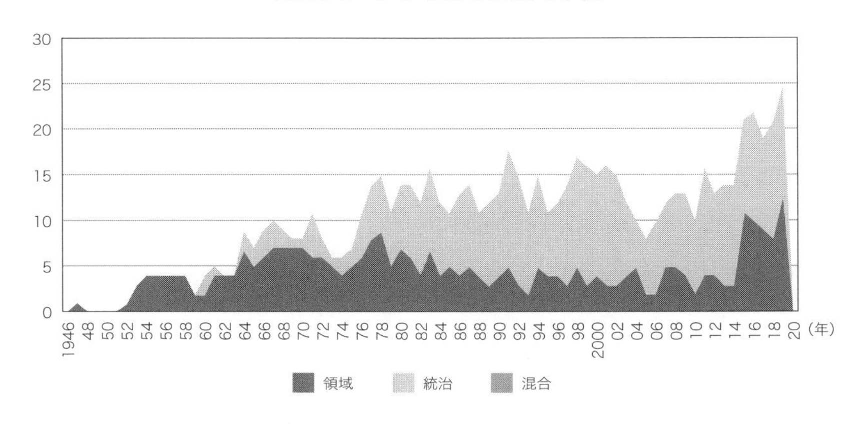

出所：*Conflict Trends in Africa, 1989-2019* をもとに筆者作成。

ある。

領域をめぐる紛争は，争点が高度な政治的独立（自治），あるいは**分離独立**であるのに対し，統治をめぐる紛争は，反政府勢力が中央政府の転覆・転換を目的としている。**図24-2**と**図24-3**を比較してみると，アジアでは領域をめぐる内戦が主流であるのに対し，アフリカでは1980年代以降は，統治をめぐる内戦が中心であることがわかる。

アジアの内戦の多くは，国境付近や中央から離れた辺境地で争われる，少数派が中央政府からの分離独立をめざす**サブナショナル紛争**である。ミャンマーやインド，インドネシア，ネパール，パキスタン，フィリピン，タイなどが抱える分離独立紛争がそれに該当する。アジアにおけるサブナショナル紛争の大きな特徴は，その継続期間である。1946年から2010年に発生したサブナショナル紛争の平均継続期間は，世界の平均が16.8年（ヨーロッパ5.2年，アフリカ12.0年，中東28.4年）であるのに対し，アジアでは33.3年とおよそ2倍長期化するというデータもある。インドやミャンマーは，独立以来，少数民族との複数の紛争を抱えている。こうした紛争は，政府側と反政府側とのあいだに軍事力の差があるにもかかわらず，政府側の軍事的優位に対抗して，反政府側がゲリラ戦の手法を用いるため軍事的決着がつきにくいという，非対称低強度紛争という特徴がある。

サブナショナル紛争の背景

サブナショナル紛争が発生した地域は，少数民族が独立した政治体制をもっていたか，あるいは別地域（国）に帰属していたことが多い。国境付近や辺境地に住む少数民族は，第二次世界大戦後に独立を果たすことなく，脱植民地化プロセスにおいて形成された新しい国民国家に統合された。ただし，少数民族の存在が直接紛争に結びつくわけではないことをここで強調しておく。多くの場合，中央政府や地方政府による差別的な政策によって少数民族が周辺化された結果，紛争が勃発したと考えられる。中央政府と地方エリートが手を結ぶことによって，少数民族の先祖伝来の土地や資源が収奪され，言語や宗教など民族的アイデンティティが否定されるなど，長期にわたる不正義がその背景にある。

さらにいえば，紛争の根本的な要因として，植民地支配の遺産があることも忘れてはならない。列強による植民地分割によって人為的に国境線が引かれたために，均一的な民族による国民国家が形成されなかった。また，植民地支配の手法として採用された間接統治は，被支配者層の有力者（民族）に他の集団を支配させるものであった。間接統治同様，分割統治も，少数派に肩入れするなど，民族間の確執を利用して不満が宗主国に向かないようにする植民地支配政策であり，いずれも独立後の社会に禍根を残すものであった。

紛争の要因として，低開発と貧困が指摘されることもある。この考えにもとづけば，経済発展が紛争解決に貢献することが想定されるが，アジアの事例はそれを肯定するものではない。1970年代以降，アジア諸国は急速な経済発展を遂げた。にもかかわらず，分離独立を求める紛争は止むことはなかった。長期にわたる紛争は，紛争地の開発を阻害し，むしろ国内格差を一層広げることになった。

さらにサブナショナル紛争が長期化する要因として，戦後確立した国際規範をあげることができる。民族自決の原則は，植民地からの独立を促した一方で，領土一体性の原則によって，国境線の変更は容易には認められなくなった。首都から遠く離れた辺境地で散発的に闘われるサブナショナル紛争は，テロや戦闘の激化がなければ，国内でも関心が薄い。紛争を抱える国家は，こうした地域を外部に閉ざしており，少数派の分離独立を求める声は，外の世界には伝わりにくい。もっとも，サブナショナル紛争は，主権に関わる問題であり，国際社会も関与には慎重にならざるをえないという事情もある。

2 平和構築とは何か

紛争の終結は，一方の軍事的勝利でもたらされることもあれば，交渉によって合意に至ることもある。国家間紛争と内戦とを比較すると，国家間紛争が一方の軍事的勝利で終結することが多いのに対し，内戦の場合は軍事的勝敗がつきにくく，第三者による仲介によって和平合意が結ばれることが多い。内戦が多発した冷戦後の世界では，紛争地域のおよそ半数で5年以内に紛争が再発しており，永続的な平和をいかに構築・維持できるかが課題とされるようになった。本節では，冷戦後の平和構築概念の登場とその活動について概説する。

平和構築の定義

平和構築という言葉が初めて国連で登場したのは，1992年のブトロス・ガリ事務総長の報告書『平和への課題（Agenda for Peace)』であった。この文書では，平和構築は「紛争後の平和構築」として「紛争の再発を避けるために平和を強化・定着させる構造を見出し，支援する活動」と定義づけられ，国連で以前から取り組まれてきた予防外交，平和創造，平和維持の活動と並列的に位置づけられた。「紛争後」という言葉が加えられたのは，予防外交が紛争ぼっ発前に用いられるのに対し，平和創造と平和維持が紛争中から紛争後に，そして平和構築は紛争後長期にわたって適用されるものと，紛争の段階に合わせて機能すると理解されたためである。

平和構築という概念は，ノルウェーの社会学者のヨハン・ガルトゥングが1970年代に提示したものである。ガルトゥングは，平和の対極を暴力とし，暴力を「直接的暴力」，「構造的暴力」，「文化的暴力」の3つに分類して，それらが相互に依存・補強していることを指摘した。直接的暴力が，戦争など物理的暴力であるのに対し，構造的暴力は直接的暴力を生み出す貧困や抑圧，差別といった社会構造に根差す暴力を指し，文化的暴力は直接的暴力や構造的暴力の存在を正当化・肯定する考え方や態度を意味する。ガルトゥングは，不平等や不正義を生み出す社会構造，つまり構造的暴力を取り除き，変革することを「平和構築」とよんだ。ガリは，このガルトゥングの概念を紛争後の平和を強化・定着する諸活動として再解釈し，冷戦後のグローバルな問題を解決する国連の政策手段の1つとして打ち出したのである。

平和構築活動の概要

では具体的に平和構築とはどのような活動を指すのであろうか。主要なものとして，元戦闘員の動員解除・武装解除・社会再統合，難民の帰還支援，治安部門（軍や警察）改革，選挙支援を通じた民主化促進，法整備支援，政府機関の改革・強化などがあり，活動は多岐にわたる。

冷戦期につくられた国連平和維持活動（PKO: Peacekeeping Operations）は，国家間紛争の停戦監視や兵力引き離しを主な任務としていたが，冷戦後の内戦に対応するなかで役割を大きく転換し，上記のような複合的多機能な任務を遂行するようになった。複雑な利害が絡んだ内戦に対し，停戦監視だけでは紛争の解決にはならず，紛争当事者間の和解を促し，紛争の根本原因を解決するうえで，崩壊した国家を再建する作業が不可欠となったのである。これは単に紛争によって破壊されたインフラや国家機能を再建することを意味するのではない。冷戦後，内戦に陥った多くの国が，治安維持など国民への基本的なサービス提供能力の低い破たん／脆弱国家であった。治安向上や国内の安定化，政治体制の改善，経済成長などを含む総合的な「国づくり」への支援が平和構築活動とみなされるようになった。

平和構築活動の課題

国連を中心とする国際社会は，試行錯誤しながら，紛争後諸国の平和構築支援をおこなってきた。国連の平和構築活動には，しばしばトップダウンであるとの批判がある。「支援」という言葉が表すように，西欧を中心とした国際社会が自らの経験や価値観にもとづいて平和の処方箋を書き，プログラムを実践する。それゆえ平和構築の一環として導入された制度が紛争後の社会に定着せず，紛争が再燃する事態がしばしば起こった。紛争の要因や紛争後社会の状況はそれぞれに異なるため，構築，あるいは再建すべき「平和」の中身も事例ごとに異なるが，現地のオーナーシップは重視されず，画一的なプログラムが押しつけられがちである。

とはいえ，紛争後諸国への国際的な介入をすべて否定するべきではない。たとえば，冷戦後の旧ユーゴスラヴィアやルワンダの内戦でおこなわれた重大な犯罪行為は，国際法廷で処罰された。その後も，新たに設置された国際刑事裁判所（ICC: International Criminal Court）で，戦争犯罪やジェノサイド罪，人道に対する罪の個人責任が追及されるようになっている。かつては罪を問われなかった国家元首が訴追されるようになり，重大な人権侵害の加害責任追及という国際的な正義規範が，平和構築の活動によって確立したといえよう。

3　アジアにおける紛争後の平和構築活動

冷戦終結後の世界は多くの内戦を経験したが，また同時に長期に及んだ紛争が和平へと向かった時期でもある。アジアにおいても紛争が終結し，和平プロセスが開始された地域がある。本節では，第1節で述べたアジアの紛争の特徴であるサブナショナル紛争に着目し，アジアではどのような平和構築活動が実施され，その課題とはどのようなものかをみていく。

アジアのサブナショナル紛争における紛争終結と平和構築

冷戦後，治安維持など国民への基本的なサービス提供能力の低い破たん／脆弱国家で内戦が勃発したため，紛争の再発を防ぐためにも，立法・行政・司法の能力構築と強化が急がれるようになった。今日では，警察や軍，司法といった国家の治安維持や人権に関わる公共財の提供能力を強化し，民主的統治制度を確立することが，国家の脆弱性に起因する内戦を経験した地域の平和構築として重視されるようになっている。

しかし，アジアでは国内に分離独立紛争を抱える国家であっても，中央政府の統治能力は比較的高く，経済発展も進んでいる。したがって，国家の統治能力の強化は，サブナショナル紛争においては必ずしも効果的とはいえないだろう。むしろ，国民国家へ包摂されず，独自の政治・経済・社会システムが構築されている少数民族の居住地域で国家の統治を強化することは，軋轢を生む可能性がある。分離独立派にとっては，国家の治安部門は抑圧や弾圧の象徴であり，不信と恐怖を抱かせる存在だからである。

サブナショナル紛争の解決は，①政府側の軍事的勝利，②反政府側の軍事的勝利（独立），③交渉の3つが考えられる。このうち，①の政府側の勝利は，政府側の軍事的優位にもかかわらず容易ではない。ベトナム戦争やアフガン戦争で，アメリカ軍が勝利できなかったように，ゲリラ戦では，反政府武装勢力が地の利を活かすために，一掃することは難しい。ゆえに政府側の軍事的勝利に終わる事例は決して多くはないが，その一例として**スリランカ**の事例がある。多数派のシンハラ人を主体とするスリランカ政府は，2009年5月，少数派の反政府武装組織であるタミル・イーラム解放の虎（LTTE）との26年に及ぶ内戦に勝利した。紛争終結後，中央集権化を強めた政府主導のもと，スリランカは急速な経済発展を遂げている。他方，国際社会は内戦終盤時のLTTEに対する政府軍の攻撃を戦争犯罪として責任追及を求めているが，政府は国内的対応としてそれに応じてはいない。政府は，国際社会の声に耳を傾けず，タミル人権の抑圧をやめることなくタミル人居住地域の開発をおこなっている。国内避難民となったタミル人の帰還・再定住や，被害補償などは遅れており，民族間の融和は進んでいない。

②の反政府軍の勝利は，①以上に稀であるが，住民投票によって独立という目的を達成することがある。アジアでは，2002年に独立を回復した**東ティモール**があげられる。東ティモールでは，国連がインドネシアからの独立（主権回復）を問う住民投票を実施し，圧倒的多数が独立に票を投じた。この住民投票前後に起こった暴力を鎮圧するために多国籍軍が介入し，国連PKOが展開した。東ティモールは，約4年に及ぶ国連暫定統治を経て，2002年に独立を果たしたが，以前からの住民間の確執と政治エリート間の対立によって暴力が再燃し，2006年に新たな国連PKOが設立されることとなった。国連を中心とする国際社会は，東ティモールの国づくりを一から支援し，2012年の国連PKO撤退後もドナー国や国際機関はガヴァナンス支援をおこなっている。日本もこの間，延べ約2,300人の自衛隊員を司令部要員や施設部隊として派遣した。東ティモールの事例は，国際的な介入色の強いものであり，それゆえ以下で論じるように，現地ニーズとのギャップという課題が生じた。

サブナショナル紛争は，実際のところ③の交渉によって解決に向かうことが多い。インドネシアの**アチェ**紛争は，2004年のスマトラ島沖大地震を契機に，2005年フィンランドのNGOの仲介によって和平合意が締結され，29年に及ぶ紛争が終結した。交渉が分離独立派に優利に働くかどうか，つまり高度な自治を獲得できるかどうかは，紛争終結時の勢力構図に依拠するが，紛争を継続するよりも和平に応じたほうが得られる利益が多いと双方が認識したときに和平の機運が高まる。フィリピンの**ミンダナオ**島の反政府武装組織であるモロ・イスラム解放戦線（MILF）は，独立が叶わないことを受け入れ，高度な自治政府樹立という現実的路線に転換し，2014年に和平合意が成立した。

自治政府が樹立される場合でも，一旦は武装解除がおこなわれる。この場合，長期に及ぶ紛争で蓄積した国家警察や軍に対する不信と恐怖は一掃することは難しいため，伝統的PKOの役割を担う中立な第三国や国際機関・NGOが武器の回収・破壊等の履行監視をすることが多い。また，自治政府は，世界銀行など開発援助機関の援助を得て，復興・経済開発を急ぐ。紛争によって開発から取り残された地域において，人々が豊かさを実感することが，自治政府に対する信頼構築につながり，永続的な和平の鍵となるためである。

アジアの平和構築の課題

国際的な支援がある場合も少なくはないが，スリランカの例でもわかるように，サブナショナル紛争においては，分離独立派の勝利を除き，当該中央政府が平和構築の実質的主導権を握ることになる。国際的な介入によって実施される平和構築との大きな違いは，政権の安定が説明責任の追及や人権保障に優先されることであろう。サブナショナル紛争は局地的な紛争であるために，当該国家の統治機能の改革にはつながりにくい。とりわけ，政府は自国軍や警察の責任追及に消極的である。過去の重大犯罪の責任追及はきわめて政治的な問題であり，中央政府や軍高官の責任追及が和平の妨げになりうる。近年締結される和平合意では，国際的な要請にもとづき，真実の解明や重大犯罪の責任追及が明記されることが多いが，期待される内容どおりに実施されることは稀である。アチェの紛争で締結された和平合意では，国家レベルの真実和解委員会（過去の重大犯罪の真相解明をおこなう機関）の設置が盛り込まれたが，実際の設置には至っていない。反政府側も自身の犯罪行為の処罰には積極的ではない。政府も投降の条件に不処罰を提示するなど，紛争下の反政府側の犯罪行為に対し寛容な姿勢を示す。被害者の正義実現は，平和構築の優先事項ではないのである。

この点，国際的な介入のあった東ティモールでは，正義をめぐって現地ニーズとのギャップが生じた。東ティモールでは，国連暫定統治下，住民投票前後のインドネシア軍とそれに支援された民兵による暴力の責任追及のために，国内外の法律家から成るハイブリッド法廷が設置された。しかし，インドネシアに逃亡した民兵や軍高官を拘束することはできず，重大犯罪の首謀者の刑事責任追及は不十分に終わった。この裁判については，刑事責任追及の試みを重要視する意見もあるが，国民の大半が慣習法に依存する東ティモールで西洋的な司法制度を構築することに疑問が投げかけられた。多くの時間と資金が費やされたにもかかわらず，被害者の求める正義に資する取り組みにはなりえなかった。

さらに，ある地域が独立ではなく，高度な自治権を獲得する場合の課題として，新たな利権構造が生まれる可能性が指摘される。自治政府の樹立によって，中央政府から分割される税収や資源開発による利益に加え，多くの経済開発援助が紛争後社会に流れ込む。アチェの場合は，これに地震・津波被害からの復興援助や被害者支援金が加わった。紛争後，現地政治エリートとなる武装勢力の指導者は，指揮命令系統を維持し続けることによって，利権を独占しようとする。こうして生まれた縁故主義は，汚職や腐敗，権力乱用を招きやすいだけでなく，新たな不満を生み出す可能性がある。東ティモールで起こった2006年の騒乱の背景には，独立運動を戦ったエリート間の権力闘争があった。また，土地や資源を独占している既存の地元エリート勢力とのあいだで複雑な利権構造が構築されることも重要な課題の1つである。ミンダナオ紛争は，キリスト教徒対イスラーム徒の争いと考えられがちだが，クランとよばれる有力な氏族間の利権争いも複雑に絡み合っている。

おわりに

本章では，アジアにおける紛争の特徴とその背景を述べ，平和構築の取り組みと課題を概観した。最後に，現在進行中のアジアの紛争に対し，どのようなことがいえるのか考えてみたい。辺境地で分離独立をめざして闘われるサブナショナル紛争は，アジアでは散発的な衝突が長期間にわたって続くという特徴がある。周辺地であるがゆえに，政府は早急な紛争解決の必要性をもたない。また反政府勢力も支配地域を維持することに最大の関心がある。しかし，紛争の長期化は，歴史的な不正義に加え，一層の経済や教育の格差を生み出す。政府と武装勢力の双方が，高度な自治政府の樹立を現実的な解決策として検討すべきであろう。

平和構築においては，まずは人々からの信頼を得ることのできる統治機構を確立し，平和の配当を確実なものにする必要がある。統率力のある武装勢力の司令官が，必ずしも有能な政治家になるとはかぎらない。現地のオーナーシップを尊重しながら支援する，援助パートナーの役割が重要である。

国家の脆弱性が原因となって紛争が勃発することが多いアフリカと違い，国際的な介入の少ないアジアでは，平和構築が中央政府の改革に結びつくことは稀である。しかし，土地や資源の収奪，少数派に対する差別や偏見の歴史と国家全体で向き合わなければ少数派の不正義は解消されないことを指摘しておきたい。都市部に住む人々のサブナショナル紛争に対する無知と無関心が紛争を放置し，長期化させた一因ともいえる。国民国家に包摂されなかった少数派に対する構造的暴力を取り除くことが，サブナショナル紛争の平和構築に不可欠だと考えられる。

【クロス京子】

参考文献

Palik, Julia, Siri Aas Rustad and Fredrik Methi, *Conflict Trends in Asia, 1989-2019*, Prio Paper, 2020.

Palik, Julia Siri Aas Rustad and Fredrik Methi, *Conflict Trends in Africa, 1989-2019*, Prio Paper, 2020.

文献紹介

① 落合直之『フィリピン・ミンダナオ平和と開発――信頼がつなぐ和平の道程』佐伯印刷，2019年。

本書の著者は，フィリピンのミンダナオ島の紛争地域の最前線で，和平合意の実現に向けた日本政府とJICAの平和構築支援を現場で実施している。現場で感じた著者自身の気持ちや体験が綴られた「地べた」からのプロジェクト・ヒストリーである。

② 福武慎太郎・堀場明子『現場〈フィールド〉からの平和構築論――アジア地域の紛争と日本の和平関与』勁草書房，2013年。

カンボジア，アチェ，スリランカ，バングラデシュ，東ティモールなどで和平交渉，平和構築活動に直接携わった関係者へのインタビュー等を通じ，アジアにおける日本の役割を検討している。

③ 篠田英朗『平和構築入門――その思想と方法を問いなおす』筑摩書房，2013年。

今日の平和構築の取り組みの現状と課題を，武力介入や犯罪処罰，開発援助，人命救助の観点から解説している。平和構築だけではなく，広く国際政治に関心のある大学生・社会人に適している。

第25章 ASEAN

ASEANウェイとその懐疑論

“ASEANは，アジア太平洋の地域協力で中心的な役割を果たしてきたにもかかわらず，加盟国に実質的な利益をもたらしていないとの批判が絶えないのはなぜなのか”

ASEANは，東南アジア，ひいてはアジア太平洋の地域協力において中心的な役割を果たしてきた国際機構です。2015年にはASEAN共同体の創設が宣言され，政治安全保障，経済，社会文化分野での協力を深化させています。しかし，ASEANに対する評価は，識者のなかでも二分されており，賞賛と批判が絶えずなされてきました。こうした評価の不一致は，どのような要因から生じているのでしょうか。

キーワード ASEANウェイ，ASEAN中心性，人権・民主主義，南シナ海の領有権問題
関連する章 第13章，第20章，第22章

はじめに

東南アジア諸国連合（ASEAN: Association of Southeast Asian Nations）は，東南アジア，ひいてはより広くアジア太平洋の国際秩序や地域協力を語るうえで欠かせない国際機構である。一方，ASEANは，加盟国の国家主権に一定の制限を加えるような法的拘束力のある合意や制度化がなされておらず，実質的な利益を加盟国にほとんど与えていないとする批判もある（Stubbs 2019）。加盟国内の人権や民主主義の促進が進んでいないとか，南シナ海の領有権紛争をめぐって有効なイニシアティブを発揮できていないといった議論がそれにあたる。本章は，ASEANの歴史を概説することで，こうした賞賛と批判がいかなる背景から生じているかをみていくこととする。

1 ASEANの創設から国際的評価を得るに至るまで

ASEANウェイのおこり

ASEANの創設は1967年8月だが，当時の加盟国間関係はきわめて不安定であり，ASEANは当初から，その存続が危ぶまれていた。設立2年前にはシンガポールが，人種・経済的軋轢を主要因としてマレーシアから独立していたし，インドネシアがマレーシアに対して採用していた「対決政策（Konfrontasi）」も，ASEAN設立前年の66年に終結を迎えたばかりだった。さらにフィリピンとマレーシアは，北部ボルネオのサバ州をめぐって領土問題を抱えていた。つまりASEAN設立の実態は，60年代半ばまでに一時成立していた，加盟国間の和解を制度化する努力だったのである（Leifer 1989: 2）。こうした状況下では，ASEANを存続させ，加盟国代表を同じテーブルにつかせ続けることが，まずはめざされた。

平和で安定的な加盟国間関係の維持を求める政治的指導者たちは，辛くもこれを成し遂げていく。当時の加盟諸国は，安全保障上の脅威を，国外からの軍事的侵攻というよりも，海外から支援を受けた共産主義者や民族主義者による国内反乱・転覆とみなしていた。こうした内的脅威を防ぐには，国内開発と経済発展が不可欠であり，これに専念するうえで，互いに紛争を抱える余裕はないというのが，ASEAN加盟国の共通認識だった。だからこそ，「加盟国間の和解を制度化」する必要があったのであり，加盟国間での武力の不行使や紛争の平和的解決が互いに求められた。実際，ASEAN創設の翌年には，加盟国間の摩擦が次々と悪化したが，ASEANはそうした存続の危機を乗り越えていった。今日に至っても，加盟国間の軋轢を本格的な戦争にまで発展させず，外交努力によって解決ないし棚上げすることは，ASEANの基本的な規範となっている。

一方で国内に安全保障上の脅威を抱えていたことは，ASEANで国家主権の尊重や内政不干渉原則が強調される原因となり，他方で，加盟国間緊張は，協議とコンセンサスにもとづく意思決定が採用される主要因となった（こうした地域協力の基本的規範は，後年，**ASEANウェイ**（ASEAN Way）とよばれるようになっていく）。

その結果，地域協力はきわめて漸進的なものとなり，制度化もなかなか進まなかった。実際，ASEANは，集団的防衛枠組みであったことはないし，欧州連合（EU: European Union）にみられるような国家主権の一部委譲や通貨統合をめざすものでもない。初期ASEANに関していえば，たとえば1976年のASEAN首脳会議では，ASEAN協和宣言の発表や，ASEANの基本条約としての位置づけを与えられた東南アジア友好協力条約の締結，さらにはASEAN事務局設立協定が署名された。しかし，同会議で合意された経済協力は結果的に不調に終わったし，ASEAN事務局の権限もきわめてかぎられていた。

対外関係の評価

70年代から80年代にかけて，ASEANが評価を高めたのは対外関係分野だった。1971年，ASEAN加盟国は，東南アジアを域外国からの干渉を排した平和・自由・中立地帯とする宣言（Zone of Peace, Freedom and Neutrality）を発表した。これはベトナム戦争が泥沼化し，カンボジアやラオスに拡大していたなか，域外大国の争いから距離を置こうとするASEANの姿勢を示したものである。その一方で，70年代には，域外大国との関係構築も模索された。たとえば77年に初の日本－ASEAN首脳会議が開催され，その際，東南アジアを歴訪した福田赳夫首相が，いわゆる「福田ドクトリン」を発表して，東南アジア地域へのコミットメント深化を宣言したが，これもASEAN側からみれば，対外関係構築の努力が実った一例である。また，ベトナムによるカンボジアの侵攻(78年）に始まるカンボジア紛争においても，ASEANは中心的役割を発揮した。すなわち，ベトナムのカンボジア占領を非難しつつ，公式・非公式の外交イニシアティブを発揮して，カンボジアの対立諸派を交渉テーブルにつかせるよう粘り強く交渉した。その結果，91年のパリ和平協定にもASEAN諸国は名を連ねている。

こうして少しずつ国際的なプレゼンスを高めてきたASEANへの評価は，1990年代に確固たるものとなった。1992年の第4回首脳会議で合意されたASEAN自由貿易地域（AFTA: ASEAN Free Trade Area）のもと，主要貿易品目の域内関税を5～0%以下に引き下げるという目標が掲げられるなど，経済統合が進められた。また，90年代には，ベトナム，ラオス，ミャンマー，カンボジアが加盟した（ただし，2002年に独立した東ティモールは，本章執筆時点で加盟は実現していない）。一部加盟国の経済的伸長に加え，こうした全東南アジアをカバーする巨大経済圏の誕生により，ASEANの存在感が高まったのである。

ASEAN中心性

さらに，1994年にはASEAN地域フォーラム（ARF: ASEAN Regional Forum）が創設され，ASEANの影響力は，東南アジアにとどまらず，アジア太平洋地域にまで及ぶこととなった。同フォーラムには，米国，中国，ロシア，インド，日本，EU，カナダ，オーストラリア，韓国等の域外大国・中堅国・地域組織も参加している。議長国はASEAN加盟国の持ち回りとなっており，上記の錚々たるメンバー国のなかで，ASEAN諸国がアジェンダ・セッティングで優先的な地位を得た。これも，ASEANの獲得した国際的評価の高さ抜きには成しえなかっただろう。その後，ARFのほか，1997年から始まったASEANプラス3，2005年に始まった東アジアサミット（EAS: East Asian Summit）など，アジア太平洋を地理的範囲とする協力枠組みで，「**ASEAN中心性**（ASEAN Centrality）」とよばれる地域のハブ的役割をASEANは担うこととなった。

政治体制も国力もこれほど多様な域外国を，ASEANの協議枠組みのもとへ集結させえた要因として，ASEAN独特の行動規範であるASEANウェイの存在が指摘できる。ASEANウェイに一致した定義はないが，①国家主権の尊重や内政不干渉などの国際法的規範と，②加盟国間で意見の相違が表面化することを避け，協議とコンセンサスにもとづいて意思決定するといった，社会的手続き規範に大別される。こうした規範に則った会議運営をおこなうかぎり，加盟国の国内事項に関わる繊細な問題が議論されることは少ないうえ，多数決で特定の国家の意思が他国に強制されることもない。ASEANウェイは，国力や政治体制に著しい差がある国々の参加を容易にさせるとともに，いずれも協力から脱落させない利点を有していた（Acharya 2014）。こうした地域協力のあり方が成立するのは，加盟国間に利害の対立があっても相互に妥協を繰り返すことで，その結束を維持することに重きを置くという前提あってのことでもあった。その一方でASEANウェイは，協力が漸進的にしか進まず，上述の協力枠組みが「トークショップ」に過ぎないと批判される原因ともなった。

人権や民主主義をめぐる批判

ASEANやその協力方式に対する批判が本格的に高まったのも90年代である。その一例が，加盟国内の**人権・民主主義**状況に対する批判であった。これは，冷戦期には自陣営への取り込みの必要性から，同問題を不問にしてきた欧米諸国が，冷戦後，その立場を転換させたことにも起因していた。加盟国のほとんどが権威主義体制を有するASEANにおいて，上述のASEANウェイが採用されているかぎり，人権や民主主義に関する地域協力は望むべくもないし，その促進や保護の障害にもなってきた。

むしろASEAN諸国は，欧米諸国の主張するそうした価値の普遍性に結束して抵抗していた。1993年6月にウィーンで開催された世界人権会議，およびそこで採択されたウィーン宣言および行動計画へのASEANの反応はその一例である。同宣言および行動計画には，たとえば5条で，人権の普遍性とそれをグローバルに扱う必要性が強調され，「国家・地域の特殊性や，多様な歴史的，文化的，宗教的背景の重要性に留意しなくてはならないが，すべての人権および基本的自由の促進・保護は，政治的，経済的，文化的システムのいかんにかかわらず，国家の義務である」としていた（World Conference on Human Rights 1993）。これに対しASEANは，翌7月の第26回ASEAN外相会議で採択された共同声明で，人権は特定の文化的，社会的，経済的，政治的状況を考慮に入れて保護・促進すべきだとし，さらに，人権の促進と保護は政治的なものであるべきではないと強調した。さらには，国家主権の尊重や内政不干渉原則にも，同共同声明は言及している（ASEAN 1993）。90年代のASEAN加盟国指導者たちは，「アジア的価値」を強調し，欧米諸国の推し進める「普遍的」人権概念に抵抗していたが，それがASEANでもみられたのである。

2　ASEANの変革

ASEAN共同体構想

1997年のアジア通貨・経済危機は，こうしたASEANのあり方に，一定の見直しを加える機運を生み出した。危機への対応能力の欠如を露呈し，その存在意義すら危ぶまれたASEANは，あらためて域内協力を深化させるべく，同年

12月の第2回ASEAN非公式首脳会議でASEANビジョン2020（ASEAN Vision 2020）を発表した。同ビジョンは，2020年までに東南アジア全体が共通の地域アイデンティティで結ばれた，「思いやりのある社会の共同体（a community of caring societies）」でつながるという構想を示した。

これを実現させるべくイニシアティブをとったのが，経済危機の混乱から脱却し，落ち着きをみせ始めていたインドネシアだった。同国が議長国を務めた2003年10月の第9回ASEAN首脳会議（バリ）で第二ASEAN協和宣言が発表され，2020年までに安全保障，経済，社会文化の3本柱からなるASEAN共同体の実現をめざすこととなった（ここであげられたASEAN安全保障共同体（ASC: ASEAN Security Community）は，ASEAN政治安全保障共同体（APSC: ASEAN Political Security Community）に，また，共同体の創設時期が2020年から2015年へと後に変更され，そのとおりに実現をみている）（ASEAN 2003）。

ASEAN共同体構想が，国際的に注目を浴びた一要因として，同構想が人権や民主主義を基本的な原則に含めたことがあげられる。第二ASEAN協和宣言では，ASCの目的の1つに，域内諸国が民主的な環境で暮らせることがあげられていたし（ASEAN 2003），その後のASEANの主要文書において，人権や民主主義の促進・保護を謳う文言が，立て続けに盛り込まれた。たとえば2004年11月の第10回ASEAN首脳会議で採択された，ASEAN安全保障共同体行動計画（ASEAN Security Community Plan of Action）は，「民主」という語に加え，人権の促進・保護にも言及していた。さらに同文書の付録は，民主的制度と国民の参加の強化や法の支配等も謳っていた。また，同計画は，ASEAN加盟国は違憲および非民主的な政権交代を容認しないと述べている（ASEAN 2004）。この文言が正式に採用されていれば，クーデターによりタイやミャンマーで成立した政権は，ASEANによって容認されないことになるはずだった。

ASEAN憲章制定以降の人権・民主主義

2007年の第13回首脳会議（シンガポール）で署名されたASEAN憲章は，ASEANに法人格や確立された制度的枠組みをもたらし，事務局の権限も強化するものだった（ASEAN 2007）。ただし，憲章のなかでの人権や民主主義に関する議論は，伝統的なASEANの規範を擁護する国々の抵抗で，揺り戻しを経験している。前文やASEANの原則について規定した第2条において，民主主義，良き統治，法の支配，人権と基本的自由などの原則よりも前に，主権や内政不干渉といったASEANウェイに則った原則が言及され，その優位性が示唆されたためである（Davies 2017: 101）。憲章策定過程では，たとえばASEAN憲章に関する賢人会議の報告書（2007年）で，違憲・非民主的な政権交代の拒否や，多数決等の意思決定導入によるASEANウェイの見直し，さらにはASEANの各種宣言，合意，規範，価値等への違反に対する当該国の権利・特権の停止という大胆な案が提起されていた。しかし，それらはいずれも憲章には残されなかった（ASEAN 2007）。

もちろん，人権問題がASEANの大きな課題であることは，加盟国も理解しており，憲章14条では，ASEANの人権機関を設立することが謳われた。これにしたがいASEAN政府間人権政府委員会（AICHR: ASEAN Intergovernmental Commission on Human Rights）が2009年10月に設立された。さらに，2010年には「女性と子供の権利の促進と保護に関するASEAN委員会（ACWC: ASEAN Commission for the Promotion and Protection of the Rights of Women and Children)」が発足している。

加えて前者のAICHRが起草し，2012年に加盟国によって署名されたのが，ASEAN人権宣言（AHRD: ASEAN Human Rights Declaration）である。しかし，同宣言は人権や基本的自由ないしその実現に，一定の規制をかけているとの批判も多い。たとえば，人権や基本的自由は，それと対応する義務とのバランスがとれていなければならないとされた（6条）。さらに人権の実現について，異なる政治，経済，法，社会，文化，歴史，宗教的なバックグラウンドを考慮したうえで，地域的・国家的な文脈でなされなくてはならないとされている（7条）。加えて，人権および基本的自由は，国家安全保障，公共の秩序，公衆衛生，公共の安全，公共の道徳および民主的社会における人々の一般的福祉上の要請により限定されうること（8条）も示された（ASEAN 2012）。地域内外の多くの市民社会組織からも，こうした宣言の「制度的欠陥」はもちろん，宣言の策定過程で市民社会，とくに草の根組織と十分な協議をおこなっていなかったことや，情報公開が不十分であったことへの不満が呈された。

加盟国内の人権問題について，ASEANが意味のある影響力を発揮できていない一例が，ミャンマーだろう。ASEANは，加盟国の国内問題に干渉しない基本的姿勢をとっており，2011年の民政移管に至るまでの同国における人権侵害に対しても，その後のミャンマー国軍による少数民族ロヒンギャに対する人権侵害疑惑についても，制裁や孤立化を回避する「建設的関与（constructive engagement)」の立場をとってきた。これらの問題については，ミャンマーのASEANメンバーシップを見直すべきとの声も加盟国指導者から一時は聞かれたが，結局は不干渉原則が放棄されることはなく，たとえばロヒンギャ問題に関するASEANのイニシアティブは人道支援等にとどまっている。2020年の選挙で圧勝した国民民主連盟（NLD: National League for Democracy）政権を，翌2021年2月に国軍が転覆し，これに抗議する市民の大規模デモをも武力鎮圧して多数の死者が出た。しかしこれについても，ASEANによる効果的な介入は，本章執筆時点でなされていない。信頼性と効果の高いASEANの人権メカニズムが構築される見通しは，低いままなのである（Acharya 2021）。

域外大国との関係

域外大国との関係についても，ASEANの苦慮がにじむ。**南シナ海の領有権問題**をめぐる対中関係については，加盟国のなかで，ベトナム，フィリピン，マレーシアおよびブルネイが，南シナ海の海域や島嶼の領有権を主張している。これまでASEANは，南シナ海に関するASEAN宣言（1992年）などを通じて，領土的野心を隠さない中国をけん制したり，2002年に南シナ海における関係国の共同宣言（Declaration on the Conduct of Parties in the South China Sea）を発表したり，さらに，2017年には南シナ海行動規範（Code of Conduct in the South China Sea）策定のため協議すること等について中国と合意したりしてきた。しかし，明確な法的拘束力をもった行動規範形成には至っておらず，中国の南シナ海への進出と実効支配の強化を食いとどめる効果的な施策も打ち出せていない。

しかも同問題は，ASEAN加盟国の結束にほころびを生じさせているようである。たとえば紛争当事国でないカンボジアとラオスは中国に接近し，経済・安全保障上の関係を深めている。2012年のASEAN外相会議では，議長国のカンボジアが，同問題について加盟国の意見対立をまとめられず，ASEAN設立以来，初めて共同声明が出されない事態を招いた。

また，紛争当事国のなかでも，フィリピンの対中姿勢が安定していない。ベニグノ・アキノ3世（Benigno Aquino III）政権下のフィリピンは，南シナ海問題をハーグ仲裁裁判所に提訴するなど，中国と直接対峙する姿勢を示していた。2016年の同裁判所による裁定は，中国が主張する境界線「九段線」に国際法上の根拠がないとするなど，フィリピンの主張がほぼ受け入れられる形となった。ところが，同年に発足したロドリゴ・ドゥテルテ（Rodrigo Duterte）政権は，裁定を根拠に中国を非難せず，むしろ就任早々に訪中し，米国と一定の距離を置くことを宣言するなど，中国に接近している（とはいえ，ドゥテルテ政権は南シナ海問題で中国に無批判というわけでもない）。南シナ海問題の議論をけん引してきた紛争当事国の姿勢の揺らぎは，ASEANの方向性をあいまいにしかねない。

このように，相互の結束よりも中国寄りの立場をとる加盟国が現れ始めていることは，ASEAN中心性の維持にも，暗い影を落としている。南シナ海の領有権問題は，インド洋と太平洋を結ぶシーレーンをめぐる争いでもあることから，インドや米国など，大国による対立を招きやすいが，上述のとおり，この問題でASEANは，有効なイニシアティブを発揮できずにいる。また，米中対立が激しさを増し，インドが伸長するなかで，一方で「一帯一路」構想が中国によって推進され，他方で米国やインドの存在感が強い「自由で開かれたインド太平洋構想」が，やはり地域大国の日本によって打ち出された。以上の国々は，いずれもASEANの対話パートナーであり，ASEAN中心性を支持しているが，地域秩序が大国のパワー・ポリティクス主導で形成され，ASEANがそのなかに埋没するかのような印象を残している。ASEANはこれまで，特定の大国に行き過ぎた偏りを排す，いわゆるヘッジング戦略をとり，大国間のバランスを調整することで存在感を維持してきた。しかし，ASEAN加盟国の結束が揺らげば，ASEAN自身が，大国間のバランスを崩す要素になりかねない。

おわりに

今日においても，加盟国内の人権や民主主義の状況は必ずしも明るくない。世界各国の自由度に関するフリーダムハウスの年次報告書（2021年版）をみると，「自由（Free）」との評価は，ASEAN10か国のいずれにも与えられず，インドネシア，マレーシア，フィリピン，シンガポールの4か国が，「部分的に自由（Partly Free）」とされたにすぎない。残りの6か国（ブルネイ，カンボジア，ラオス，ミャンマー，タイ，ベトナム）は，いずれも「不自由（Not Free）」である（Freedom House 2021）。また，本章でみてきたように，域外大国との関係においても，様々な制約がみられる。その都度，批判されるのがASEANウェイであり，その見直しが検討されたこともあるが，民族，文化，政治体制，経済水準などにおいて，加盟国があまりに多様なASEANでは，その点についてコンセンサスをとることが困難なのである。

【井原伸浩】

参考文献

Acharya, Amitav, *Constructing a Security Community in Southeast Asia: ASEAN and the Problem of Regional Order*, 3rd Edition, Routledge, 2014.

Acharya, Amitav, *ASEAN and Regional Order: Revisiting Security Community in Southeast Asia*, Routledge, 2021.

ASEAN 2025: Forging Ahead Together, ASEAN Secretariat, Jakarta, November 2015.

ASEAN Human Rights Declaration, Phnom Penh, 18 Nov. 2012.

ASEAN Security Community Plan of Action, Vientiane, Laos, 29 Nov. 2004.

Charter of the Association of Southeast Asian Nations, 20 Nov. 2007.

Davies, Mathew, “Important but De-centred: ASEAN’s Role in the Southeast Asian Human Rights Space,” *TRaNS: Trans-Regional and-National Studies of Southeast Asia*, 5（1）, 2017, pp. 99-119.

Declaration of ASEAN Concord II, Bali, Indonesia, 7 Oct. 2003.

Freedom House, *Freedom in the World: Democracy under Siege*, https://freedomhouse.org/sites/default/files/2021-02/FIW2021_World_02252021_FINAL-web-upload.pdf, 2021年3月31日アクセス。

Joint Communique of the Twenty-Sixth ASEAN Ministerial Meeting Singapore, 23-24 July 1993.

Leifer, Michael, *ASEAN and the Security of Southeast Asia*, Routledge, 1989.

Report of the ASEAN Eminent Persons Group（EPG）on the ASEAN Charter, Jakarta, ASEAN Secretariat, 2007.

Stubbs, Richard, “ASEAN Sceptics Versus ASEAN Proponents: Evaluating Regional Institutions,” *The Pacific Review*, 32（6）, 2019, pp. 923-950.

Vienna Declaration and Programme of Action, Vienna, 25 Jun. 1993.

World Conference on Human Rights, Vienna Declaration and Programme of Action, Vienna, 14-25 June 1993, A/CONF.157/23, 12 July 1993.

文献紹介

① **山影進『ASEAN――シンボルからシステムへ』東京大学出版会，1991 年。**

続編にあたる**山影進『ASEANパワー――アジア太平洋の中核へ』（東京大学出版会，1997 年）**とならび，アジア通貨・経済危機より前のASEANを理解するうえでの必読文献。

② **黒柳米司・金子芳樹・吉野文雄編『ASEANを知るための50章』明石書店, 2015年。**

本章で取り上げたASEANウェイや内政不干渉原則，ASEAN憲章，AHRD，ASEAN共同体をはじめ，様々な主要トピックを紹介している。なかでも近年着目されるASEAN共同体については，**鈴木早苗編『ASEAN共同体――政治安全保障・経済・社会文化』（アジア経済研究所，2016年）**がまとまった考察を提供している。

③ **キショール・マブバニ／ジェフェリー・スン著，黒柳米司訳『ASEANの奇跡――平和の生態系』新日本出版社，2018年。**

本章は，批判的な観点からASEANを論じたが，逆に加盟国間の平和をもたらした地域協力機構として高い評価を与えている。

第26章 汚職・贈賄

アジアにおける汚職と汚職取締をめぐる政治

“アジア諸国の汚職と汚職取締をとりまく現状と問題点は何か”

経済成長著しいアジア諸国ですが，21世紀に入っても依然として汚職が蔓延しています。しかし同時に，これらの国々では，政府などによる汚職取締が盛んに実施されてきました。1990年代から21世紀初頭にかけて，汚職取締に着手し推進してきた国々が，現在汚職が深刻な国であるというパラドックスは一体なぜ生じたのでしょうか。この章では，アジア諸国における汚職の現状と汚職取締に関する問題点について勉強したいと思います。そのうえで，同地域と関わりの深い日本政府や日本企業は，どのように対応すべきなのか考えてみましょう。

キーワード 汚職，贈賄，縁故主義，情実主義，派閥主義，国連腐敗防止条約（UNCAC）
関連する章 第12章，第14章，第20章

はじめに

アジア諸国においては，政治家や高官による**汚職**事件は枚挙にいとまがない。第二次世界大戦後のマスメディアの発達は，汚職スキャンダルの暴露による読者数の増加とともにあった。古くは，1958年に軍事クーデタにより政権を掌握したタイのサリット・タナラット将軍，1968年から1998年まで大統領であったインドネシアのスハルト将軍，そして最近の例では，2018年総選挙で敗れた後に起訴されたマレーシアのナジブ・ラザク元首相など，死後に汚職を追及されたり，汚職疑惑を契機に失脚したりした政治指導者は多い。

他方で，この地域における汚職取締の歴史は古い。1990年代から21世紀初

頭にかけては，汚職取締機関が多数設置されてきた。しかし，現在もこの地域における汚職は依然として深刻な状況にある。なぜ，政府などにより熱心な汚職取締がおこなわれてきたにもかかわらず，一向に汚職問題が解決しないのだろうか。

本章は，アジア諸国における汚職の特徴と現状について概観したあと，汚職取締に関する問題点を述べる。今後，同地域と関わりの深い日本政府や日本企業は，どのように対応すべきなのか考える契機としてほしい。

本章の構成は以下のとおりである。まず第1節では，アジア諸国における汚職の現状を確認する。第2節は，汚職および汚職取締についての最新の研究動向について概観する。つづく第3節は，とくに東南アジア諸国に焦点を当て，同地域における汚職の特徴について，第4節は，各国における汚職取締機関の創設や汚職撲滅の取り組みについて，それぞれ概観する。最後に第5節では，今後の汚職取締の方向性や，日本はどのように関わっていくべきなのかについて考察する。過去には，外国企業が**贈賄**側として関与した事件も起きており，私たちも無関係ではないことについて注意を喚起したい。

1 アジア諸国における汚職の現状

21世紀の世界では，汚職や汚職取締はどのような状況にあるのだろうか。汚職が政治や経済，そして道徳的な意味において「悪いもの」であることは，世界的に一定のコンセンサスが得られているように思われる。では，世界的に汚職は改善されているのだろうか。どこの国が積極的に汚職取締に取り組んでいるのだろうか。まずは基本的な状況について確認してみよう。

世界における汚職の状況

各国の汚職状況については，NGOトランスペアレンシー・インターナショナル（TI）が1995年から毎年発表している「腐敗認識指数」(Corruption Perceptions Index）が参照されることが多い。腐敗認識指数は，世界各国の官僚や政治家がどの程度汚職をしていると認識されているのかについて数値化し，国際的に比較するものである。現在では，180の国と地域について数値を発表

表26-1　世界各国の腐敗認識指数（2020年）

順位	国名	指数	順位	国名	指数
1	ニュージーランド	88	33	韓国	61
	デンマーク	88	35	ブルネイ	60
3	フィンランド	85	57	マレーシア	51
	スイス	85	75	モルディヴ	43
	シンガポール	85	78	中国	42
	スウェーデン	85	86	インド	40
7	ノルウェー	84		東ティモール	40
8	オランダ	82	94	スリランカ	38
9	ルクセンブルク	80	102	インドネシア	37
	ドイツ	80	104	ベトナム	36
11	カナダ	77		タイ	36
	英国	77	111	モンゴル	35
	オーストラリア	77	115	フィリピン	34
	香港	77	117	ネパール	33
15	オーストリア	76	124	パキスタン	31
	ベルギー	76	134	ラオス	29
（以下，アジア諸国抜粋）			137	ミャンマー	28
			146	バングラデシュ	26
19	日本	74	160	カンボジア	21
28	台湾	65	170	北朝鮮	18

出所：トランスペアレンシー・インターナショナル（TI）ウェブサイト資料より筆者作成。

している。

腐敗認識指数（2020年）のデータによると，汚職が最も少ないと評価されている上位10位以内の国は，1位ニュージーランド，デンマーク，3位フィンランド，スイス，シンガポール，スウェーデン，7位ノルウェー，8位オランダ，9位ルクセンブルグ，ドイツとなっており，シンガポールなどを除くと欧州諸国が上位を占めている（**表26-1**）。

アジア諸国については，3位のシンガポール以下は，11位香港，19位日本，28位台湾，33位韓国，35位ブルネイ，57位マレーシア，75位モルディヴ，78位中国，86位インド，東ティモール，94位スリランカ，102位インドネシア，104位ベトナム，タイ，111位モンゴル，115位フィリピン，117位ネパール，

124位パキスタン，134位ラオス，137位ミャンマー，146位バングラデシュ，160位カンボジアと続き，最下位が170位北朝鮮となっている。多数の国が下位50％に入っており，とくに東南アジア諸国については11か国中8か国が100位以下となっている。アジア諸国においては，依然として汚職が深刻な状況にあることがうかがえる。

アジアにおいて汚職が深刻な社会問題であることは，TIが実施した汚職に対する市民の意識調査（2019年3月～2020年9月実施，対象：アジア17か国）の結果からも明らかとなっている（Transparency International 2020）。調査によると「過去12か月間に汚職が悪化した」と考える市民の比率は，ネパール58％，タイ55％，インドネシア49％，インド47％，マレーシア39％，ミャンマー35％，フィリピン24％などとなっている。全体では，「汚職が悪化した」38％，「変化なし」28％，「汚職が改善した」32％となっており，過半数以上の市民が，汚職は依然として改善していないと考えている。また，「政府による汚職は大きな問題か」との質問に対しては，全体で74％の市民が「大きな問題だ」と回答している。国別データによると，インドネシア92％，台湾91％，インド89％，タイ88％，フィリピン86％，日本85％，ネパール84％，マレーシア72％，中国62％，韓国55％，ミャンマー50％，カンボジア33％となっており，各国とも多数の市民が自国政府の汚職を問題視している。

アジア諸国の汚職・汚職取締のニュース

近年，汚職取締で注目されている国の1つが中国である。2013年3月に習近平が国家主席に就任すると，汚職は党の存亡に関わると警告した。そして周永康（前・共産党政治局常務委員）に対する調査を指示するなど，中国共産党始まって以来の大規模な汚職取締が開始されたと報じられた。2019年までに共産党幹部を含む150万人以上が摘発されたと報じられている。江蘇省で揚州市書記や南京市長を歴任した季建業は建国以来，江蘇省に最も貢献した指導者とよばれたが，彼も汚職のかどで摘発された。

東南アジアでも汚職スキャンダルは枚挙にいとまがない。たとえばインドネシアでは，住民登録証の電子化を進める事業において，政府が2011年～13年に予算計5兆9,000億ルピアを配分したが，事業を受注したコンソーシアムの代表者が2011年2月以降，国会議員や内務省幹部らに贈賄した疑いがもたれている。収賄者は現職・元閣僚や州知事，国会議長，与野党の国会議員，事業者ら38人にのぼると報じられた。また2020年12月には，新型コロナウイルス対策の配給事業で，社会相が担当業者から170億ルピア（約1億2,500万円）の現金を受け取った収賄容疑で逮捕された。2003年に創設された汚職撲滅委員会（KPK）の活躍はインドネシア国内で賞賛されているものの，政府高官や政治家による汚職が絶えない。

タイは，2014年のクーデタ以降，軍部が政治権力を掌握し続けているが汚職疑惑は絶えることがない。軍事政権の閣僚たちによる汚職疑惑が幾度も報じられてきたが，国家汚職防止取締委員会（NACC）は踏み込んだ調査をおこなえなかった。他方でプラユット首相は，政府の政策として「汚職撲滅」を重要課題に掲げており，毎年，国内外に対して政府による汚職取締をアピールしている。相次ぐ政府高官による汚職疑惑，政府による盛大な汚職撲滅キャンペーンという矛盾した状況が生じている。

2　汚職・汚職取締に関する研究動向

アジア諸国において汚職が蔓延していることが明白だが，では，どのような行為が「汚職」とされるのだろうか。本節では，汚職の定義について確認したあと，汚職や汚職取締に関する学術研究の動向について概観する。

汚職の定義

「汚職」もしくは「腐敗」は，マスメディアなどでも頻繁に使用される用語であるが，その定義は必ずしも明確ではなく長らく議論の対象となってきた。現代社会における汚職や腐敗の定義としては，ハイデンハイマーが①公職中心型の定義（公職にある者による法規範の逸脱行為），②市場中心型の定義（公務員が公職を利用して得られる利益を最大化させる行為），③公益中心型の定義（市民による利益確保を指すとされる），の3つを示している（Heidenheimer ed. 1978)。国際機関では，「私的利用のための公権力の濫用」「職権や地位の濫用」「私的利益のための託された権力の悪用」といった定義が使用されている（小山田 2019: 19)。

具体的に「汚職」を認定する基準は何であろうか。「法的基準」をあげることができるが，憲法や法律は，各国エリートにより制定されたものであることも事実である。共産主義体制であれば党幹部の，軍事政権であれば軍部の意向を踏まえたものになるだろう。また「世論」も汚職の認定基準の1つとなりえる。近年ソーシャルメディアの浸透とともに，政治における世論の重要性が増している。世論は，今後一層重要な汚職の判断基準になるかもしれない。

1960年代～1970年代の汚職研究

汚職や腐敗に関する研究は，1960年代頃から本格的に始まった。当初の議論では，汚職を「悪いもの」として否定的に捉えるのではなく，汚職や腐敗も国家や社会において一定の機能を果たしているとして肯定的に捉える向きがあった。たとえば，市場的定義などからは，腐敗が許可やサービスに対する非公式の制御や規制の役割を果たすとされた。経済的成長の観点からは，腐敗がそれを促進する場合があると擁護された。また社会的政治的統合の観点からは，社会の摩擦を減らす潤滑油という意味があるとされ，官僚制の硬直性という弱点を補うものだと肯定的に評価された（河田編 2008: 10）。

1980年代以降の汚職研究

1980年代以降は，一転して汚職や腐敗に対して批判的な研究が増えた。経済成長に対する効果については，汚職は経済成長を遅らせ歪めると断じられた。官僚機構に対する影響についても，個別事例においては一時的に潤滑油的な機能を果たしたとしても，官僚の間の衝突や不効率を招き，最終的には経済面において否定的な側面をもつとされた。また，従前の研究では，途上国における汚職は国家の近代化により減少すると想定されていたものの，実際には容易にはなくならないことが明らかとなった（河田編 2008: 10-11）。

冷戦終結後の1990年代以降は，経済学，社会学，法学，政治学など様々な分野で汚職研究が盛んとなり，多分野を横断する学際的な研究も登場するようになった。後述するように，1990年代から国際機関による反汚職への取り組みが本格化するとともに，汚職の測定方法や反汚職取り組みのアセスメントの開発など，学術分野においても汚職を減少させるための研究が展開されるようになった（小山田 2019: 65-94）。

近年では，政治指導者が汚職取締に着手する契機について，政治的動機に着目した研究が登場するようになった。チェンとワイスは，汚職取締が「誰の利益を促進し，誰の利益を害するのか」という点に焦点を当てた。彼らは，多数の国で実行されている汚職取締の共通の動機は，公益ではなく私益であると断じる。アジア諸国において汚職取締が開始された動機には，①（政治指導者の）私的利益，②政党への忠誠，③政治的制度化の3種類が存在すると指摘した（Chen and Weiss eds. 2019）。

3　東南アジアにおける汚職の特徴

ではつぎに，アジア諸国における汚職や腐敗には，どのような特徴があるのか確認してみよう。本節では，とくに東南アジア諸国に焦点を当てる。歴史を振り返れば東南アジアのほとんどの国は，長期にわたる欧米列強による植民地支配を経験している。また第二次世界大戦終結後は，旧宗主国からの独立を勝ち取るための戦いを強いられ，1960年代以降は東西冷戦に巻き込まれた。東南アジア諸国は，いまだに民主化の途上にあり汚職も蔓延しているが，これらは過去の歴史の負の遺産でもある。

汚職とアジア的文化

「人権」「法の支配」「民主主義」といった概念のアジアへの導入においては，「アジア的価値」の存在がしばしば議論されてきた。アジアにはアジア独特の文化が存在するために，西欧的概念の導入には問題が生じるというものである。これらの概念とは異なり，汚職は世界中で観察しうる現象である。しかし汚職についても，アジアと欧米諸国のあいだでは，相違点が存在するとの指摘がある。

冷戦の時代，アジア諸国の深刻な汚職状況を前に，欧米の研究者やメディアはアジアの文化要素に着目した。1967年の『タイム』誌の記事は，「西欧において汚職は巧妙な手法を取るが，アジアにおいては，汚職は常習的であり伝統的である」と指摘した。同記事は，古代中国の時代から公金のつまみ食いは様々な社会階層において普通のことであったこと，アジアでは家族への忠誠が社会の結束力となっており，縁故採用などは生活様式の一部であること，タイでは汚職とは程度の問題であり，欲張りすぎると汚職とよばれるにすぎない点などをアジア的特徴としてあげた（*Time Magazine,* August 18, 1967）。

上記のような特徴が真に「アジア的」なのか否かは議論の余地があるが，当時，アジア諸国においては「忠誠の対象は（国家などの）大きい集団より（家族などの）小さい集団が常に優先する」（同上，14頁）という原則が貫かれ，**縁故主義**，**情実主義**，**派閥主義**が跋扈し，官僚や軍人による公金の私財化や権力の私物化，公営企業を中心とする官僚資本主義が展開していたことは事実であった。

汚職の歴史的背景――植民地期・冷戦期における萌芽

アジア諸国の汚職について文化的背景があることを認めるとしても，その特徴を理解するには歴史的経緯について知る必要がある。東南アジアは，タイを除くほとんどの地域が植民地支配を経験している。たとえば，フィリピンは，スペインによる統治を約300年間も受けた。インドネシアも約300年間にわたりオランダの植民地であった。ミャンマー，マレーシアは英国，インドシナ3か国は旧フランス領であった。またいずれの国も，第二次世界大戦後には，独立戦争とともに，冷戦による反共産主義戦争にも巻き込まれた。これらの歴史的経験により形成された各国の政治，社会，経済構造が深刻な汚職を生み出してきた。

たとえばフィリピンでは，スペイン統治下において不平等な大土地所有制が形づくられ，同国の政治の特徴である「エリート支配」の起源となった。18世紀末に世界経済に組み込まれた後は，スペイン人や華人のメスティーソが，大規模な商品作物栽培のために土地を収奪して大規模農園を作った。大土地所有者たちが地方エリート層を形成し，地域主義や階級差別などが横行するようになった。その後，スペインから米国による統治に移ったが，米国により導入された地方自治や議会制民主主義はエリートによる民主主義となった。またインドネシアでは，植民地政府に登用された現地人官僚などを中心にエリート層が形成された。第二次大戦終結後にオランダから独立した後は，議会制民主主義が導入されて，独立前から活躍していたエリートたちが政党を結成して総選挙に参加した。しかし，国民国家形成が未成熟であったため多党乱立状態となり，汚職が蔓延して国民からは不満の声があがった。

その後，冷戦期には，米国や日本から軍事・経済援助を受けた反共の独裁政権が多数登場した。「開発独裁」とよばれた独裁政権のもとで，強固な汚職ネットワークが構築された。たとえばインドネシアでは，スハルト政権（1968～1998年）のもとで，国内市場へのアクセスを求める外国企業や「政商」とよばれた華人系実業家が，軍人や高級官僚などの政治権力者とのあいだにネットワークを構築して汚職の温床となった。日本企業も例外ではなく，日本企業，大統領補佐官，インドネシア石油公社総裁などの政治家，華僑政商とのあいだに「神聖同盟」が構築され，汚職リソースを提供することとなった。またタイでは，1950年代末のクーデタ以降，軍事政権による長期支配が続いた。米国の軍事援助や日本の経済援助を受けたサリット・タナラット政権（1959～1963年），タノーム・キッティカチョーン政権（1963～1973年）のもとで，王室，軍部，官僚，華人系資本家からなるネットワークが形成された。1963年のサリット首相の死後や，1973年のタノーム首相の失脚後には，それぞれ莫大な金額の汚職が発覚して国民を驚かせた。

21世紀における汚職

ではつぎに，現在の汚職状況について確認したい。東南アジア諸国は1990年代から2000年代初頭までは，民主化が順調に進展していると思われていた。しかし近年，民主主義は後退傾向をみせており，大陸部を中心に権威主義体制による支配が広がっている。タイのプラユット・ジャンオーチャー政権（2014～2019年，2019～現在），カンボジアのフン・セン政権（1998～現在）など独裁政権による統治がみられる。2021年2月には，ミャンマーでクーデタが起き，ミン・アウン・フライン国軍総司令官に司法を含むすべての国家権力が委譲されたことが発表された。ラオスとベトナムでは社会主義が命脈を保っており，ラオス人民革命党とベトナム共産党による一党独裁体制が継続している。

21世紀に入っても軍事政権や一党独裁体制による統治が継続するなかで，汚職も過去の負の遺産を引き継ぐ形で継続している。たとえばタイでは，

1980年代から資本家が王室に接近をするようになり，1990年代以降は資本家による王室への献金額が急増した。21世紀に入ってもその傾向に変化はない。また2014年クーデタ以後，資本家たちは，軍事政権が実施した様々な事業や，2019年3月総選挙を前に結党された親軍政党に対して多額の寄付をおこなってきたことが注目されている。現在も，冷戦期に形成された王室を頂点とする軍，官僚，中華系資本家によるネットワークは，メンバーの入れ替わりを経験しつつも，基本的な構造は維持されている。フィリピンでは，現在も地方エリートが利権を掌握し続けている。それは政治的影響力をもつ一族の支配のもとで，「政治マシーン」というかたちをとる。政治マシーンは，官僚，合法および非合法ビジネス，マスメディア，市民社会と制度的に結びつき，様々な利権を配分することにより，地方レベルにおいて公的リソースを私物化している(Hellmann 2017)。

また一党独裁体制が継続しているベトナムでは，共産党が社会の隅々まで支配しているために，ベトナムで事業を展開しようとする場合には，あらゆる段階において賄賂を要求されることが知られている。民主化が比較的順調に進んでいるとみられているインドネシアでも，地方を統括する軍管区では，依然として国軍の権益が維持されていることが指摘されている。植民地期，冷戦期を通じて形成された汚職の構造は，幾分かの変化を経験しつつも，21世紀になってもなお存続している。

4 汚職取締機関の創設と問題点

21世紀に入っても深刻な汚職問題を抱えるアジア諸国であるが，冒頭でも触れたように，1990年代頃から汚職取締への取り組みが盛んな地域でもある。このパラドックスはなぜ生じたのか。アジア諸国における汚職取締の経緯と問題点について概観する。

アジアにおける汚職取締機関の創設

アジア諸国における汚職取締の歴史は意外にも長い。シンガポール，香港，そしてマレーシアでは，国際機関による汚職撲滅の働きかけが始まる以前に汚職取締機関が設置されていた。シンガポールは1952年，香港は1974年に汚職取締機関が設置されたが，それぞれ英国植民地期のことであった。マレーシアでも英国植民地期に汚職防止勅令が出され，独立後まもない1967年には汚職取締局が設置されており，早期から汚職対策がなされていたことがわかる。またタイでは，1963年に軍事政権のサリット元首相が亡くなった後，莫大な汚職が発覚してスキャンダルとなり，後任のタノーム首相による汚職調査が実施された。

しかし，各国政府が汚職撲滅を重要課題に掲げ，汚職取締機関の創設が相次いだのは1990年代以降のことであった。重要な契機となったのは，国際機関の方針転換であった。1990年代以降は，それまで途上国の汚職問題を重要視していなかった世銀，国際開発金融機関，国連機関，OECDなどの国際機関が，途上国に対して汚職撲滅のための施策の実行を促すため様々なかたちで関与するようになった。国連は，各国政府に対して，**国連腐敗防止条約**（**UNCAC**: United Nations Convention against Corruption）や「持続可能な開発目標」（SDGs: Social Development Goals）の達成を推進させる調整役となっている。

国際社会の動向に合わせて，ネパール1992年，タイ1999年，パキスタン1999年，インドネシア2003年，ブータン2006年，ベトナム2007年，モンゴル2007年，韓国2008年，カンボジア2010年，ラオス2011年，中国2017年など，相次いで汚職取締機関が設置された。これらの国々は，いずれも民主化の途上にあるが，政治体制を問わず同時期に汚職撲滅の取り組みに着手した。そして21世紀のアジア諸国では，汚職取締ブームともいうべき現象が席巻することとなった。

汚職取締における問題

21世紀に入り，アジア諸国では汚職取締に関するニュースが連日マスメディアを賑わすようになった。しかし，前述のように，各国民の自国の汚職状況に対する認識は依然として厳しい。TIの指標の推移をみても，各国政府により汚職取締が積極的に推進されているにもかかわらず，あまり数値が改善されていない国が多い（表26-2）。

なぜ汚職取締が推進されているにもかかわらず，汚職状況が改善しないのだ

表 26-2　アジア諸国の腐敗認識度指数の推移

	1995	1998	2001	2004	2007	2010	2013	2016	2020
シンガポール	9.26	9.1	9.2	9.3	9.3	9.3	86	84	85
インドネシア	1.94	2.0	1.9	2.0	2.3	2.8	32	37	37
マレーシア	5.28	5.3	5.0	5.0	5.1	4.4	50	49	51
タイ	2.79	3.0	3.2	3.6	3.3	3.5	35	35	36
カンボジア					2.0	2.1	20	21	21
ラオス					1.9	2.1	26	30	29
ベトナム		2.5	2.6	2.6	2.6	2.7	31	33	36
香港	7.12	7.8	7.9	8.0	8.3	8.4	75	77	77
中国	2.16	3.5	3.5	3.4	3.5	3.5	40	40	42

注：2011 年までは 0 〜 10，2012 年から 0 〜 100 に変更。数値が高いほど腐敗認識が低い。
出所：トランスペアレンシー・インターナショナル（TI）ウェブサイト資料より筆者作成。

ろうか。その原因の1つとして指摘されているのが，汚職取締の政治的偏向性である。政府が汚職取締機関に対して人事などを通じて政治的介入をおこなっているため，汚職取締が中立，公正ではないとの見解である。アジア諸国は，政治体制が民主主義ではない国が多い。とくに軍事政権や一党独裁体制下にある国々では，汚職取締機関の制度設計や活動において，政治指導者の意向に逆らうことは難しいであろう。

中国の習近平による汚職撲滅運動は，党内の政敵を一掃することが目的の1つとみられている。タイでは，軍が「政治家の汚職」を大義名分としてクーデタを繰り返してきた。また前述のように2014年クーデタ以降は，NACCのみならず憲法裁判所や選挙委員会が，プラユット政権または軍部に寄った裁定を繰り返していることが激しく批判されている。民主化が進行中のインドネシアでは，汚職撲滅委員会（KPK）による政治権力者に忖度をしない活躍が賞賛されてきた。しかし，インドネシアでも既得権益層が多数関与する案件においては，汚職取締の成否は市民社会の支持や政治指導者の協力にかかっていることが指摘されている（Umam et al. 2020）。汚職を撲滅することの重要性を否定することはできないが，汚職取締が政治的手段として使用されうる現実も存在する。

おわりに

本章で概観したように，アジア諸国では依然として汚職が蔓延しているものの，同時に汚職取締が積極的に推進されている。そして，各国政府による汚職取締は，時には政治的道具として利用されている。このような現状を前に，アジア諸国との関わりが強い日本企業は，今後どのように対処していくべきなのだろうか。

前述のように，冷戦期から日本企業は各国の汚職に関与してきた。タイでは，1970年代初頭に日本企業による軍関係者への贈賄が発覚し，汚職スキャンダルが現地メディアで報じられた。近年も，日本企業が関与した汚職事件が報じられている。たとえば，2019年にはタイ火力発電所建設に関して，某日本企業によるタイ港湾当局の高官に対する贈賄事件が発覚した。またベトナムでも，プラスチック製品の製造を手掛ける日本企業のベトナム子会社が2017年および2019年に，税務調査の担当官に贈賄をおこなったことが報じられている。

アジア諸国における汚職取締が政治性を帯びており，必ずしも公正で中立なものではない。しかし，各国において汚職防止法が整備され，汚職取締機関が設置されている現状では，日本企業も過去のような汚職慣例に従って行動すると命取りになりかねない。このような状況下で，日本企業が様々な困難に直面するであろうことは容易に想像できる。しかし今後は，各国政府の「汚職取締の政治」に巻き込まれることのないように，状況を注視しつつ，現地の汚職取締法に従うことが必要だろう。

【外山文子】

参考文献

小山田英治『開発と汚職――開発途上国の汚職・腐敗との闘いにおける新たな挑戦』明石書店，2019年。

河田潤一編『汚職・腐敗・クライエンテリズムの政治学』ミネルヴァ書房，2008年。

日本経済新聞，2019年11月14日，https://www.nikkei.com/article/DGXMZO52175860U9A111C1CR8000/，2021年4月20日アクセス。

ニューズウィーク日本版，2019年10月24日，https://www.newsweekjapan.jp/stories/world/2019/10/post-13249.php，2021年4月20日アクセス。

Chen, Cheng and Meredith L. Weiss eds., *Political Logics of Anticorruption Efforts in Asia*, State University of New York Press, 2019.

Heidenheimer, A. J. ed., *Political Corruption: Readings in Comparative Analysis*, Transaction Books, 1978.

Hellmann, Olli, "The historical origins of corruption in the developing world: a comparative analysis of East Asia," *Crime Law Soc Change*, 68, 2017, pp. 145-165.

Time Magazine, "Corruption in Asia," August 18, 1967.（西原正編『東南アジアの政治的腐敗』創文社，1976年，11-20頁）

Transparency International, *Global Corruption Barometer Asia 2020: Citizens' Views and Experiences of Corruption*, 2020, https://images.transparencycdn.org/images/GCB_Asia_2020_Report_Web_final.pdf，2021年4月20日アクセス。

Umam, Ahmad Khoirul, Gillian Whitehouse, Brien Head and Mohammed Adil Khan, "Addressing Corruption in Post-Soeharto Indonesia: The Role of the Corruption Eradication Commission," *Journal of Contemporary Asia*, Volume 50, Issue 1, 2020, pp. 125-143.

文献紹介

① 小山田英治『開発と汚職――開発途上国の汚職・腐敗との闘いにおける新たな挑戦』明石書店，2019年。

まずは，本書を通じて，途上国における汚職や汚職取締について考えてみよう。また，**河田潤一編『汚職・腐敗・クライエンテリズムの政治学』（ミネルヴァ書房，2008年）**を併せて読むことで，汚職に関する理論をより体系的に学ぶことができる。**レイ・フィスマン／ミリアム・A・ゴールデン著，溝口哲郎・山形浩生・守岡桜訳『コラプション／なぜ汚職は起こるのか』（慶應義塾大学出版会，2019年）**も参考になる。

② 外山文子『タイ民主化と憲法改革――立憲主義は民主主義を救ったか』京都大学学術出版会，2020年。

本書は，タイにおいて立憲主義や法の支配といった概念が，民主主義を擁護するのではなく，むしろ民主主義の発展を阻害している現状について説明している。**駒村圭吾・待鳥聡史編『統治のデザイン――日本の「憲法改正」を考えるために』（弘文堂，2020年）**を併せて読むとより理解が深まる。

③ 川中豪・川村晃一編『教養の東南アジア現代史』ミネルヴァ書房，2020年。

東南アジア諸国の歴史や特徴については，本書が良くまとまっている。また，植民地や冷戦期の歴史が各国の民主化に与えた影響については，**外山文子・日下渉・伊賀司・見市建編『21世紀東南アジアの強権政治――「ストロングマン」時代の到来』（明石書店，2018年）**が初学者にもわかりやすく解説をおこなっている。

第 27 章 感染症

地域内保健協力

“アジアにおける地域内保健協力の歴史と現状，課題とは何か”

新型コロナをめぐってはグローバルなレベルでの対応枠組みの様々な不備が明らかとなり，地域レベルでの協力の重要性が増しています。実際，ヨーロッパでもアフリカでも新型コロナを契機として地域内保健協力を強化する動きをみせています。他方，アジアではやや状況が異なります。アジアにおいて保健協力はどのような経緯を辿り，どのような課題を抱えているのでしょうか。

キーワード 新型コロナウイルス，世界保健機関（WHO），地域内保健協力，感染症情報局
関連する章 第13章，第25章，第28章

はじめに

新型コロナウイルスの世界的なパンデミックが宣言されてから，2022年春時点で2年が経過した。中国の武漢という一都市で起きた感染症がなぜ世界的に広がり，対応に苦慮してきたのか。その理由としては，発生国の初動対応に加え，**世界保健機関**（WHO: World Hearth Organization）の状況評価のあり方，国際保健規則の問題点，世界的なワクチン供給システムの不在などグローバルなレベルでの協力体制の様々な不備があげられる。今回の経験をふまえ，グローバルなレベルでの対応枠組みが補強されていくことが望ましいものの，米中対立や米欧の覇権争いなど国際政治上の動向を受けて，その道のりはきわめて困難なものになると予想される。そうなると，地域や国レベルでの対応強化を図り，重層的にパンデミックへの対応と備えを見直す必要がある。

歴史的にみても，近隣諸国との関係強化はグローバルなレベルに先んじて整えられてきた。本章ではアジアにおける**地域内保健協力**に焦点を当て，その歴史やあり方，今後の課題について論じていきたい。

1 戦前の地域内保健協力

グローバルな保健協力に先行した地域内保健協力

感染症については，気候の特質や衛生システムの整備状況など，地域によって流行しやすい性格をもつ感染症も存在する。たとえばマラリアはアフリカや東南アジアなど熱帯地方でよくみられる感染症であるし，黄熱病はアフリカや南米大陸で感染がみられる。またコレラは現在，先進国ではほとんどみられず，他方，衛生環境が整っておらず，安全な水の供給がおこなわれていない人口密集地域で発生しやすい。このように，特定地域で常に存在している風土病（endemic）が，地域を超えて疫病（epidemic）として流行したり，それがさらに大規模にパンデミック（pandemic）として拡散したりすることを防ぐために，まずはグローバルなレベルに先駆けて地域内協力――域内の国家間でルール設定や情報共有はじめ，協力して感染症に対処するための枠組みづくりと維持――の発展を促してきた。

感染症制御のためのグローバルな枠組みがまだ整っていなかった19世紀には，地域レベルでの協力枠組みが次々と形成された。1831年にはエジプトのアレクサンドリアに保健委員会（Board of Health，のちにEgyptian Quarantine Boardと名称変更）が設立された。当委員会は1869年にスエズ運河が開通すると，通行する船の管理を含め，地域局として活動，1938年にその機能はエジプト保健省に，1949年にはWHOに引き継がれた（WHO 1958: 33）。1839年にはオスマン帝国内にコンスタンチノープル高等衛生委員会（Conseil Supérieur de Santé de Constantinople）が設立された。オスマン帝国とヨーロッパ諸国の交流が増大するなか，帝国に入港する船への検疫や周囲の感染症情報に関して，関係国のあいだで共同歩調をとるというのがその目的であった（WHO 1958: 32）。以上の委員会は本部や事務局を有しない点で，国際機構とはよべないが，関係国の代表によって構成され，各国共通の関心事である感染症の管理にともに従事したという点において，地域的保健協力の原型となった。

そのようななか，史上初の地域的保健機構が20世紀初頭にアメリカで設立された。アメリカ大陸では19世紀末から20世紀初頭にかけて，ヨーロッパや中南米との人の行き来や経済交流が一段と盛んになり，ヨーロッパからコレラが，中南米から黄熱病が持ち込まれるようになった（Borowy 2014: 26-27）。こうした状況に対処するべく，1902年にはアメリカ，キューバ，コスタリカ，メキシコ，チリの5か国を加盟国とし，汎米衛生局（Pan American Sanitary Bureau）が設立された（Howard-Jones 1981: 6-7）。衛生局は地域内外の感染症情報収集を収集し，保健分野の国家間協力の雛形を示したという評価もある（WHO 1958: 31-32）。衛生局の本部はワシントンDCに置かれ，実質的な設備は米公衆衛生局が提供するなど，米国の強い影響力・リーダーシップが垣間見える一面もあった（Borowy 2014: 26-27）。

シンガポール感染症情報局

アメリカ大陸よりは随分遅れたものの，アジアでも同様の動きがみられた。アジアでは19世紀以降，ペストとコレラが絶えず流行しており，こうした状況を改善する必要性は第一次世界大戦前からたびたび指摘されてきたが（Goodman 1971: 127; 福士 2010: 第2・3章），アメリカ大陸とは異なり，地域内に強いリーダーシップを発揮する国も存在せず，その対応は第一次世界大戦後，国際連盟の設立を待たねばならなかった。1920年1月に国際連盟が発足し，その下に国際連盟保健機関が設置されると，当機関に対し，アジアにおける感染症対策をおこなうよう，期待が高まった。たとえば1922年6月の国際連盟保健機関の委員会にて，日本代表を務めていた宮島幹之助は「日本とその領土におけるコレラの流行について」と題する報告書を提出，このなかでフィリピン，中国，インドなどの南アジアならびにシベリアを発生源として，アジアではペストとコレラが絶えず流行しており，それが日本，台湾，関東州，朝鮮半島に蔓延していると報告した。日本政府としては独自の防疫対策を試みてきたが，こうした措置が経済活動や交通の妨げになるとの批判を上海の保健当局と外国人商工組合から受けるという実情もあった。国別の独自の防疫対策には限界があるとして，宮島は国際連盟がアジアに伝染病情報局を設立すること，そのための調査をおこなう目的で，国際連盟からアジアに視察団を派遣することを提案した。本提案は委員会で可決され，1922年11月から翌23年7月にかけて国際連盟保健機関からアジアに視察団が派遣され，その報告書にもとづく形で，1924年3月，国際連盟保健機関極東支部として**感染症情報局**を設立することが決まった。

感染症情報局は1925年3月1日に開局した。感染症情報局の設立によって，ヨーロッパとアフリカの感染症情報をジュネーブの国際連盟保健機関の感染症情報部門（Epidemiological Intelligence Service）が，そしてアジアの感染症情報をシンガポール局が担当し，両組織が連携を図ることで，ヨーロッパ，アフリカ，アジアという広い領域における体系的な感染症情報網が設立されることとなった。情報局は感染症情報を無線で集め，毎週各地に配信していた。その際，シンガポール，東京，バンドン，サイゴン，上海，カラーチー，ジュネーブなどの12の無線局（radiogram stations）が利用され，発信される情報はアジアに位置する連盟非加盟国にも利用された。情報局と通信をおこなっていた港の数は1925年10月には47港であったのが，翌年4月には87港，28年9月には112港，38年には地中海沿岸から東アジアに至るまで180港に増えていた（安田 2014: 第2章）。

情報局設立の国際政治的意義

情報局の設立によって，感染症情報のやりとりが簡素化されたが，その効果はそれだけにとどまらず，当時の国際関係にも影響を及ぼした。第1は情報局の設立によって，それまでヨーロッパに限定されていた国際連盟の活動がアジアに拡大されたことである。第一次世界大戦の後に設立された国際連盟は，設立後初期の活動はヨーロッパに限定され，欧州域外からは批判を浴びていた。そのようななかで，情報局の設立は国際連盟にとってそうした批判を交わし，グローバルな性格をアピールする機会となった。

第2は，情報局が国際連盟のアジア支部として，関係国の利害が時にぶつかり合う，あるいは調整する場として，フォーラムのような役割を果たしたことである。そもそも情報局の設置場所に関しては関係国のあいだで競合がみられた。イギリスがシンガポールを提案したのに対してフランスは仏領インドシナを，オランダはオランダ領東インドを，また日本は東京をそれぞれ設置場所として提案した。国際連盟の事実上のアジア支部を自国の領域内に設置することが地域の保健行政，ひいてはグローバルなレベルでの国際関係における影響力に直結するのではないかという期待があったからだ。結局，英語圏であること，海上交通の要衝であることを理由に，1924年6月シンガポールが設置場所に決まった。開局後は情報局に設けられた諮問委員会（Advisory Committee）に関係国の保健当局代表が集い，関係国の利害関係を調整する役割を果たした。とりわけ日本や中国などアジアの国々にとって，当時はジュネーブまで船で約1か月を要したので，情報局は近場で多国間協議に関与できる場とみなされていた。日本はこの諮問委員会に，本国代表に加え，朝鮮や台湾といった植民地からもこの委員会に代表を派遣していた。また1933年に国際連盟を脱退した後も極東支部に分担金を支払い続け，また極東支部の次長ポストを維持したのであった。

情報局が果たした第3の役割は，地域レベルとグローバルレベルの保健協力を連結させる役割を果たしたことだ（Sealey 2011: 435)。当時のアジアには極東熱帯医学学会など関係諸国の専門家によって構成されるネットワークが存在しており，情報局がこうした非政府ネットワークの活動に関与することで，地域レベルとグローバルなレベルの協力枠組みを連結させるような役割を果たしたのだ（Akami 2016)。

2　第二次世界大戦中戦後の地域内保健協力

連合国による感染症情報業務

シンガポールの感染症情報局は第二次世界大戦の開戦に伴い，活動停止を余儀なくされた。他方，第二次世界大戦中のアジアでは，公衆衛生環境が著しく悪化し，ペストやコレラが流行，感染症情報業務への要望は依然高く，連合国が設立した連合国救済復興機関（UNRRA: United Nations Relief and Rehabilitation Administration）が実質的に戦時中のアジアにおける感染症情報業務を担った。

感染症情報業務への要望は第二次世界大戦後も衰えることはなかった。戦後のアジアでは交通量や人の移動の増大に伴い，コレラをはじめとする様々な感染症の流行がみられたからだ。1946年，東南アジア最高司令部（the Supreme Allied Commander in South East Asia）が戦前とまったく同様に，無線を用いて関係諸アクターとの感染症情報業務を担った。

東南アジア司令部による業務はあくまで暫定的なものであり，1946年にWHO設立が合意されるとまもなく，感染症情報業務は戦前の設備と併せて，1947年4月にWHO暫定委員会に引き継がれた。同時に情報局はシンガポール感染症情報署（the Singapore Epidemiological Intelligence Station）と名称を変更し，以降，東アジアにおける感染症情報業務ならびに関連地域における国際衛生協定の運営に携わることとなった（安田 2014: 第2章）。

情報署は戦前の事業を継続しつつも，事業の効率化と拡大に努めた。第二次世界大戦後は航空交通の増大に伴い，情報署の業務は自然と拡大し，情報のやりとりに使用される無線局も，戦前から存在する既存の局に加えてインドネシア，台湾，中国などに新たに増設された。また，戦前のシンガポール感染症情報局は最大で247の港と交信していたが，1948年3月までにその数は283の港と保健当局に増加していた。また情報署が情報を入手して24時間以内に，海上の船を含むほぼすべてのアクターに情報が伝えられるなど，交信のスピードも迅速化した。交信の内容も戦前に比べて拡大した。戦前はコレラ，ペスト，天然痘という3つの感染症情報のやりとりに限られていたが，戦後は日本脳炎やポリオといった他の感染症情報も含むものへと拡大された。このようにして戦後は戦前の活動を基軸としつつ，より柔軟に，より迅速に情報のやりとりがなされるようになったのだ。

戦後初期において，有用な事業を担ってきた情報署であったが，1940年代後半になり，WHOの地域事務局が次々と設立されていくと，転機を迎えることとなった。1949年1月にはWHO最初の地域局として東南アジア地域局が開局し，同年7月1日には東地中海地域局が開局した。西太平洋地域にも同様の地域局を設立しようという機運が高まるなかで，シンガポールの感染症情報署をどうするのかという議論が浮かび上がってきた。当時のWHO事務局長ブロック・チゾム（Brock Chisolm）は情報署の有用性を認識し，情報署をWHOアジア地域局に昇格させたい意向であった。他方，情報署はあくまで感染症情報業務に特化した小さな世帯であり，地域の多様な保健課題を扱うにはあまりにも小さすぎることも事実であった。結局，情報署をWHOのアジア地域局に昇格させるのではなく，新たな地域局を設立することが決まり，1951年WHOの西太平洋地域局が開局，情報署の機能は地域局に移管された（WHO 1958: 102）。

その後，1951年の国際衛生規約の改定に際しては，情報局ならびに情報署の26年に及ぶ経験が大いに反映された。1951年5月25日，戦前の13の国際衛生協定（International Sanitary Conventions）を統合し，新しい1つの国際衛生規則（International Sanitary Regulations）が採択された（WHO 1952: 1-2）。その第3条では，コレラ，チフス，天然痘，黄熱病が各領域内で発生した場合には，確認してから24時間以内にWHOに電報で伝えることを加盟国に義務づけられたが，これは条文起草の際，米国代表がシンガポール感染症情報局の経験を取り入れるべきだと述べ，それが実現された経緯がある（WHO 1952: 43）。さらに国際衛生規則の第9条では，感染症流行の可能性がなくなった場合にも，WHOに通知する義務が規定された。これも情報局の慣例の1つであり，感染のリスクがなくなった場合に，速やかに移動の自由を取り戻すことを可能にするものであった（WHO 1952: 304）。

国際衛生規則は1969年に国際保健規則（IHR: International Health Regulations）と名称変更，その後も国際環境の変動に伴い，たびたび改定をへてきた。1981年には天然痘の根絶を受けて，対象から天然痘が外されたし，2005年の改定ではバイオテロなどの事態を想定し，その対象が人為的な公衆衛生上の危機を含むものへと拡大された。

他方，加盟国がWHOに感染症情報を提供し，その情報にもとづき，WHOが状況を評価する，あるいはまとめた情報を各国に共有するという形式自体は，戦前から変わっていない。現行の国際保健規則第6条1項では各参加国は公衆衛生上の情報を評価後24時間以内に，自国領域内で発生した国際的に懸念される公衆衛生上の緊急事態を構成するおそれのあるすべての事象およびそれら事象に対して実施される一切の保健上の措置を，WHOに通報しなければならないと定められている。また，第49条7項では自国の領域で事象が発生した参加国は，事務局長に対し，国際的に懸念される公衆衛生上の緊急事態の終結および／または暫定的勧告の解除を提案できると規定されている。いずれも戦前のシンガポール感染症情報局での慣例である。戦前にアジアで実施されていた感染症情報システムは時を経て，現在のガバナンスのなかで生き続けているのである。

3 ポスト・コロナにおける地域内保健協力の重要性

新型コロナを経た地域内保健協力の進展

戦後は6つの地域局に分かれたこともあり，地域別保健協力が発展したものの，地域間の閉鎖性が高く，必要なときに地域間が助け合えないという問題点も引き起こした。それでもなお，地域レベルの保健協力の意義とは，グローバルなレベルでの協力を補完するというものだろう。新型コロナ対応をめぐって，グローバルなレベルでの協力に関する様々な綻びが明らかになったからこそ，地域レベルでの協力を見直す動きが活性化している。EUは従来，公衆衛生分野の域内協力に積極的ではなかったが，新型コロナ対応や新型コロナワクチン調達等に関して共同歩調をとることができなかった経験を受けて，2020年秋に欧州保健連合（European Health Union）の設立に向けて舵を切り始めた（The Guardian 2020）。域内での医薬品や医療機器の供給状況のモニタリング，ワクチン治験やワクチンの有効性・安全性に関する情報や研究のコーディネート（European Commission 2021），またEUレベルでのサーベイランスシステムの整備，加盟国内で病床使用率や医療従事者数などデータの共有などを通じて，公衆衛生上の危機に対する地域レベルでの備えと対応を強化する狙いがある（European Commission 2020）。

アフリカでも新型コロナを契機として，地域内協力の重要性が再認識され，アフリカCDCが中心となり，サーベイランスや検査，必要物資やワクチンの調達等に努めてきた（The Washington Post 2020）。大陸内部の医薬品・医療用品の調達を担う地域内枠組みとしてアフリカ医療用品および医薬品プラットフォーム（Africa Medical Supplies Platform）も設立され，AUやアフリカCDC，国連アフリカ経済委員会など地域の組織間でパートナーシップとして（The Africa Report 2021），アフリカにおける域外からの新型コロナワクチン調達においても大きな役割を果たしている（Reuters 2021a）。アフリカでは新型コロナをきっかけとして，域内でのワクチン自給率を高めようという動きも高まった。アフリカはワクチン輸入率は99％であり，2021年4月，アフリカCDC長官は現地の生産能力を高めることで，2040年までに輸入率を40％にまで下げることをめざすと宣言した（Reuters 2021b）。COVAXファシリティは2021年末までに20億回分のワクチン供給をめざしていたが，2022年1月時点で分配量はその約半分にとどまっており，COVAXの主要供給先であるAUからも批判が出ている（Cullinan 2021）。このようにアフリカでは，WHOやCOVAXといったグローバルな枠組みへの批判や懐疑心が地域的な枠組みを補強しようという動きにつながっているといえる。

アジアにおける地域的保健協力

アジアでは少し状況が違う。日中韓3か国は2007年以降，尖閣諸島をめぐる問題で日中関係が悪化した2012年を除き，毎年，保健大臣会合を開催してきた。今回の新型コロナウイルス対応をめぐっては，2020年5月に日中韓保健大臣会合の特別会合を開催，3か国間の情報やデータ，知識の共有の強化，技術的専門機関間のさらなる交流や協力の促進，新型コロナウイルス対策のための情報・経験の共有の重要性を内容とする共同声明が採択された。他方，その後，中国の対応への不信感が募り，また貿易問題や徴用工の問題で日韓関係がギクシャクするなか，日中韓保健大臣会合はまったく進展がなかった。

こうしたなか，アジアでは地域全体を網羅するような包括的な協力枠組みではなく，断片的な協力が進展しつつある。新型コロナワクチンをめぐっては，ワクチンナショナリズムがはびこり，多くの東南アジア諸国がワクチン調達に困難をきたした。そのようななか，国産のワクチンを積極的に売り込んできたのが中国とロシアである。中国はワクチン提供と引き換えに，南シナ海での問題，中国国内の人権状況をめぐる問題，台湾問題等で，東南アジア諸国を味方につける狙いがあるとされる。ロシアもワクチン提供を通じてアジアにおける政治的影響力の伸長につなげたい狙いがあるとされる。これに対し，インドに日本，米国，オーストラリアを加えた4か国の外交・安全保障政策の枠組み「Quad（クアッド）」は，インド製ワクチンを東南アジアなど新興国に供給する計画を立てたり，インドのワクチン製造能力開発を支援するなどして対抗している。

また，日本政府は2021年6月には，東南アジアの国々にアストラゼネカ製ワクチンを提供すると申し出た（日本経済新聞 2021）。2020年には日本政府は感染症発生時に動向調査や分析，医療人材の育成等をめざしてASEAN感染症センターの設置を支援する方向性を打ち出した。本センターは現地の医療水準の向上や日本企業のASEAN進出につなげる狙いがあるとされ，将来的には日本製の医薬品開発に際して，治験など協力の拠点となる可能性も秘めている。また地政学的にも，東南アジア諸国との感染症協力は，「自由で開かれたインド太平洋」構想のなかでグローバルヘルス・セキュリティを実現していくうえで重要な一歩となると期待される。

このようにアジアにおける地域的保健協力は，日韓関係の緊張の高まりや，米中対立，あるいは政治体制の違いを反映する形で，断片的な進展を辿っており，アジアの包括的な地域協力に関しては，ほとんど先が見通せない現状である。他方，地域レベルでの協力の重要性はその歴史が示すとおり，依然高く，近隣諸国のあいだで情報共有の制度を整えたり，起こりうる感染症に対して治療薬やワクチンの共同開発をおこなったり，緊急時の渡航制限や医療用品・医薬品の供給網についてある程度の仕組みを整えることが望ましい。日韓の政治外交関係が冷え込むなかでも，日本の国立感染症研究所と中国CDC，韓国疾病予防管理庁のあいだには定期的な研究交流もおこなわれている（国立感染症研究所 2020）。協力に向けて順調に歩みを進める東南アジア－日本間協力に加え，日本が韓国や中国とも研究者レベルで非公式の協力を積み上げ，いずれ地域内の何らかの包括的な枠組みにつなげていくことが望ましいといえる。

おわりに

以上みてきたとおり，地域レベルでの保健協力は歴史的にみれば，近隣であるという特性ゆえに，グローバルなレベルに先んじて発展し，またグローバルなレベルの枠組みと接点をもちつつ，並行して発展してきた。だからこそ，グローバルなレベルと地域レベルでの保健協力は相互補完的に捉えられるべきであるし，グローバルな枠組みが多くの綻びを見せるなか，近隣諸国との関係の重要性が増しているといえる。

振り返れば，アジアは地域的な保健協力が戦前から発展し，それがグローバルな協力枠組みの土台と提供するという側面もあった。日中が1930年代以降，対立を激化しつつも，同じ国際連盟情報局の加盟国として，ネットワークのなかにとどまり続けた事実は振り返るに値する。現在は保健協力が一争点と化しているため，政治体制の違いや歴史認識問題，米中対立の影響を受け，政府間の機能的な協力も容易ではなくなっている。しかし，その有用性と重要性がポスト・コロナにおいて依然高いということは本章で繰り返し述べたとおりであり，研究者間の非公式のネットワークを活用しつつ，現状を打破していく努力が必要であるように思われる。

【詫摩佳代】

参考文献

国立感染症研究所「日中韓感染症フォーラム」，2020年12月7日，https://www.niid.go.jp/niid/ja/jck-idforum.html.

福士由紀『近代上海と公衆衛生——防疫の都市社会史』御茶の水書房，2010年。

日本経済新聞「東南アジア5カ国へワクチン提供，外相発表 台湾に続き」，2021年6月15日。

安田佳代『国際政治のなかの国際保健事業』ミネルヴァ書房，2014年。

Akami, Tomoko, “A Quest to be Global: The League of Nations Health Organization and Inter-Colonial Regional Governing Agendas of the Far Eastern Association of Tropical Medicine 1910-25,” *The International History Review,* 38 (1), 2016.

Borowy, Iris, *Coming to Terms with World Health: The League of Nations Health Organization 1921-1946,* Peter Lang, 2014.

Cullinan, Kerry, “African Union Special Envoy Slams COVAX as COVID Deaths Spike on the Continent, Urges Donors to ‘Pay up’ on Vaccine Pledges,” Health Policy Watch, 1 July 2021, https://healthpolicy-watch.news/african-union-special-envoy-slams-covax-as-covid-deaths-spike-on-the-continent-urges-donors-to-pay-up-on-vaccine-pledges/.

European Commission, Press Release, “Building a European Health Union: Stronger crisis preparedness and response for Europe,” 20 November 2020, https://ec.europa.eu/commission/presscorner/detail/en/ip_20_2041.

European Commission, Press Release, “European Health Union: European Commission welcomes step towards better access to medicines and medical devices during crisis,” 15 June 2021, https://ec.europa.eu/commission/presscorner/detail/en/IP_21_2963.

Goodman, Neville M., *International Health Organizations,* Harcourt Brace/Churchill Livingstone; 2nd Revised 1971.

Howard-Jones, Norman, *The Pan American Health Organization: Origins and Evolution,* WHO, 1981.

Reuters, “Ghana aims to receive 18 million COVID shots by October,” 26 July 2021 (a), https://www.reuters.com/world/africa/ghana-aims-receive-18-million-covid-shots-by-october-2021-07-25/.

Reuters, "Africa must expand vaccine production, leaders say," April 12, 2021 (b), https://www.reuters.com/world/africa/africa-must-expand-medical-manufacturing-capacity-south-africas-president-2021-04-12/.

Sealey, Anne, "Globalizing 1926 International Sanitary Convention," *Journal of Global History*, 6, 2011.

The Africa Report, "Africa: Regional cooperation is crucial for the continent's growth," 14 July 2021, https://www.theafricareport.com/107923/africa-regional-cooperation-is-crucial-for-the-continents-growth/.

The Guardian, "EU seeks greater public health powers after Covid 'wake-up call,'" 11 November 2020, https://www.theguardian.com/world/2020/nov/11/eu-seeks-greater-public-health-powers-in-wake-of-covid-wake-up-call?CMP=share_btn_tw.

The Washington Post, "Covid-19 is accelerating multilateralism in Africa," 27 July 2020, https://www.washingtonpost.com/politics/2020/07/27/covid-19-is-accelerating-multilateralism-africa/#click=https://t.co/FUaZM23S2i.

World Health Organization, "International Sanitary Regulations: proceedings of the special committee and of the 4th World Health Assembly on WHO Regulations No. 2," 1952.

World Health Organization, *The First Ten Years of the World Health Organization*, 1958.

文献紹介

① 永島剛・市川智生・飯島渉編『衛生と近代――ペスト流行にみる東アジアの統治・医療・社会』法政大学出版局，2017年。

人類史上，世界各地を席巻したペストは19世紀以降，アジアでも流行した。東アジアの諸地域においてペストの流行は，衛生行政ないし強化の契機となった。たとえば中国では開国に伴い，港がペストの脅威にさらされたが，中国の衛生政策はヨーロッパ列強の中国進出とぶつかり合うこととなった。日本も本国のみならず，台湾など植民地統治においてペストの制御は避けられない課題となった。ペストの流行という共通の脅威に直面したアジア各地で，それぞれどのような形で衛生なるものが形成されていったのかを香港，台湾，上海，ジャワなど各地の様子を分析しつつ説明する論文集。

② 脇村孝平『飢饉・疫病・植民地統治――開発の中の英領インド』名古屋大学出版会，2002年。

19世紀後半から20世紀初頭にかけての英領インドにおける飢饉・疫病の多発を，当時のインドの国内事情や植民地統治という内的・外的要因から分析した著書。当時のインドは世界貿易の拡大と交通革命に導かれ，農産物の輸出とそれに伴う農業の商業化によって，経済成長を経験していた。それにもかかわらず，人々の栄養と健康の悪化がもたらされたのは，植民地開発に伴う疾病環境の悪化，加えて，植民地政府が公衆衛生上の介入を避けたという事情によるものであった。その後，現在に至るまで南アジアは多くの人が絶対的貧困状態にあり，栄養と健康不全の問題はいまだに深刻である。その意味で，この時期の歴史はいまだに影を落としていることがうかがえる。

③ 詫摩佳代『人類と病――国際政治から見る感染症と健康格差』中央公論新社, 2020年。

感染症への対処は，古くは個々の共同体でバラバラであったが，コレラへの対処等を通じて次第に，国境を越える枠組みの必要性が認識されるようになった。新型コロナウイルスへの対応で多くの問題を露呈したWHOも，こうした必要に迫られて設立された組織である。他方，いったん国際的な協力枠組みが形成されると，そこは国家，国際機関，製薬会社，民間セクターなど，多様なアクターが関わる複雑な政治アリーナと化した。本書は人類と病の闘いの歴史的展開を追い，また，その闘いの模様を，新興感染症や生活習慣病，顧みられない熱帯病など，個々のテーマを通して読み解いている。

第 28 章　災害・防災

災害に柔軟に対応するアジアへ

“アジアにおける自然災害の課題は何か，その課題を克服するための方策は何か”

アジアでは多様な自然災害が発生しています。しかし，自然災害は，自然からの外力だけによって引き起こされているのではありません。自然からの外力に対する社会の脆弱性が原因となっています。自然災害に対処するためには，脆弱な社会を克服し，災害に柔軟に対応できるレジリエントな社会の構築が必要になります。そのような社会を構築するために，どのような対策を講じたらいいのでしょうか。それについて考えてみましょう。

キーワード 自然災害，自然からの外力（ハザード），災害に脆弱な社会，災害にレジリエントな社会
関連する章 第17章，第18章，第27章

はじめに

自然災害（以下，災害という）は，**自然からの外力（ハザード）**によって生じる被害のことである。自然からの外力というのは，人間の力が及ばない自然の力を意味する。たとえば，地震は人間の力によって引き起こすことはできず，自然が引き起こす力によるものである。災害とは，そのような自然による外力が人間の社会に与える損害を意味する。ところが，自然からの外力によって地震が発生したとしても，その力があまりに弱く社会に影響を及ぼさないのであれば，外力があっても災害ではない。つまり，災害は，自然からの外力そのものを意味するものではなく，社会にとっての損失を意味する。このことは，外力が大きくなっても社会が自然からの外力に対応できる態勢を構築できていれ

ば，災害にはならないということも意味している。このように考えると，自然からの外力によって災害が発生するというよりも，自然からの外力と社会の脆弱性が結合した場合に災害が発生すると考えてよいだろう。

1 アジアにおける災害の現況

アジア全域（東アジアから西アジアまで）において，1990年からの20年間に地球上の災害の約39％が発生した。アジアにおける災害の死者は全世界の約61％を占め，被災者は約86％に達しており，人的な被害が目立っている。また，アジアにおける経済発展により災害による損失額も大きな問題となっており，アジアでの災害損失額は世界の災害損失額の約45％を占めるに至った（CREDのデータから筆者が算出）（CRED 2021）。このようにアジアにおいて災害は人的にも経済的にも多大な影響を及ぼしてきた。このような甚大な被害をもたらした災害には，どのようなものがあるだろうか。アジアは広大であり多様な気候と地形から構成されているので，暴風，竜巻，豪雨，豪雪，洪水，土砂災害，高潮，津波，地震，噴火といったあらゆる種類の災害が発生している（荏本 2019: 134-135）（**表28-1**）。

中国では，地震，洪水，土砂災害などの被害が多くみられる。とくに，2008年の四川大地震においては，マグニチュード7.9の地震が発生し，約8万7,000人が死亡し，約4,600万人が被災者となる大惨事となった。東南アジア諸国においても様々な種類の災害が発生し，大きな被害を及ぼしてきた。フィリピンでは，1991年のピナトゥボ火山が噴火し，火砕流や火山灰などが街を破壊し死者640人，被災者100万人以上の惨事となった。また，東南アジアでは台風やサイクロンが頻繁に到来し，洪水や高潮の被害も多い。ミャンマーでは，2008年のサイクロン・ナルギスが，死者8万人以上，行方不明者5万人以上，被災者240万人を出した（アジア防災センター 2021）。

東南アジアから南アジアまでの広範な範囲に被害を及ぼしたのが，2004年のスマトラ島地震津波であった。マグニチュード9.1の地震がスマトラ島の西部で発生し，大規模な津波がタイからスリランカなどの沿岸部を襲った。インドネシアだけで，死者16万人以上，被災者は53万人以上であり，インドでは

表28-1　アジアにおける災害（2000～20年）（死者・行方不明者の概数が5,000名以上の災害）

年	災害の種類	国名（地域名）	死者・行方不明者数（概数）
2001	地震（インド西部地震）	インド	20,000
2004	地震・津波	スリランカ，インドネシア，モルディヴ，インド，タイ，マレーシア，ミャンマー，バングラデシュほか	226,000以上
2005	地震（パキスタン地震）	パキスタン，インド北部	75,000
2006	地震／火山噴火	インドネシア，ムラピ火山	5,800
2008	地震（四川大地震）	中国	87,500
2008	サイクロン・ナルギス	ミャンマー	138,400
2011	東日本大震災	日本，東北・関東地方など	19,000
2013	台風・ハイヤン	フィリピン，レイテなど	6,200
2015	地震（ネパール地震）	ネパール	9,000

出所：内閣府（防災）（2021: 附-39）より筆者作成。

1万6,000人以上が死亡，スリランカでは3万5,000人以上が死亡した。スマトラ島沖では，2005年にもマグニチュード8.6の地震が発生し，世界でも有数の地震の多発地帯となっている（アジア防災センター 2021）。

南アジアにおいてもサイクロンが襲来し，バングラデシュの低地では洪水や高潮の被害を長年受けてきた。2007年のサイクロン・シドルでは，4,000人以上の死者と約900万人の被災者を出した。水害による被害だけでなく，地震による被害もインド，パキスタン，ネパールにおいて発生している。インドでは，2001年にマグニチュード7.7のグジャラート地震が発生し，ネパールでも2015年4月にマグニチュード7.6の直下地震，5月にもマグニチュード7.3の巨大余震が発生した（アジア防災センター 2021）。

2　災害に脆弱なアジア

このようにアジアにおいては多様な災害が発生しており，その要因も多様である。アジア全体でみれば，人口拡大と都市化，気候変動，国・地方自治体・住民の災害対応能力の欠如といった共通の傾向を見出すこともできる（「大災害と国際協力」研究会 2013: 22）。インドネシアのジャカルタでは，急速な人口増加と都市化が進行しており，地下水の過剰揚水による地盤沈下が深刻である。ジャカルタ北部においては最大で2メートルの地盤沈下が発生し，都市面積の6割以上が海抜ゼロメートル地帯の低地に置かれている。そのため，降雨時における浸水被害や洪水時の湛水被害も生じており，ジャカルタは災害にますます脆弱になっている（JICA 2021a)。

ネパールのカトマンズにおいても，急速な人口増加と都市化が進んでいるが，建築物の建設ラッシュが起きており，既存の建築物を増築したり，耐震性の低い建築物を立てたりすることによって市街地が拡大している。国や地方自治体による建築物の耐震化や土地利用制限，建築基準法の遵守といった対策が進んでおらず，カトマンズも災害に脆弱な都市になっている（JICA 2021b)。

ベトナム中部は，台風による風水害がもともと頻発する地域であったが，気候変動によって豪雨，洪水，地滑りや土石流といった災害が増加し，ますます災害に脆弱な地域となっている。政府と地方自治体は，ダム，堤防，護岸の整備といったハード面での対策を講じてきたが，災害を十分に軽減できてはいない。また，救命・救助体制，予警報，避難体制といったソフト面でも対策を進めているが，住民にまで予警報の情報が行き渡らず，住民は災害に関する知識や備えも十分ではないといった問題を抱えている（JICA 2021c)。

このようにアジアにおいてはますます災害に脆弱な地域が増えており，そのような地域に居住する住民も増え，自然からの外力が発生したときに社会の脆弱性と結びついて，大規模な災害が発生する。このような大規模な災害を防止し，緩和するためには，**災害に脆弱な社会**から**災害にレジリエントな社会**への転換が必要になる。災害にレジリエントな社会とは，自然からの外力が発生しても災害には至らない，あるいは災害になっても被害が軽減できる社会のことである。さらに，その被害から速やかに復旧できる社会のことも意味する。そのようなレジリエントな社会を構築するためには，国際社会，国，地方自治体，住民による様々な取り組みが必要になる。ここからは，国による防災政策と国際的な防災協力の2つに絞って，災害に対してレジリエントな社会を構築するための対策をみていく。

3 国による防災政策

災害にレジリエントな社会を構築するためには，災害マネジメントサイクル（抑止・減災，事前準備，応急対応，復旧・復興）に応じた国や地方自治体の政策が重要である。国による防災政策は，ハードな対策とソフトな対策が考えられる。防潮堤・防波堤・護岸の整備や構造物の耐震化といったハードな対策のほかに，避難所の確保と運営，備蓄，予警報の整備と普及，防災教育などのソフトな対策も必要になる。国による防災政策は多岐にわたるので，ここでは，災害対応に関する法律，組織，計画の3つについて考える。

日本の防災行政

日本では災害対応の経験が多いので，災害対応に関する法律も充実している。ただし，災害が発生する前から包括的な法律が存在していたわけではない。災害が発生して法律の欠落や欠陥が指摘されたのちに，新たな法律を制定したり既存の法律を改正したりしている。1959年の伊勢湾台風による大規模な被害を受けて，1961年に防災行政の基本法である災害対策基本法が制定された。それ以降も，大規模な災害が発生したのちに災害対策基本法が改正され強化されてきた。

日本の災害対応の調整機関は国土庁であったが，行政改革の一環による省庁再編によって，内閣府（防災）に移行した。防災の調整機関が庁から府に格上げになったことによって調整機関としての能力を発揮することが期待される。ただし，内閣府（防災）は各省庁の防災行政の調整機関にすぎず，実際には，国土交通省，厚生労働省，文部科学省，気象庁，総務省消防庁，防衛省・自衛隊といった多くの省庁が防災行政を担っている。

日本の災害行政の基本となる計画は，1964年に策定された防災基本計画である。災害が発生するたびに課題を抽出して，その課題への対策が具体的に防災基本計画に盛り込まれており，現在では，340ページ以上の重厚な計画に進化している。各省庁は防災基本計画にもとづいて防災業務計画を策定し，地方自治体は地域防災計画を作成し，この計画にもとづいて予防から復旧・復興までの災害対応を実践する。

アジアの防災行政

このような日本の防災政策における法律，組織，計画は，災害のたびに漸進的に発展し，災害対応能力を拡大させてきたが，他のアジア諸国においてはまだ十分に整備されていない。後述するように2015年の仙台防災枠組では，そのターゲットの1つとして2020年までに災害リスク軽減戦略を策定した国や地方自治体の数を増やすことがあげられている。

タイでは，1979年の市民防衛法に代わって2007年に防災法が策定された。防災法では，国，地方およびバンコクにおいて防災政策策定機関を規定し，首相や首相によって指名された副首相が指揮官となること，防災局が国の防災業務実施の中心機関となることが明記されている。防災政策策定機関としては，関連省庁から構成される国家防災委員会，地方防災委員会，バンコク首都圏防災委員会が設置されている。防災局は内務省の傘下にあり，気象局，情報技術省，王室灌漑局などの関連省庁と連携して災害に対応する。一方，国，地方自治体，バンコク首都圏レベルの防災計画は策定中になっている（アジア防災センター 2021）。

日本やその他のアジア諸国においても，災害対応に関わる法律，組織，計画の整備は当然である。さらに考えるべきことは，これらをどのように運用し，どのように災害対応に関わる多様なステークホルダーとの連携と調整を図ることによって，災害にレジリエントな社会を構築できるのか，ということである。

4 国際的な防災協力

自然災害対応の責任は被災国にあるが，被災国の能力を凌駕する災害が発生した場合には，国際協力の枠組みを用いた応急対策が必要である。このような国際協力は，災害発生時の応急対策にかぎらず，抑止・減災，事前準備，復旧・復興といった災害マネジメントサイクルの各段階においても必要である。国際的な防災協力の枠組みは，国際社会全体に関わる多国間防災協力，アジア地域における域内防災協力，日本とアジア諸国との二国間防災協力の3つに分けることができる。

国際社会全体に関わる多国間防災協力

国際社会全体に関わる多国間防災協力においても，災害マネジメントサイクルの各局面に応じた多様な組織による行動が必要になる。ここからは，災害マネジメントサイクルの局面のなかでも，応急対策における国際協力の実践とその枠組みについて考える。具体的には，第1に，災害発生時における救命・救助活動の国際的支援，第2に，災害発生時における被災者支援について論じる。最後に，災害マネジメントサイクルのすべてに関わる国際的な防災・減災フレームワークについて述べる。

災害発生時には，被災国の消防・警察・軍隊が被災者の救援・救護活動を展開するが，被災国の技術では救援が困難である場合もある。たとえば，都市部での災害において，倒壊した建物の隙間に挟まった人々を救助するのには高い技術が求められる。その場合に，各国の救護組織が現地入りして，高度な救援技術を用いて救出活動をおこなう。各国の救護組織が効果的な救援・救助活動を展開するためには他国の救護組織と連携する必要があり，その調整を実施するのが，国際捜査救助諮問グループ（INSARAG: International Search and Rescue Advisory Group）である。これは，国連人道問題調整事務所（OCHA: United Nations Office for the Coordination of Humanitarian Affairs）に事務局が置かれている（「大災害と国際協力」研究会 2013: 127-128）。

災害発生時には，被災した国や地方自治体が食料や水，衣料品，避難所などを被災者に提供するほか医療支援も実施する。このような緊急支援は，被災国の責任によって実施されるものであるが，被災国によっては災害対応能力が低く，国際的な支援が必要になる場合もある。そこで活躍するのが，国連機関，国際赤十字社，NGOである。緊急支援を実施する国連機関は多数あり，代表的なものとして，国連児童基金（UNICEF: United Nations Children's Fund），国連世界食糧機関（WFP: United Nations World Food Progamme），世界保健機関（WHO: World Health Organization），国連難民高等弁務官事務所（UNHCR: United Nations High Commissioner for Refugees）といった組織である。国際赤十字社とは，国際赤十字・赤新月社連盟とそれを構成する各国の赤十字社や赤新月社のことである。被災地での緊急支援は，被災国の赤十字社・赤新月社が実施するだけでなく，他国の赤十字社・赤新月社が協力することも多い。国際NGOには，代表的なものとして，セーブ・ザ・チルドレン，国境なき医師団，オクスファムといった組織がある。これらの緊急支援の調整にあたるのが，国連人道問題調整事務所である。

災害のマネジメントサイクル全体についての国際的枠組みが，2015年に第3回国連防災世界会議において採択された仙台防災枠組である。それには，4つの優先行動と7つのターゲットが示されている。4つの優先行動とは，災害リスクの理解，災害リスク管理のための災害リスクガバナンスの強化，レジリエンスのための災害リスク軽減への投資，効果的な対応のための災害準備の強化と回復・復旧・復興に向けた「より良い復興」である。7つのターゲットのうちの4つは，被害の軽減に関するものである。死亡者数の減少，被害者数の減少，経済的損失の減少，インフラストラクチャーや基本的サービスに対する被害の軽減である。それ以外の3つは，災害対応能力の向上に関するものである。リスク軽減のための戦略を保持する国家の増加，開発途上国に対する国際協力の増進，警戒システムや災害リスクの情報や評価を市民が利用できる仕組みの構築である。7つのターゲットは，持続可能な開発目標（SDGs: Sustainable Development Goals）のターゲットにもなっている。

アジア地域における域内防災協力

このような多国間防災協力の活動や枠組みのほかに，アジア地域における域内防災協力を推進する組織もある。1つは，アジア防災センター（ADRC: Asian Disaster Reduction Center）である。これは，世界の災害と防災情報の共有，防災・減災のための人材育成，コミュニティの防災力向上を目的として，1998年に神戸市に設立された。これまでの災害対応の成功例（グッド・プラクティス）を世界に紹介したり，世界災害共通番号（GLIDE）を提唱したりしている。

もう1つが，ASEAN防災人道支援調整センター（AHAセンター：ASEAN Coordinating Centre for Humanitarian Assistance on Disaster Management）である。東南アジア諸国連合災害管理と緊急対応に関する協定（AADMER: ASEAN Agreement on

Disaster Management and Emergency Response）にもとづいて，ASEAN域内の自然災害や緊急事態に対応するために，ASEAN諸国が連絡・調整する機関である（AHA 2021）。

日本とその他のアジア諸国との二国間防災協力

日本は，その他のアジア諸国における防災や減災のために，日本の災害対応の経験と技術を活かすための支援を実施してきた。災害マネジメントサイクルに応じて，日本は災害協力を実施しているが，ここでは，応急対応の局面における支援と，抑止・減災，事前準備の局面における支援に着目したい。

日本は，海外で災害が発生した場合には，国際緊急援助隊法にもとづいて国際緊急災害援助を実施する。これは，国際緊急援助隊の派遣，緊急援助物資の供与，緊急無償資金協力の供与の3つから構成される。国際緊急援助隊は，国際協力機構（JICA: Japan International Cooperation Agency）が所管し，救助チーム，医療チーム，専門家チーム，感染症対策チーム，自衛隊部隊を単独あるいは複数を被災地に派遣するものである（JICA 2021d）（**表28-2**）。たとえば，2004年のスマトラ島沖地震津波においては，救助，医療，専門家，自衛隊部隊の合計14チームがスリランカ，モルディヴ，インドネシア，タイの4か国に派遣された（JICA 2021e）。また，2008年の中国・四川大地震においても，日本は救助チームと医療チームを派遣している（JICA 2021f）。ただし，四川大地震の災害支援においては，自衛隊の派遣が見送られている。自衛隊の航空機が中国領空を飛行し，飛行場に着陸することになれば，中国民衆に一定の心理的な効果を与えることになると中国軍高官が発言したように，中国からの慎重論もその一因であると考えられる（朝日新聞 2008）。

国際緊急援助隊の派遣は，災害対応の責任が被災国にあることから，被災国の要請にもとづいて実施される。国連総会決議においても，海外からの人道支援には被災国の同意が必要であると確認されている。そのため，災害が発生していても被災国からの要請がない場合には，被災者が緊急支援を受けられない状況に陥ることもある。たとえば，ミャンマーのサイクロン・ナルギスに際しては，ミャンマー政府は国際機関を通じた緊急支援ではなく二国間支援の緊急支援に限定し，ミャンマー政府がその支援物資を国民に提供しようとした。こ

表28-2　国際緊急援助隊の派遣

救助チーム	被災者の捜索，発見，救出，応急措置，安全な場所への移送
医療チーム	被災者の診療，疾病の感染予防や蔓延防止
専門家チーム	建物の耐震診断，火山の噴火予測や被害予測など，応急対策と復旧活動について被災国政府へ助言
感染症対策チーム	疫学，検査診断，診療・感染制御，公衆衛生の４つの専門機能と，自己完結型支援を実現するためのロジスティクスの機能
自衛隊部隊	輸送活動，給水活動，医療・防疫活動

出所：筆者作成。

のようなミャンマー政府の姿勢に批判が集まり，潘基文国連事務総長はミャンマー入りして説得し，国際機関による緊急支援を認めさせることになった（「大災害と国際協力」研究会 2013: 40-41）。

緊急援助物資の供与については，国際協力機構が所管し，テント，スリーピングパッド（マット），プラスチックシート，毛布，ポリタンク，浄水器の6品目を世界6か所の倉庫に備蓄しており，被災地に最も近い倉庫から被災地へ物資が輸送される態勢となっている。たとえば，中国・四川大地震においては，テントやスリーピングパッドなどの6,000万円相当の救援物資が無償提供された（外務省 2008）。

緊急無償資金協力は，外務省が所管しており，被災国や国際機関からの要請にもとづいて援助が必要であると判断した場合に援助額や実施方法を決定するものである。たとえば，スマトラ島沖地震津波においては，日本政府はインドネシアに146億円，スリランカに80億円，モルディヴに20億円の総額246億円を供与した（外務省 2005）。また，中国・四川大地震においては，緊急無償資金協力として4億4,000万円を中国政府に提供した（外務省 2008）。また，緊急無償資金の支払いは，UNICEFやWFPといった国連機関や国際赤十字に支払われることもあり，これらの機関はそのような資金を用いて緊急人道支援を実施する。

このような災害発生時における緊急支援のほかに，災害にレジリエントな社会を構築するために，予防や減災などの被害軽減に対する支援も必要である。JICAは，災害マネジメントサイクルのいずれの局面にも対応可能であるが，とくに重視しているのが，抑止・減災，事前準備の局面である（JICA 2018）。

JICAでは，以下の6つの支援を実施している。①災害リスク把握の支援，②総合的な防災計画策定の支援，③観測体制や予警報システム構築に関する支援，④災害被害を最小限に食い止めるための施設建設と住民啓発に関する支援，⑤災害に強いインフラ建設のための支援，⑥応急対応能力の強化のための支援，である（「大災害と国際協力」研究会 2013: 278-279）。たとえば，2011年からの「インドネシアにおける国家防災庁および地方防災局の災害対応能力強化プロジェクト」では，パイロット対象州の県・市において収集，蓄積するべき災害データと情報の内容を精査したうえで，フォーマットなどを確立することを目的とした。JICAの支援によって，これらの県や市においてハザード・リスクマップ，地域防災計画が策定され，防災訓練が実施された（JICA 2021g）。このような日本による支援が，被災国の災害に対するレジリエントな社会の構築に役立っている。

おわりに

災害は，自然からの外力と社会の脆弱性が結びついて発生する。アジアにおいては，人口過密と都市化，気候変動，国・地方自治体・住民による災害対応能力の欠如といった問題を抱えている。しかし，災害を防止し，その被害を軽減するために，ハード面やソフト面の様々な対策を講じることによって災害にレジリエントな社会を構築することも可能である。このような災害にレジリエントな社会を構築するためには，アジア域内や域外からの国際協力も欠かせない。しかし，災害は突発的に生じることが多く，災害対応への準備は疎かになりやすい。それもあって，災害対応が経済開発や都市開発よりも優先順位が低く設定されることも多く，その対策に投入できる人員も資源も十分ではなくなる。しかし，災害が発生すれば経済活動や都市開発は停滞を余儀なくされることを考えれば，持続可能な開発を実現するためにも災害対策が不可欠である。

【上野友也】

参考文献

朝日新聞「自衛隊機『歓迎できない』中国軍高官，反日感情理由に」，2008年，http://www.asahi.com/special/08004/TKY200805310301.html，2021年6月15日アクセス。
アジア防災センター「メンバー国防災情報」，2021年，https://www.adrc.asia/disaster_j/，2021年6月15日アクセス。
小野高宏「災害でも止まらない社会へ――コミュニティ・企業・アジア」牧紀男・山本博之編『国際協力と防災――つくる・よりそう・きたえる』京都大学学術出版会，2015年，203-235頁。
荏本孝久「アジア・オセアニア地域の自然災害と社会的影響――3つの自然災害に関する現地調査からの報告」『神奈川大学アジア・レビュー』第6号，2019年，133-147頁。
外務省「スマトラ沖大地震およびインド洋津波被害に関するわが国の支援について（二国間の国別支援額の再調整）」，2005年，https://www.mofa.go.jp/mofaj/gaiko/oda/shiryo/jisseki/keitai/kinkyu/050111.html，2021年6月15日アクセス。
外務省「中国四川省における大地震に対する追加支援について（地方公共団体等から提供されたテント，飲料水の輸送）」，2008年，https://www.mofa.go.jp/mofaj/gaiko/oda/shiryo/jisseki/keitai/kinkyu/080620_1.html，2021年6月15日アクセス。
「大災害と国際協力」研究会『大災害に立ち向かう世界と日本――災害と国際協力』佐伯印刷，2013年。
内閣府（防災）『防災白書（令和3年度版）』，2021年。
ADRC「ADRCの活動」，2021年，https://www.adrc.asia/project_j/，2021年6月15日アクセス。
AHA「About the AHA Centre」，2021年，https://ahacentre.org/about-us/，2021年6月15日アクセス。
Centre for Research on the Epidemiology of Disasters（CRED），“School of Public Health, Université catholique de Louvain,” *EM-DAT: The International Disaster Database*, 2021年，https://www.emdat.be，2021年6月15日アクセス。
JICA「JICA防災分野ポジションペーパー」，2018年，https://www.jica.go.jp/activities/issues/disaster/ku57pq00002cy5n0-att/position_paper_disaster.pdf，2021年6月15日アクセス。
JICA「ジャカルタ地盤沈下対策プロジェクト」，2021年（a），https://www.jica.go.jp/project/indonesia/019/outline/index.html，2021年6月15日アクセス。
JICA「カトマンズ盆地における地震災害リスクアセスメントプロジェクト」，2021年（b），https://www.jica.go.jp/project/nepal/010/outline/index.html，2021年6月15日アクセス。
JICA「中部地域災害に強い社会づくりプロジェクト」，2021年（c），https://www.jica.go.jp/project/vietnam/007/outline/index.html，2021年6月15日アクセス。
JICA「国際緊急援助隊（JDR）について」，2021年（d），https://www.jica.go.jp/jdr/about/jdr.html，2021年6月15日アクセス。
JICA「国際緊急援助の歴史」，2021年（e），https://www.jica.go.jp/jdr/about/history.html，2021年6月15日アクセス。
JICA「『命の恩人に日本語で直接お礼を』四川地震と日中関係」，2021年（f），https://www.jica.go.jp/china/office/others/story/10/index.html，2021年6月15日アクセス。
JICA「国家防災庁及び地方防災局史の災害対応能力強化プロジェクト――プロジェクト活動」，2021年（g），https://www.jica.go.jp/project/indonesia/010/activities/index.html，2021

年6月15日アクセス。

文献紹介

① 西芳実『災害復興で内戦を乗り越える――スマトラ島沖地震・津波とアチェ紛争』京都大学学術出版会，2015年。

本書は，災害対応の地域研究シリーズ第2巻である。インドネシアのスマトラ島沖地震津波とその被災地であるアチェ州における政治と紛争と災害の関係を具体的に考察したものである。アジアと防災を考えるうえで，このシリーズの他の巻もあわせて読むことをすすめる。とくに，つぎのものである。**牧紀男・山本博之編『国際協力と防災――つくる・よりそう・きたえる』（京都大学学術出版会，2015年），清水展・木村周平編『新しい人間，新しい社会――復興の物語を再創造する』（京都大学学術出版会，2015年）**。

②「大災害と国際協力」研究会『大災害に立ち向かう世界と日本――災害と国際協力』佐伯印刷，2013年。

本書は，大規模災害に対処する応急期から復旧・復興期までを対象に，国際社会と日本による防災協力の論点を網羅している。災害と国際協力について知るために，最初に読むべき本である。

③ 片山裕編『防災をめぐる国際協力のあり方――グローバル・スタンダードと現場との間で』ミネルヴァ書房，2017年。

本書は，東日本大震災での自衛隊の活動と米軍との協力，海外からの支援の受け入れといったテーマや，日本の海外での国際防災協力，とくに，国際緊急援助隊や自衛隊による緊急支援だけでなく，教育支援やコミュニティ防災支援についての章も設けられている。

第Ⅳ部
文　化

第29章 仏教

アジアの仏教と日本の仏教

“アジアの仏教と日本の仏教はどう違うのだろうか”

仏教については知らないわけではない，と日本人の大半が思うはずです。仏式の葬儀に参加した経験をもっていたり，家の近所にお寺があったりという方が多いでしょう。極楽浄土と地獄という死後の２つの世界がどのような様子かという点で，日本人の方が一般にもっているイメージも仏教と関わります。でも仏教は，キリスト教やイスラームと同じく外来の宗教です。ここではまず，その外来性という特徴と重ねて，仏教という宗教の内部の多様性をアジアの空間に紐解きます。そしてそのうえで，各地の仏教文化を理解し，相互交流を進めるための視点を検討します。

キーワード 教えの多様性，口承と書写，自力と他力，小乗と大乗，仏教文化
関連する章 第30章，第31章，第32章

はじめに

東アジアの中国，韓国，台湾を旅すれば，そして東南アジアでも華人系やベトナム系が多く住む地区などでは，どこか日本の寺に似た，しかしよりカラフルな建物が特徴の寺廟を目にする（**写29-1**）。建物には，如来像や，様々な神の像が置かれており，人々が訪れ，大ぶりの線香を奉納し，祈る姿をみることができる。さらに，東南アジアのタイ，ミャンマー，ラオス（**写29-2**），カンボジア（**写29-3**），そして南アジアのスリランカといった国々の仏教寺院には，頭髪をそり上げた僧侶が，黄土色やオレンジ色の衣で身を包み，集団で生活をしている。白装束の女性がいることもある。それらの僧侶は，午前中に市街や村々を歩いて托鉢し，持ち帰った食べ物を正午までに飲食する。そして正午から翌

写29-1　ベトナム・メコンデルタのミトーの大乗仏教寺院の弥勒大仏像

出所：筆者撮影。

朝までは，固形物をいっさい口にしない。地域の人々は，正午前は食事を，夕方にはお茶などの飲み物を用意し，僧侶に寄進する。一般に，自分の家族と寺院に住み暮らしている日本の僧侶とは，生活のかたちがまったく違う。

1 仏教の多様化のホットスポットである日本

仏教の受容

仏教とは何かという問いに対して，歴史を念頭に短く答えるとすれば，シャカ族の王子であったガウタマ・シッダールタが紀元前5世紀頃，インドのブッダガヤーの菩提樹のもとで瞑想し，悟りに至った後，80歳で死去するまでの45年間に弟子らに示した教えが，日本を含む世界の各地に広まって信仰されているもの，となる。日本には，朝鮮半島を経て6世紀に伝えられ，当時国を司った都の人々に受容された（松尾 1999）。そのころ中国は唐の時代で，仏教がたいへん栄えていた。仏教は，中国の優れた文明の一部として日本に輸入された。ちなみに，当時の人々にとってブッダは，不思議な力をもった神と同格の存在だった。都の権力者たちは，新しく登場した宗教の専門家である仏教僧侶に，国を守るための加持祈禱を熱心におこなってもらうことを期待していた。

鑑真和尚などの招来された中国人僧侶や，中国へ留学した数々の日本人僧侶の活躍を経て，鎌倉時代には多くの宗派がつくられた。「〇〇宗」というかたちで現在日本にみられる僧侶と信徒の集団の多くの発祥である。それは，時に疫病や飢饉に悩まされ，また封建社会のもとで苦しみの多い生活を送った民衆に寄り添い，救いを提示しようとした僧侶の努力により，仏教の教えをめぐる知識や解釈の発展・分化が進んだものである（末木 1996; 佐々木 2019）。その後江戸時代には，キリスト教の浸透を警戒した幕府の政策を通して，仏教寺院と

写29-2 ラオス・ルアンプラバーンの上座部仏教寺院の仏像

出所：筆者撮影。

写29-3 カンボジア・コンポントム州の仏教寺院で儀礼に参加する僧侶

出所：筆者撮影。

地域社会の関係が強化された。他方で，神道が国教化された明治時代には外来宗教として攻撃され，多くの仏教寺院が取り壊された時期もあった。しかし，法然，親鸞，一遍，栄西，道元，日蓮らが鎌倉時代に興した宗派とその活躍は今も続き，**教えの多様性**という日本の仏教の特徴をつくっている。

口承と書写

このような多様性が仏教にみとめられる理由の一端は，口承による教えの伝達にある。ブッダは生前に，自身の教えを文字で残さなかった。教えは，語り手である師と聞き手の弟子の直接の交流のなかで継承されるべきとされていたからである。現在まで残る経典類は，ブッダが亡くなった後に弟子たちが教えを思い起こして書き留めて，編集したものといわれる。**口承**による伝達は，**書写**に比べて内容を誤って伝える問題を生じさせやすいと思うかもしれない。でも実際は，ひとつの経典の内容が，地理的に離れていても口承で間違いなく伝えられていたことが確認されている（馬場 2018）。

ただし，ブッダが亡くなってから月日が経過すると，教えの解釈が弟子たちのあいだで分かれていった。時代を経て，その教えは空間的にも広がった。インドから北へ，南へ，東へと広がる過程で，各地の書写文字に転写され，また注釈が数多く生みだされた。そのなかで，ブッダ本人によるものではない新たな知見も付け加わった。結果として，ブッダの教えにもとづくという主張のもと，しかし内容が大きく異なる「様々な仏教」が生まれた。

多様な進化

困難に直面した人々に，救いの道をさし示すことは，宗教の大切な役割である。そして，アジアの各地に広がった仏教には，良いとされる行動や，救いに至る作法についての考え方に違いがみられる。たとえば，救いへと至る道について日本の仏教だけをみても，阿弥陀様に救って頂くという言い方があれば，一心に念仏を唱えるなら悪人でも救われるという考えもある。善行を多くなし，良き人間になることが救いへの道であるといった倫理と結びつけた意見もある。その様々な救いのかたちは，**他力**にすがるか，**自力**で追求するかという2つの方向に分けられそうである。さらに，救いの状態とは何かという点についても様々な意見がある。あらゆる苦からの離脱（「涅槃」）は，ブッダが教えた救いの究極のかたちである。ただし，極楽浄土への生まれ変わりを救いのイメージとしてもっている方も少なくないだろう。さらに，私たち自身がそもそもブッダの生まれ変わりであると考える僧侶もいた。地球において，生物の多様性に優れた地域をホットスポットとよぶが，まさに日本は，多様なかたちに進化した「様々な仏教」のホットスポットなのである。

2　変わらないことを重視した上座部仏教

上座部仏教の論理

様々なかたちへの進化という方向と逆に，変わらないことを選んだ仏教の集団もある。それが，東南アジアやスリランカを中心に広まっている上座部仏教（上座仏教，南伝仏教，パーリ仏教などともよぶ）である（石井 1969）。上座部仏教は，ブッダの教えを継承した弟子たちのなかでも，とくに忠実に教えを守ることを重視した部派に起源をもつといわれる。その仏教はまずシンプルに，善き行いは良い結果を生み，悪い行いが悪い結果をもたらすと教える。さらに，自分を救えるのは自分だけだとする。自分の行いこそが，自分自身の将来をつくるのである。このように考える上座部仏教において，ブッダは，苦から解放される道を示した師である。ブッダやブッダが残した言葉に自然を超越した力があり，それが民衆を救うという考えも上座部仏教の世界にはある。しかし，最終的な救いの鍵は自分自身の行為にほかならないという点が多くの場面で強調される。

上座部仏教において，ブッダの教えは抽象的な思念の問題ではなく，決め事を課した行いの集成という具体的なかたちで伝えられている。決め事とは，これこれをしてはいけないといった禁止条項であり，「戒」とよばれる。出家者である僧侶は，それを最も多く，厳しく守る。戒という行いのルールのなかには，出家せずに世俗を生きる一般信徒が守るべきとされる条項もある。その最も基本的な5つの条項は，「殺さない／盗まない／うそをつかない／邪な性的関係をもたない／酒を飲まない」である。僧侶はこれらに加え，200以上の決め事を守る特別な存在である。そしてその特別な立場のゆえに，一般の人々とはっきりと区別されている。たとえば，僧侶と一般人が同じテーブルで食事を摂ることはできない。床に座る時は，布やゴザを用意して，僧侶にその上に座ってもらう。出家した僧侶は「あちら側」の存在であるので，私たち「こちら側」の人間と同じ高さに座るべきではないと考えるからである。ちなみに僧侶になると，納税や徴兵の対象からも外される。

上座部仏教における出家主義

上座部仏教の僧侶は，いわば日本の寺院の仏像と同じ存在である。仏教の教えそのものといってもよい。そう実感するのは，上座部仏教の寺院で誦経に参加するときである。日本の葬儀などでは普通，僧侶は私たちに対して，背を向けて座る。そして僧侶と私たちの視線の先に，きらびやかな仏像や仏画が配置されている。上座部仏教の寺院の建物にも，仏像がある。ただ，その前で誦経がおこなわれる場合に，僧侶は周囲より一段高い床面に，仏像を背にして座る。僧侶と仏像は一体となり，私たちに正対する。我々は，座った僧侶の肩越しに仏像をみる。日本の寺院と比べると，僧侶の位置づけがまったく違う。

出家者である僧侶は，上座部仏教において，食べ物や，衣服，住処などを一般の人々からの施しに頼る。僧侶は，ブッダが定めた修行の道に進んだ存在で，涅槃という究極の救いに一番近いと考えられる。一般の人々がそれをめざすのなら，まず出家しなければならない。また，東南アジアでは伝統的に，女性の出家がみられなかった。よって女性が涅槃に近づくためには，まず男性に生まれ変わる必要がある。こう考えると，上座部仏教は，男性の出家者にしか救いへの道を用意していないようにみえる。実際，それは一部の者しか救わない仏教だという批評が，日本の仏教僧侶のあいだなどにかつて根強くみられた。

3 多様性をふまえた相互理解

功徳という精神財

しかし，タイやカンボジアなどの上座部仏教徒は実際のところ，涅槃に至ることよりも，今の生活と来世の境遇がより良きものになることを願っている。そのような人々はよく，「功徳」について話す。功徳は，仏教徒としての善い行いから生じる価値で，それが多ければ多いほど，より良い将来が約束されるという。男子が出家すること，戒を守ること，仏教について勉強すること，僧侶に食事を寄進すること，寺を建てることなどは，すべて善い行いとされる。それと逆に，うそをついたり，殺したり，盗んだりといった悪い行いは，それまで積んだ「功徳」を損なう効果を生じさせる。

面白いことに，功徳を生じさせる「善き行い」は，社会的な事業にも関わっている。すなわち，現代の東南アジアの上座部仏教徒は，みんなが使う道や橋をつくる共同作業に参加したり，貧しさや病気に苦しむ人々を助けたりする行為も，功徳を生み出す「善き行い」と考えている。

小乗と大乗

読者のみなさんはきっと，**小乗**仏教と**大乗**仏教という区別について耳にしたことがあるだろう。小乗は小さな乗物，大乗は大きな乗物の意味で，上座部仏教を小乗仏教，日本や中国などの仏教を大乗仏教として対比する見方である。一般には，後者のほうがより広い救済を可能とする教えだといわれる。

上座部仏教は出家主義を特徴とする。その救いの構造の中心には，ストイックな求道者である僧侶が，自力救済という理念の究極の姿として存在する。しかし生産活動から離れた僧侶の生活は，現実社会とのつながりを欠いては成り立たない。また，その世界の全体をみれば，出家していない人々にも，功徳によるもうひとつの救いのかたちがある。選ばれた者しか救われない仏教，小さい乗物しか救いに向けて用意していない仏教という見方で上座部仏教の世界を考えることは，的外れである。

差違をふまえた相互理解

一方で，明治期以降の日本では，自らを高く持ち上げ，他のアジアの仏教を低く見下す意見が流布したことがあった。東南アジアの仏教は修行の形式ばかり，決まり事ばかりに汲々とした，古い教えの残滓であるという意見がその典型である。その後には，他方で日本の仏教はブッダの最高の教えの精髄を汲み取ったものである，という自己礼賛が続いた（中西・大澤編 2019）。そもそも，上座部仏教が古い経典の教えに即した行いを維持していると評価できるのに対して，阿弥陀や浄土に救いをもとめる日本の仏教は，ブッダの教えそのものを伝えるものではないと指摘する声が，江戸時代の日本人のなかにもあった。そのことは，インドなどで発見された古い経典の収集と研究が進み，その内容を検討した西洋の学者からも，あらためて指摘された。それは，世界へと関心を拡げ，他者からの評判を気にするようになった当時の日本の知識人にとって，耳が痛い問題だった。

アジアの仏教を見下すような日本の視点には何の意味もない。必要なのは，差違を理解したうえでの自らと相手への等しい関心である。

アジアに咲く仏教文化の花

仏教はキリスト教やイスラームと同じく外来の宗教である。ただ，古くに伝わり，あまりに深く生活に馴染んでいるために，日本の多くの人は普段その外来性を意識しない。一方で，人間やその他の生き物の生命の成り立ちや，社会のなかで生まれて成長し老いる生物としての人間の存在の根源を問う考え方や見方は，仏教という宗教が浸透する以前から日本に存在した。魂と身体の変調をめぐる信仰，巨石や巨木に対する信仰，海上の島や山岳の頂上を他界（死後の世界）に見立てた世界観などがその一例である。外来の仏教は，伝播する過程で各種の基層文化と混じり合い，地域ごとの特徴をみせている。

この理解は，日本だけでなく，アジア各地の仏教それぞれを考える際にも役立つ。仏教学者の奈良康明は，アジア各地の**仏教文化**を花に喩えている（奈良

2010)。仏教という花が各地に咲いている。花びらの形や色，咲き方はそれぞれ異なる。当然ながら，花の様子は，根を張った土壌，栄養分や水の性質，茎の長さや太さ，葉の繁茂の具合それぞれに影響される。台湾や韓国，中国における仏教という花は，どのような土壌のもとに咲いたのだろうか。東南アジアに咲く上座部仏教という花を支える茎や根は，どのような形なのだろうか。アジア各地の仏教を理解するためには，仏教という花が咲いている地域の歴史や文化，社会状況に関心を拡げた広い視座が必要である。

この点，日本人として，まずは日本における仏教の伝統と現在という足元をよりよく知ろうと努めることが，アジア各地の仏教とその文化を理解するための第一歩である。

おわりに

日本の仏教はいま危機に瀕していると指摘される。高度成長期以降の少子化と人口の流動化のため，社会に根付き，生活文化の一部となってきた伝統的な仏教の形――たとえば，墓の維持管理――が困難になっていることは想像できる（鵜飼 2015)。過疎化で檀家を失い，廃寺となる例がすでに増加している。一方で，いま日本の書店の仏教書のコーナーには，瞑想やマインドフルネスといったトピックを中心に，外国人僧侶の著作が日本語に訳されて並べられている。観光客，留学生，技能実習生，そして国際結婚などを通じて日本に住むことを選んだ外国出身の仏教徒の方々と触れ合う機会も多くなった。他方，近代以降の日本では，教養や哲学として仏教に関心をもち，仏教とは何かという問いを自分なりに考えたいという人々も生まれた（碧海 2016)。仏教僧侶の側からは，生きにくさをかかえた人々に寄り添い，その原因を紐解き緩和する活動を積極的に推し進める動きが生まれている。臨床宗教師といった肩書きをもった僧侶が，災害後の人々の心のケアと向き合う動きはその一例である。

社会ともっと関わらなくては，という声が，アジアの仏教について最近よく聞かれる（桜井ほか編 2015)。少子高齢化や，近代化・グローバル化による生活様式や価値意識の変化は，仏教徒が多く住む東アジアや東南アジアの社会に共通の経験である。伝統は大事にしつつも，これまでにない社会からの要請に対応しなければならないという意識は，これらの地域の仏教に共通する。この意味で，差違をふまえつつ相互の学びの場を拡げることが，仏教という宗教の今後においてますます重要な意味をもつだろう。

【小林 知】

参考文献

碧海寿広『入門 近代仏教思想』筑摩書房，2016年。
石井米雄『世界宗教8 戒律の救い 小乗仏教』淡交社，1969年。
鵜飼秀徳『寺院消滅 失われる「地方」と「宗教」』日経BP，2015年。
桜井義秀・外川昌彦・矢野秀武編『アジアの社会参加仏教 政教関係の視座から』北海道大学出版会，2015年。
佐々木閑『大乗仏教――ブッダの教えはどこへ向かうのか』NHK出版，2019年。
末木文美士『日本仏教史――思想史としてのアプローチ』新潮社，1996年。
馬場紀寿『初期仏教――ブッダの思想をたどる』岩波書店，2018年。
中西直樹・大澤広嗣編『論集 戦時下「日本仏教」の国際交流（龍谷大学アジア仏教文化研究叢書11）』不二出版，2019年。
奈良康明「ヒンドゥー世界の仏教」『新アジア仏教史01 インドⅠ 仏教出現の背景』佼成出版社，2010年。
松尾剛次『仏教入門』岩波書店，1999年。

文献紹介

① 末木文美士『日本仏教史――思想史としてのアプローチ』新潮社，1996年。

日本の仏教の歴史の視点から，仏教についてじっくりと理解を深めたい方におすすめしたい。仏教経典の名前，種類，性質や細かい史実に関する情報も豊富なので，最初は読みにくいと感じるかもしれないが，時代や指導者の別に仏教を捉える視座の変遷がまとめられており，「様々な仏教」がどのようにして生じたのかを考えるための一種の辞書として使うこともできる。同じ著者による**『仏典をよむ――死からはじまる仏教史』（新潮社，2009年）**もおすすめ。

② 石井米雄『タイ仏教入門』めこん，1991年。

東南アジアの上座部仏教の世界を知るための入門書。タイ，カンボジア，ミャンマー，ラオス，スリランカなどへ旅行して仏教寺院を訪問し，年若い男性がなぜ僧侶として出家しているのか，人々はなぜ寺院に集まって寄進をするのかといった疑問をもち，その理由を知りたいときに役立つ。もちろん，旅行前の読書としてもおすすめ。上座部仏教を信仰する地域の社会や歴史について理解を深める方には，**奈良康明・下田正弘［編集委員］，林行夫［編集協力］『静と動の仏教（新アジア仏教史04 スリランカ・東南アジア）』（佼成出版社，2011年）**がおすすめである。

③ 大澤広嗣編『仏教をめぐる日本と東南アジア地域（アジア遊学196）』勉誠出版，2016年。

日本と東南アジアの仏教徒の交流の歴史と現状を知り，考えることができる貴重な本。明治時代に東南アジアに渡航した日本人の僧侶が，自分が信じる仏教とは異なる仏教をどう理解しようとしたのか，一般の仏教信徒はミャンマーの上座部仏教をどうみたのか，現在日本に建てられたベトナム系の仏教寺院はどう運営されているのかなど，エッセイ調の文章によりわかりやすく説明されている。アジアの人々との交流を考えるうえでの課題やヒントが得られる点で，おすすめである。

第30章 ヒンドゥー教

1年間の祭事からみるヒンドゥー教徒の信仰と実践

“ヒンドゥー教徒とは誰で，何をする人たちのことだろうか”

ヒンドゥー教と聞いて何を思い浮かべますか。様々な神が祀られる寺院や儀式でしょうか。それとも神秘的で哲学的な思想でしょうか。他方で，インドの人口の約8割を占めるヒンドゥー教徒たちが，実際に何をしていて，何を考えているのかイメージが湧きますか。そして，こうした人々の信仰と実践のかたちが「ヒンドゥー教」という1つの宗教として捉えられるようになったのは，それほど前のことではないと知っていますか。

キーワード 「宗教」，ヴェーダの宗教，ヒンドゥトヴァ，祭事，プラーナ
関連する章 第3章，第11章，第32章

はじめに

ヒンドゥー教徒の人口は，キリスト教徒，イスラーム教徒（ムスリム）に次いで世界で3番目に多い。インドの12億強の人口のうち79.8％を占め（2011年），2008年までヒンドゥー王朝により統治されていたネパールには81.3％（2011年）にあたるヒンドゥー教徒が暮らしている。南アジアにおいて，仏教徒あるいはイスラーム教徒が多数派であるスリランカ，ブータン，パキスタン，バングラデシュでは，ヒンドゥー教徒の割合はそれぞれ12.6％（2012年），22.6％（2010年），2.14％（2017年），8.96％（2011年）を占める。ヒンドゥー教は古くから東南アジアに伝播し，仏教やイスラームが勢力を強めてからも基層文化とし

て残り続けた。インドネシアのバリ島では，土着文化と結びついた独特なヒンドゥー教が今日まで主要な宗教として（83.5%〔2010年〕）信仰されている。ヒンドゥー教徒が全人口の48.5%（2011年）を占めるアフリカのモーリシャスのように，植民地期以来のインド移民が多く居住する国もある。

こうした宗教人口の数値は，キリスト教やイスラーム，仏教と並びうる1つの**「宗教」**としてヒンドゥー教が捉えられることを前提としている。しかしヒンドゥー教には，特定の開祖や唯一絶対の聖典および普遍的な教義，体系的な教会制度・教団組織が存在するわけではない。古代のヴェーダ聖典はヒンドゥー教において権威的な地位にあり，現代のヒンドゥー教徒たちはそこに断絶をみないが，学術的には「**ヴェーダの宗教**（バラモン教）」と区別し，それとの類似点および相違点を探ることで「ヒンドゥー教」を捉えることが多い。

元をたどれば「ヒンドゥー」という語は，宗教ではなく，インダス川とその支流が流れる地域あるいはその流域に住む人々のことを指していた。『リグ・ヴェーダ』（前2千年紀後半）でインダス川とその支流を指す「シンドゥ」の複数形が現れており，同文献と言語的に近いゾロアスター教の聖典『アヴェスター』（前千年頃）や前6世紀の古ペルシア語の碑文では「ヒンドゥ」と表記され，ギリシア語で「インドース」，ラテン語では「インドゥス」となる。「インディア（インド）」の語源である。時を経て，後8世紀初めには同地に住み始めていたムスリムたちが，元からの住人たちを自身と区別して「ヒンドゥー」とよぶようになり，インド亜大陸におけるムスリム王朝の領土拡張に伴いその範囲が広がっていく。この時点で「ヒンドゥー」は，イスラームとは異なる信仰・習慣をもつ者たちと認識されてはいたが，それが1つの「宗教」として立ち現れてくるのはイギリスの植民地支配を通してである。18世紀後半以降，ヨーロッパ人によってヴェーダをはじめとするサンスクリット語の聖典を中心に据えた「宗教」研究がおこなわれるとともに，現地では植民地政府の宗教政策に協力するバラモン知識人が「ヒンドゥー教」を規定していった。この動きのなかでおこなわれたインド人による一連の宗教復興運動にも，聖典に記載されない「因習」を排除し，雑多な信仰と習慣を1つの洗練された体系的な宗教としてまとめ格上げしようとする意図がみてとれる。歴史的・地理的な多様性を捨象しつつ，単一的な「ヒンドゥー」としてのアイデンティティ（**ヒンドゥト**

ヴァ）の存在を想定し，それにもとづくインドを形成しようとする排他的なイデオロギーである「ヒンドゥー至上主義」の源は，ここに遡ることができる。また1871～72年から10年ごとに実施されてきた国勢調査における宗教調査も，1つの「宗教」としてのヒンドゥー教意識が一般の人々にまで浸透した大きな要因であるといえる。

作り出された意識であるとはいえ，何らかの理由をもって自身をヒンドゥー教徒であると自覚・表明する人が存在することは事実である。そこで本章では，現代のインドでヒンドゥー教徒として生きる人々が何をしているのかという視点からヒンドゥー教の一端を描くことを試みる。具体的には，1年間の「**祭事**（ヴラタと祭り）」に注目する。ヴラタとは，特定の目的のために食事の節制や儀礼をおこなう願掛けのことである。主な資料は，筆者自身が北インドのウッタル・プラデーシュ州およびビハール州のふたつの街で，教育水準や経済力も異なる，バラモン，クシャトリヤ，カーヤスタ（書記カースト），カティク（商人階級に分類される，果物・野菜売りカースト）の4軒の家で計5年間過ごした際に観察された事象である（各祭事ごとの記述や写真は，拙論「北インド・ヒンドゥー祭事暦（1）～（4）」『ラーク便り』83～85，87号，2019～2020年を参照）。本章が描こうとするヒンドゥー教は，一部の地域・階層の人々の実践をもとにしたものであることはあらかじめ断っておく。祭事というかぎられた視点を通してではあるが，かれらの営みからヒンドゥー教の姿を浮かび上がらせるとともに，近代以前（すなわち「ヒンドゥー教」という1つの宗教として体系化される前）のヒンドゥーの人々の信仰と習慣との関連もできるだけ考えてみたい。

1　ヒンドゥー祭事の基礎知識――日常生活を規定するもの

祭事を取り上げることがなぜヒンドゥー教徒の暮らしを描くことになるのか。本節では，祭事を理解するうえで必要になる事項を簡潔にまとめながら，様々な規則が生活にどのように溶け込んでいるのかを示す。

暦と曜日

北インドのヒンドゥー祭事の日程を定めるのは，「ヴィクラマーディティヤ

表30-1　ヴィクラマーディティヤ暦の月名，サンクラーンティ，季節

月名	西暦との対応	サンクラーンティ	季節
チェイト	3月～4月	メーシャ（白羊宮）	春
バイサーク	4月～5月	ヴリシャン（金牛宮）	
ジェート	5月～6月	ミトゥナ（双子宮）	夏
アサード	6月～7月	**カルカ**（巨蟹宮）	
サーワン	7月～8月	シンハ（獅子宮）	雨季
バードーン	8月～9月	カニヤー（処女宮）	
アーシュヴィン（クワール）	9月～10月	トゥラー（天秤宮）	秋
カールティック	10月～11月	ヴリシュチカ（天蠍宮）	
アグハン	11月～12月	ダヌス（人馬宮）	晩秋
プース	12月～1月	**マカラ**（磨羯宮）	
マーグ	1月～2月	クンバ（宝瓶宮）	寒季
ファーグン	2月～3月	ミーナ（双魚宮）	

出所：筆者作成。

暦」という太陰太陽暦である。現在のインド社会は西暦に則って動いているが，ヒンドゥー教徒たちの暮らしのなかには，多かれ少なかれこの別の暦が意識されている。1か月（29.5日）は，満月の翌日から新月までの「黒分」と新月の翌日から満月までの「白分」で構成され，それぞれが15に等分される。太陽が黄道十二宮のある宮から別の宮に移動する瞬間を「サンクラーンティ」とよぶが，それぞれの月はサンクラーンティとも関係する。約3年に一度現れるサンクラーンティをもたない月が「閏月」とされる。閏月中は，結婚式などの通過儀礼や新築祝いなど吉事は避けられる。北インドでは1年間は6つの季節に分けられ，マカラ・サンクラーンティは冬至の頃，カルカ・サンクラーンティは夏至の頃にあたる。現在，北インドではチェイト月の白分1日目から新しい年が始まるとされている。以後，各祭事の日付を「月名・黒／白分・数字（満月あるいは新月から何日目であるかを示す）」と表記するため暦について簡単に紹介したが，季節のサイクルを感じとってもらえれば十分である（**表30-1**）。

ヒンドゥー教の最重要神格の一であるヴィシュヌは，雨季前，夏のアサード月白分11に眠りにつく。その後4か月間，ヴィシュヌ神が寝ているあいだは

結婚式などの吉事をおこなうことができない。翌月のサーワン月は，ヴィシュヌと並んで重要なシヴァ神の月であるとされ，雨季の雰囲気も手伝って1年のなかで最も吉兆な月の1つとされている。シヴァ神の寺院に参拝したり，儀礼を執行する人も多い。ヴィシュヌが目覚めるのは秋のカールティック月白分11で，この日にはヴィシュヌ神として崇拝される黒い菊石と配偶者のラクシュミー女神の化身とみなされる聖なる草トゥルスィーの結婚が祝われる。カールティック月はヴィシュヌの月で，祭事も多く吉兆な月である。

日常を規定するものとしてより身近なのは曜日である。日本とまったく同じように惑星に関係するが，加えて，月曜日はシヴァ神，火曜日と土曜日は猿神ハヌマーン，木曜日はヴィシュヌ神と関連させられる。シヴァ神の月であるサーワン月の月曜日には，食事の節制をする人も多い。土星神は注意をしなければならない存在で，土曜日には油や鉄製品の布施が推奨され，それらの購入は避けられる。黒色の衣類を着用すると良いとされる。特定の曜日に毎週おこなわれるヴラタもあり，たとえば，願い事のある男性は火曜日に，夫や財に関連した願い事があるときには木曜日にヴラタをするなどである。

食事の節制と禁忌

祭事，とくにヴラタにおいて食事の節制がおこなわれる。水すら飲まない断食を伴うヴラタもあるが，男女問わず多くの人が実践するサーワン月の月曜日や春と秋のナヴ・ラートリ（九夜祭→第2節参照）の初日と8日目の節制では，穀物を避け，じゃがいもやナッツ，乳製品などを食べて過ごす。非菜食料理（ノンベジ）を作る台所や調理器具・食器を分けることはヒンドゥー教徒の家庭でよくおこなわれるが，祭事中には通常の菜食料理（ベジ）用の台所とも区別して部屋の一角にガスコンロを置き調理する人もいる。普段非菜食料理を食べていても，サーワン月やカールティック月，ナヴ・ラートリ中は食べないとする人も多く，玉ねぎやニンニクまで避けることもある。

どの祭事でどれくらい食事の節制をするかは個人の自由である。祭事での節制ではなく普段の食事における禁忌に関しても，地域差および個人差がある。筆者が住んでいた地域のヒンドゥー教徒のあいだでは，概して，非菜食料理を食べることは好ましくないという考え方がみられた。非菜食で食べられるのは卵，チキン，マトン（ヤギ肉），魚で，牛肉や豚肉を食べるのは一般的ではない。ヒンドゥー教とのみ関連する話ではないが，飲酒もまた好意的には捉えられておらず，ビハール州や西部のグジャラート州などは原則として酒類の販売および飲酒を禁じる「禁酒州」である。それ以外の州でも主要な祭事の日は酒類の販売が禁止される。インドに行く際には，訪れる地域の規定や習慣を調べることが大切であろう。

宗教的知識をどこから得るのか——聖典について

暦の知識や食事の節制の仕方，おこなうべき祭事の選択や方法について，ヒンドゥー教徒たちはどこから情報を得ているのだろうか。西暦の日付とともにヴィクラマーディティヤ暦にもとづいた祭事の情報を掲載するカレンダーは，ヒンドゥー教徒の家に必ず置かれているが，いつどの祭事をどのように実施するのかについては年長者から受け継がれる知識の影響が大きい。各家庭には，部屋の一角に置かれた祭壇や棚に神像や絵などを並べてつくられた「寺院」がある。毎朝（夕），水浴びをしたあと，神像をきれいにし，線香を焚き，砂糖菓子などを供え，小さな鐘を鳴らす礼拝（プージャー）がおこなわれる。家庭での日常儀礼や祭事で親がしている仕方を観察し，参加することで自然と子どもは覚えていくものである。もちろん専門家から知識を得ることもある。懇意の聖職者がいて，少し大きな儀礼の際には家に招いたり，結婚式の日取りなど大切なことから祭事の日程に迷ったときまで，気軽に相談している。何か心配事があるときには評判の占星術師を訪ね助言をもらうこともある。

1年間の祭事を概観する一般向けのヒンディー語書籍や，各祭事の方法や関連する神話を掲載する薄い冊子は各地で数えきれないほど出版されている。これらの本や，人々に助言をする専門家たちは，聖典と一般のヒンドゥー教徒たちとの橋渡しをしているといえるかもしれない。祭事と関連がある記述を含むのは，「**プラーナ**」というヒンドゥー教の百科全書的な聖典である。「大プラーナ」に分類されるものだけでも18あり，4世紀頃から14世紀頃までという長い時間をかけて形成された。当初，プラーナが扱うのは宇宙の創造神話や神仙・諸王の系譜等にかぎられていたが，祭事はじめ，聖地巡礼や祖先祭祀，神殿・神像の建立法，人生の送り方，医学や音楽といった様々な分野の記述が付加されていった。

祭事において，人々が聖典の類に直接に触れる機会もある。たとえば，ナヴ・ラートリで9日間毎日読誦されるのは『ドゥルガー女神の七百頌』である。これは「大プラーナ」のうち比較的古層に属する『マールカンデーヤ・プラーナ』への新しい挿入部分である『デーヴィー・マーハートミヤ（女神の偉大さ）』（8世紀頃）のことである。また北インドのヒンドゥー教徒にとって身近な聖典に，16世紀の詩人トゥルスィーダースがヒンディー語の東部方言で著した『ラーム・チャリット・マーナス（ラーマの行状の湖）』がある（第2節参照）。筆者の知人女性は，カールティック月にはこれを毎日読誦していた。

2 神との関わり――ヒンドゥー教における古層と新層

本節で扱うのは，主な祭事に登場する神々である。ヴェーダの宗教との相違・類似点にも注目しながら，現在のヒンドゥー教の信仰と実践，およびそれに至るまでの変遷について考えてみよう。

ヴィシュヌとシヴァ

ヴェーダの宗教とヒンドゥー教の相違点として，中心となる神々が異なることはよく指摘される。たとえば，『リグ・ヴェーダ』では全讃歌の約4分の1が雷霆神インドラの，約5分の1が火神アグニのものである。ヴェーダ聖典ではそれほど目立っていなかったが，土着の信仰を吸収して大きく発展していったヴィシュヌ神とルドラ＝シヴァ神を中心とする信仰をヒンドゥー教とみることができる。ヒンドゥー教の最高神は，それぞれ世界の創造，維持，破壊を司るブラフマー，ヴィシュヌ，シヴァの3神であると説明されることがある。この3神が究極の一者の3通りの顕現であるというトリムールティの観念を記述する文献は確かに存在するが，現代の祭事でも歴史を振り返っても，ブラフマー神の影は薄い。

ヴィシュヌ派およびシヴァ派の歴史と思想については，本章の「文献紹介」にあげる書籍を読んでいただきたい。少なくとも筆者が関わってきたふつうのヒンドゥー教徒たちには自身をヴィシュヌ派あるいはシヴァ派とする感覚はあまりないようで，家庭の寺院では両者を含めた神々が平等に崇拝されている。シヴァ神は，もつれ髪にガンジス川の流れをたたえ，三叉戟や太鼓をもち，珠数や蛇を首に巻き付け，トラの革の腰巻きをした修行者のような姿で描かれる。妻のパールヴァティーや，象の頭をもつガネーシャおよび軍神スカンダという2人の息子を伴う図像もある。寺院では，直立した男根の形をした「リンガ」の姿で崇拝されることが多い。ヴィシュヌ神は，4本の手に円盤，法螺貝，棍棒，蓮華をもつ凛々しい姿や，乳海で大蛇の上にゆったりと横たわる姿などで崇拝されるが，ヴィシュヌ信仰として押さえておきたいのは「アヴァターラ（神の地上への降臨・顕現）」の思想である。最もよく知られるのは，魚，亀，猪，人獅子，矮人，斧をもつラーマ，ラーマ，クリシュナ，ブッダ，カルキン（末世の終わりに現れる救済者）という10のアヴァターラで，ヴィシュヌは，世界が危機に陥るたびに様々な姿で現れ人々を救済したとされる。このうち，現代の北インドで人気の高い2つをみていこう。

ラーマとクリシュナ

3，4世紀頃に現在の形で完成したとされる二大叙事詩『マハーバーラタ』と『ラーマーヤナ』は，ヒンドゥー教の発展に多大なる影響を与えた。『マハーバーラタ』の主題は親族間の戦争だが，吟遊詩人によって語り継がれるうちに，宗教・哲学思想的な様々な要素が混入していった。その第6巻23～40章にあたる『バガヴァッド・ギーター』（1世紀頃成立）は，戦意喪失したアルジュナを戦車の御者クリシュナが諭すもので，最後にはクリシュナが超越的な神の姿で現れる。聖仙ヴァールミーキに帰せられる『ラーマーヤナ』の大筋は，ラーマ王子が弟のラクシュマナや猿のハヌマーンとともに，魔王ラーヴァナに拐われた妻のスィーター姫を助けにいくというものである。

ヴェーダの宗教の特徴は「祭式主義」，すなわち祭式（実現力をもつことばの力とそれを司る祭官）こそが至上であり，祭式によって神をも動かすことができるという発想である。これに対して，恩恵を与える存在たる神に帰依する「バクティ」思想の出現が，ヒンドゥー教をヴェーダの宗教と区別しうる大きな変化の1つである。バクティ思想が最初に現れたのが『バガヴァッド・ギーター』であるといわれるが，現代につながるクリシュナのキャラクターと，それへの熱烈な愛情を伴う帰依信仰は，「大プラーナ」の『バーガヴァタ・プラーナ』（10世紀）にみられる。同文献はクリシュナの生涯の物語を収録し，とくに第10巻で描かれるクリシュナと牧女との愛の戯れはインド諸地方の言語に翻訳された（写30-1）。民衆におけるバクティの高まりは6世紀頃の南インドに始まり，詩人や聖者たちの活躍によって，次第にインド亜大陸全体に広がっていく。14世紀には北インドで，ラーマーナンダなどの聖者たちの説法活動を通してラーマ信仰が民衆に浸透する。『ラーマーヤナ』の翻案であるトゥルスィーダースの『ラーム・チャリット・マーナス』が誕生した背景にはこのようなラーマ信仰の高まりがあった。

写30-1　クリシュナと恋人のラーダー

出所：筆者撮影。

現在，北インドの主な祭事の中でラーマに関連するものは最も多いといって良いだろう。チェイト月白分9にはラーマの生誕祭，その6日後の満月の日にはハヌマーンの誕生日が祝われる。アグハン月白分5にはラーマとスィーターの結婚式がおこなわれ，アーシュヴィン月白分10には，ラーマ王子がランカー島（スリランカ）に攻め込み魔王ラーヴァナに勝利したことを祝う。広場などで，10の顔をもつラーヴァナの巨大な張りぼて人形が燃やされる。カールティック月新月の灯明祭（ディーパーワリー）は，ランカー島からラーマたちが故郷のアヨーディヤーに凱旋した日であるとされる。バードーン月黒分8のクリシュナ生誕祭には，クリシュナの誕生が寺院や家庭で再現される。祭壇を飾りつけ，クリシュナへの信仰心を示す宗教歌を歌いながら，子どものクリシュナ像に服を着せたり，ゆりかごに乗せたりして世話をする。

女神に関する祭事

ブラフマー，ヴィシュヌ，シヴァの配偶者であるサラスヴァティー，ラクシュミー，パールヴァティーは，汎インド的に崇拝されている女神たちである。他方で，地域ごとに無数の女神信仰が存在する。後者については第4節で扱うため，ここでは汎インド的な3女神に関する祭事をみておこう。

現代のヒンドゥー教徒にとってブラフマー神が身近な存在でないのに対し，妻のサラスヴァティーは学問や芸能の女神として崇拝されている。春の訪れを知らせるマーグ月白分5の祭事はサラスヴァティー女神の礼拝の日でもあり，学校や音楽・芸術に関連する場所で女神の像が設置され祈りが捧げられる。

カールティック月の新月は，1年で最も大切な祭事の1つであるディーパーワリー（灯明祭）が祝われる。カールティック月黒分13から白分2まで5日間続き，様々な要素を含むが，現在の北インドでは富の女神ラクシュミーの祭りと認識されている。ラクシュミーを迎えるため，人々は1，2週間前から大掃除を始め家の飾り付けをする。黒分13（ダンテーラス）に金銀あるいは金属製品を購入し，翌日の「小さなディーパーワリー」の日には，家のなかのごみ捨て場や下水道など不浄な場所に灯明が置かれる。これは死を司るヤマ神（閻魔）のためのものである。ディーパーワリー当日はたくさんの灯明を家の内外に並べ，夜にはラクシュミー女神の礼拝をおこない，屋上で花火をして楽しむ。爆竹と花火は，大気汚染の懸念による規制後少なくはなったが，不幸を追い払うためとして必ずおこなわれる。

パールヴァティーの顕現の一であるドゥルガー女神と関連するのは，春（チェイト月）と秋（アーシュヴィン月）に祝われる9日間のナヴ・ラートリ（九夜祭）である。各家庭の寺院に壺を設置し，土を敷いて大麦を撒き，9つの姿で現れるドゥルガーの礼拝をし，女神による魔神討伐を描く『ドゥルガー女神の七百頌』を毎日読む。穀物を避ける食事の節制をし，8日目か9日目に9人の少女を饗応する。女神信仰の要素は秋のナヴ・ラートリに強く現れ，水牛の魔神を殺害するドゥルガーの像を祀る大小の仮設寺院が街に出現する。

ヒンドゥー的神格不在の祭事

現在北インドでおこなわれている祭事には，これまでみてきたような神々が登場しないものも少なくない。それらには，ヴェーダの宗教の信仰が陰に陽に引き継がれている部分もあると思われる。ディーパーワリーは，ヒンドゥー的女神の信仰が前面に出ている一方で，ヤマというヴェーダ時代からの古い神への礼拝が隠れている。春と秋のナヴ・ラートリもヒンドゥー的女神の祭事となっているが，ちょうど春分・秋分頃に祝われていることは注目に値しよう。ヴェーダ時代に冬至は重要な契機であり，またファーグン月の満月は1年の始まりであった。現在，1年間で12回あるサンクラーンティのうちでも重要なものとして毎年1月14日あるいは15日に祝われる「マカラ・サンクラーンティ」は，本来は冬至のお祭りである。沐浴と布施をすると良いとされ，家の屋上で街中の人々が一斉に凧揚げをする。チェイト月黒分1のホーリーは新年祭の要素をもち，日本でも色水をかける祭りとして知られているだろう。前日にあたるファーグン月の満月の日には，街のいたるところで積み上げられた薪にホーリカー（魔神ヒラニヤカシプの妹）の像を入れて燃やす。ホーリー当日は朝から，無礼講で色水の掛け合いが始まる。昼過ぎまで思い切り騒いだ後，人々は新しい服に着替え，親戚や友人の家に挨拶に出かける。ヒンドゥー祭事と，ヴェーダ時代の季節祭との関連は考察の余地がある主題である。

ヒンドゥー教の死生観として，生前の行為の善悪に応じて死後に生まれ変わるという「業と輪廻」の思想はよく知られている。ヒンドゥー教徒は墓を作らない。しかし，ヴェーダの宗教においても存在したあの世にいる祖先を祀るという信仰・習慣は現在でもみられる。アーシュヴィン月黒分の半月間には，祖先がこの世に戻ってくるとされる。期間中は，非菜食料理を避ける家庭が多く，散髪や髭剃りをしない。毎日，祖先のために水を捧げる人もいる。特定の死者の供養をする場合には，団子供えを伴う儀礼をおこなったり，バラモンを招いて食事をふるまったりする。最終日の新月の日は重要で，多くの人が祖先に水を捧げる。祖先が天界に帰還する日であり，戸口に灯明を置く家もある。祖先祭祀と新月の関連もまた，ヴェーダ儀礼に遡ることができる。

3　ヒンドゥー祭事にみる女性観

前節でみたドゥルガーは勇ましい戦う女神であるが，パールヴァティーは献身的な妻の姿で祭事に現れる。ファーグン月黒分14のシヴァ神の結婚式で登場するのは必ずパールヴァティーである。観察した地域で多くの既婚女性が実践していた「ハリターリカー・ティージュ」は，ヴィシュヌ神との結婚が取り決められたパールヴァティーが，シヴァとの結婚を願っておこなったヴラタであるとされる。バードーン月白分3に，パールヴァティーは砂でシヴァリンガをこしらえ，飲食を断って徹宵した。シヴァ神が現れて彼女を妻として迎えることを認め，父親の許しをもらいめでたく結婚したのだという。ハリターリカー・ティージュでは翌朝まで水なしの断食がおこなわれ，夕方の儀礼ではシヴァとパールヴァティーが祀られる。ビハール州でよく見られた「ヴァタ・サーヴィトリー・ヴラタ」（ジェート月新月）では，既婚女性たちがバンヤン樹（ヴァタ）を右繞して赤い糸を巻き付け，愛と献身によってヤマ神から夫の命を取り戻した女性，サーヴィトリーの説話を読む。

こうした既婚女性によるヴラタは「スハーグ」のためにおこなわれる。スハーグとは夫が存命である幸福のことで，ヒンドゥーの女性はスハーグの状態で亡くなるのが理想とされる。「ヒンドゥー教」はヒンディー語で「ヒンドゥー・ダルム（ダルマ）」と訳され，ダルマは日本語では，法，慣習，義務，宗教，功徳，正義など文脈に応じて訳し分けられる。ダルマを扱う「ダルマシャーストラ」という種類の文献は，女性に関する記述を含む。たとえば『マヌ法典』（前2世紀～後2世紀頃）は，家の繁栄における妻および母としての女性の役割の大切さを語るが，この敬われるべき女性の地位は，夫に忠実と貞節を尽くす妻であるかぎりにおいて約束されるものである。「幼いときは父の，若いときは夫の，夫が死んだときは息子の支配下に入るべし。女は独立を享受してはならない」（『マヌ法典』5.148）という文言に顕著にみられるような，従属者としての女性観がダルマ文献にはある。スハーグのためのヴラタのほか，息子の健康や成功を願うヴラタも盛んにおこなわれる。息子がいなくても娘のためにヴラタをおこなう女性もいるし，スハーグのためのヴラタにおいて嬉々として化粧をして一張羅に身を包む女性たちをみていると，現代において祭事のもつ意義は各人にとって変わってきているかもしれないとも感じる。ただ，ダルマ文献の考え方と密接に関係する祭事の根底にこうした女性観があることは明記しておきたい。

4 地域特有の祭事とその広がり

多言語・多宗教国家であるインドは，世俗主義国家であることを憲法に明記しており，全国共通の祝日は共和国記念日（1月26日），独立記念日（8月15日），マハートマー・ガーンディーの誕生日（10月2日）の3日のみである。地域ごと，宗教ごとに様々な祭事があり，3日以外の祝日は定まっていない。

地域特有の祭事として，第2節で触れた女神に関する記述から始めよう。ウッタル・プラデーシュ州ではバードーン月黒分6の「ハル・チャット」で，ビハール州ではカールティック月白分6の「ダーラー・チャット」で，「満月あるいは新月より6日目」に関係する女神が崇拝される。前者は息子のための女性のヴラタで，後者は太陽礼拝と関係し男性がおこなうこともある。性質は異なるが，両者においてヒンドゥー的な神像崇拝がみられないことは注目すべきであろう。ハル・チャットで崇拝される女神は，土を盛った植木鉢にクシャ草の束を刺したもので，それに布をかけ，既婚女性が身につけるアクセサリーで飾り，櫛や鏡などを供える。「ハル」は犂のことで，この日は地面を犂で耕して栽培されたものを食べることが禁じられる。4日間続くダーラー・チャットは，ビハール地方で盛大に祝われる。ヴラタをする本人は，2日目の夜に黒糖入りの乳粥を食べてから4日目の朝に太陽に聖水を捧げるまで，水なしの過酷な断食を続ける。3日目の夕方と4日目の朝の聖水の捧げは，果物や野菜など籠いっぱいの供物をもち，家族が連れ立って川や池に出かける。ビハール出身者は移住してもこの祭事を祝う者も多く，それに影響されてか，他地域出身者で好んでこのヴラタを始める人もいる。

もともと北西インドのパンジャーブ地方でおこなわれていた「カルワー・チョウト」（カールティック月黒分4）は，地域を超えて広がった例の最たるものであろう。スハーグのためにおこなわれるヴラタで，女性は月が見えるまで水なしの断食をする。カルワーとよばれる飲み口のついた水差しで夫に水を飲ませてもらい，断食が解かれる。これが地域を超えて広まったのは，1995年の*Dilwale Dulhania Le Jayenge*（邦題『シャー・ルク・カーンのDDLJラブゲット大作戦』）というボリウッド映画がカルワー・チョウトを魅力的に描いたことがきっかけであるとみられ，その後複数の映画で夫婦あるいは未婚カップルの愛の証としてこの祭事が登場してきた。最近では男性もパートナーの長寿を願って断食するようになり，若者の間でもヒンドゥーの祭事とは切り離されたイベントとして実践されている。

象の頭をもつガネーシャはインド全土で慕われている神さまであるが，なかでもインド西部のマハーラーシュトラ州で大変人気がある。同州の州都ムンバイーで観察したガネーシャ生誕祭（バードーン月白分4）では，街のいたるところに建てられた大小の仮設寺院に土製のガネーシャ像が設置され，毎日儀礼やイベントがおこなわれた。10日後，人々は大音量の音楽と掛け声とともに行列を作ってガネーシャ像を海へと運び，海岸で最後の儀礼をして海に流した。ヒンドゥー教徒の結束強化を意図して，もともと家庭でおこなわれていたガネーシャの礼拝を公の場での祭礼へと変化させたのはインド独立運動の指導者の一人であるバール・ガンガーダル・ティラク（1856～1920年）である。同地での現在ほどの熱狂ぶりはそれまではみられなかったものと思われる。

おわりに

本章は，北インドで実際におこなわれている祭事を軸に，ヒンドゥー教の信仰と実践について複数の観点からまとめてきた。近代以降，聖典『ヴェーダ』を最高権威とする「宗教」として単一的に捉えられた「ヒンドゥー教」――ヒンドゥトヴァ，そしてヒンドゥー至上主義へと多様性や他者の排除を導いてしまうような――ではなく，ヴェーダの宗教との類似・相違点や時代的な変化，地域ごとの違いにも着目しながら，核となるいくつかの考え方とぼんやりした外枠をもちつつ次第に出来上がってきた有機体としてのヒンドゥーの信仰，その豊かさを描き出すことを試みたつもりである。冒頭では各国のヒンドゥー教徒の割合に言及したが，国・地域によって，あるいはインド国内においてさえも，ここで記述してきたヒンドゥーの信仰と実践とは異なる点も少なくない。しかし共通点も多くみつかるはずであり，ヒンドゥー教徒であると自覚する人たちの営みの分析から，ヒンドゥー教というものを捉えようとする戦略は有効ではないかと考える。さらには，宗教別人口には表立って現れてこないような，たとえば東南アジアにおいて文化として残るヒンドゥー教の様相を捉えることもまた，ヒンドゥー教を多面的に理解するうえで必要になるだろう。

【虫賀幹華】

参考文献

インド文化事典編集委員会編『インド文化事典』丸善出版，2018年。
小倉泰・横地優子訳注『ヒンドゥー教の聖典 二篇――ギータ・ゴーヴィンダ，デーヴィー・マーハートミャ』平凡社，2000年。
高橋明「プラーナ」『新版 南アジアを知る事典』平凡社，2012年。
野田恵剛訳『原典完訳 アヴェスタ――ゾロアスター教の聖典』国書刊行会，2020年。
矢野道雄『占星術師たちのインド――暦と占いの文化』中央公論新社，1992年。
渡瀬信之訳『サンスクリット原典全訳 マヌ法典』中央公論新社，1991年。
Kane, P. V., *History of Dharmaśāstra*, Vol. V, part I, third edition, Bhandarkar Oriental Research Institute, 1994.

文献紹介

① 山下博司『ヒンドゥー教 インドという〈謎〉』講談社，2004年。

ヒンドゥー教徒の考え方や生活を扱う第一部と，高度な哲学思想を含むヒンドゥー教の理論面を扱う第二部から構成される。どちらかに偏った研究が多いなか，全体像の理解のために両者からのアプローチに挑戦した意欲作である。著者の山下は南インドでの留学経験があり，同地の祭事についても詳しく書かれている。北インドでの留学経験をもつ**橋本泰元・宮本久義**との共著**『ヒンドゥー教の事典』（東京堂出版，2005年）**では，実際の信仰と思想史の両面がより詳しく説明されている。ヒンドゥー教諸宗派の記述も厚い。

② 赤松明彦『ヒンドゥー教10講』岩波書店，2021年。

最新のヒンドゥー教関連書籍。「ヒンドゥー教とは何か」という問いを，文献学者である著者が，丁寧なテキスト読解を通して捉えた鍵となる様々な観念から繙いてくれる。巻末の読書案内も役に立つだろう。赤松を含む錚々たる執筆陣が各章を担当した「岩波講座 東洋思想」シリーズの**『インド思想』全3巻（岩波書店，1988～1989年）**は，現在でも参照される良書である。なお，同書の第2巻および第3巻で高島淳が「タントリズム」について書いており，『ヒンドゥー教10講』の第7講もそれを主題としている。ヒンドゥー教を捉える二大キーワードとしてバクティとタントリズムをあげる研究者は多いが，現代の北インドの祭事の視点からヒンドゥー教を描こうとした本章はタントリズムに触れられなかったため，これらを参照していただきたい。

③ 中島岳志『ヒンドゥー・ナショナリズム――印パ緊張の背景』中央公論新社，2002年。

現代のヒンドゥー教に関連する問題としておさえておくべき「ヒンドゥー至上主義」について補ってくれる文献としてこちらを紹介したい。2014年に政権を握って以来インド人民党（BJP）が根強い支持を受け続けている現在と，本書刊行時の状況は異なるが，インド人民党が所属する「サング・パリワール」というヒンドゥー至上主義を掲げるグループの思想と当時の活動を，参与観察にもとづき明快に記録している。叙述が魅力的で，ルポルタージュとしても大変おもしろい。

第31章 キリスト教

アジアにおけるキリスト教の現地化とグローバル化

“キリスト教は現代アジアにおいて定着，発展しているか”

今や無宗教とみられつつある日本ではキリスト教は現在も少数派です。しかし韓国，中国，フィリピン，シンガポールなど，アジアの各地でキリスト教は着実な成長を遂げています。しかも一方で現地独自の宣教活動を確立して世界に発信し，他方で活発化するキリスト教のグローバルな相互協力のネットワークのなかで重要な役割を果たしています。来日する外国人の増大とともに存在感を増しつつあるアジアのキリスト教の特徴を学びます。

キーワード メガチャーチ，グローバル・キリスト教，プレイズ・アンド・ワーシップ
関連する章 第6章，第20章，第34章

はじめに

日本では，キリスト教は欧米の宗教，アジアにとっては外来の宗教である，という考えが支配的である。しかし，キリスト教は西アジア起源で，アジアにおいて意外に長い歴史をもつ。また近年はアフリカやラテンアメリカと並んで，キリスト教の順調な成長がみられる地域である。アジアにおける活発なキリスト教の動きを想像することは容易ではないかもしれないが，いまやキリスト教の中心は欧米からアジアを含めたいわゆる「グローバル・サウス」へと移行しつつあることがとみに指摘されるようになり，しかもグローバル化の進展と連動して大きな変革を遂げつつある。

この章では，まずアジアにおけるキリスト教の歴史背景を概観，その数的な成長の特徴をたどり，政治との関わり方を検討したうえで，現代アジアのキリスト教のグローバルな特徴を紹介する。

1 背景

キリスト教は古代ユダヤ教のなかから現れた，西アジア（現在のイスラエル周辺）発祥の宗教であるが，現代アジアにおいては通常，近代以降の欧米からの宣教師によって本格的に導入された西洋の宗教と認識されている。アジアにおいてキリスト教徒の数的拡大は順調ではあるが，仏教やイスラームといった伝統的な大宗教の大きなプレゼンスを前に，大半の地域においてなおも少数者の宗教であり続けている。

近代以前のキリスト教の伝播

キリスト教は，紀元後1世紀のユダヤ教教師イエスの死後，彼をキリスト（救済者）と告白し宣教活動を本格化させた弟子たちの運動に端を発する。その教えと活動はすでに初期の時点でインドにまで伝播していた。またその後ネストリウス派はさらに東方に広がり，中世期まで中国などアジア広域において一定の勢力を保持した。

大航海時代における宣教

とはいえ，大航海時代における宣教活動こそが，アジアにおいて現代にまで影響を及ぼしている宣教の実質的な始まりといえる。近世期の宣教を担ったのは主にカトリックの宣教師であり，植民地支配と連動しながら，現地語による宣教を進めた。とくにスペインとポルトガルは通商と並んでキリスト教の布教を植民地政策の中心に置いており，アジア各地に築かれた貿易拠点およびその周辺においてキリスト教の宣教が推進されることで，当地の宗教・社会文化が形成されていくこととなった。

植民地支配から独立への流れのなかで

19世紀以降，プロテスタント宣教も本格化し，帝国主義の時代とともにアジア各地に宣教の動きが拡大した。一方でキリスト教は帝国主義の手先，外国の宗教とみられたが，反面，現地人指導者の育成が徐々に進むとともにかれらに次第に主導権が移り，現地の文化や言語に留意した働きも進められていった。植民地統治が導入されることで，宣教活動推進のための情報，交通網をはじめとして活動がより容易になる面もあり，「文明の普及」などの目的，また社会事業などにおいて，植民地当局と宣教師はしばしば協力的な関係を築いた。反面，植民地当局は現地社会の反発を恐れてキリスト教宣教に対して消極的な態度をとることも少なくなかったし，また宣教地における植民地統治の問題を宣教師が告発し，当局者と衝突することもあった。

アジア諸国の独立は欧米の宗主国からの自立と近代独立国家の確立をめざすものであり，そこにおいてキリスト教は，植民地統治とともに到来し，現地の慣習を乱す外来の宗教として危険視されることが多かったが，新しい国家建設の一角を担う存在とみられることもあった。

教育・社会事業／翻訳・言語・文化・教育

キリスト教の宣教はイエスをキリストと信じる信者を増やすことをめざしたが，その過程で教育，医療，福祉などの様々な事業を展開した。それらは，宣教の機会を拡大するためであるとともに，神と隣人に対する奉仕の実践とも考えられていた。またキリスト教宣教は西洋文明による啓蒙の担い手としての自覚をもつことも多く，そこから新しい国民国家の担い手として，政治家，事業家，教育者などの人材も多く輩出されてきた。

併せて，現地語での宣教および聖書の現地語翻訳の過程で，多くの言語の文法等の記述や辞書編纂，語学研究教育の成果をあげており，現在においても政府の多言語教育に協力することもある。

アジアのキリスト教へ

19世紀以降のキリスト教宣教をけん引してきたのは欧米，とくにイギリスとアメリカであり，現在に至るまで，世界のキリスト教神学，宣教学，礼拝などにおける英語の重要性は高い。アジアにとってもキリスト教と欧米語，なかんずく英語の関係はなお強い。

と同時に，アジアにおけるキリスト教会はすでに何世代にも及ぶ経験の蓄積と人材がそろい，また過去の西洋中心主義や植民地主義への反省も紆余曲折を経ながら次第に進められてきた。グローバルなキリスト教と対話，連携しつつも，地域独自の文脈のなかで存在感をもった教会の形成が進められており，アジア現地諸語による議論や考察，教育，研究の整備，充実も進められている。

アジアの冷戦のなかでのキリスト教

第二次世界大戦後のアジア諸国の独立後には冷戦状況が現出し，これが世界の動きにとって大きな影響をもたらした。またアジアにおいては，しばしば熱戦とよばれる実際の軍事衝突を伴った。宗教に批判的な共産主義とキリスト教は対立的な関係となりやすく，とくにアメリカからの宣教団体に支えられてきた保守系の教会の多くは反共の立場を公然と掲げた。

他方で時代が進むにつれ，とくにリベラルな教会のなかでは，民族主義の高まりとあわせてアメリカの資本主義や軍事的な覇権に対する反発が高まり，親米保守政権の人権侵害などに対する抗議を通じて左派と連帯したり，ラテンアメリカの「解放の神学」に通じるマルクス主義的な階級分析の観点を取り入れる思想が形成されたりしてきた。

そして両者が対立することで，教会内に冷戦対立が持ち込まれることも少なくなく，そうした対立は現在に至るまで尾を引いている。カトリック教会では，バチカンが反共主義的な保守主義を強め，リベラルで民族主義的な志向を強めるアジアの地域教会との緊張が高まり，そうした対立がバチカンとアジアの教会のあいだ，各国の司教協議会内の諸勢力のあいだ，監督する司教と現場の司祭や信徒指導者とのあいだなど様々なレベルに及んできた。またアメリカ国内の保守対リベラルの対立がアジアのプロテスタント諸派に持ち込まれることも少なくなかった。

キリスト教の現代化とアジアの現代化

現代におけるヒト，モノ，情報の移動の拡大，およびグローバルなネオリベ

写31-1　セブの幼きイエス像

出所：筆者撮影。

写31-2　セブ州シボンガ町シマラの天使と水牛

出所：筆者撮影。

ラリズムの発展のなかで，キリスト教界においても現代社会の危機と可能性についての議論が共有され，その教会形成，宣教，社会活動もそうした文脈のなかで再検討されつつ展開してきている。上記の冷戦下で生じた緊張や対立も，そうした新たな問題のなかで再編され，時に違いを超えた連帯も生まれてきている。

グローバル資本主義への統合の高まりと急速な経済発展のなかで，アジアにおいても世界全体の変貌と連動した大きな社会変化の過程が進行している。アジア諸国が豊かさと自信，先行きの不安と挑戦を前に民族意識を高めるなかで，急成長する教会もまた内発的な変容とグローバルな変容の交錯するところにおいて，地域のなかで存在感を高めつつ，時代の変化に応えようとしている（写31-1，写31-2）。

2 キリスト教成長地域としてのアジア

アフリカ，ラテンアメリカとの違い

キリスト教の宣教研究のなかでは近年，いわゆるグローバル・サウスにおけるキリスト教の目覚ましい拡大に注目が集まってきた。その点はアジアも例外ではない。ただ，アフリカやラテンアメリカの多くの国においてキリスト教，とくに新興勢力である聖霊派とよばれる流れの存在が，多くの社会において支配的な影響力をもつに至ったとされている。これと比べたとき，大多数のアジア諸国においては，現在もとくに仏教，イスラーム，ヒンドゥーの支配的な影

響力が維持され，むしろ再活性化されつつある。キリスト教の勢力が順調に拡大している地域が多いとはいえ，フィリピン，東ティモール，韓国などのごく少数の例外を除けば，キリスト教はなおも周辺的な存在にとどまっている。

数的成長の特徴

大きな傾向として，キリスト教の拡大は，主に国民社会において主流を占める宗教，とくに世界的な広がりをもつ仏教やイスラームが定着している地域では限定的であり，他方で世俗化が進んでいるとされる都市や，アニミズム的な自然崇拝，祖霊崇拝の多い地域において，とくに著しい数的な成長がみられる。インドネシア，そしてその支配下に置かれた東ティモールのように，政府公認の宗教への登録が義務づけられたため，伝統宗教を保持しつつキリスト教に登録することで難を逃れようとした結果，信徒数が激増する，という興味深いケースもある。また中国では伝統宗教の復興と並んでキリスト教の数的成長も著しく，2億人に達するとの推測すら聞かれる。

Pew Research Centerによると，アジア太平洋地域の約40億5,500万人のうち，キリスト教徒は約2億8,700万人で全体の約7%を占め，ヒンドゥー，イスラーム，無所属，仏教，民間信心に次ぐ規模である。

アジアのキリスト教のインフラの確立

すでに宣教の歴史が長いアジアにおいては，国内およびアジア地域におけるキリスト教に関する様々なインフラの構築が進められている。教派を超えた教育・研究機関のネットワークや保健，福祉，社会奉仕，人権擁護，開発援助など，多分野における活動がある。拠点となるのは各国の首都などの大都市の諸教会，神学校，諸団体であり，ソウル，台北，マニラ，シンガポール，バンコクなどを結節点とし，相互協力や人材交流が進められている。

3 政治との関係

第二次大戦以降，アジアのそれぞれの国において，国民国家の形成過程と絡みつつ，政府と教会の関係が形作られていったため，事情は様々ではあるが，いくつかの傾向，特徴をみることができる。

多数派宗教として

大航海時代以降19世紀までの近世期の植民地支配下でキリスト教化がおこなわれた国や地域の多くが，現在に至るまでその当時に築かれたキリスト教の支配的地位をかなり継承している。そうした地域のなかで，国民規模で植民地的な宗教が多数派を占めているのがフィリピンである。全人口の約8割がカトリック，それ以外のキリスト教徒も1割を占め，アメリカ型の政教分離原則が導入されているなかで，なおキリスト教の社会的な影響力は大きい。

その政治への関与にはいくつかの形がみられる。

カトリック教会の指導者層は，フィリピンを「キリスト教国」，そして自らをそのなかの多数派の指導者として，道徳上の指導権を主張し，これに関わる法や制度の制定に対して積極的に発言し，選挙の際にも，その基準に則って国民にガイドラインを提示してきた。

独裁体制を敷いてきたマルコス大統領の開発の失敗および人権侵害に対し，カトリック指導者たちは批判の先頭に立ち，ついには教会が反政府勢力の結集を促すことで，1986年の民主化政変に至った。これによって，教会の政治における道徳的権威はさらに広く内外に認められるに至った。

ただし教会が「道徳」というとき，一方に民主主義の保護，人権擁護，貧困削減，環境保護といった進歩的な面もあれば，他方で離婚，中絶の合法化，避妊の推進政策に生命倫理の名で徹底して反対する保守的な面もある。そしてその2つが道徳の名のもとに一体のものとして捉えられ，声明発出のみならずロビー活動，デモの動員，そして時には特定候補に対する反対運動となってきた。そのため，教会の政治関与は宗教の公共領域への貢献という面と，特定の価値観にもとづく宗教の政治介入という面の両面が，切り離されることなく打ち出されている。

性と生殖に関する教育や支援を促進する「リプロダクティブ・ヘルス推進法案」に対し，教会指導者層は断固たる反対運動を展開してきたが，国民の多くは法案に賛成し，教会の介入を望まなかった。教会内にも法案に理解を示す声が多数上がり，内部の不一致が露呈する結果となってしまった。

他方，積極的な宣教活動によって急成長した**メガチャーチ**などの教会，教派，運動のなかには，有力な政治家，とくに大統領を支援することで，影響力を誇示するとともに，見返りを期待するような動きもみられる。カトリック教会はこうした特定の政治家や政党を支持するいわゆる「党派政治」への教会の参加を原則的に戒めており，こうした動きを批判することも多い。

現在では教会の政治関与に消極的な意見が増えてきており，教会側の積極的な働きかけの多さに比して，実際の直接的な政治的影響はかぎられている。とはいえ，政治や行政の不備が一方にあり，宗教全般に対する評価の高さも他方にあって，その結果，教会や宗教が広く公共的な役割を果たすことについては，なお今も広く受け入れられている。

影響力の強い宗教として

アジアにおいてキリスト教が政治的，社会的存在感を示しているのは，そうした歴史的遺産を背景にしたものだけではない。戦後の韓国におけるキリスト教の著しい数的成長およびその要因については多くの議論があるが，現地人指導者主導であって植民地的宗教とは背景が異なる。また仏教などの伝統宗教が強固に存在するなかでの成長であることも注目に値する。近年では，シンガポールにおいても伝統宗教の衰退のなか，無宗教とともにキリスト教の急拡大が指摘されている。

韓国において，とくにプロテスタントがナショナリズムに果たした役割は大きく，現在に至るまで，キリスト教会は政界に多くの人材を送り出している。ただし政策において，たとえば上記のフィリピンのように，キリスト教的なアジェンダがとくにはっきり現れるというわけではなく，政治家個人の敬虔さと政治家としての清廉さを結びつける姿勢にとどまっている。

反面，キリスト教のプレゼンスの拡大に対する反発も広がっており，近年では新型コロナウイルス感染拡大への対策に一部の教会が非協力的であったことなどが，宗教活動を至上のものとするがゆえに公共の利益を軽視しているとして，問題視されている。

国内少数民族，一部地域で多数を占める場合

アジアの多くの地域ではキリスト教徒は少数派にとどまるが，それでも一定の規模，割合を占める場合に，キリスト教に対する国民統合上の一定の政策的な配慮がなされることも少なくない。また特定の民族の多数派を占める場合，国全体の多数派民族・宗教との対比で自民族のアイデンティティの強化にキリスト教が関わってくる場合もある。

仏教が多数派であるタイやミャンマー，イスラームを国教とするマレーシアでは，それらの宗教が特権化されているものの，それ以外においては信教の自由が認められ，権利保護がなされている。インドネシアにおいては建国に際し，国民統合上の配慮から多数派であるイスラームを国教化することは見送られ，代わりに「一神教」を国是とすることとなったため，そのなかでカトリックとプロテスタントの2つのカテゴリーが公認宗教となった。

キリスト教徒が一定程度有力な伝統をもつ地域では，地域紛争や自治独立運動に際して，紛争が宗教の名を掲げながら起こることも少なくない。

少数派

日本ではキリスト教は長い歴史をもちながら，また信教の自由が保障されて久しいなかで，いまも少数派にとどまっている。世界のキリスト教界においてこのことは広く認知されており，アメリカや韓国など海外からも種々の宣教方策が輸入され，また国内においても様々の方法が模索されてきたが，著しい成果をあげているとはいい難く，その要因について多様な議論が重ねられてきた。

日本においてキリスト教会の形成は明治以来，近代的知識人層の発達と並行してきた。現在に至るまでその指導者の多くはリベラル系知識人の一角をなしている。ただし，とくに冷戦後，その伝統に反発する右派の流れも現れている。また教育，医療，福祉などの働きにおけるキリスト教界の貢献は広く認知されており，教会式結婚式の人気など広く好印象を持たれている。ただし，そうした全体のなかで，キリスト教は西洋の宗教であり，日本人にはなじまない，という言説も根強い。

迫害

アジアの多くの国において，多数派宗教が国民統合にとって重要な位置を占め，キリスト教がほとんどの国においては少数派ではあるが一定程度の影響力をもち，増大していることも多いため，キリスト教をめぐる緊張や衝突が起こることは不可避であった。

このことが政治的，社会的に大きく注目されたのは中国やインドのケースである。中国では文化大革命における宗教全般に対する強力な弾圧ののち，改革開放に転ずるとともに宗教伝統の復興が起こったが，このなかで「家の教会」とよばれる非公認教会は概ね黙認され，著しい成長を遂げた。ただし近年，習近平政権になると宗教の影響力の拡大に対する警戒を強め，統制の強化を図っている。インドにおいてキリスト教会はイギリスの植民地政策とも一定の関わりをもちつつカーストを超えた宣教，教会形成をめざして，現地社会と緊張関係を生じることが多かった。近年のいわゆるヒンドゥー・ナショナリズムの高揚とともに，キリスト教徒や教会に対する暴力や迫害が多く報じられるようになっている。

4 グローバル・キリスト教のアジアにおける展開

最後に，アジアにおけるキリスト教のグローバルな側面に触れる。近代化の進展に伴い，人，モノ，情報の国境を越えた世界的なつながりが深化してきたが，そこにおいては諸宗教が国境を越えて活発に人的交流，活動，情報共有を展開する「宗教的なグローバル化」もその一翼を担ってきた。キリスト教は当初よりグローバルに展開する志向をもっており，ある意味でそうした世界的な流れに率先して関わってきたといえる。つまり，民族の違いを超えて信徒を集め，共同体を形成しようとする志向，聖典テキストの多言語への翻訳に開かれていること，全世界を神の世界とみなし，教えを広めようとする志向など，グローバル化と調和した運動の論理が伝統として存在し，歴史的にもしばしば積極的に世界各地への進出をめざしてきた。

それは一方で，教理や神学のプラットフォームの世界規模での共有，国境を越えた教会会議，神学会議，キリスト教諸団体の交流や事業展開などに現れる。そうした場において，アジアの諸教会からも活発な参加があり，そこでの議論，提案，決定などはアジア諸地域のキリスト教徒に広く共有される。

他方で，そうした標準化を欧米からアジアへの一方的な流入と捉えることは，もはやできない。また，最新の技術の導入に伴う世界的な社会関係，文化の変容と結びついてはいても，そこでは内外の諸伝統も反映され，吟味されている。宣教から何世代も経過しているアジアのほとんどの地域において，すでに現地人指導者の育成，および地域の風土と調和した神学や教理理解のあり方についての議論も進んでいる。西洋的な神学，文化，組織の伝統を批判的に継承しつつ，他方で各地の土着の文化の文脈をふまえたうえで，地域性を保ちつつキリスト教独自のアイデンティティを再形成する試みも活発になされてきた。

アジア各地の諸教会は，政治，経済，社会のグローバル化がひろく進展する世界のなかにある。そうした世界の潮流と連動しつつ，世界のキリスト教は，グローバルなネットワークの増進，共通理解や関係性の形成を進めており，アジアの諸教会もその流れのなかに身を置いている。ただし，それにただ流されるのではなく，地域に根差した教会のあり方を模索しつつ，成長をめざしている。

新しいメディア環境のなかで

インターネット環境の整備の進展，コンテンツの拡充と文字のみならず音声や画像などのツールの増大，SNSによる双方向的な参加の拡大などは，社会全般，社会運動，社会の諸活動に大きな影響を与えており，キリスト教界も例外ではない。むしろ，元々グローバルな意識をもち，国を超えた連携を活発におこなってきたキリスト教においては，さらに積極的にこうした社会環境や技術の活用が進められてきた。

とくに福音派，カリスマ派の活動の活発化のなかで，伝統的典礼とポップス・コンサートの要素を融合した「**プレイズ・アンド・ワーシップ**」とよばれるスタイルの浸透と活発化，そのなかでの多国籍の讃美歌や礼拝スタイルの興隆が顕著にみられる。一方でグローバルに成功しているヒルソングのような讃美礼拝運動，およびそこで生み出されている作品群が，アジア各地を含めた世界中に広まり，共有されている。他方でアジア各地でも，伝統と新しいトレンドの両方を視野に入れた様々な讃美歌が，生み出され翻訳されて広まっている。とくにアジアの諸都市における教会は，教派を超えて多くのキリスト教諸文化を共有し，お互いの存在を以前より強く意識しながら，それぞれ独自のあり方を追求している。

20世紀後半にはすでに，プロテスタントのFEBCやカトリックのRadio Veritasのような国際的なキリスト教ラジオ網が存在したが，これに加えて，近年は多チャンネルのウェブサイト，YouTubeなど動画プラットフォーム，SNSなどが加わることで，オンラインによる情報共有，関係構築，礼拝参加も進み，それに伴って教会や宣教のスタイルも変わりつつある。2020年からの新型コロナウイルス感染の世界的拡大のなかでの検疫対応を受け，オンラインによる礼拝や信徒間の交流の大幅な拡大がみられ，諸教会のオンラインサービスへの認知が高まったことで，今後さらなる展開が予想される。

宣教と社会奉仕のネットワークのグローバル化

現在もなお，宣教師の多くはアメリカ人であるが，近年は韓国や台湾，フィリピンなどからの宣教師の活動も活発化し，かれらが独自の教会や諸運動・活動組織を世界各地に形成するケースも増えている（アメリカやカナダにおいても，アジア系の教会，信徒，運動なども存在感を次第に増しており，そこからも多くの牧師，宣教師，信徒伝道師などがアメリカ内外に派遣されている）。とくにこれらの国の宣教師たちの多くは近隣アジアへの宣教に力を入れている。キリスト教の成長が著しい地域には，メガチャーチとよばれる活動規模の大きい教会が次々と建てられており，それらの教会がアジアをはじめ世界各地に新拠点を作り，グローバルな宣教展開をするケースもみられる。

併せて，キリスト教会によって伝統的におこなわれてきた開発援助や福祉などの社会奉仕的な働きについても，より国際的な協力関係のネットワークのなかで展開するケースがみられる。近年特徴的なもののひとつはアジア系移民・労働者に対する宣教と社会奉仕の拡充である。とくにカトリック教会は，世界大の教会ネットワークを生かし，教皇庁の移住・移動者司牧評議会のもと，移民や労働者に対する国際的な支援活動を展開している。また移民や労働者としてアジア各地に移住したキリスト教徒も多く，かれらが宣教や社会活動に関わることも少なくない。かれらの司牧（ケア）のために，フィリピンやベトナムなどから聖職者が招へい，派遣されるケースもみられる。

おわりに

以上，アジアにおける成長するキリスト教の一端を描いてきた。もちろん宣教が行き詰まるケース，教派の弱体化のなかで個別化が進み，そこからカルト化する教団が現れて社会問題化するケース，現在も続く欧米神学との葛藤など，バラ色とはいいがたい現実ももちろんある。ただこの章では，あまり知られていないと思われる活況を呈するアジアの諸教会の姿の一端に触れてもらうことを意図して，あえてその成長する側面に焦点を当てた。

外国人労働者への依存を高める日本においても，外国人信徒の増大が指摘されてきた。それに伴い，アジア系の宣教師，聖職者の日本での働きも増大している。日本人聖職者，信徒の数が少ないなかで，アジアにおけるキリスト教の成長の波は，これらの在日外国人の増大によって波及していくことになる可能性もある。もしそうであれば，今後日本においても，日常のなかで，この**グローバル・キリスト教**の流れのなかで活況を呈するアジアのキリスト教に触れる機会も増えてくることになるのではないか。

【宮脇聡史】

参考文献

寺田勇文編『東南アジアのキリスト教』めこん，2002年。
ボッシュ，デイヴィッド著，東京ミッション研究所訳『宣教のパラダイム転換』新教出版社，2001年。
宮脇聡史『フィリピン・カトリック教会の政治関与』大阪大学出版会，2019年。
森本あんり『アジア神学講義』創文社，2004年。
山本俊正『アジア・エキュメニカル運動史』新教出版社，2007年。
Bautista, Julius et al. eds., *Christianity and the State in Asia*, Routledge, 2009.
Pew Research Center, *Size, Projected Growth of Major Religious Groups in Asia-Pacific, 2010-2050*, 2015, https://www.pewforum.org/2015/04/02/asia-pacific/143-2/, 2021年6月28日アクセス。

Phan, Peter C. ed., *Christianities in Asia,* Wiley-Blackwell, 2011.
Ross, Kenneth R. et al. eds., *Christianity in East and Southeast Asia,* Edinburgh University Press, 2020.
Sunquist, Scott W. ed., *A Dictionary of Asian Christianity,* William B. Eerdmans, 2001.

文献紹介

① 日本基督教団出版局編『アジア・キリスト教の歴史』日本基督教団出版局, 1991 年。

アジアのキリスト教史に関する一昔前の標準的な概説書として，この文献があげられる。ただしその後30年のアジアにおける民主化，新自由主義の浸透，グローバルな情報環境の進展のなかでのキリスト教の変貌と成長拡大については十分に触れられていない。最新の研究であるRoss, Kenneth R. et al. eds., *Christianity in East and Southeast Asia* (Edinburgh University Press, 2020)（東アジアと東南アジアのキリスト教）は人口動態や最近の教会の動き，そして国別だけでなく教派別，分野別の章も設け，多面的にアジアのキリスト教の近年の動きを紹介，分析している。高価な洋書だが，関心のある方にすすめたい。

② ミラ・ゾンターク編『〈グローバル・ヒストリー〉の中のキリスト教――近代アジアの出版メディアとネットワーク形成』新教出版社，2019年。

「キリスト教史ミュンヘン学派」による新しい研究成果の一部を紹介している。特に中世期における東方キリスト教の拡大に関する知見，および19～20世紀における出版メディアを介したアジアやアフリカの諸地域間の現地人キリスト教徒同士の交流についての調査が注目される。従来いわれていた以上にアジアにおける在地のキリスト教の長い歴史があり，欧米の宣教師を介さない交流も活発であったことが示されている。

③ 高橋典史ほか編『現代日本の宗教と多文化共生』明石書店，2018年。

この論集は諸宗教による在日外国人コミュニティとの関わりを紹介しているが，注目されるのは，カトリック教会の存在感である。移民を支援するグローバルな制度を整えて久しいカトリック教会は，移民，難民，外国人労働者に対する支援体制が整備されており，加えて外国語のミサの提供もしている。今後日本が近隣諸国からより多くの人々を受け入れるとすれば，そのなかでかれらに対する支援活動，そしてすでに一定の存在感を示しているカトリック教会のプレゼンスが高まるであろうことは想像に難くない。

第32章 イスラーム

アジアのイスラームの日常風景と課題を知る

“私たちはアジアのイスラームやムスリムについてどこまで知っているだろうか”

イスラームやムスリムと聞くと，私たちはどのようなイメージをもつだろうか。テロや戦争を連想するだろうか。全身黒いベールをかぶった女性を思い描くだろうか。アラブの富豪だろうか。食事など厳格な戒律を守る人々だろうか。イスラームを信奉する人口は今やアジアが1位を占める。私たちはアジアで生きるムスリムの現状やかれらの抱える課題についてどこまで知っているだろうか。

キーワード 六信五行，装い，イスラーム復興運動，宗教間対立，ジハード，グローバル・ジハード
関連する章 第29章，第30章，第31章

はじめに

イスラームとは，アラビア語で「神に帰依し，その教えに従う」という意味である。ただ，何が「教え」なのかは，人々が置かれた状況によって異なる。本章は，アラビア半島を中心とする中東地域ではなく，アジア（個別地域を示すときを除き，本書では東・東南・南アジアを指す）におけるイスラームについて現状と課題を描くことで，外部から与えられたイメージではなく，等身大のムスリム（イスラーム教徒のこと）の姿やかれらをめぐる諸情勢に対する姿勢を提示する。これにより，アジアにおいて日々を生きるムスリムやイスラームのあり方の違いについての理解を深めていく。そこで，第1節ではアジアにおけるムスリム人口分布や宗派といった人口統計的な情報を提示したうえで，イスラームがどのようにアジアに伝播したのかという歴史を概観する。第2節ではムスリ

ムの生活と規範や儀礼を紹介することで，イスラームが生活から切り離された教条的なものではなく，生き方でもあることを示す。第3節では，イスラームをどのように学び，伝えようとしているのか，どのような交流が国を超えてあるのかを提示する。そして，第4節では，宗教間対立としてみられてきた紛争の背景や，現在「**グローバル・ジハード**」とよばれて問題となっている事象について理解を深めていく。

1 概 要

人口分布と伝播

2020年現在，全世界におけるムスリム人口はおよそ19億人。国別にみると，このうち13%がインドネシアに居住し，パキスタンとインドがそれぞれ約11%，10%と続く。地域別にみれば，アジア・太平洋地域が62%，聖地マッカ（メッカ）があり私たちがイスラームの「本場」と考える中東・北アフリカ地域が20%，次いでサブサハラアフリカが16%である（**図32-1**）。総じて，アジアとアフリカに比較的多くのムスリム人口が分布しているといえよう。

イスラームは，全世界に約24億人の人口がいるキリスト教に続いて，世界で2番目に多い宗教人口を擁し，急速にその数を増やしている。その要因には，ムスリム人口の多い地域は比較的若年層が多く，また出生率も高いことがあげられる。

では，こうしたムスリム人口はどのようにアジアに広がっていったのか。

イスラームは，7世紀前半に現在のサウジアラビアのマッカで預言者ムハンマドを祖として発祥した。その後，アラビア半島やアフリカ北部を中心に広がった。さらにインド亜大陸にも普及し，17世紀にはムスリムを首長に擁するムガル帝国を最高潮としている。東南アジアにイスラームが伝わったのは，中国と中東とのあいだの交易に携わっていたアラブ商人の役割が大きく，かれらはイスラームの伝道者でもあった。マレー半島には13世紀ごろにイスラームを信仰する人々の社会が形成され，15世紀のマラッカ王国では，王自身がイスラームに改宗し，アラブ商人などをさらに惹きつけた。またアラブ商人が地元の有力者の娘と結婚し地域に定着し，やがて土着のアニミズムや伝来宗教と

図32-1　世界のムスリム人口

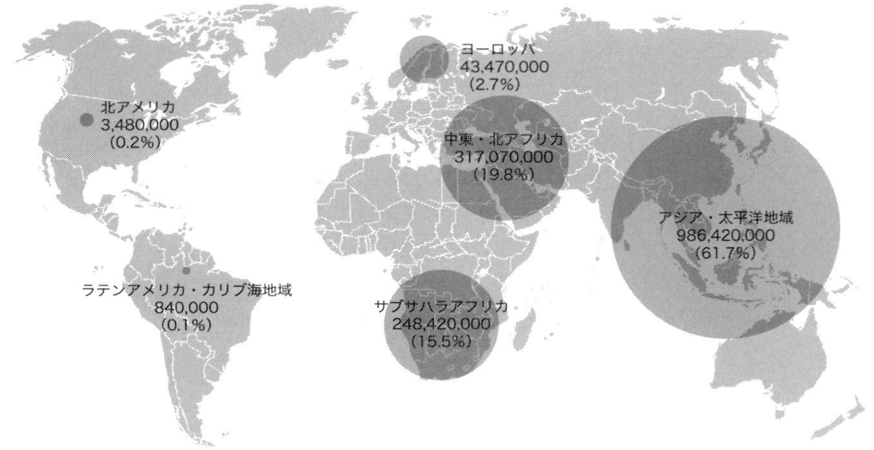

ヨーロッパ
43,470,000
(2.7%)
北アメリカ
3,480,000
(0.2%)
中東・北アフリカ
317,070,000
(19.8%)
アジア・太平洋地域
986,420,000
(61.7%)
ラテンアメリカ・カリブ海地域
840,000
(0.1%)
サブサハラアフリカ
248,420,000
(15.5%)

注：カッコ内は世界全体でみたときの内訳であり，人口は2010年の数字である。
出所：Desilver and Masci（2017）。

混ざりながら，一般の人々にも少しずつ浸透していった。東アジアにおけるイスラームの伝播も海のシルクロードの形成が深く関係している。このように，アジアにおけるイスラームの伝来や普及には東西交易が大きく関わってきた。

その一方で，イスラームの広範な普及については，スーフィズム（イスラーム神秘主義）の果たした役割も大きく，ヒンドゥー教や仏教の影響を受け，自己修練や瞑想を経てスーフィー聖者となった者がいくつもの奇蹟を起こしてきたといわれており，その内面的探求の精神性や，スーフィー聖者，およびその廟の「お導き」で改宗した庶民も多い（中原 1982; 拓 2018）。

宗派と地域的特徴

こうして今日アジアに広がっているイスラームにおいて，どのように教えが広まり，人々に実践されているのだろうか。かれらが信仰実践の指針としている典拠は，主に啓典クルアーンとハディース（預言者ムハンマドの言行録）である。世界のムスリム人口を大別すると，ムスリムの9割弱がスンナ派で，1割がシーア派といわれる。どちらにも属さないムスリムもいる。スンナ派はさらにハナフィー派，マーリク派，シャーフィイー派，ハンバル派の四大法学派に分かれる。南アジアにおいて多いのはハナフィー派で，東南アジアにおいて多いのはシャーフィイー派である。こうした法学派の違いによって，各地域で刑罰や女性の権利，相続などの考え方に違いが生じている。ゆえにひとえにムスリムといっても，生活を律する解釈に相違があり，実践も異なる。

ただし，**六信五行**だけは，どの宗派であっても変わらない。六信は，ムスリムが信じるべき6つの対象（アッラー，天使，啓典，預言者，来世，予定［運命］）である。五行とはムスリムが実践すべき5つの行い（信仰告白，礼拝，断食，喜捨，巡礼）である。五行のうち，断食は妊婦や病人などは免除され，喜捨も経済状況に鑑みずにすべての人が対象とはならない。巡礼も他の五行と異なり「一生に一度」で「健康で財力的に許すのであれば」と努力義務である。これらから，すべての信徒に対して強制的に実行させる教えではないことがわかる。

ムスリムが六信五行を敬虔に守るためには，居住国の法制度や教育，周囲の社会規範がイスラームの理念に沿っているほうが支障が少ない。ただし，国家としてイスラームの教義を統治の根本原理とする，もしくは信者の多さによってイスラームを国教と定めている国は，アジアのなかではマレーシア，ブルネイ，バングラデシュ，パキスタン，モルディヴのみである。先に世界最大のムスリム人口を抱える国はインドネシアだと紹介したが，インドネシアは5つの宗教を公認しており，イスラームはそのうちの1つである。だからといってインドネシアでイスラームの実践が難しいわけではなく，州ごとにイスラームの宗教的権威がおり，人々の実践のあり方を方向づけている。

2 イスラームの生活世界

ムスリムの一年

現代のムスリムは，世界の大多数が従っている太陽暦と，預言者ムハンマドがマッカからマディーナへと聖遷（ヒジュラ）した西暦622年を元年と捉えるイスラーム（ヒジュラ）暦を用いて生活している。イスラーム暦は太陰暦を用いるため，西暦2021年は，イスラーム暦1442年後半から1443年前半にあたる。イスラーム暦は第1月から第12月まであり，通常1か月は29日または30日ある。月の始まりは，細い三日月を目視できた日としている。このため，日本の私たちは通常午前0時を日付変更時と捉え，身体的には日の出を一日の始まりと考えるが，イスラームにおいて一日の始まりは，日の入りである。

ムスリムにとってイスラーム暦がとくに意味をもつのは，第9月と第12月である。第9月は断食月（ラマダーン）ともよばれ，1か月のあいだ，日中に断食をする。この月は，自らの時間をアッラーに投じるために信仰心が高まる時期である。ムスリム多数派の国では昼間は街中も人通りがなくひっそりとし，休業している店も多く，ゆえに非ムスリムは隠れた場所で飲食することになる。夕方になると人々は食事の準備に勤しみ，みなが一堂に食事の場に集まり，飲食が解禁される日没後を待つ。そして，夜半はモスクに向かい礼拝やクルアーンの詠唱をしてすごす。この断食月が明けた第10月の最初の3日間にイード・アル・フィトルとよばれる断食明けの祭りがおこなわれる。断食月では富める者も貧しい者も一様に空腹を経験することから，イスラームにおける神の下の平等や連帯が追求される機会となる。

同様に，第12月は巡礼月である。この月に聖地マッカを訪問することを大巡礼とよび，それ以外の月に訪問することを小巡礼とよぶ。巡礼者は，家族や友人，同国人で旅団を組み，約10日間のサウジアラビア滞在中，マッカ郊外からのルートを歩き，カアバ神殿の周囲を7回まわる儀礼に参加する。だれもが同じことを実践するという点では，ここにもイスラームの平等性がうかがわれる。巡礼者はそれぞれに国に戻った後，現地で手に入れたり購入したものをバラカ（神の祝福）として親族や周囲に振舞う。中にはマッカの水を持ち帰り，それを霊験あらたかな聖水として皆に分け与える人もいる。このように巡礼者は帰国後に寛容な言動が求められる傍ら，男性ならば「ハッジ何某」，女性ならば「ハッジャ何某」とよばれ，人々の尊敬の念を集めるようになる。財力に余裕のあるムスリムであるならば一生に一度巡礼することが希求されるため，子が老齢の親の巡礼費用を貯め，親に巡礼させることで親孝行をすることも少なくない。なお，巡礼地や巡礼者の本国でも，第12月10日にイード・アル・アドハーとよばれる犠牲祭が催され，経済的に余裕のある家でヤギなどが屠られ，それを使った料理が周囲に配られ，みなで犠牲祭が祝われる。

このほか，たとえば東南アジアにおいては，イスラーム暦第3月12日を預言者ムハンマドの生誕祭（マウルド・ナビ）として祝うところもある。クルアーンの一部を詠唱してすごす人もいるが，イスラームにおいてムハンマドは預言者の1人（クルアーンには25人の預言者が登場し，啓示宗教における人類の始祖アダムやイエス・キリストもそこに入る）であって，「信仰」や「崇拝」の対象ではないとする意見もあり，その実践は地域や人による。

生き方としてのイスラーム――生活と規範

ムスリムが多く暮らす地域に住まうと，イスラームが人々の生活を律していることがよくわかる。朝のシーンを追ってみよう。早朝，イスラーム寺院である地域のモスク（アラビア語ではマスジド）から人々に礼拝をよびかける（これをアザーンという）声が拡張器を通して大音量で鳴り響き，人々を眠りから目覚めさせる。このアザーンは早朝，正午，午後3時過ぎ，日没後，午後8時ごろと，1日5回の礼拝の前に必ず流され，人々の生活リズムをつくっている。アザーンによって男性はモスクでの礼拝が促されるが，女性はモスクでも家でもどちらで礼拝してもよいとされている。なお，旅をしているあいだは1日5回の礼拝義務は免除され，3回に短縮させてもよいと考える人もいる。

早朝の礼拝の後，人々は朝食にありつく。食事はパンとコーヒーという欧米風のものから，具入りおかゆ，麵，ロティとカレーのような地域もある。それらの食に共通するのは，口に入れるものはハラル（ハラール）であるということだ。ハラルとは，イスラームでは「合法的なもの・こと」という意味であり，「禁止されたもの・こと」を意味するハラム（ハラーム）と対の概念となっている。豚肉やその成分を使った食品，酒類などを指すハラムはノンハラルともよばれており，ムスリム多数派の国のスーパーマーケットでは，非ムスリムのためにノンハラルのコーナーもある。ハラルかどうかの判断は，企業や機関のハラル認証マークがあるかどうかで見極められる（**図32-2**）。2019年時点で，マレーシアをはじめ，世界の45の国に各自のハラル認証機関があり，それぞれの認証制度を設けている（マレーシアイスラーム開発省 2019）。食肉に関しては，ムスリムが一定の作法にもとづいてその動物を屠っていることを求める人もいれば，ムスリムでなくとも啓典の民（ユダヤ教徒・キリスト教徒）であれば問題ないと考える人もいる。ムスリム少数派の国では商品の外装にハラル認証マーク

図32-2　マレーシア政府ハラル認証機関（JAKIM）のハラル認証マーク

出所：マレーシアイスラーム開発省（2019）。

が付いていないことも多く，その場合は原材料名でハラルだと判断したり，その地に長く住むムスリムに尋ねたりする。このため，日本に暮らす外国人ムスリムは言語と認証マークの有無で苦心することが多い。なお，ハラルやハラムは飲食品や化粧品といったモノだけでなく，約束や契約，仕事などの行為においてもムスリムの判断基準となっている。

さて，朝食を食べた後，着替えて学校や仕事に行く際にどのような服装をすればよいかも決まりがある。男性にはほとんど決まりは設けられていないが，女性においては，女性の美しさの象徴である頭髪のほか，肌が過度に露出しないよう布で隠すことが求められている。頭髪を覆う布の適切な着装，またはその布自体をヒジャーブという（スカーフやヴェールと総称することもある）。このヒジャーブの着装については，生まれた家や育った地域によって異なる。まったく付けない人，耳だけを出す「ミッキーマウス・スタイル」で簡易に済ます人，TPOで変える人，頭を軽く覆っている人，頭髪・耳・首を隠し東南アジアで最も一般的だといわれているトゥドゥン（マレーシア）やジルバブ（インドネシア）を付ける人，目だけを出して後はすべて布で覆うニカブの人など，ムスリム女性たちのあいだでも実践が多様である（**図32-3**）。時代やライフステージで変わることもある。

マレーシアやインドネシアなどでは，従来ヒジャーブを着用することは一般的ではなかった。ところが，1970年ごろから**イスラーム復興運動**が都市青年層のあいだで起こった。イスラーム復興とは，久志本（2018）によると「イスラームの教えから個人の生活や社会の在り方がかけ離れてしまったのではないか，という問題意識から，よりイスラームに基づく生活と社会が形作られていく社会変化の現象をさす」（95頁）。これを機にイスラームの敬虔さをヒジャーブの着用に求める人たちが増え，その傍ら，消費主義も活発化するなかで，カラフルなムスリムファッションが展開されている。インドネシアではいまやヒ

図32-3　ムスリム女性の様々な装い

シャイラ（Shayla）
頭に巻く長いスカーフ。
端を垂らすことが多い。

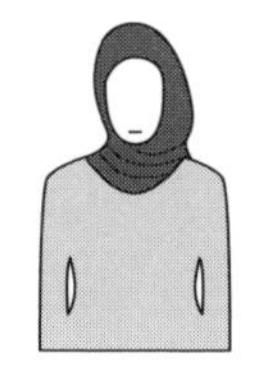
ヒジャーブ（Hijab）
頭と首を覆う一般名称。

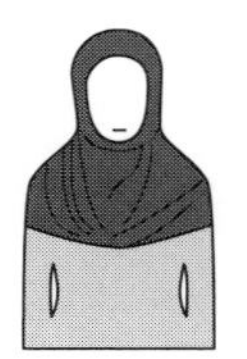
アル・アミラ（Al-Amira）
ツーピースの
ヘッドスカーフ。

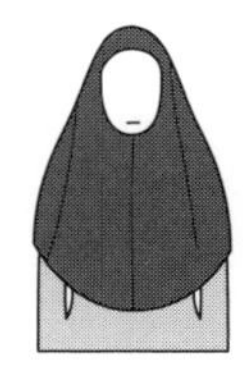
ヒマール（Khimar）
髪の毛，首，肩を
覆うケープ型のもの。

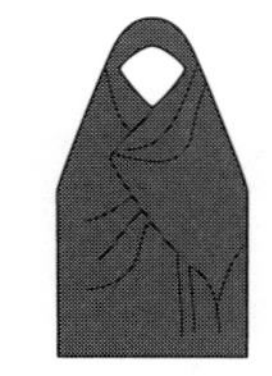
チャドル（Chador）
全身を覆うマント型のもの。
顔全体もしくは
顔の一部が見える。

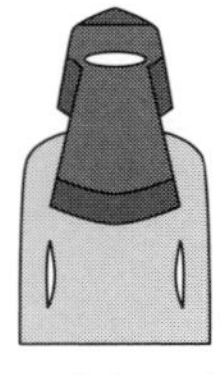
ニカブ（Niqab）
顔を覆うタイプ。
目元は見える。

ブルカ（Burka）
体や顔を完全に覆うタイプ。
目元もメッシュカバーで
覆われている。

出所：BBC News Japan「公の場で顔を覆う服装を禁止，スイス国民投票で僅差可決　ブルカなど対象」（2021年3月8日，https://www.bbc.com/japanese/56316923，2022年2月22日アクセス）をもとに筆者作成。

ジャーブに着目したファッションショーも開催するなど，ムスリム世界のファッションリーダーとなっている。その一方で，都市の華美なファッションはイスラーム的ではないとして，簡素な**装い**をしたり，出稼ぎなどで赴いた中東地域の装いを取り入れて外出時には黒い外套のアバヤを着用する者もいる。

南アジアでは，ヒジャーブの着用の様相は東南アジアと少し異なる。パキスタンやバングラデシュでは，丈の長いワンピースとゆったりとした形のズボンという民族衣装「シャルワーズ・カミーズ」にヒジャーブを付ける人／付けない人がいる。ヒジャーブを付けていない人は都市部の高学歴の女性にみられる。また，パキスタン北部でブルカを着用している人が比較的多くいることからわかるように（常見 2021），1つの国のなかをみても，その実践には未既婚の別，居住地，家族との関係によって多様である。さらに，南アジアにおいてはパルダという社会的文化的性別規範があり，それによって男女の物理的な生活空間の分離を設けたり，女性が衣類を用いて象徴的な隔離空間を作り出すことによって実践されている（賀川 2019）。

こうしてみると，食事や装いなどの日々の場面において何がイスラーム的であり「正しい」のか，どのようにして規範を守るのかを各人が置かれた場所や関係性にもとづき，自分なりに腐心している様子がうかがえる。本人がイスラームに則った生活を送っていると思っても，他人からはそうでないとみなされることもある。このとき，年長者などが指摘していくべきと考える人もいれば，イスラームは個人とアッラーとの契約であるため，最終的にはアッラーが判断するべきと考える人もいる。

3 国外のイスラームやムスリムとの交流

では，こうしたイスラームを人々はどこで学び，どのように伝えているのだろうか。また，どのような交流が国を超えてあるのだろうか。本節では，イスラーム教育機関と，タブリーギ・ジャマーアトの2つをみていきたい。

イスラーム教育機関

イスラームの教義を学ぶ方法は，時代や地域，家庭環境によって大きく異なる。かつては親や地域のイスラーム教師のもとでクルアーンの読み方を教わったりしてきた。他方で，中東とアジアのイスラームの交流が進むなかで，地域のマドラサ（イスラーム宗教学校）に中東から権威のあるイスラーム教師を招聘して在地の教師が見識を深めたり，マドラサで学んだあと，奨学金などを得てマッカやエジプトなどに留学をし，アラビア語や宗教知識を身に付ける者もいた。今日，たとえば東南アジアの地方では，インドやパキスタンで学んだ教師のもと，男女別の共同生活を送りながらイスラーム法学やアラビア語，クルアーン詠唱を学ぶポンドック（マレーシア）やプサントレン（インドネシア）とよばれる私塾とその寄宿舎が各地に点在する。都市部では，国家の教育制度に則った形で国語や算数などの一般教科とともにイスラーム教育も学ぶことのできる宗教学校や宗教大学も存在している。

とりわけ後者においては，2つを紹介したい。1つは英語を教授言語とするマレーシア国際イスラーム大学である。ここには，中東をはじめとした外国人留学生が数多く在籍しており，留学生割合は20％に至る。アジアから中東，または欧米へ向かった旧来型の流れとは異なる形だ。同大学は若いムスリムたちの国際交流の拠点となっているほか，卒業後の就職活動におけるネットワークを世界的に広げることにも貢献している。また，今日，ソーシャル・メディアの普及が一般の人々にまで深く浸透し，世界の人々とつながることができるようになった。そのため，かれらは，インターネットと英語を使って情報収集をしたり，欧米で発信されるイスラームの知識をソーシャル・メディアから取り入れたり，逆に自らのイスラーム知識をそこに掲載したりすることで，国境を越えたムスリム・ネットワークの網のなかに自らを置いている（久志本 2018）。

もう1つは，北インドのデーオバンド学院である。主なコースはウラマー（イスラーム知識人，アーリムの複数形）養成であり，大学の学士に相当する学位を授与されると，卒業後は世界各地にあるデーオバンド派マドラサの教師などに着任する。こちらもアフガニスタンやミャンマー，スリランカなどからの数十人の外国人留学生を受け入れている。啓典を学ぶ「宗教的伝統」のほか，自然科学や社会科学，英語やコンピューターの学習もおこなっている。ただ，アフガニスタンのターリバーンの主要リーダーの多くがデーオバンド派マドラサで教育を受けていたことから，欧米諸国では「イスラーム過激派（ジハード主義者）」のイメージと結びつけられてしまっている（拓 2018）。

タブリーギ・ジャマーアト

第2節で，イスラーム復興運動について説明した。ここでは，伝道組織を意味するタブリーギ・ジャマーアトを紹介したい。タブリーギ・ジャマーアトとは，北インドに発祥した一般信徒によるイスラーム復興運動であり，教義的には上述した同地域のデーオバンド派に属する。これは，伝道活動を通じて自他のイスラームへの回帰をめざすものである。伝道活動では，ムスリム・ネットワークを介して国内外の各地のモスクを転々とするクルジ（旅）をおこなう。1か月のあいだに3日，1年のあいだに3か月，イスラーム伝道のために各自に時間が使われる。活発なのがインド・バングラデシュ・パキスタンのIBPとよばれる南アジアの国々であるが，東南アジアのムスリム地域ともつながっており，筆者が調査活動をおこなっていたフィリピンにおいても，バングラデシュ人ムスリムが訪問し，モスクや一般人宅で何日か寝泊まりをしながら，地域のムスリムに対してモスクでの礼拝を喚起したり，かれらを勉強会に招待したりと，様々な活動に従事していた。また逆に，地域の女性たちがグループを組んで，国内のムスリムがいる地域へとクルジに行った話を聞いている。クルジのための旅費はほぼ自前だが，活動に賛同する人からの支援を受けることも多い。

タブリーギ・ジャマーアトの活動を一般の人々はどのように捉えていたのかというと，「放蕩息子が（規則正しい生活をするようになって）まともになった」と歓迎する人もいれば，「とくに何とも思っていない」と関心をもっていない人，「考えの押しつけである」「活動に没頭するあまり夫が家計にお金を入れなくなった」と敬遠する人もいるように多様である。

4 「宗教」の名のもとで

今日，イスラームやムスリムについて「暴力的」や「テロを辞さない教え」，「争いを起こす人々」というようにネガティブな情報が流布している。

「宗教間対立」とは何か

20世紀は戦争の世紀といわれてきた。アジアもまたその舞台となり，第二次世界大戦後も，スリランカ紛争，カシミール紛争，ビルマの少数民族弾圧，ラオス内戦，ベトナム戦争，タイ南部の紛争，南部フィリピンの紛争と枚挙に暇がない。そして，これらの紛争の多くの背景には，民族や宗教が対立軸となっているということがいわれてきた。つまり，異なる宗教やそれを信奉する集団としての民族が互いにものの考え方や価値観の「正しさ」を主張するがために，一方が他方を弾圧・排除，あるいは双方が攻撃し合うというものだ。だが，アジアで実際に起きてきた「**宗教間対立**」はすべてそうなのだろうか。

山田（2017）はHolstiの議論を用い，紛争の形態を①武力介入を伴う国家間の争い，②少数派の国家からの分離や抵抗運動，そして③異なるイデオロギー同士の争いまたは派閥間闘争の3つに分類した（**表32-1**）。いわゆる宗教間対立

表32-1　1945年から95年までの地域別武力紛争の形態

紛争形態	アフリカ	中東	南アジア	東南アジア	東アジア	アジア総計	南米	中米カリブ	バルカン	旧ソ連邦	西欧州	総計
国家間／武力介入	7	11	4	5	3	12	1	4	3	-	-	38
分離／抵抗運動	21	12	10	11	1	22	-	-	2	5	2	64
イデオロギー／派閥	16	10	4	9	2	15	8	10	-	2	1	62
総計	44	33	18	25	6	49	9	14	5	7	3	164

注：山田（2017）を筆者が一部修正し加筆。

とは，③のイデオロギー同士の闘争にあたる。③については他にも民主主義対共産主義の争いも含まれる。だが，イスラームが一方の対立軸にあるとされてきたタイ南部（イスラーム対仏教）とフィリピン南部（イスラーム対キリスト教）の紛争の歴史や地域の政治経済を紐解くと，これらの紛争は民族や宗教の争いを呈しているが，実態としては主に領土や資源をめぐる争いであり，分離や自治をめざすものであったと述べている。杉本もまた，インドにおけるヒンドゥー対イスラームの「宗教紛争」は実は政治闘争でもあり，宗教が政治的な対立の道具として利用されてきたと述べている（杉本 2003）。

では，なぜ宗教間対立だといわれるのだろうか。それは，宗教を前面に押し出すことで，問題を単純化させる狙いがある。また，世界三大宗教であるキリスト教，イスラーム，仏教は地理的・民族的な壁を越え，世界中に広まっている。そのため，地域に限定されず，国内外の人々の共感を得やすくなることで自分たちに与する人を増やし，敵対感情をあおり，相手をステレオタイプ化させていく。しかし，そこには，政治の場面では対立していたとしても，日常では共に生きる術を知っている人たちの存在やかれらの日々の営みを等閑に付し，問題の長期化につながってしまう。とりわけ欧米メディアではイスラームはテロなどの暴力を引き起こし，それを容認する宗教というような描写がたびたびされており，それは，次に示すように，近年ますますムスリムの生きづらさにつながっている。

グローバル・ジハード

2001年にアメリカで生じた9.11同時多発テロ，2002年のバリで起きたナイトクラブ爆破事件，2015年のシャルリー・エブド社襲撃事件，2016年にバングラデシュの高級住宅街で生じた襲撃事件，2017年のフィリピンで起きたマラウィ市占拠，2018年のドイツで起きたクリスマスマーケット無差別殺傷事件，2019年のスリランカのキリスト教会やホテルで起きた連続爆破事件。これらの事件は，ジハード主義者といわれる人々が起こしたものである。さらに世界に大きなインパクトを与えたのが2015年から2018年にかけて，シリアやイラクにおいてイスラーム「国家」樹立を宣言したISIL（アラビア語で「ダーイシュ」と略）である。ダーイシュは，これまでの9.11同時多発テロの首謀者とされるアル・カーイダ系組織のように直接的な作戦計画や指揮命令系統はもたず，ソーシャル・メディアを通じたプロパガンダ活動のなかで，世界各地のムスリムに対して**ジハード**（神のために努力する，戦うこと）をよびかけてきた。ジハード自体は，上述したスーフィズムのような自己の信仰を深める個人の内面的努力（「大ジハード」）と，異教徒に対する戦い（「小ジハード」）に区別されることもあるが，一般的には，ジハードは後者を意味する（横田 2008）。

そのため，各地の様々なイスラーム組織や個人が破壊行動をした後にダーイシュへの支持や忠誠を表明し，それをダーイシュがデジタル上で認可する「フランチャイズ化」が世界各地で展開するというグローバル・ジハードの現象が起きた。現在こそ実効支配をする領域は失われたが，ダーイシュの組織のメンバーや共鳴する人々はヴァーチャルなコミュニケーションツールによってつながっている。このため，今日におけるソーシャル・メディアの一般層や若年層への普及は，前節で示したようにイスラームの知識を国を越えて広く得られることを可能にさせただけでなく，かれらの帰属意識をトランスナショナルな「ウンマ（イスラーム共同体）」にもたせ，皮肉にも，世界各地で異教徒の政治や社会に打撃を加える様々な行動をとる方向に仕向けている。

グローバル・ジハードに関わる問題は，こうした襲撃事件を起こすのが比較的高学歴な人も含まれている点と，インターネットへの接続機器をもっている人ならば誰しも傾倒しうるということ，そして，以下で示すように，関わった当事者の問題だけではないということだ。2017年の5か月間，南部フィリピンのマラウィ市は，ダーイシュの残党と地元の武装勢力によって占拠された。政府軍が包囲攻撃し，「解放」宣言が発表されるまで1,000人を超える死者と40万人の国内避難民を出した。国内避難民となったムスリムを支援していた筆者の友人は，「暴力によって目的を達成するということが『強いリーダーシップ』の証であると正当化された環境で育った幼い子どもたちが，これまでの社会の秩序に対抗するようになり，さらなるホームグロウンテロリズムを生み出しかねない」と危惧していた。実際，それを後押しするものとして，世界の貧富の格差や経済効率優先の価値観，行き過ぎた個人化，不安や孤独といった今日的状況がある。バングラデシュで調査をおこなった日下部は「現実として広がる貧富の格差や，伝統的価値観の崩壊などに接して，一部の人々がインターネットなどを通じて懐古主義的なイスラームの言説やISなどの国際的な武装勢力の語る『正義』になびくこともあるだろう」と述べている（日下部 2018: 231)。しかし，日下部も同じ論文で綴っているように，一般のムスリムたちも，こうした殺人を用いたグローバル・ジハードを快くは思っていない。世界の経済格差はありつつも，それを是正する方法としてほかの人を殺害するのは平和を謳うイスラームとして間違った手段であると考える。それは，イスラームにおいて穏健か敬虔かの問題ではないということだ。

おわりに

本章では，イスラームが人々の生き方の指針となっており，地域の文化社会的規範と折り合いをつけて生き抜いているムスリムや，イスラームのために時間やお金を使う人，ジハードという行為に身を投じる人や，争いに巻き込まれている人，生きづらさを感じているムスリムなど，様々な姿を描き出してきた。この章の読者には，大学生やゼミの引率者，企業の海外出張者などもいるだろう。そこでまず気をつけたいのは，「イスラームはこうである」「ムスリムはみなこうである」というように先入観をもって接することだ。また，特定の実践について「あなたの考えは女性蔑視だから正すべきだ」「今やジェンダー平等であるべきだ」と自身の考えを押しつけることである。その地域にはその地域の考えがあり，さらに個々人でも考えが異なることもある。かつ，人々の考えに沿った変化があり，外部から無理にねじまげていくものではない。誰と話し，どのような理解をするのか，現地の様々な人に尋ね，現地での習慣や考えをひとまず受け止めることを勧めたい。そのときに自分の属性によって接することのできる人が異なり，そこから得られる情報も実世界を構成する多様なリアリティのひとつにしかすぎないということも頭の片隅に置いておくとよいだろう。

【渡邉暁子】

参考文献

賀川恵理香「ヴェールを纏う女性たちの語り――現代パキスタン都市部におけるパルダ実践を事例として」CIRAS discussion paper, No. 85（社会主義的近代とイスラーム・ジェンダー・家族 3：装いと規範 2――更新される伝統とその継承），2019年，7-22頁，https://repository.kulib.kyoto-u.ac.jp/dspace/bitstream/2433/244094/1/ciasdp85_7.pdf，2021年5月2日アクセス。

日下部尚徳「バングラデシュとイスラーム」笹川平和財団編『アジアに生きるイスラーム』イースト・プレス，2018年，213-233頁。

久志本裕子「世界とのつながり方にみるマレーシア・ムスリムの多様性――2つの街における地域性とイスラーム知識へのアクセス」笹川平和財団編『アジアに生きるイスラーム』イースト・プレス，2018年，85-108頁。

笹川平和財団「『日本におけるイスラム理解の促進』講演会シリーズ第2回：イスラムとジェンダー――男女の優劣と役割（講師：後藤絵美氏）」，2019年，https://www.spf.org/global-data/user132/Islam_japan_islamseminer_2text.pdf，2021年5月2日アクセス。

杉本良男「インドの宗教紛争はこれからどうなるのか」「月刊みんぱく」編集部編『キーワードで読み解く世界の紛争』河出書房新社，2003年，58-60頁。

拓徹「デーオバンド訪問記」笹川平和財団編『アジアに生きるイスラーム』イースト・プレス，2018年，237-251頁。

常見藤代「世界のムスリマ・ファッション最前線」イスラム世界を知るメディア，2021年，https://www.f-tsunemi.com/blog/realislam/muslim-woman/islamic-woman-dress/，2021年5月2日アクセス。

中原道子「東南アジアにおけるイスラームの受容の背景」『比較思想研究』第9号，1982年，70-77頁，http://www.jacp.org/wp-content/uploads/2016/04/ 1982_09_hikaku_10_nakahara.pdf，2021年4月10日アクセス。

マレーシアイスラーム開発省「認められた外国のハラール認証機関および当局」（The Recognized foreign halal certification bodies and authorities），2019年，http://www.halal.gov.my/v4/ckfinder/userfiles/files/cb2/LATEST%20CB%20LIST%20-%20AS%20OF%20FEBRUARY%2013TH%202019.pdf，2021年4月10日アクセス。

山田満「紛争」山本信人編『東南アジア地域研究入門――(3) 政治』慶應義塾大学出版会，2017年，273-292頁。

横田貴之「ジハード」公益財団法人日本国際問題研究所，2008年，https://www2.jiia.or.jp/RESR/keyword_page.php?id=67，2021年9月7日アクセス。

BBC News Japan「公の場で顔を覆う服装を禁止，スイス国民投票で僅差可決 ブルカなど対象」，2021年3月8日，https://www.bbc.com/japanese/56316923，2022年2月22日アクセス。

Desilver, Drew and David Masci, World's Muslim population more widespread than you might think, Pew Research Center, 2017年1月21日，https://www.pewresearch.org/fact-tank/2017/01/31/worlds-muslim-population-more-widespread-than-you-might-think/，2021年5月1日アクセス。

文献紹介

① 吉澤あすな『消えない差異と生きる――南部フィリピンのイスラームとキリスト教』風響社，2017年。

イスラーム世界とキリスト教世界は，しばしば敵対し，地域的な武力紛争が展開されてきたが，南部フィリピンにおいて，両者は必ずしも対立的な人間関係にあるだけでなく，互いに，協力し合ったりする。本書からは，マクロな政治関係からはうかがい知ることのできない，日常生活において差異を超えて支え合う倫理や相互扶助がみえてくる。

② 笹川平和財団編『アジアに生きるイスラーム』イースト・プレス，2018年。

東南アジアと南アジアの国々におけるイスラームのあり方，およびそこで生きるムスリムの姿が描き出されている。中東から伝来したイスラームは在地の文化や習俗と混ざり，各地で多様な変化を遂げて浸透していった。一方では，国家という括りにとらわれない人々のつながりや生活が展開されてきた。本書では，アジア8か国を対象に多様なイスラームがどのような形でアジア各地に息づいているのかが描かれている。そこから，少数派として生きづらさを感じているムスリムや，他者を排外するような思想に影響を受けているムスリムもいることがわかる。

③ 福岡まどか・福岡正太編『東南アジアのポップカルチャー――アイデンティティ・国家・グローバル化』スタイルノート，2018年。

東南アジアにおいて，1980年代以降に中間層の人々が増加し，メディアの発達によって情報が急速に行き交うようになり，様々なアートスペースがつくられてきた。本書ではポピュラーカルチャーを文化の生産・流通・消費のあり方として捉えている。インドネシアやマレーシアといったムスリム人口の多い国々において，ダンスや音楽などの上演芸術，映画やテレビなどのメディア表現，ファッションなどの身体表象などを取り上げ，人々の文化実践の現状を考察している。

アジアにおける世界遺産の特質

“アジアにおける世界遺産の特質とは何か”

世界には，人類にとってかけがえのない価値をもつ文化や自然に関わる遺産があります。これらの遺産を次世代に継承するために，世界遺産条約は締結されました。私たちは，世界遺産を「過去」のものとして考えるのではなく，「いま」生きている人々が守り，「将来」に伝えていくために，何をしなければいけないのでしょうか。アジアの世界遺産を中心に考えてみましょう。

キーワード 世界遺産，顕著な普遍的価値，真実性（オーセンティシティ），完全性（インテグリティ），グローバル・ストラテジー，危機遺産
関連する章 第19章，第24章，第35章

はじめに

世界遺産とは，人類や地球にとってかけがえのない価値をもつ記念建造物や遺跡，自然環境などの「文化遺産」と「自然遺産」を「人類共通の財産」として保護し，次世代に継承しようとするものである。世界遺産は，ユネスコ（国際連合教育科学文化機関）の総会で採択された「世界遺産条約」にもとづいて世界遺産リストに掲載されている。2019年現在，文化遺産869件，自然遺産213件，複合遺産39件の計1,121件が世界遺産登録されている。

世界遺産条約は全38条からなり，文化遺産や自然遺産の定義，リストの作成，世界遺産委員会や世界遺産基金の設立，遺産保護のための国内機関の設置や立法・行政措置の行使に関する規定を設けている。また，同条約は締結国に対して，国際社会全体の義務として，遺産の保護・保全に協力すべきとの基本

方針を示している。そして，同条約には教育・広報活動の重要性も強調されている（笠井 2015）。

本章の構成は以下のとおりである。まず，第1節では，世界遺産とは何かを理解するために，世界遺産に関する基礎知識を確認する。第2節では，世界遺産からみた地域性を示す。第3節では，アジアにおける世界遺産の特質を考える。最後に，世界遺産に関する日本の役割と今後の課題を考える。

1 世界遺産とは何か

まずは，世界遺産条約の成り立ち，そして登録の経過，評価基準と区分についてみてみよう。

世界遺産条約の成り立ち

世界的な文化遺産保護の原点になるのが「陸戦法規慣習に関する条約」（1907年・通称「ハーグ条約」）である。ハーグ条約は，戦争によって宗教・学校・病院などの建造物が破壊されるのを禁じた。さらに「芸術上及び科学上の施設並びに歴史的記念物の保護に関するワシントン条約」（1935年・別名レーリッヒ条約）などが定められたが，二度の世界大戦においてその効果は少なかった。

第二次世界大戦後，間もなくして1945年にユネスコが設立され，その任務のひとつとして，世界の遺産である図書・芸術作品・歴史的および科学の記念物の保護があげられている。また，「武力紛争時の文化財保護条約」（1954年）には，文化財に対する敵対行為を禁じ，紛争国の文化財も尊重することが記されている。

ユネスコは，その後も文化財保護に関する多くの条約・勧告を採択し，そのなかに「世界の文化遺産及び自然遺産の保護に関する条約」（1972年・通称「世界遺産条約」）がある。この条約の原点は，1952年に計画されたエジプトのアスワン地区のアスワン・ハイ・ダムにある。当時，ダムの建設によってアブシンベル神殿などヌビア地方の遺跡がダム湖に没することになっていた。それに対して，ユネスコは1960年にヌビア遺跡保存のキャンペーンと募金活動を始めた。

一方，自然遺産を保全しようとする動きはアメリカから始まり，世界的な条約づくりをめざしていたが，文化遺産と自然遺産の条約案の重なりがあるため，両者を統合した結果，世界遺産条約が採択された（西村 2017）。

世界遺産登録の経過

世界遺産を構成している文化遺産と自然遺産に共通するのが「**顕著な普遍的価値**」（OUV: Outstanding Universal Value）である。OUVとは，作業指針において，「国家間の境界を超越し，人類全体にとって現代及び将来世代に共通した重要性をもつような，傑出した文化的な意義及び／又は自然的な価値を意味する」とある。

また，世界遺産登録にあたっては，「**真実性**（**オーセンティシティ**）」と「**完全性**（**インテグリティ**）」を証明しなければならない。真実性とはいかに本物であるかということ，完全性とは無傷であることを測るものさしである。文化遺産にのみ適用される真実性については，1994年に採択された。従来，真実性は文化遺産の指標，完全性は自然遺産の指標として認識されていたが，文化遺産においても完全性が適していることから，2005年に改定された。

一方，1993年に登録された「法隆寺地域の仏教建造物群」の評価にあたり，創建当初の材料がそのまま使用されていなかったため真実性が問われたが（**写33-1**），創建時の材料の一部を使用し，当時と同じ工法で修復されていたため認められた（本中 2017a; 岡田 2017）。

これは文化遺産を構成する建築の材料が，地域や環境によって様々であることに起因している。たとえば西欧では主に石材が使用され，中東・アフリカでは土が用いられる。一方，アジアでは木材が主に使用されることによる。当初，世界遺産を主導してきたのが西欧であったため，石材の建築物が主に登録されていた。その後，土や木が認められることによって「文化の多様性」につながった。

「文化的景観（カルチュラル・ランドスケープ）」は，1992年に採択された概念で「自然と人間との共同作品」の遺産とし，作業指針に「人間社会または人間の居住地が，自然環境による物理的制約の下に，内外からの社会的・経済的・文化的な力の継続的な影響を受けつつ，どのように進化を遂げてきたのかを例証する遺産である」とされる。文化的景観は，文化遺産の範疇であり，主としてその評価基準の（ii）～（vi）に関連している（評価基準の具体的内容については後述）。

そして，世界遺産における文化的景観の考え方は，日本の文化財保護法にも影響を及ぼし，2005年には，「地域における人々の生活又は生業及び当該地域の風土により形成された景観地で我が国民の生活又は生業の理解のため欠くことのできないもの」として文化財保護法の第2条に記載された（本中 2017b）。

写33-1　法隆寺（日本）

出所：Wikimedia Commons。

1994年の第18回世界遺産委員会において「代表性・均衡性・信頼性のある世界遺産一覧表のための**グローバル・ストラテジー**」が採択された。これは地域・時代・分野における不均衡を改善しようとするものであり，評価基準の改定やテーマ・地域別研究の活用などがあげられ，そのための活動方針や予算が決議された。

また，地域や類型における不均衡を解消するために，文化的景観・産業遺産・20世紀建築など新しい類型を反映させるとともに，複数の資産で構成される「シリアル・ノミネーション」が増加している。シリアル・ノミネーションとは連続性のある遺産のことで，同じテーマ，ストーリーでくくられる資産群を1つのまとまりと考え，推薦することである。

近年の登録件数をみると，その約半数がシリアル・ノミネーションに該当している。シリアル・ノミネーションとして登録されるためには，推薦資産全体としてOUVを示すとともに，構成資産の全体に対する貢献・結びつき・完全性を証明する必要がある。また，保存・管理にあたっての行政間での不均衡を防ぎ，調整する組織が求められる（鈴木 2017a, b）。

さらに，国境を越える資産（トランスバウンダリー）は，当初，国境を越える自然遺産において提案されたものであったが，文化遺産においても適用されることになった。作業指針において，「関係する締結国が連携して登録推薦書を作成し，合同で管理委員会・組織を設立すること」が求められている。

世界遺産の評価基準と区分

世界遺産と評価されるには，顕著で普遍的な価値を有することが必要で，作業指針において10の基準が示され，いずれかひとつ以上が該当しなければならない。現在の基準は，2005年に改定されたもので，文化遺産「(ⅰ)～(ⅵ)」と自然遺産「(ⅶ)～(ⅹ)」が統合されたものである。なお，文化遺産と自然遺産の両方の基準を備えたものを複合遺産とよぶ（**表33-1**）。

(ⅰ)は，「人間の創造的資質」を示すもので，芸術的なものだけでなく建築物にも採用されている。

(ⅱ)は，「建築，科学技術，記念碑，都市計画，景観設計などに影響を与えた交流」を対象にしたもので，「文化の相互交流」がキーワードである。かつては，西欧文化の伝播を重視していたが，現在では異文化を含む広い範囲の交流を評価する。日本の寺社や産業遺産もこの基準が採用されている。

(ⅲ)は，「文化的伝統・文明の存在を伝承する物証」で，考古学的遺跡だけでなく文化的景観も含む。

(ⅳ)は，「建築物，科学技術，景観」で，当初は建築物だけであったがその対象を広げ，産業遺産や都市の登録基準になっている。

(ⅴ)は，「伝統的居住形態・土地利用形態・人類と環境のふれあい」を示すもので，本来は伝統的な建築や集落が対象であったが，土地利用や人類と環境のふれあいまで拡大した。農業景観や文化的景観もこの基準が該当する。

(ⅵ)は，「出来事・伝統・思想・信仰・芸術的作品・文学的作品」で，「連想上の価値」とよばれている。信仰に関するものが多いが，この基準のみで登録されているのが日本の原爆ドームである。「負の遺産」とよばれるものも含まれている。

(ⅶ)は，「自然」を対象としている。世界的に有名な自然遺産の多くがこの基準である。

(ⅷ)は，「地球の歴史」に関するものである。地層や地形だけでなく，恐竜や化石なども含まれる。

(ⅸ)は，「生物」が対象である。動植物の進化や発展の過程，生態系などが

表33-1　世界遺産登録基準

(i)	人間の創造的才能を表す傑作である。
(ii)	建築，科学技術，記念碑，都市計画，景観設計の発展に重要な影響を与えた，ある期間にわたる価値観の交流又はある文化圏内での価値観の交流を示すものである。
(iii)	現存するか消滅しているかにかかわらず，ある文化的伝統又は文明の存在を伝承する物証として無二の存在（少なくとも希有な存在）である。
(iv)	歴史上の重要な段階を物語る建築物，その集合体，科学技術の集合体，あるいは景観を代表する顕著な見本である。
(v)	あるひとつの文化（または複数の文化）を特徴づけるような伝統的居住形態若しくは陸上・海上の土地利用形態を代表する顕著な見本である。又は，人類と環境とのふれあいを代表する顕著な見本である（特に不可逆的な変化によりその存続が危ぶまれているもの）
(vi)	顕著な普遍的価値を有する出来事（行事），生きた伝統，思想，信仰，芸術的作品，あるいは文学的作品と直接または実質的関連がある（この基準は他の基準とあわせて用いられることが望ましい）。
(vii)	最上級の自然現象，又は，類まれな自然美・美的価値を有する地域を包含する。
(viii)	生命進化の記録や，地形形成における重要な進行中の地質学的過程，あるいは重要な地形学的又は自然地理学的特徴といった，地球の歴史の主要な段階を代表する顕著な見本である。
(ix)	陸上・淡水域・沿岸・海洋の生態系や動植物群集の進化，発展において，重要な進行中の生態学的過程又は生物学的過程を代表する顕著な見本である。
(x)	学術上又は保全上顕著な普遍的価値を有する絶滅のおそれのある種の生息地など，生物多様性の生息域内保全にとって最も重要な自然の生息地を包含する。

出所：日本ユネスコ協会連盟のウェブサイト（https://www.unesco.or.jp/activities/isan/decides/）より筆者作成。

含まれる。

（x）は，「生物多様性」に関するものである。絶滅危惧種の生息域も含まれるため，**危機遺産**リストに記載されている自然遺産を多く含む。

2 世界遺産からみた地域性

世界遺産から地域性はみえるのだろうか。まずは，世界遺産の評価基準からみた地域性を概観し，つぎに危機遺産からみた地域性を考えてみたい。

評価基準にみる地域性

世界遺産の地域性を知るために，2つの表を作成した。表にある9つの地域は，（公）日本ユネスコ協会連盟の地域に準拠した。

表33-2　遺産別件数

地域	文化遺産	自然遺産	複合遺産
西ヨーロッパ	150	20	4
	86%	11%	3%
北・東ヨーロッパ	155	25	1
	86%	13%	1%
南ヨーロッパ	148	17	6
	87%	10%	3%
西・南アジア	135	20	3
	85%	13%	2%
東・東南アジア	103	35	5
	72%	24%	4%
北・中アメリカ	68	40	6
	60%	35%	5%
南アメリカ	55	21	4
	69%	26%	5%
オセアニア	9	16	6
	29%	52%	19%
アフリカ	90	48	7
	62%	33%	5%

出所：UNESCO（https://en.unesco.org/）および日本ユネスコ協会連盟（https://www.unesco.or.jp/activities/isan/worldheritagelist/）より筆者作成。

表33-2は，遺産別件数を表示したもので，文化遺産が全体に占める割合に注目すると，地域ごとの特徴が明らかになる。文化遺産が約9割であるのが全ヨーロッパと西・南アジア，6～7割であるのが東・東南アジア，全アメリカ，アフリカ，約3割であるのがオセアニアというように大きく3つのグループに分けることができる。つまり，文化遺産が中心のヨーロッパ，自然遺産が中心のオセアニア，そして中間形態の諸地域となる。

表33-3は，基準別件数を表示したもので，1件の遺産が複数の基準を含むため，遺産数を大きく超えているが，全体のあり方をみるために有効だと思われる。

この表からは，地域ごとの基準の傾向を読み取ることができる。各地域で最も多い基準に注目して分析してみよう。

表33-3　基準別件数

	(i)	(ii)	(iii)	(iv)	(v)	(vi)	(vii)	(viii)	(ix)	(x)
	創造的資質	文化相互交流	文化文明の証拠	建築・科学・景観	人類と環境の交流	思想・信仰・芸術・文学	自然美・自然現象	地球の歴史	動植物の生態系	生物多様性
西ヨーロッパ	58	87	55	113	19	35	14	11	11	10
北・東ヨーロッパ	33	86	44	124	26	29	8	13	16	12
南ヨーロッパ	57	83	89	112	29	40	12	9	8	3
西・南アジア	35	63	96	79	29	47	8	2	10	18
東・東南アジア	28	62	67	65	16	39	24	11	17	25
北・中アメリカ	18	34	31	51	8	19	29	25	26	28
南アメリカ	11	24	26	39	10	13	14	6	17	20
オセアニア	3	2	7	6	4	8	15	14	15	12
アフリカ	19	37	61	49	34	34	31	11	31	44

出所：UNESCO（https://en.unesco.org/）および日本ユネスコ協会連盟（https://www.unesco.or.jp/activities/isan/worldheritagelist/）より筆者作成。

ヨーロッパ・アメリカで最も多いのは，基準（iv）である。この基準は，「建築物・科学技術・景観」を示す遺産で，建築が中心である。一方，アジア・アフリカで多いのは，基準（iii）である。これは「文化的伝統・文明の存在」を示すもので遺跡に関する遺産が多い。オセアニアでは，基準（vii）「自然美・自然現象」，基準（viii）「地球の歴史」，基準（ix）「動植物の生態系」という自然遺産が多い。

以上のことから，建築が中心の①欧米，遺跡が多い②アジア，遺跡とともに自然遺産も多く複合的要素が強い③アフリカ，自然遺産が中心の④オセアニアに区分することができ，世界遺産の基準によって，世界を大きく4つに分けることができる。

危機遺産にみる地域性

世界遺産の最も大きな課題のひとつは，危機に瀕している遺産を保護することにある。世界遺産条約は，「顕著な普遍的価値」をもつ文化遺産および自然遺産を人類共通の遺産として保存するために定められたもので，締結国は，自国に存在する世界遺産を保護・保全し，将来世代に伝えるだけでなく，他国における遺産保護についても義務づけられている。

表33-4　危機遺産リスト

No.	地域	国名	名称	種別	世界遺産登録年（最初）	危機遺産登録年	要因			
							開発	政治	環境	不法
1	西ヨーロッパ	英国（グレートブリテンおよび北アイルランド連合王国）	リヴァプール-海商都市	文化	2004	2012	○			
2	南ヨーロッパ	オーストリア共和国	ウィーン歴史地区	文化	2001	2017	○			
3	南ヨーロッパ	セルビア共和国	コソヴォの中世建造物群	文化	2004	2006		○		
4	西・南アジア	アフガニスタン・イスラム共和国	ジャムのミナレットと考古遺跡群	文化	2002	2002			○	○
5	西・南アジア	アフガニスタン・イスラム共和国	バーミヤン渓谷の文化的景観と古代遺跡群	文化	2003	2003		○		
6	西・南アジア	イエメン共和国	シバームの旧城壁都市	文化	1982	2015		○		
7	西・南アジア	イエメン共和国	サナア旧市街	文化	1986	2015		○		
8	西・南アジア	イエメン共和国	古都ザビード	文化	1986	2000	○			
9	西・南アジア	イラク共和国	ハトラ	文化	1985	2015		○		
10	西・南アジア	イラク共和国	アッシュール（カラット・シェルカット）	文化	2003	2003	○			
11	西・南アジア	イラク共和国	都市遺跡サーマッラー	文化	2007	2007		○		
12	西・南アジア	ウズベキスタン共和国	シャフリサブス歴史地区	文化	2000	2016	○			
13	西・南アジア	エルサレム（ヨルダン・ハシェミット王国による申請遺産）	エルサレムの旧市街とその城壁群	文化	1981	1982		○		
14	西・南アジア	シリア・アラブ共和国	古都ダマスクス	文化	1979	2013		○		
15	西・南アジア	シリア・アラブ共和国	古代都市ボスラ	文化	1980	2013		○		
16	西・南アジア	シリア・アラブ共和国	パルミラの遺跡	文化	1980	2013		○		
17	西・南アジア	シリア・アラブ共和国	古都アレッポ	文化	1986	2013		○		
18	西・南アジア	シリア・アラブ共和国	クラック・デ・シュヴァリエとサラディン城	文化	2006	2013		○		
19	西・南アジア	シリア・アラブ共和国	シリア北部の古代村落群	文化	2011	2013		○		
20	西・南アジア	パレスチナ自治政府	パレスチナ：オリーブとワインの地-エルサレム南部バティールの文化的景観	文化	2014	2014		○		
21	西・南アジア	パレスチナ自治政府	ヘブロン／アル＝ハリール旧市街	文化	2017	2017		○		
22	東・東南アジア	インドネシア共和国	スマトラの熱帯雨林遺産	自然	2004	2011				○
23	北・中アメリカ	アメリカ合衆国	エヴァグレーズ国立公園	自然	1979	2010			○	
24	北・中アメリカ	パナマ共和国	パナマのカリブ海沿岸の要塞群：ポルトベロとサン・ロレンソ	文化	1980	2012				○
25	北・中アメリカ	ホンジュラス共和国	リオ・プラタノ生物圏保存地域	自然	1982	2011				○
26	北・中アメリカ	メキシコ合衆国	カリフォルニア湾の島々と保護地域群	自然	2005	2019				○
27	南アメリカ	ベネズエラ・ボリバル共和国	コロとその港	文化	1993	2005	○		○	
28	南アメリカ	ペルー共和国	チャン・チャン遺跡地帯	文化	1986	1986			○	
29	南アメリカ	ボリビア多民族国	ポトシ市街	文化	1987	2014				○

No.	地域	国名	名称	種別	世界遺産登録年（最初）	危機遺産登録年	要因			
							開発	政治	環境	不法
30	オセアニア	ソロモン諸島	東レンネル	自然	1998	2013				○
31	オセアニア	ミクロネシア連邦	ナン・マドール：東ミクロネシアの儀式の中心地	文化	2016	2016			○	○
32	アフリカ	ウガンダ共和国	カスビのブガンダ王国歴代国王の墓	文化	2001	2010				○
33	アフリカ	エジプト・アラブ共和国	アブ・メナ	文化	1979	2001	○		○	
34	アフリカ	ギニア共和国	ニンバ山厳正自然保護区	自然	1981	1992	○		○	
35	アフリカ	ケニア共和国	トゥルカナ湖国立公園群	自然	1997	2018			○	
36	アフリカ	コートジボワール共和国	ニンバ山厳正自然保護区	自然	1981	1992	○		○	
37	アフリカ	コンゴ民主共和国	ヴィルンガ国立公園	自然	1979	1994		○		○
38	アフリカ	コンゴ民主共和国	ガランバ国立公園	自然	1980	1996				○
39	アフリカ	コンゴ民主共和国	カフジ＝ビエガ国立公園	自然	1980	1997		○	○	
40	アフリカ	コンゴ民主共和国	サロンガ国立公園	自然	1984	1999		○		○
41	アフリカ	コンゴ民主共和国	オカピ野生生物保護区	自然	1996	1997				○
42	アフリカ	セネガル共和国	ニオコロ＝コバ国立公園	自然	1981	2007			○	
43	アフリカ	タンザニア連合共和国	セルー・ゲーム・リザーブ	自然	1982	2014				○
44	アフリカ	中央アフリカ共和国	マノヴォ＝グンダ・サン・フローリス国立公園	自然	1988	1997		○		○
45	アフリカ	ニジェール共和国	アイールとテネレの自然保護区群	自然	1991	1992		○		○
46	アフリカ	マダガスカル共和国	アツィナナナの雨林群	自然	2007	2010				○
47	アフリカ	マリ共和国	ジェンネ旧市街	文化	1988	2016		○		
48	アフリカ	マリ共和国	トンブクトゥ	文化	1988	2012		○		
49	アフリカ	マリ共和国	アスキア墳墓	文化	2004	2012		○		
50	アフリカ	リビア	レプティス・マグナの古代遺跡	文化	1982	2016		○		
51	アフリカ	リビア	サブラータの古代遺跡	文化	1982	2016		○		
52	アフリカ	リビア	クーリナの古代遺跡	文化	1982	2016		○		
53	アフリカ	リビア	タドラット・アカクスのロックアート遺跡群	文化	1985	2016		○		
54	アフリカ	リビア	ガダーミスの旧市街	文化	1986	2016		○		

出所：UNESCO（https://en.unesco.org/）より筆者作成。

しかし，その価値が喪失の危機に直面した場合，「危機にさらされている世界遺産リスト（以下，危機遺産リスト）」に掲載し，援助をおこなうように定めている。また，文化遺産と自然遺産では，危機遺産への登録基準が異なっており，それぞれが「確実な危険」と「潜在的な危険」に分けられ，さらに詳細な登録基準がある（西 2017）。

危機的な状態になる要因として，①市街化・観光地化等の開発的要因，②紛争・難民等の政治的要因，③自然災害・気候変動等の環境的要因，④密猟・盗掘等の不法的要因をあげることができる。

表33-4は，2019年の危機遺産リストで，世界遺産登録年，危機遺産登録年，その要因を示している。地域別にみると，西ヨーロッパ（1件），南ヨーロッパ（2件），西・南アジア（18件），東・東南アジア（1件），北・中アメリカ（4件），南アメリカ（3件），オセアニア（2件），アフリカ（23件）の計54件となり，アフリカと西・南アジアに集中していることがわかる。

要因別にみてみると，政治的要因と不法的要因が多い。たとえば，西・南アジアでは，ほとんどが武力紛争や地域情勢の不安など政治的要因に関連している。そして，国名としてはシリアが目立っている。一方，アフリカでは紛争や政情不安などの政治的要因が多いとともに，密猟・森林伐採などの不法的要因も多い。また，鉱山やダム開発などの開発的要因や洪水や地下水位上昇など環境的要因も少なくない。そのため，地域として最も危機的なのはアフリカであるといえよう。

3 アジアにおける世界遺産の特質

まず，アジアにおける世界遺産を知るために，2つの具体例を示す。つぎに，これまでに記した内容からアジアにおける世界遺産の特質についてまとめてみよう。

バーミヤンと麗江

アフガニスタンのバーミヤン渓谷には，長期間に築かれた石窟遺跡が所在する（**写33-2**）。様々な文化や文明が交差する十字路として繁栄した。なかでも2体の磨崖仏は有名で，これまでも多少の破壊行為がおこなわれていたが，2001年，当時のタリバン政権が，偶像崇拝禁止を理由に磨崖仏や多くの石窟を破壊した。

2002年，戦後のアフガニスタン復興のためのセミナーの開催や，基金の拠出，調査団の派遣がおこなわれ，翌年，「バーミヤン渓谷の文化的景観と考古遺跡群」として世界遺産に登録されるとともに，危機遺産にも登録された。

写33-2　バーミヤン渓谷（アフガニスタン）

出所：Wikimedia Commons。

写33-3　麗江（中国）

出所：Wikimedia Commons。

遺産は，石窟群・城塞・望櫓など8つの構成要素からなり，登録したカテゴリーは，（i）（ii）（iii）（iv）（vi）の5つに及び，その理由として，優れたガンダーラ派仏教美術であること，インド・ヘレニズム・ローマ・ササン朝文化の交流を示すこと，中央アジア地域における文化伝統であること，仏教の歴史を例証する文化的景観であること，巡礼の中心であったことがあげられた。

2003年から，日本・ドイツ・イタリア・アフガニスタンによる保存修復事業が開始され，遺跡の考古学調査や建造物調査，劣化調査，保存計画，人材育成などの作業が現在まで続いている（前田 2015）。

つぎに，中国南西部，雲南省の麗江は，12世紀の宋代にナシ族によってつくられた古都で，旧市街が1997年，世界遺産に登録された（**写33-3**）。茶葉の交易で栄えた街で，その拠点であった。トンバ教・トンバ文字などナシ族の伝統文化が息づき，石畳や水路，共同水場，伝統的民家などが街を構成している。

政府による改革開放政策である内陸部と沿岸部の経済格差是正のため，少数民族文化を観光資源として開発しようとした。麗江もそのひとつとして，世界遺産化をめざした。

登録前の1995年には70万人であった観光客が，2006年には370万人にまで増加し，収入も1.6億元から39億元に増えた。常住人口は流出し，外部からの流入人口による観光客向けの店舗によって，従前の生活風景はなくなり，伝統文化は失われた。世界遺産として景観や建造物などの有形文化を評価する一方，生活や習俗などの無形文化に対する配慮がなかったことが原因である。

麗江は，観光ブランドを得るために世界遺産となり，建物やまちなみなどの外観は残されたが，地域独自の伝統的な民族文化を失ったことになる（藤木2015）。

まとめ

これまでの内容から，アジアにおける世界遺産の特質をまとめておこう。

① 文化遺産を構成する建築の材料は，地球上の地域・環境によって様々である。西欧で主に用いられる石は耐久力が強く長期間使用することができる。一方，中東・アフリカにおける土の建築物の耐用年数は短い。それに対してアジアで主に使用される木は劣化が著しく，修理や再建を繰り返してきた。これらの建築材料の存在は，文化の多様性に貢献した。

② 遺産別件数（**表33-2**）からみた地域性として文化遺産の割合に注目すると，西・南アジアは9割，東・東南アジアは6～7割と多少の違いはあるが，アジアはヨーロッパに次いで文化遺産が多い地域といえる。

③ 基準別件数（**表33-3**）から地域ごとの傾向を読み取ることができる。アジアは，基準（ⅲ）が最も多い。これは，「文化的伝統・文明の存在」を示すもので，遺跡に関する遺産が多い。

④ 危機遺産リスト（**表33-4**）からは，危機遺産が東・東南アジアは1件と少ないが，西・南アジアは世界の中でも18件と多く，その要因のほとんどが武力紛争や地域情勢の不安など政治的要因に関連していることが多い。

⑤ バーミヤンは，政治的な要因により危機遺産に登録されたが，当事国であるアフガニスタンだけでなく日本・ドイツ・イタリアなどの支援により早くに保存修復事業が開始された。基本的な調査や保存計画，人材育成まで含めた国際協力が進行しており，修復事業のみならず将来の世界遺産を維持していくためのモデルといえよう。

⑥ 麗江は，観光ブランドを得るために世界遺産となり，その後の観光開発によって，外観だけを重視し，地域独自の民族文化を失った例である。それは，建物やまちなみなどの有形文化を評価し，地域固有の生活や習俗という無形文化に配慮がなかったことを示している。

おわりに

最後に，世界遺産に関して，日本の役割と今後の課題について考えてみよう。

1998年，ユネスコにおいて採択された「人類の口承及び無形遺産の傑作宣言」によって，「生きた文化」も保護することが決められた。2003年には，「無形文化遺産保護条例」が採択され，2006年に発効した。

日本の文化財保護に関する考え方は，1950年に制定された文化財保護法にすでに明記されている。有形文化財や無形文化財，民俗文化財や埋蔵文化財とともに史跡名勝天然記念物など，自然にも配慮されたもので，世界遺産にも貢献できる内容である。また，先進的な保存技術，綿密な調査技術，国際的な保存・活用計画，保護に関する資金援助や人材育成など，日本が世界において果たす役割は大きい。

今後の課題として，遺産保全と観光政策のバランス，遺産保護と地域や市民の役割をあげたい。

有名な観光地は世界遺産に登録されていることが多い。そこには世界中から観光客が押し寄せ，遺産を保全するうえで問題が発生していることも事実である。遺産そのものの破壊や損傷の阻止，従来の信仰形態に及ぼす悪影響の回避などは，大きな課題である。

また，市民・地域で保護するシステムとそのモデル構築が求められる。世界遺産は，世界の多くの人々にとって共通の遺産であるとともに，遺産が所在する地域の宝物である。日常的に遺産を守り伝えていくのはそこに居住する市民であり，世界遺産は地域遺産でもあることを忘れてはならない。

遺産の保全をふまえた観光政策の組み立てと地域住民の世界遺産に対する意識改革の両輪が，これからの持続可能な観光を考えるうえで要となるのではないだろうか。

日本が世界遺産の仲間入りをしたのは1992年であり，世界遺産条約から遅れること20年余りであったが，日本が今後に果たす役割は大きい。

【笠井敏光】

参考文献

岡田保良「文化の多様性」西村幸夫・本中眞編『世界文化遺産の思想』東京大学出版会，2017年，199-207頁。
笠井敏光「世界遺産と日本」佐島隆・佐藤史郎・岩崎真哉・村田隆志編『国際学入門――言語・文化・地域から考える』法律文化社，2015年，125-127頁。
鈴木地平「グローバル・ストラテジー」西村幸夫・本中眞編『世界文化遺産の思想』東京大学出版会，2017年（a），101-110頁。
鈴木地平「世界遺産の『新しい類型』」西村幸夫・本中眞編　『世界文化遺産の思想』東京大学出版会，2017年（b），112-122頁。
西和彦「世界遺産一覧表と危機遺産一覧表」西村幸夫・本中眞編『世界文化遺産の思想』東京大学出版会，2017年，91-100頁。
西村幸夫「『世界遺産』概念の生成」西村幸夫・本中眞編『世界文化遺産の思想』東京大学出版会，2017年，11-19頁。
藤木庸介「エスニックツーリズムと文化遺産――麗江とタナ・トラジャ」鈴木正崇編『アジアの文化遺産』慶應義塾大学東アジア研究所，2015年，223-268頁。
前田耕作「世界遺産としてのバーミヤン遺跡」鈴木正崇編『アジアの文化遺産』慶應義塾大学東アジア研究所，2015年，183-221頁。
本中眞「真実性と完全性」西村幸夫・本中眞編『世界文化遺産の思想』東京大学出版会，2017年（a），46-58頁。
本中眞「文化的景観」西村幸夫・本中眞編『世界文化遺産の思想』東京大学出版会，2017年（b），123-140頁。

文献紹介

① 中村俊介『世界遺産――理想と現実のはざまで』岩波書店，2019年。

ジャーナリストであり，研究者である著者が，世界遺産という人類全体の財産であるという理想と，観光・地域振興や紛争などによる危機遺産という現実について，綿密な取材をもとに書き下ろした1冊であり，今後の文化遺産保護の方向性を示している。

② 西村幸夫・本中眞編『世界文化遺産の思想』東京大学出版会，2017年。

世界遺産に関する条約や考え方，類型や今後の課題など28の項目について，8名の執筆者が分担したもので，個別の項目について詳細に，そしてわかりやすくまとめられている。世界遺産の全体像と課題を学ぶための基本図書といえよう。

③ 鈴木正崇編『アジアの文化遺産――過去・現在・未来』慶應義塾大学東アジア研究所，2015年。

本書は2014年に研究所でおこなわれた講座にもとづく論集であり，アジアにおける文化遺産について全体像や課題，そして歴史・宗教・社会・文化・民族・政治・経済・観光などの視点から描かれ，地域とともに遺産に対する見方を知ることができる。

第34章 ポップカルチャー

アジアにおける文化的コンテンツの再編

“「アジア的なるもの」はどのように創られてきたのか”

「ポップカルチャー」という名で世界を流動的に駆け巡る芸能や音楽に着目し，それらがグローバルに展開していくときにどのような戦略がとられているのか。またコンテンツ創造の際にグローバルなものとローカルなものがどのように混ざり合い，新たな「アジア的」なものが生産されているのか。本章ではトランスナショナルな文化の流通を，「グローカリゼーション」というキーワードをもとに，そのメカニズムを概観していきます。

キーワード ポップカルチャー，文化的コンテンツ，グローカリゼーション，グローバル市場，アジア的なるもの
関連する章 第5章，第31章，第32章

はじめに

北西インド，一面に広がるタール沙漠に通い始めたのは90年代半ばのことである。2020年代を迎えたいま，この地で生活を送る若者たちの趣味や嗜好が大きく変わったことを実感している。

たとえば，婚姻儀礼。3～4日昼夜を問わずぶっ通しで続けられるこの人生最大のイベントは，歌舞音曲を中心とした真夜中のどんちゃん騒ぎがクライマックスの1つである。90年代には地元の楽士集団たちが両面太鼓（ドーラク）やハルモニウム（鍵盤楽器）を用いて朗々と新郎新婦の美しさを歌い上げていた。2000年代も後半を迎えると，発電器にアンプをつなぎ，4つ打ちビートを効かせたエレクトリックなダンスサウンドを爆音で鳴らすようになり，若者たちは

奇声を発しながら思い思いに体をくねらすようになった。ちょうどその頃は，若者たちのあいだに少しずつスマートフォンが普及しはじめた時期と重なっている。それまで儀礼的な役割を担ってきた世襲楽士たちの多くは，需要のなくなった沙漠世界から都市部へと流入し，リゾートホテルやレストランでツーリストを楽しませる「ミュージシャン」「アーティスト」へと転身していった。なかには世界的な音楽産業である「ワールドミュージック」の市場へ参入し，フランスをはじめとする欧米のステージでその技を披露するメンバーが次々と出現した。折しも世界では「ジプシー」や「ロマ」とよばれる移動生活者たちのカルチャーがブームとなっており，かれらはそのような消費言説に「ジプシーのルーツ」として見事に乗ることに成功した（Joncheere 2016）。本来その多くがムスリムであった沙漠の楽士たちは，ジプシーブームが収まりだした2010年代からは「スーフィー・ミュージック（イスラーム神秘主義の儀礼音楽シーン）」の市場に参入し，新たな生存戦略を創出していったのである。

一方で，沙漠周辺に住み続ける若者たちには，国の内外を問わずスマートフォンを通じて流通するポップミュージックが浸透し，80年代以降に海賊版カセットテープの流通が国内で横行したのと同じように，データ交換のためのアプリケーションを駆使して好みの楽曲やビデオクリップをシェアし合うことが常態化していった。80年代，90年代を通じてカセットを流すガジェット（カセットデッキやウォークマン）を手にすることのできなかった人々も少なくなく，スマートフォンによる音楽ソフトの膨大な流通は，多くの若者にとっては国内外で流通する音楽市場のコンテンツを大量に消費する初めての経験となった（Kasbekar 2006）。それまで地域社会でシェアされていたローカルな民謡や宗教的な歌謡を口ずさんでいた若者たちは，ナショナル／グローバルに流通するコンテンツ消費の世界に突如さらされていった。そんなかれらをわき目でみながら，沙漠の高齢者たちは「やかましい」若者の音楽に眉をひそめるのであった。

ここでは，きわめて限定的な世界で流通していた歌謡や舞踊の様式が世界的な消費の対象として注目を浴びていった現象と，ナショナル／グローバルな消費文化のローカルな世界への浸透という現象の，双方向的な消費の力学をみてとることができる。こうした様子は，インドの片田舎で起きている局所的な現象なのではなく，世界を包括的に包み込む消費ネットワークが引き起こす当然の帰結なのであり，いわば「どこで起こってもおかしくない」現象としても捉えることができる。たとえば，秋葉原を舞台にしたアイドルグループがフランスをはじめとする各国の文化イベントで絶賛されたり，ニューヨークのサウス・ブロンクスで生まれたヒップホップカルチャーが日本で1つの音楽ジャンルを形成したり，といった現象である。この現象のメカニズムを理解していくこと，つまり「カルチャー」の再構成，流通，越境，消費の複雑な隘路を分解しながら紐解いていくことが，私たちの生きる世界における「**ポップカルチャー**」を考えることにほかならないだろう。本章ではとくに音楽の世界におけるグローバルな現象に着目し，この「ポップカルチャー」のメカニズムを垣間みていこうと思う。

1 アジアのポップカルチャーを語ることは可能か？

上記の状況をふまえたうえで，本章を書き進めるにあたって，大きな壁に2つぶつかっている。1つは「ポップカルチャー」というワードに関するものだ。

ポップカルチャーとは何か？

ここで「カルチャー＝文化」概念の再考作業をおこなうことは紙幅の問題で不可能なのであるが，ポップカルチャーという時，私たちは何か生産したり流通したり消費されたりするような「**文化的コンテンツ**」を想定している。それは「私たちが獲得する社会生活全般に関わるもの」や「人間の世界認識を司る記号システムの体系」とかいったようなアカデミックなものではなく，市場に流通する商品の集合を指すことが多いようだ。枕詞としての「ポップ」は，その消費的傾向をより強く意識させられるワードとなっている。

この場合の「ポップ」とは何か。それは「ハイカルチャー」との差異化を図る目的から生じた言葉だ。教養主義に根ざした「高尚なる」知的・美的生産物として，また歴史的に貴族や富裕層，知識人などによって担われてきた生産様式として「ハイカルチャー」を考えると，ポップカルチャーはそれ以外の「下層」の「大衆」が担ってきたもの，ということになる。しかし，グローバル化の進展や消費活動の複雑化に伴って，コンテンツを「高尚／低俗」に分断する境界線が融解し，私たちはすべての文化を等しく（フラットに）消費することが可能になった。私たちは，クラシックもジャズもK-POPもアニソンも，等しく並べ，またはそれらの断片がかき集められたリストやパッケージを前に，クリック1つでいかようにも消費することのできるプラットフォームを得た。それぞれのコンテンツは，どこで，誰が，どのような（時代的・社会的・地理的）背景から，どのようなテーマで作成したものであるかといった文脈性を丁寧に取り除かれながら（あるいは部分的に誇張されながら），デジタルな空間に配置されていく。そのような時代が到来したのである。

「アジア」とマーケット

このような「脱文脈化」の時代におけるポップカルチャーに対し，「アジア」という場を付加していくと，どのような世界が開けるだろうか。これが第2点である。

たとえば音楽を例にとると，世界中の多様な儀礼や芸能実践のなかで構築されてきたサウンドの構成（＝ミュージック）は，断片化されたうえで「アルバム」の形でパッケージ化され，HMVやタワーレコードのようなソフト販売店舗やApple Musicなどの仮想空間に配置される。その際，多くの場合は「ワールド」という枠に収められることが多い。そこでは，マリの歌姫ロキア・トラオレやカウワーリーの名手ヌスラット・ファテー・アリー・ハーンのようなアーティストたちも，トゥバ共和国のホーメイ（喉歌）も朝鮮半島のサムルノリも，日本の和太鼓も一緒くたに並べられる。これは80年代の「ワールドミュージック」という名のマーケットの拡大によるところが多く，「非西洋」の音楽の雑多な寄せ集めといった意味合いが強い。

このような「伝統音楽」（多くはそれまで「民族音楽」としてパッケージ化されてきた）の消費傾向は，バブル崩壊後に衰退したかのように思われたが，それはあくまで「伝統音楽をポピュラー音楽のように消費する形態」の一時的なブームを指し示すもので，非西洋地域における音楽マーケットそのものは拡大の一途を歩んできた。「アジア」というのは，このような「ワールド」マーケットの茫漠とした下位分類にすぎず，それ自体は明確な定義をもたず，配置のための浮遊した記号だともいえる。

2 ミクスチャーと規則

「共創」の舞台へ

冒頭の例に戻ろう。一部のインドの沙漠の楽士たちは，グローバルな市場に参入した。かれらのパスポートは押しきれなくなった出入国スタンプによって増補の冊数が増え，SNSを駆使して個々人が世界のディレクターやキュレーターと交渉しながらマーケットの拡大を企図してきた。かれらはCDやMp3，DVDなどの形態でソフトウェアの生産過程に参入し，撮影した映像を動画投稿サイトにアップロードし，求めに応じてあらゆるステージをこなしている。楽士集団の名は「ランガー」や「マーンガニヤール」。「ジプシー＝ロマ」の源流をなす芸能形態としてもてはやされ，一方で「スーフィー・ミュージック」の担い手として活躍している。

一方でかれらは，これまで「伝統的」におこなわれてきた芸能形態を単に踏襲し，披露してきたわけではない。これまで磨いてきたスキルや音楽的センスをベースに，ロックやエレクトロニック・ミュージックを基本とする世界のアーティストたちとも共演やコラボレーションをおこなってきたし，「ロマ音楽」の系譜とされるフラメンコや，オペラ舞台にも参加し，新たな市場を獲得してきた。きわめてローカルな文脈に埋め込まれてきた芸能空間は，いまや世界中のアーティストたちとともに新たな音楽を表現するための「共創」の舞台へとシフトしている。

「ミックス」と創造的文化生産

「ミクスチャー・カルチャー」ともよべるようなこのような例は，何も特別なものではない。インド古典音楽の巨匠ラヴィ・シャンカルは60年代にはすでにスィタール（インド古典音楽の弦楽器）を片手にモントレー・ポップ・フェスティバルやウッドストックに参加していたし，ビートルズのメンバーを弟子にとったりしていた。70年代にはジャズ・ギタリストのジョン・マクラフリンが，インド古典音楽の若きプレーヤーとともに「フュージョン」音楽を創造していた。

こうした現象はインドに特有なものではなく，世界的な現象として捉えることができる。日本では太鼓芸能集団である鼓童（KODO）が80年代にドイツ・オペラの組曲「輝夜姫」（1984）を初演しているし，かれらが手がける国際芸術祭「アース・セレブレーション」では，毎年世界中から様々なアーティストが招聘され，ともに新たなサウンドを模索しながらステージに彩を与えている。雅楽器奏者の東儀秀樹も，ピアノやシンセサイザーなどの現代音楽とのコラボレーションを盛んにおこない，中国民族楽器の若手演奏家のプロデュースもおこなっている（TOGI+BAO）。

近年では60～70年代のタイ音楽や広く東南アジアの大衆音楽をベースにファンク・サウンドの構築をめざす，米テキサスのバンドKhruangbinが話題をよんでいる。ここでみられるのは，世界的な音楽のフォーマット（ロック／ポップ／ファンク）のタイへの流入と，そこで独自に発展したタイの大衆的なバンドサウンドを，さらにアメリカのファンクバンドが再構築するという，きわめて複雑なミクスチャー形態である。

これらの現象はほんの一例にすぎず，もはや私たちの享受する多様な音楽コンテンツは，すべからくミクスチャーの様相を呈していて，そこには「独自の文化（カルチャー）」を想定すること自体が無意味にすら思えてくる。では，ここでいう「ロマ音楽」「スーフィー音楽」「インド古典音楽」「タイ音楽」など，ミクスチャー作業以前のベースとなるフォームは，何を意味しているのだろうか。そこに見いだせるのは，総体としての「独自性」ではなく，楽器の種類やそのサウンドの特徴，旋律やリズムにみられる音作りのための独自のルール，ミュージシャンの装う服装やジェスチャーなどの外在的特徴など，部分的な「規則」の複層的な結合である。独自の歴史的過程で構築されたこれらの規則群は，それぞれ文脈や物語を保有しているが，グローバルなミクスチャー・カルチャーではそれらは脱文脈化され，あらゆる人々が参加・使用・消費可能な形で流通していくことになる。これは科学技術がグローバルに伝達・流通することとは違い（そこには知的財産権や特許などの微細な保護制度が存在する），「カルチャー」をめぐる多様な規則群は，その主体が誰であれアクセス可能なものとなるからである（楽器演奏の方法やファッションは特許の対象とならない）。

したがって，ローカルに構成されたカルチャーは，必然的に断片化されつつグローバルな生産・消費の波にさらわれる宿命にある。そこにあるのは，「○○的なるもの」として共有される（規則群の使用をベースとした）「想像されたローカリティ」なのである。

3 グローバル・カルチャーの席巻

保持される文脈

「ローカル」なものが**グローバル市場**において生産と消費のプロセスにのみ込まれていく様子をミクスチャーという側面からみてきたが，一方でローカルな世界へのグローバル文化の流入過程もおさえておく必要があるだろう。広く「アジア」とよばれる世界には，アメリカを中心とする西洋のポップカルチャーの影響が強く，それらは「固有の文化」を失わせるほどの力をもつと批判されてきた（＝文化帝国主義批判）。たしかに，冒頭の話をみてみると，沙漠の世界に入り込んできたのは，西洋で発達したエレクトロニックなダンスサウンドで，若者たちの享楽は一見グローバルな文化形態に侵されているように思える。しかし，かれらが狂乱する音楽の歌詞をじっくりとみるとき，それは旧来それがもっていた文脈と同様に，婚姻に際する男女の思慕が歌われていたり，婚姻儀礼に伴うセクシュアリティが新たな形をとって紡ぎ出されている姿をみるだろう。つまり儀礼の文脈は一定程度保持され続けているのだ。

また，旋律やビートが電子音になったとしても，かれらの好むサウンドには4つ打ちだけではなく三連系のリズムが特徴的な，いわゆる「バングラー・ビート」を使用したものが少なくない。この音楽形態は，北西インド（とくにパンジャーブ地方）のスィク教徒の収穫祭に端を発するもので，イギリスに渡ったインド系移民がレゲエやハウス，ヒップホップの要素を取り入れて作り上げられた音楽形態がインドに逆輸入されたものである。その意味で，ある種「インド的なるもの」を代表するポップ・カルチャーとして考えることもできる。

ローカリティの新たな創出

グローバルな文化的フォームのローカルな場への浸透の例として，インドネシアのポピュラーミュージックであるダンドゥット（Dangdut）をあげてもよい。これは，そもそもマレー系のミクスチャー音楽だったムラユをベースに，インド・アラブ音楽，70年代に浸透したロックが融合した，強烈なビートが特徴的なもので，70年代以降のインドネシアで熱狂的に受け入れられたダンスミュージックである（田子内 1997）。バングラー・ビートがローカルな打楽器であるドールやドーラク（両面太鼓）と電子音を融合させたように，ダンドゥットも打楽器クンダンや，竹笛（スリン），インド古典音楽の打楽器タブラーを使用するとともに，ギターやベースなどエレキ楽器が色を添える形で構成されている。

これらの例は，単純にグローバル文化の浸透によってローカル文化が消滅していくという話ではなく，むしろグローバルなフォーム（ここでは4つ打ちなどのリズムパターンや楽曲の構造，電子的な音の構成など）の流入によって，ローカルなものが見直され，ローカルなものが新たな装いで作り替えられていく過程としてみることができる。つまり文化のグローバル化は，ローカルなものの再編成を促し，新たな「ローカリティ」を創出させるものでもあるのだ。

4 グローバルとローカルのはざまで

筆者は，冒頭のインドの沙漠の事例を，ローカルなもののグローバルな流通・消費化と，グローバルなフォームのローカルへの浸透という2つのベクトルとして提示したが，これらは別の現象としてみるより，グローバルとローカルという相互補完的な1つの現象のなかの2つの側面と考えたほうがいいだろう。アカデミズムではこうした現象を「**グローカリゼーション**」として取り扱ってきた。この世界規模の現象のメカニズムまで降り立っていかないと，「アジアのポップカルチャー」を理解できないという時代に，私たちは生きている。市場原理やマーケティングの様式，文化的コンテンツを取り巻く「規則」の流動性，そして文化の境界をめぐる政治性などが，複雑に絡み合いながら今日の大衆文化は形成されているのだ。上記の「境界」がどの範囲に適応されるかはきわめて恣意的であり，それはあくまで表現の方向性と市場との関係性から生まれる。このような流動的な状況のなか，「アジア」なるものがどのような境界線に発現するものなのか，とても興味深く感じる。

アジア的なるものを大々的に提示したコンテンツとして，シンガポールを代表するミュージシャンであるディック・リーをあげてもいいだろう。80年代末から90年代にかけてアジアのポピュラー音楽界を席巻したディック・リーは，マレー世界に渡った中華系移民「プラナカン」の末裔であり，多様な民族集団の織りなす音楽フォームを縦横無尽に渡り歩きながら「アジア的」なるものの表現をめざした。とくに2枚目のアルバム「Asia Major」はその問題に対峙しながら，プロデューサーである久保田麻琴の助けを得ながら自身のアイデンティティの探索をおこなっている。アジア諸国で用いられるあらゆる言語が飛び交うこのアルバムには，インドネシア民謡からインドや中国のヒットソングのリメイクまで，多様な音楽のフォームがカタログ的に詰め込まれている。アルバムのライナーノーツに「アジアの特殊性は，まず，その多様性にくっきりとみえている」と書かれているのが象徴的だが，まさにその明確な輪郭のない雑多性のなかにこそアジア的なるものをみいだそうとする意図がみえる。ここでも私たちは文化的な規則群の混淆から「○○的なもの」をみいだそうとする豊かな表現の世界を垣間みることができよう。

5 グローバルメディアの戦略

これまで私たちは広くグローバルな文化的コンテンツに潜む市場原理とローカルな表現の織りなすメカニズムについて概観してきた。グローバルな市場システムは世界を覆い尽くし，その張り巡らせた網の目のなかで新たなローカリティがすくい上げられ，またローカルなものの再編成がおこなわれてきた。「アジア」というのはその仮想空間の1つであり，多様な表現を生み出すプラットフォームのようなものとして捉えられる。

コンテンツ・ビジネスからメディア・ビジネスへ？

一方で，作品としての文化的コンテンツの創出と消費という文脈だけではなく，そのコンテンツを生み出すメディアそのものをビジネス化する時代に入ったことにも触れておかなければならない。

その1つの例として，日本で生まれた「アイドル」というフォームを考えても面白い。旧来のアイドルは，その人物の魅力，歌唱力，楽曲の秀逸さなどコンテンツのもつ特質が消費の対象とされてきた。しかし，たとえばAKB48グループの世界戦略は，選抜総選挙によるプロモーション構造，ファンが「推し」との関係で作り上げていく「Linux型モデル」などのシステムをパッケージ化してメディア・ビジネスを展開（村山 2011），その結果アジアの各地で同じメディアの形をとるアイドルグループが次々と生み出されることになった。現在ではバンコク（タイ），マニラ（フィリピン），上海（中国），ジャカルタ（インドネシア），ホーチミン（ベトナム）など7拠点で展開し活況を帯びており，インドにおいてもデリー，ムンバイの2拠点でのグループ構築が発表されている。これらのグループが一同に揃う「アジアフェスティバル」が上海やバンコクで定期的に開催され，2021年のオンライン開催では約47万人の視聴者を獲得している。各グループはそれぞれの「お国柄」を積極的に取り入れ，他グループとの差異化を図るなど独自の戦略をとるが，アジア一帯に広がったこのAKB方式のシステムはすべて均質という，まさにグローバル・マーケットにみられる典型的な戦略をみせている。つまり，同一平面上に張り巡らされたマーケットの網の目で，ローカルなものが再構築され併置されていくというグローカルな構造のことである。

AKB戦略のようなポップカルチャーにおけるメディア・ビジネスが，これからどれほどにマーケットを拡大させていくのか，まだまだ不透明である。日本のアイドル文化よりはるかに世界的な市場を獲得しているK-POP（韓国）の世界は，「ダンスのうまさ」「楽曲の良さ」「容姿の端麗さ（キッチュさ）」など，グローバルな規則をベースとした脱文脈的（低コンテクスト）な戦略がとられているように思える。つまり，グローバル市場を狙った「アジア」のコンテンツ・ビジネス側の可能性を広げているともいえよう。そこからいかなるローカリティが創出されていくのか，またはされないのか，今後の流れが楽しみである。

おわりに

上記のような均質的なメディアのグローバルな展開は，特定のローカルなコンテンツをすくい上げて再編成に向かわせるが，一方で，グローバルな消費文化の嗜好に合わないものは放擲されるという現象も忘れてはならない。グローバルメディアは新たな「ローカリティ」を創出させるが，あくまでもそれは「都合の良い＝マーケットに乗りやすい」ローカリティであることにも留意すべきだ。このような排除と包摂の力学がグローバル市場には拮抗しており，ローカルな文脈に埋め込まれた豊かで深淵な文化様式から私たちが学ぶべきところは（人類の文化資源として）依然としてとても大きい。私たちは「アジア」から何を学ぶことができるのか，グローカルな視点から向き合ってみることが大切だ。

【小西公大】

参考文献

田子内進「ダンドゥットの成立と発展 I & II――近代演劇の成立とオルケス・ムラユ」『東南アジア研究』35（1），1997年。

村山涼一『AKB48がヒットした5つの秘密――ブレーク現象をマーケティング戦略から探る』角川書店，2011年。

Asha, Kasbekar, *Pop Culture India: Media, Arts, and Lifestyle,* ABC Clio, 2006.

Johncheere, Ayla, “Representing Rajasthani roots: Indian Gypsy identity and origins in documentary films,” *Romani Studies,* November, 2016.

文献紹介

① 井上貴子編『アジアのポピュラー音楽――グローバルとローカルの相克』勁草書房，2010年。

本章で捉えようとした，アジア世界におけるグローバルとローカルの多層的／重層的な関係性を正面から捉えようとした一冊。アジアの多様な事例をふんだんに詰め込み，かつ移民音楽や文化的コンテンツの越境にも焦点を当て，内容は多岐にわたっている。実際に現地に通い続けてフィールドワークをおこなってきたエキスパートによる論集ではあるが，文体は平易で読みやすい。アジアのポップカルチャーの動態を音楽の文脈から読み解きたい人におすすめ。

② 高馬京子・松本健太郎編『越境する文化・コンテンツ・想像力――トランスナショナル化するポピュラー・カルチャー』ナカニシヤ出版，2018年。

本書は文化の戦略的形成や異文化における再編成という側面をベースに，ファッションから音楽，食品，スポーツ，TV番組，アニメーション，アイドルなどに至るまで，広範な文化的コンテンツのトランスナショナルな諸相を明快に分析している。デジタルメディアの発達による文化の伝達や変容にも触れられていて，グローバル化時代の文化を広く概観しそのメカニズムを捉えるうえで必須の一冊。

③ 伊豫谷登士翁ほか編『グローバリゼーションのなかのアジア――カルチュラル・スタディーズの現在』未来社，1998年。

イギリスで開花したカルチュラル・スタディーズの方法論とその可能性や諸問題を明らかにしていく対話過程を収録した一冊。学際的な研究手法をもとに，「アジア」の「カルチャー」を表現することの政治性やアイデンティティのあり方について刺激的な対話が続いていく。アジアをめぐるポストコロニアル（新植民地的）状況をはじめとし，本章で触れることのできなかった「文化」概念の持つポリティクスに興味のある方はぜひ一読を。

第 35 章 路上文化

躍動するアジア社会の源泉

“アジアのダイナミズムを体現する路上文化の魅力と今日的課題とは何か”

入り組んだ路地，立ち並ぶ露店……路上こそ，最もアジアを感じさせられる場所かもしれません。様々な色や音にあふれ，匂いや味で人やもののあいだの距離が近づくそこには，アジアの人々の暮らしが息づいています。その一方で，都市の再開発によって路上文化とそこでの暮らしは大きく変化を迫られています。この章ではアジアの路上を人々が住まう空間として捉え，その魅力と今日的課題について考察します。

キーワード 路上文化，露天商，露店，再開発，自然の市場
関連する章 第14章，第18章，第33章

はじめに

「ごちゃごちゃしている」というイメージをアジアに対してもっている人は多いかもしれない。アジアの国々の街並みは雑然としており，路地も入り組んでいる。アジアの路上は通行という目的に特化した空間ではなく，公私を超えて様々な営みがおこなわれる多目的な空間である。このように，様々な営みがおこなわれる空間である路上で生み出されている文化を，本章では**路上文化**と名づけてみたい。アジアの路上文化は，様々な動植物で構成される「道」という空間と，そこでおこなわれるサービスの提供やモノの授受によって生み出されてきた。

たとえば，中世の日本で街道筋を渡り歩いて生計を立てていた人たちは，「道の者」とよばれていた（沖浦 2007）。「道」は，神と人が住まう領域の間にあ

り，異なるものが往来する空間である。そこは信仰，芸術，商業が起こる空間であり，修行者がたどるところでもあった。「道の者」は近世に入り，職人・行商人・芸人と分化していき，江戸時代中期に**露天商**あるいは俗にいう「香具師（やし）」「的屋（てきや）」が組織化されていった。露天商の商売の形態も，道行く人に商品を売る「立売」から，路上に一時的に店舗を構える**露店**として展開していった。

アジアの各地で露店は固有のローカリティをもっている。店舗と比べて流動的であり，路上という公共空間に店を構える露店では，提供される商品やサービスも，日々異なる利用者のニーズに合わせて素早く変化する。露店は「都市社会の内部に文化的な諸要素の融合や組み換えを生み出す」（西澤 1995）存在であり，この意味で露店は，ハイブリッドなモノを組み合わせて再配置させる近代の所産といえる。その一方で，露店は近代的な都市計画や経済発展モデルから「いずれは消滅する」「交通の障壁」とみなされてきた。近年アジア各地で都市の**再開発**が進行し，路上文化も大きく変化を迫られているが，本章では露天商や露店がこれまで果たしてきた役割と今日直面する課題から，アジア社会のダイナミズムの源泉である路上文化に迫ってみたい。

以下，第1節ではアジアの路上文化のなかでも，インドの路上文化と露天商政策について紹介し，第2節では路上文化について，衣食住の観点から考察する。第3節では路上の再開発に触れ，路上文化の変化について言及する。

1 インドの路上空間をめぐる政策

インドの路上では，狭義の商品の売買のみならず，靴の修理や散髪，歯の治療（**写35-1**），体重計測に至る様々なサービスが受けられ，手品や軽業，音楽や人形遣い，占いなど，様々な芸を楽しむことができる。インドの路上に住まうのは，人間ばかりではない。犬，猫，鳥，貨物の運搬を担う馬やラクダ，神の使いともされる牛やサルも路上の住人である。路上の祠や寺院は，神々の住まいでもある。

さらに，グローバル化が進行する現代，インドの露店は活況を呈している。インドの露天商人口は，都市部のインフォーマル・セクターの15％以上を占め（Jhabvala 2000），ムンバイに約25万人，デリーに約20万人，アフマダーバードに約8～10万人，インド全体では約1,000万人以上と推定され，女性や若年層の割合も高く，将来的にも露天商人口は拡大すると予測されている。しかし，路上の一隅を占める露店は，インドが近代化を遂げるなかで通行の妨げとみなされ排除の対象となってきた。本節では，まず植民地期に由来する露天商政策の変遷をグジャラート州の例から概観し，現在の路上文化が抱えている政策上の問題について考察する。

写35-1　ウダイプルの路上の歯科医

出所：筆者撮影（2016年2月18日）。

路上はだれの空間か――アフマダーバードの露天商政策の変遷より

北西インドに位置するグジャラート州は1960年までボンベイ管区に位置しており，1949年に出されたボンベイ州法によると，市管理官による行商の許可がない場合，露天商の位置づけは「非合法」であり，市管理官には予告なしに露店を撤去したり破壊したりする権利が認められていた（Kumar and Bhowmik 2010）。また1951年のボンベイ警察法では，警察には路上の障害物を撤去する権利があるとされた。一連の法令は，植民地時代にイギリスがおこなっていた都市の貧困層と出稼ぎ労働者を対象とする施策を踏襲したものであった。

しかしインドの露店は，公共的な役割を果たしてきた。インフラ整備がまだ十分ではないインドにおいて，露店がもたらす商品やサービスは安価で便利なものであり，階層を超えて多くの利用者をひきつけている。後述するように，インドの露店は人々に衣食住を与えてくれる，第二の家のような場所でもあるのだ。また，早朝から深夜まで路上に店があることによる治安維持の役割も指摘されている（Anjaria 2010）。さらに，露店は低所得者層のセーフティ・ネットでもある。グジャラート州最大の都市，アフマダーバードの場合，1985年に政府による繊維産業政策の転換により，多くの繊維工場が閉鎖に追い込まれたが，その結果生まれた失業者の多くが露天商になったとされる（Patel 1988: 24, 30）。

法律的には「非合法」な存在として不安定な労働状況に置かれてきた露天商たちだが，生業としての間口の広さとかれらのサービスに対する消費者のニーズは，露天商たちの権利の主張へとつながっていった。インフォーマル・セクターの女性労働者の権利を守る組合として1972年に誕生した団体であるSEWA（The Self Employed Women's Association）の支援を受けた露天商たちは，1982年，自治体，警察，州政府を相手に裁判を起こし，路上で生業を営む権利を求めた。そして1989年，インド憲法の19条「労働者の権利に関する項目」にもとづき，最高裁は「きちんと規制されるなら，路上で商売あるいはビジネスをおこなう権利は，道路とは往来するものであり他に用途はないという理由で否定されてはならない」として，露天商が路上で商売をおこなう権利を認める判決を下したのであった。

この判決は2004年にインド都市開発・貧困緩和省から各自治体に対して出された「露天商に関する国家政策（National Policy on Street Vendors）」を導くことになった。この政策では，まずインドの露天商は「恒常的な建造物ではなく，一時的な建造物あるいは移動式の露店（または頭上運搬）で，人々に商品を提供する人」と定義される。そして各自治体が都市計画のなかに「行商ゾーン（vending zone）」を露天商のために設けること，行商ゾーンを指定する町の商業委員会（Town Vending Committee）のメンバーのうち25～40％を露天商とし，露天商の3分の1を女性とすることを定めた。具体的な数値まで盛り込んで露天商に法的な正当性を与えるこの政策は，道路を通行に特化した空間に限定する，植民地近代の流れをくむ法律を見直すものとして画期的であった。しかし，この露天商に関する国家政策の施行は各自治体に一任されていたため，有名無実化する傾向にあり，また「行商ゾーン」外での商行為が合法的に排除されることにもなった。

行商ゾーンと「自然の市場」

そこでSEWAは再度2006年に裁判所に働きかけ，アフマダーバード自治体はようやく2009年に露店商に関する調査をおこない，行商ゾーンの策定を試みた。調査はアフマダーバードのCEPT大学の協力のもとおこなわれ，2010年に提言がまとめられている（Centre for Environmental Planning and Technology 2010）。それによると，たとえばアフマダーバードの旧市街に程近く，かつては木綿工場で働く低所得者層が住んでいたエリアでは，野菜を売る露店が60メートル幅の道路に，また食品を売る露店が24メートル幅の道路に密集していた。そこで道路幅に応じて「グリーン」（7～12m），「イエロー」（15～24m），「レッド」（30～60m）とゾーンを分類し，露店を「レッド」から「グリーン」のゾーンに移すことが提言されている。

この提言では，人々の生活の実態や露店のニーズではなく，交通の流れが第一に優先されていることがわかる。しかし，実際には「グリーン・ゾーン」に分類される路上は住宅地のなかにあり，そこに露店を密集させると，住民から苦情が寄せられる可能性が高い。また大きな道路に露店が集中していたのは，それが通勤客にとって利便性が高く，多くの顧客が見込めることで露天商の利益にもかなうためであった。

SEWAが提唱している露店に関する概念のひとつに「**自然の市場**（natural markets）」という概念がある。これは1999年にSEWAが主導した全インド露天商連盟（National Alliance of Street Vendors in India）の宣言で初めて登場した概念である。「自然の市場」とは，フォーマル・セクターを補完する性質をもち，売り手と買い手，双方の需要が合うところで自然に発生する市場を指す。露店が密集しているところはまさにそのような「市場」なのだ。そこを生活の基盤においていない人にとって無秩序なカオスにみえても，そこには「自然の市場」たる理由がある。「自然の市場」をどれだけ「行商ゾーン」に組み込めるのか，インドでは路上の論理を政策に反映させるべく試行錯誤が続いている。

2 路上で営まれる衣食住

本節では，第1節をふまえて，アジアの路上でどのような営みが展開されているのか，①路上で飲む・食べる，②路上でまとう，③路上に住まう，という3つの点から具体的に紹介してみたい。

路上で飲む・食べる

日本でも飲食に関わる露店が多いが，アジア諸国を旅すると，路上で豊かな食文化に出会うことができる。

インドを旅する人が最初に出会う路上の飲食といえば，チャーイであろう。もともと，植民地期にイギリスが中国で発見した「茶」は，インドでプランテーション栽培されるようになりイギリスの紅茶文化を形成した。インドでは，高級茶葉が外国に輸出された後の，安価で品質が劣る茶葉を水で煮出し，これに牛乳（多くはスイギュウの乳），シナモンやカルダモン，ショウガなどのスパイスを入れて煮出したものをチャーイとよび，大量の砂糖を入れて飲む。このチャーイは，高級茶葉で作っても美味しくはならないのが不思議なところだ。インド人の1日はチャーイで始まり，食後や休憩時，客人の接待にもチャーイは欠かせない。熱く煮出したチャーイは，インド人にとって（宗教的にも衛生的にも）「ケガレ」を伝播させない「安全な」飲み物であり，カーストの違いを超えて親密な人間関係を築くうえで不可欠なものだ。どんな片田舎に行っても，チャーイは路上や小さな小屋で飲むことができる。インドの水を警戒する外国人観光客にとっても，インドへの入り口を開いてくれるのがこのチャーイなのだ。

ちなみに，そのようなインドの人々の日常に浸透するチャーイの力を最大限政治に利用したのは，現在インドの首相をつとめるナレンドラ・モーディーである。自身の実家がチャーイ屋であったことから，モーディーは所属するインド人民党の政治キャンペーン「チャーイ・ペ・チャルチャ（チャーイで議論を）」を2014年2月12日から3月20日まで4,000のチャーイ屋でおこない，街の人々とスクリーンを通して対話をおこなった（India Today Online，2014年2月14日）。彼は自らの出自を最大限利用しながら，人のつながりを作り出す路上の食文化の力を見抜いていたといえよう。

チャーイは様々な階層や歴史が絡む汎インド的な飲み物だが，インドの路上で提供される食べものには，インドの多様な植生や環境が映し出される。コーヒー豆を生産する南インドでは，チャーイ屋でコーヒーを飲むこともできる。また，インドの路上では，様々なスナックも売られている。日本でも有名なインドのスナックといえば，小麦粉で作った皮の中にジャガイモや玉ねぎ，レン

写35-2　アフマダーバードの路上の
パーニープーリー屋

出所：筆者撮影（2011年4月27日）。

写35-3　アフマダーバードで
パーニープーリーを食べる

出所：筆者撮影（2011年4月21日）。

ズマメなどをすりつぶし香辛料で味付けした具を入れ，揚げて作られるサモーサー（*samōsā*）であろう。サモーサー同様，中部から北インドで人気があるのは，パーニープーリー（*pānīpūrī*）である。小麦粉の生地で作る薄い皮を小さな風船状に揚げたプーリーに自分で（あるいは露天商が）穴をあけ，ジャガイモや玉ねぎ，ヒヨコマメ，タマリンド・ソース，味がついた水（パーニー）を中に入れプーリーごとぱくりと食べる，食べる過程も楽しいインドのストリート・フードである（**写35-2**，**写35-3**）。手頃な値段の嗜好品やスナックだけでなく，路上の露店は新鮮な野菜や果物も提供してくれる場所である。インフラ整備が整っていないインドでは，ローカルな市場や生産者と直接結びついている露天商が扱う生鮮食品のほうが，スーパーに並ぶ食品より新鮮で安価なのである。

路上でまとう

インドの路上では，食品のみならず多くの衣料品が売買されている。2011年4月19日，アフマダーバードの旧市街にあるバドラ市場（Bhadra Market）では，バドラ城砦から三門まで約100メートルのガーンディー・ロードに47種類の商品を扱う552の露店があり，そのうち196店が衣服，67店が履物を扱う店であった（**写35-4**，**表35-1**）。植民地期以前よりグジャラートの繊維業は盛んであるが，バドラ市場の周辺には衣料品の卸売・小売店が多く，露店も含めて異なる市場が複合した「自然の市場」が形成されている。1985年の繊維産業

写35-4　アフマダーバードの路上の衣料品店

出所：筆者撮影（2011年4月27日）。

政策の転換とインドの市場開放後，安価な衣料品が大量に出回る一方で，廃棄される古着も大量に生まれるようになった。この古着に目をつけたのもまた，露天商たちであった。

インドには，人は「もの」（サブスタンス：食物や血液など身体を構成するもの）のやりとりを通して，そのものに備わるコード（規範，モラル）を帯びるという考え方がある（Marriott 1976）。この考え方に従うなら，古着もかつてそれを身にまとった人のサブスタンスを伝播させるものになりかねないのだが，まず露天商たちは，家々を巡回（*phērī*）して，ステンレスの台所用品や食器と古着を交換する。このときの交換品が，「ケガレ」を伝えないとされるステンレス製であることは注目に値しよう。そうして交換された古着は，アフマダーバードのデリー門前の道路の一角を占有して開かれる古着市や，毎週日曜日にサーバルマティ川の河岸で開催される「グジャリ・バザール（Gujari Bazar）」（第3節参照）で売買される。これらの場所は，一時的に大量の古着が持ち込まれ，また別のところへ移動していく古着のフローの中継地だ。そして，古着は移動する先々でそれ自体が形を変えていくとともに，新たな人や空間をつくっていく（岩谷 2017）。

2017年1月8日，グジャリ・バザールで古着を購入していた人たちに話を聞いた。ある男性は，アフマダーバードから北西に約75キロメートル離れたメーサナで，1年前から自転車で古着を売っている。バザールへは商品の仕入れにやってきており，この日彼は，当初は1点20ルピー（2022年3月現在約30円）の古着サリーを15ルピーにまけさせて25着購入していた。このサリーは35ルピーで売るそうだ。この男性のように，アフマダーバード近郊の街からバザールに古着の仕入れにやってきている人は，2012年12月のバザールの調査でも話を聞いた18人中3名が該当した。デリー門前で購入した古着を修繕して近隣の街から来た商人に販売している露天商の男性によると，このような古着の流通は，少なくとも30年ほど前からあったようだ（2017年1月7日聞き取り）。つ

表35-1　バドラ市場で売られている商品別露店数
（2011 年 4 月 19 日，10:00～16:00）

商品＼場所		バドラ・カーリー寺院前	GR北側	GR南側	GR中央	露店数合計
食品	スナック	9	6	1	3	19
	たまご	0	1	0	0	1
	にんにく	0	0	1	0	1
	フルーツ	0	7	1	2	10
	ビスケット	0	0	0	1	1
	スパイス	0	1	0	0	1
	ハーブ	0	4	1	0	5
	飲料	0	9	3	8	20
衣料品	服	5	0	179	12	196
	下着	0	1	0	0	1
	靴下	0	2	3	2	7
	ハンカチ	0	0	0	2	2
	帽子	0	0	0	2	2
小物類	履物	4	5	55	3	67
	バッグ	3	0	28	4	35
	財布	0	1	0	0	1
	ベルト	0	16	0	1	17
	サングラス	0	5	0	1	6
	アクセサリー	5	0	12	2	19
	腕輪	8	0	10	2	20
	ピン	1	0	0	0	1
	髪留め	1	0	7	0	8
	ビンディー（額の装飾）	3	0	0	0	3
雑貨	腕時計	1	1	10	4	16
	時計	1	0	0	0	1
	化粧品	5	0	3	0	8
	香水	0	1	0	0	1
	くし	0	0	1	0	1
	玩具	0	13	4	6	23
	クリケット板	4	0	0	0	4
	CD	0	1	0	0	1
	殺虫剤	0	1	0	0	1

商品	場所	バドラ・カーリー寺院前	GR北側	GR南側	GR中央	露店数合計
家庭用品	造花	0	0	0	1	1
	額	5	0	0	0	5
	室内装飾品	0	0	0	1	1
	キーチェーン	1	0	0	0	1
	ナイフ	0	1	0	0	1
	ライター	0	2	0	0	2
	プラスティック容器	0	0	2	1	3
	ひも	0	0	0	1	1
	コップ	4	1	0	3	8
	床マット	0	1	0	1	2
	その他日用品	0	3	1	5	9
供物	チュヌリ（奉納用布）	3	0	0	0	3
	花	9	0	0	0	9
その他	鍵	0	4	2	0	6
	イコン	1	0	0	0	1
露店数		57	87	324	68	552

注：GR=Gandhi Road。
出所：筆者作成。

まり，古着は都市部から周辺へ路上を通してフローしているのである。

また，アフマダーバードでインターナショナル・スクールに勤務する35歳の女性は，当初は500ルピーのブランド物のワンピースを40ルピーまでまけさせた，と得意そうに話してくれた。彼女によると「古着でも気にしない。でもブランド品じゃなかったら買わなかったかも」と話してくれた。彼女は，購入した古着を近所の人へ配ることもあるという。

ハギレ布を購入した21歳のムスリムの女性は，毎週バザールを訪れる。多くのハギレを集めてクルタ（襟なしのシャツ）を作るのだという。この日は午前中と午後の合計2回，バザールに来て300ルピー分（7～8着分）のハギレを購入したという。アフマダーバードの路上には，ハギレだけを集めて工場に売る人や，飾りのついたハギレのみを集め，タペストリーやクッション・カバー用に観光地の土産物店に売る露店商もいる。

このように，誰かがどこかの路上や店舗で購入した衣料品は，再び異なる路上に舞い戻り，別の土地で形を変え，別の誰かが身につける。インドでは，人間ばかりか布までが輪廻転生を繰り返すのだろうか。高カーストにはまだ古着に対するケガレ意識も残ってはいるが，若者や貧困層のあいだには古着に対する抵抗は少なくなっている。路上を介した布のフローは，階層や地域の違いをやすやすと越え，異なる人々をむすびつけている。

路上に住まう

路上がもつ包摂力は，路上が多くの存在が往来し，住まう空間になっていることからもうかがえる。日本の露天商は，通常特定の「ニワ」に所属している。「ニワ」とは，かれらが店を出せる範囲を指し，時節に応じて開かれる寺社の縁日や祭礼（「タカマチ」）空間である。縄張りに似ているが，外の者を排除する領域というよりも，まさに庭のように「ウチ」と「ソト」のあいだにあり外部に開かれた空間だ。ニワの者はタカマチでの「バイ（商売）」のために外のニワからやってくる露天商を迎え，「ウチ」と「ソト」の人間全員が滞りなくバイができるように露店の場所を定め（「ショバ割り」），場所代（ショバ代）や電気代を徴収する。保健所や消防署の立ち合いや，祭礼後の周辺道路の清掃など，対外的な交渉に臨むこともニワの者の役目である。ニワの成員間では，新年会，慰安旅行，「月寄り（月例ミーティング）」，「義理（冠婚葬祭）」があり，まるで会社か村の互助組合のようだ。

今日，日本で露店を出すには，ニワへの所属に加えて，所轄の警察から「道路使用許可」を得なければならない。しかし，露天商たちが商いをおこなってきた「道」は，もともと神や魔物が往来するともすれば危険な空間であり，人間の管理が及ばない空間であった。サンスクリット語の「道（*gati*）」は場所であると同時に，移動の過程でもある（寺田 1978）。路上は，異なる存在が往来するなかで相互に変化していく空間であり，ここに「道の探求」もあり，路上を行く「道の者」は人々を変容させる力をもつとされてきた。

「道の者」への畏怖の念は，インドでも長く存在してきた。たとえば，北西インド，ラージャスターン州のカールベーリヤー（*Kālbēliyā*）は，シヴァ神を奉ずるナート派の流れをくむ行者（*Jogī Nāth*）と自ら称し，家々を回って（*phērī*）托鉢をおこなってきた（中野 2020）（**写35-5**）。集団で移動生活を続けているカー

写35-5　ジョーギー・カールベーリヤー（ビーカーネールにて）

出所：筆者撮影（2019年9月24日）。

ルベーリヤーは今では少数だが，托鉢のための個人の移動は今なお健在だ。

かれらは先祖を9人のナート派の行者の1人であるカニパナート（*Kanipanāth*）であるとする。かれらが伝える伝説によると，カニパナートが有名な行者であるゴラクナートに挑戦すべく，ヘビの毒を食べ物として要求したところ，本当にヘビが現れてしまった。仕方なく彼はその毒を飲むしかなくなり，以後は移動生活をしながらヘビ（インドコブラ）の見世物や捕獲をしたり，ヘビの毒から解毒剤や民間薬を作ったりすることが生業となったという。この神話は，ヒンドゥー教の創世神話に登場する，毒を飲むシヴァ神のモチーフが下地にあるとみられるが，かれらが移動先の路上で出会う動植物との，毒にも薬にもなる関係が，「道」を行くかれらにとって重要な生計を支える手段になってきたことがわかる。

そして，路上は異なる移動民コミュニティの成員がすれ違い，相互に情報交換やサービスの提供をし合う空間でもあった。手品師コミュニティ，マダーリは，自らの手品やショーに使うヘビをカールベーリヤーから調達してきたが，1972年インド野生生物保護法の制定以降，生物を見世物に使えなくなり，コミュニティ同士が連帯する場もなくなってしまった。路上に住まう動物が取りもっていた人と人との関係が，人間と動物の住空間を分けたことによって逆に断たれてしまったのである。

路上に住まうことは，様々な危険と隣り合わせである。しかし，インドではその危険に対峙してきた人々を畏怖とともに社会に包摂してきた。その一方で，路上に住まう人々は社会の最底辺に位置づけられてもきたのであり，とくに路上が資産価値のみではかられつつある現在，路上がもっていた包摂の力は変化している。

3 変化する路上文化

これまでインドの路上文化の豊かさについて示してきた。最後に，そうした路上文化に迫りつつある変化についてアフマダーバードの再開発の事例を紹介する。現在，インドの諸都市にはグローバル資本が流入し，ジェントリフィケーション（土地の価格高騰，高級化）が進行している。その一方で，観光資源を確保する目的で，古い建造物を「文化遺産」として修復保存し，都市の開発と並行して残していく方向性も探られている。これらの変化は路上文化を今後どのように変えていくのだろうか。

資本化される景観

アフマダーバードは，インドのなかでも経済発展が著しい都市である。デリーとアフマダーバードとを高速鉄道でつなぐ計画もあるなか，アフマダーバード中心部と空港とを高速でつなげ，市の中心を流れるサーバルマティ川の川岸11キロメートルを遊歩道にして，商業施設と連結させることを目的とした再開発計画が，1997年にもちあがった。河岸には洗濯屋コミュニティの洗濯場やスラムがあり，毎日曜日には骨董市で有名なグジャリ・バザールがあったが，市から立ち退きを命じられ，2012年，大規模なリバーフロントの整備は終了した。

グジャリ・バザールの前身は，15世紀初頭にバドラ市場で開かれていた市場だが，1954年，場所と開催曜日を変えて今日の形で開催されるようになった。バザールを管理するグジャリ協会は立ち退きに反対し，行政側との交渉を重ね，2012年ようやく合意に至った。大幅な場所の移動は生じず，水道や電気，トイレなどのインフラも行政側が整備してくれることになったが，いくつかの大きな変化があった。第1にそれまで出店していた露店全部に出店が認められたわけではなかった。第2に，それまで商品別にまとまってできていた「自然の市場」的な露店の配置が，人工的な区画によって管理されるようになった。第3にバザールが開かれる日曜日以外も開かれていた空間が，整備されたバザールの石床や電気の盗難防止のために，鍵つきのフェンスで覆われることになった。無秩序のなかに秩序が存在していたバザールは，目的が限定され番号が付された空間のなかで管理される「ゲーテッド・マーケット」になったのであった（岩谷 2017）。

もう1つ，アフマダーバードで市民の憩いの場であるカンカリア湖（Kankaria Lake）の再開発も，同様の空間変容をもたらすことになった。カンカリア湖は，15世紀にアフマド・シャー2世（Qutb-ud-Din Ahmad Shah II）によってつくられた。かつては湖の周辺には露店が立ち並び活気を呈していたが，2008年，「レイクフロント・プロジェクト」として再開発が始まり，かつては誰でも散歩ができた湖畔は，公園への入園料20ルピーを支払い，ボディー・チェックをしなければ入れない場所となった。公園内には，動物園や遊園地，ボート乗り場，フードコートなどがつくられた。

この再開発をポジティブに捉える向きもある。再開発後のカンカリア湖で出店を許された42店のうち7店を家族で営むSさん（28歳男性。経営学の修士号をもつ）に話を聞いた（2017年1月5日）。彼の家は，祖父の代からカンカリア湖周辺で露天商を営む家族である。彼は再開発後，カンカリア湖での商売はやりやすくなったと話す。かつては露天商間の競合も激しく，警察や反社会勢力に悩まされてきたのだ。しかし，再開発後は露天商間の競合はなくなり，自治体からは顧客サービスに関する指導まで受けている。自分たちのサービスも客の態度もよくなったと彼は感じている。彼の家では食品を提供しているが，価格は自治体と露天商とが合議して決められる。メニューは以前と基本的には変わらないが，中華料理が加わり，ケイタリングサービスも始めた。朝4時，公園の外で商売を始める露店で彼は朝食をとり，朝9時から夜10時半まで店を開けている。かつての露天商間の競合は，行政による選別と介入により，露天商間の階層化を生んでいる。

世界遺産都市の路上文化

アフマダーバードは，2017年にユネスコの世界遺産都市に登録された。2012年，世界遺産都市への登録をめざし，旧市街のバドラ地区を歩行者専用の空間に整備する計画が自治体主導で進んでいた（岩谷 2015）。バドラ地区は，15世紀初頭にアフマダーバードが都市として建設された頃から低所得者層の市場が開かれていたところであり，現在も露店と卸売・小売の店舗による市場複合をなしている地区であった。しかし，再開発により露店が一掃されることになった。ガーンディー・ロードで衣料品を扱う店主は，当時のことをこう振り返る。「露天商がいるから通行人が立ちどまってくれる。アフマダーバード自治体が露天商たちを立ち退かせたとき，通行人は道に立ちどまらなくなってしまったんだ」。路上文化は，露天商のみでは成立しない。路上を舞台に周囲の環境を巻き込む形で花開くものなのである。

しかし，アフマダーバードの路上文化は脆弱なものではなかった。筆者が2017年1月6日，バドラ地区を再訪すると，歩行者専用の空間として敷きつめられたタイルの上に露天商たちは戻ってきていた。2011年にはバドラ城砦から三門までの約100メートルに約552店確認できた露店が，約989店に増加していた。結果的には露店数は減少せず，再開発によって解消されるはずであった周辺道路の混雑は，バスなどの車両がタイル敷きのバドラ城砦前に入り込めなくなったために悪化したという。

このように，都市のジェントリフィケーションであれ世界遺産化であれ，都市空間をめぐる新たな秩序形成と排除が進行するなかで，路上文化がこれまで培ってきた人々をつなぐ力は，行政による選別と管理によって変化をこうむりつつある。

おわりに

本章では，アジア，とくにインド社会のダイナミズムを下支えしている路上文化に着目した。アジアにおける路上は，異なるもの，人，動物がいきかい，生成変化をとげる空間であった。しかし，近代化は路上を交通に特化した空間に変え，グローバル化の進行は，路上を資本が投下され管理される空間に編成しつつある。ここでもし路上が単に近代化から取りこぼされ周縁化された人々が身を寄せるだけの空間であったなら，「公共の福祉」を名目にかれらは排除され，整然とした都市の風景から消えてしまっていたかもしれない。しかし，「自然の市場」としての市場や路上で展開する衣食住をみていくと，路上は異なる人々の生活と環境とが結びつく可能性をたえず潜在させている空間であることがわかる。路上では階級や地域，種の違いさえ超えて，生態環境のなかで新たなつながりが生まれうる。アジアの路上を知る人々は，そこに宗教的な変容の次元さえ感知してきたのだ。

グローバルな資産としてのみ路上が整備される場合，そのような路上文化の豊かさはそぎ落とされるだろう。そこでめざされるのは，目的合理的で管理に都合がよい空間利用である。路上での取引で値段交渉はない。監視カメラが設置され，資本を生み出す人の流れがシミュレートされ，路上は投機の対象となる。インドの露天商たちが路上で商売をおこなう権利を求めて得た「露天商に関する国家政策」は，世界に先駆けた画期的なものであった。しかし，政策で主導される「行商ゾーン」と，実際に露天商たちがつくりあげてきた「自然の市場」や「ニワ」の範囲は必ずしも合致していない。都市への人口流入が激化し，物理的な制約が増すなかで「自然の市場」を発展的に維持していくには，まだ多くの課題が残されている。

ただし，バドラ市場に戻ってきた露天商やジェントリファイされた湖の外で現在も開かれている露店のように，資本の論理による空間の分断の隙間から，インドの路上文化は何度でも頭をもたげてきた。美しく道路が舗装されたとしても，その下に人々のニーズや願望があるかぎり，路上文化はそれを吸収して花開くのである。

【岩谷彩子】

参考文献

岩谷彩子「変容する都市公共空間と露天商——アフマダーバードにおける都市整備とローカルな空間利用」岡橋秀典・友澤和夫編『現代インド4 台頭する新経済空間』東京大学出版会，2015年，249-272頁。

岩谷彩子「古着のフローが生み出す公共空間——インド，アフマダーバードの都市開発の事例より」『文化人類学』82（2），2017年，213-232頁。

沖浦和光『旅芸人のいた風景——遍歴・流浪・渡世』文藝春秋，2007年。

寺田透『道の思想』創文社，1978年。

中野歩美『砂漠のノマド——カースト社会の周縁を生きるジョーギーの民族誌』法藏館，2020年。

西澤晃彦『隠蔽された外部——都市下層のエスノグラフィー』彩流社，1995年。

Anjaria, Jonathan Shapiro, “The Politics of Illegality: Mumbai Hawkers, Public Space and Everyday Life of the Law,” in S. K. Bhowmik ed., *Street Vendors in the Global Urban*

Economy, Routledge, 2010.

Centre for Environmental Planning and Technology, *Street Vendor's Policy for Ahmedabad City*, Unpublished Final Report for Ahmedabad Municipal Corporation, 2010.

Department of Urban Employment & Poverty Alleviation Ministry of Urban Development & Poverty Alleviation, Government of India, *National Policy on Street Vendors*, http://aparc.org/media/1699/national-policy-on-urban-street-vendors-2004.pdf, 2021年10月25日アクセス。

India Today Online, "Narendra Modi's 'chai pe charcha': How global media covered it," 2014年2月14日, https://www.indiatoday.in/india/story/narendra-modis-chai-pe-charcha-event-gets-rave-reviews-in-global-media-181022-2014-02-14, 2021年10月25日アクセス。

Jhabvala, Renana, "Roles and Perceptions," *Seminar: Street Vendors*, 491, July, 2000, https://www.india-seminar.com/2000/491/491%20r.%20jhabvala.htm, 2021年11月23日アクセス。

Kumar, Sanjay and Sharit K. Bhowmik, "Street Vendors in Delhi," in S. K. Bhowmik ed., *Street Vendors in the Global Urban Economy*, Routledge, 2010.

Marriott, McKim, "Hindu Transaction: Diversity without Dualism," in B. Kapferer ed., *Transaction and Meaning: Directions in the Anthropology of Exchange and Symbolic Behavior*, Institute for the Study of Human Issues, 1976 (1973).

Patel, B. B., *Workers of Closed Textile Mills: Patterns and Problems of Their Absorption in a Metropolitan Labour Market*, Oxford and IBH Publishing, 1988.

SEWA, *SEWA: Self Employed Women's Association*, https://www.sewa.org/, 2021年10月25日アクセス。

文献紹介

① 西澤晃彦『隠蔽された外部——都市下層のエスノグラフィー』彩流社，1995年。

本書は「寄せ場」や日系人，露天商といった，日本が近代化していく過程で外部化され，労働力として再び回収された人々に光を当てたエスノグラフィーである。都市下層の包摂と排除がいかに生じるのか，その機序についての地に足がついた考察は，アジアの路上文化を考えるうえでも大きなヒントを与えてくれる。

② 柳澤悠『現代インド経済——発展の淵源・軌跡・展望』名古屋大学出版会，2014年。

現代インドの飛躍的な発展を支えるインフォーマル・セクターの重要性を，豊富なデータを駆使し，近現代のインド経済の構造変動のなかで捉えた1冊。ちなみに，著者のご両親も日本のインフォーマル・セクターに従事しておられたという話を伺ったことがある。著者の洞察の深さにはそうした実体験も関係していよう。

③ 小川さやか『都市を生きぬくための狡知——タンザニアの零細商人マチンガの民族誌』世界思想社，2011年。

予測不能で脆弱な国家経済や社会制度下において，インフォーマル・セクターに従事する人々が場面や状況に応じて戦略的にふるまう狡知を身につけたプレイヤーであることを，タンザニアの路上商人を例に活写したエスノグラフィー。整合的な合理性をもった孤独な近代個人でも，社会規範にしばられ搾取の対象となる「社会的な弱者」でもない路上商人のしたたかさに，路上文化の強さの秘密を垣間見ることができる1冊。

あとがき

本書は，現代アジアの諸問題について学術的な立場から「鷲づかみ」で理解することをめざし，編まれたものである。2019（令和元）年末から翌年初めにかけて，佐藤と石坂で構想を話し合い，企画を立て始めた。

佐藤と石坂は，2007～2009年に龍谷大学アフラシア平和開発研究センター（当時）で博士研究員（PD）およびリサーチアシスタント（RA）として共に働いて以来の縁である。佐藤と石坂はその後も，京都大学東南アジア研究所（当時）のグローバルCOEプロジェクト「生存基盤持続型の発展を目指す地域研究拠点」（2007～2012年度）に共に参画した。石坂はさらに，2010年度からのNIHU地域研究推進事業「現代インド地域研究」（当時）の研究員となった。博士号取得から常勤職に就くまで（佐藤は2007～2012年，石坂は2008～2015年）の間に，上記の大型共同研究プロジェクトに参加させていただけたことは，私たちにとってこのうえない幸運であった。生き延びるための日々の生活の糧を得ることができただけでなく，研究者として生きていくための力を養わせていただき，また，かけがえのない共同研究仲間と出会うことができたからである。本書執筆者の多くは，上記の共同研究プロジェクトを通じて知り合い苦楽を共にした若手～中堅の研究者である。

お世話になった方すべてのお名前を記すことはできないが，龍谷大学アフラシア平和開発研究センターでは，初代センター長の長崎暢子先生，第2代センター長の故ポーリン ケント先生をはじめ，加藤剛先生，マリア・レイナルース・カルロス先生，河村能夫先生，清水耕介先生，中村尚司先生，濱下武志先生から本当に多くを学ばせていただいた。グローバルCOEでは，プロジェクト代表の杉原薫先生のほか，河野泰之先生，柴山守先生，清水展先生，田辺明生先生，脇村孝平先生に大変お世話になった。田辺明生先生には「現代インド」でも大変お世話になった。また龍谷大学の河村由紀彦氏は，京都駅や河原町の周辺での飲み会には必ず参加してくださり，いつも私たちを温かく勇気づけてくださった。

本書の執筆作業が始まったところで，私たちの日常はCOVID-19の流行により激変してしまった。執筆者の多くは，国際関係論もしくはアジアの地域研究を専門とする者であるが，特に地域研究者にとって実際に現地に足を運ぶことができないのはなによりも辛いことである。リモートワークやオンライン授業など，新しい環境への対応も迫られることとなった。そのようななかでも，当初声をかけさせていただいた全員の執筆者から，力のこもった原稿を寄せていただくことができた。心から御礼申し上げたい。

明石書店の上田哲平氏は，企画当初から私たちの議論に参加してくださった。東京－北海道－愛媛をつないでのオンライン編集ミーティングは2021年4月からの半年間で12回を数えた。緊急事態宣言下の東京の状況をうかがったり，網走の流氷やキタキツネの話にびっくりしたり，松山城の景色をご覧いただいたりしながら，原稿検討を重ねたのはよい思い出である。上田氏は，常に的確な助言と丁寧なチェックをしてくださり，度重なる原稿の遅れにも忍耐強く対応いただいた。心より感謝の意を表したい。

2022年3月　編者を代表して

石坂 晋哉

執筆者紹介

（執筆順，＊は編者）

＊佐藤　史郎（さとう　しろう）　▶まえがき，序章，第23章

東京農業大学生物産業学部准教授。立命館大学大学院国際関係研究科博士後期課程修了。博士（国際関係学）。専門は国際関係論，安全保障論。主な業績に『安全保障の位相角』（共編著，法律文化社，2018年），『時政学への挑戦』（共著，ミネルヴァ書房，2021年）など。

メッセージ▶アジアの人たちと笑顔で交流するために，訪問先の国や地域の言葉で「おいしい」と「ありがとう」をいえるようになっておきましょう。

＊石坂　晋哉（いしざか　しんや）　▶序章，第10章，あとがき

愛媛大学法文学部准教授。京都大学大学院アジア・アフリカ地域研究研究科博士課程修了。博士（地域研究）。専門は南アジア地域研究，社会学。主な業績に『現代インドの環境思想と環境運動』（単著，昭和堂，2011年），『ようこそ南アジア世界へ』（共編著，昭和堂，2020年）など。

メッセージ▶ぜひ若いうちにアジア各地を訪れることをおすすめします。年を重ねてから訪問することになった場合には，謙虚な気持ちで，何があっても微笑みをたやさずにいれば，地元の人たちが助けてくれると思います。

松尾　瑞穂（まつお　みずほ）　▶第1章

国立民族学博物館超域フィールド科学研究部准教授。総合研究大学院大学文化科学研究科博士後期課程単位取得退学。博士（文学）。専門は文化人類学。主な業績に『ジェンダーとリプロダクションの人類学——インド農村社会の不妊を生きる女性たち』（単著，昭和堂，2013年），“Imagined and unimagined relatedness: a child of ‘one’s own’ in third-party reproduction in India”（単著，*Contemporary South Asia*, 29, 2021）など。

メッセージ▶学生時代に初めてインドを旅してから20年以上が経ちました。最初のインド体験は強烈すぎてあまり良い思い出ではありませんが，今では子連れでフィールドワークをしています。長く付き合うことでみえてくるものや変わってくるものもあるかもしれません。ぜひ何度もトライしてください。

佐藤　奈穂（さとう　なお）　▶第2章

金城学院大学国際情報学部准教授。京都大学大学院アジア・アフリカ地域研究研究科博士課程修了。博士（地域研究）。専門は東南アジア地域研究，経済学。主な業績に『カンボジア農村に暮らすメマーイ（寡婦たち）——貧困に陥らない社会の仕組み』（単著，京都大学学術出版会，2017年），『東南アジア大陸部の戦争と地域住民の生存戦略——避難民・女性・少数民族・投降者からの視点』（共著，明石書店，2020年）など。

メッセージ▶日本社会で生きづらいと感じている方，ぜひアジアに行ってみてください。日本で「こうあるべき」と思われていることは，そこでは無価値かもしれません。「やらなくちゃいけない

こと」は「やらなくてもいいこと」かもしれません。世界を知ると，自由が得られます。

菅野美佐子（かんの　みさこ）　▶**第3章**
青山学院大学地球社会共生学部助教。総合研究大学院大学博士後期課程修了。博士（文学）。専門は文化人類学，ジェンダー学，インド研究。主な業績に『持続可能な開発における〈文化〉の居場所——「誰一人取り残さない」開発への応答』（共著，春風社，2021年），『21世紀国際社会を考える——多層的な世界を読み解く38章』（共著，旬報社，2018年）など。
メッセージ▶アジアでは地域によっては，異性に話しかけたり触れたりすることに注意が必要な文化もあります。訪問先でコミュニケーションを取るときは事前に学習するなどして楽しく交流できるといいですね。

岩佐　光広（いわさ　みつひろ）　▶**第4章**
高知大学人文社会科学部准教授。千葉大学大学院社会文化科学研究科博士課程修了。博士（学術）。専門は文化人類学。主な業績に『ケアが生まれる場所』（共著，ナカニシヤ出版，2019年），『東南アジアにおけるケアの潜在力』（共著，京都大学学術出版会，2019年）など。
メッセージ▶アジアにはたくさんの言語があり，たくさんの文字があります。ぜひ，ローマ字以外の文字を用いる言語にチャレンジしてみてください。ちょっと読めるようになっただけでも，街中の風景がずいぶん違ってみえるはずですよ。

茶谷　智之（ちゃや　ともゆき）　▶**第5章**
兵庫教育大学大学院学校教育研究科講師。京都大学大学院アジア・アフリカ地域研究研究科博士課程修了。博士（地域研究）。専門は南アジア地域研究，文化人類学。主な業績に『依存からひろがる人生機会——インド・スラム地域の人間開発と「子育ての民主化」』（単著，春風社，2020年）など。
メッセージ▶アジアを訪れたら，ぜひ若者たちの間で流行っている音楽やダンス，スポーツやゲームなどに触れてみるとよいと思います。アジアの違った一面を体感することができるのではないでしょうか。

細田　尚美（ほそだ　なおみ）　▶**第6章**
長崎大学多文化社会学部准教授。京都大学大学院アジア・アフリカ地域研究研究科博士課程修了。博士（地域研究）。専門は東南アジア地域研究，移民研究，文化人類学。主な業績に『幸運を探すフィリピンの移民たち——冒険・犠牲・祝福の民族誌』（単著，明石書店，2019年），『湾岸アラブ諸国の移民労働者——「多外国人国家」の出現と生活実態』（単編著，明石書店，2014年）など。
メッセージ▶食はアジアにあり！　訪れる土地ごとに，そこの風土や歴史に合わせて上手にブレンドされ発展した地元の料理をいろいろトライしましょう。それらがさらにアジアについて深く知りたいと思う気に自然とさせてくれるでしょう。

山本　達也（やまもと　たつや）　▶**第7章**
静岡大学人文社会科学部准教授。京都大学大学院人間・環境学研究科博士課程修了。博士（人間・環境学）。専門は文化人類学。主な業績に『舞台の上の難民——チベット難民芸能集団の民族誌』（単著，法蔵館，2013年），『インド・剝き出しの世界』（共編著，春風社，2021年）など。

メッセージ▶インドやネパールその他のアジアの国々で経験した気温や湿度などの空気感や音の広がり，そしてそこで暮らす人々との交流の経験は，現在の自分の考え方や他者への接し方を作り上げてくれた宝物です。みなさんもぜひこの感覚を経験してみてください。

中村　文子（なかむら　あやこ）　**▶第8章**

山形大学人文社会科学部准教授。東北大学大学院情報科学研究科博士後期課程修了。博士（情報科学）。専門は国際関係論。主な業績に『「難民」をどう捉えるか――難民・強制移動研究の理論と方法』（共著，慶應義塾大学出版会，2019年），『日本外交の論点』（共著，法律文化社，2018年）など。

メッセージ▶現地で若者と交流すると，かれらの純粋な心に癒やされます。そしてかれらは日本に憧れを持ってくれています。そのかれらが日本に働きに来たときに失望させないために，私たちに何ができるのか，日本に何が求められているのか，それをみつける旅にしてほしいです。

木村真希子（きむら　まきこ）　**▶第9章**

津田塾大学学芸学部教授。ジャワーハルラール・ネルー大学大学院社会科学研究科博士課程修了。Ph.D.（Sociology）。専門は南アジア地域研究，国際社会学。主な業績に『終わりなき暴力とエスニック紛争』（単著，慶應義塾大学出版会，2021年），『先住民からみる現代世界――わたしたちの〈あたりまえ〉に挑む』（共編著，昭和堂，2018年）など。

メッセージ▶アジアは食べ物や伝統衣装，音楽など，文化の様々な面を楽しむことができる国が多いと思います。歴史を学びながらおいしいもの，素敵な服や音楽などに触れると，また違った側面がみえてくるのではないでしょうか。特に地方や少数民族の文化や歴史はその国の違った面をみせてくれるので，おすすめします。

舟橋　健太（ふなはし　けんた）　**▶第11章**

龍谷大学社会学部准教授。京都大学大学院アジア・アフリカ地域研究研究科博士課程修了。博士（地域研究）。専門は文化人類学，南アジア地域研究。主な業績に『現代インドに生きる〈改宗仏教徒〉――新たなアイデンティティを求める「不可触民」』（単著，昭和堂，2014年），『ようこそ南アジア世界へ』（共編著，昭和堂，2020年）など。

メッセージ▶実際にアジアを訪れると，自分と地続きの感覚とともに，また違った側面も感じ取られることと思います。そうした共通性と相違性に浸かりつつ，一歩立ち止まり，その地の人々と深く触れ合っていただければと思います。

井出　文紀（いで　ふみのり）　**▶第12章**

近畿大学経営学部准教授。立命館大学大学院国際関係研究科博士後期課程満期退学。博士（国際関係学）。専門はアジア経済，貿易論。主な業績に『ASEANにおける日系企業のダイナミクス』（共著，晃洋書房，2020年），『グローバル・サウスはいま 第2巻 新自由主義下のアジア』（共著，ミネルヴァ書房，2016年）など。

メッセージ▶着陸が近づくとみえてくる風景，移動中に目に飛び込んでくる景色や看板，着いた町の店先，レストラン，市場，繁華街でみえる光景，様々な人々，活気や垣間みえる影の部分など，五感から吸収できるものを大切にしてください。

土屋　貴裕（つちや　たかひろ）　**▶第13章**
京都先端科学大学経済経営学部准教授。防衛大学校総合安全保障研究科後期課程卒業。博士（安全保障学）。専門は公共経済学，国際政治経済学，安全保障論など。主な業績に『現代中国の軍事制度』（単著，勁草書房，2015年），『米中の経済安全保障戦略』（共著，芙蓉書房出版，2021年）など。
メッセージ▶アジア各国・地域を訪問して多様性や共通性を感じることはもちろん，1つの国・地域を定期的に訪問することで，より深く理解し新たな一面を発見することになるでしょう。歴史や文化に直接触れ，ダイナミックに変化するアジア地域の経済社会を肌で感じてください。

和田　一哉（わだ　かずや）　**▶第14章**
金沢大学経済学経営学系准教授。一橋大学大学院経済学研究科博士後期課程修了。博士（経済学）。専門は開発経済学。主な業績に「女性の自律性は子供の厚生を改善しうるか？――インドのマイクロデータを用いた計量分析」（単著，『アジア経済』50（4），2009年），“Spatial Characteristics of Long-term Changes in Indian Agricultural Production: District-Level Analysis, 1965-2007”（共著，*Review of Agrarian Studies*, 5（1），2015）など。
メッセージ▶アジアから世界，そして様々な分野への興味関心は今後の可能性を大いに高めてくれると思います。

出町　一恵（でまち　かずえ）　**▶第15章**
東京外国語大学総合国際学研究院准教授。神戸大学大学院国際協力研究科博士後期課程修了。博士（経済学）。専門は国際金融論，開発経済論。主な業績は「開発途上国のドル化とマクロ経済安定化」（共著，『国民経済雑誌』218（2），2018年）など。
メッセージ▶広いアジア大陸における歴史，文化，宗教が入り混じった各国のおもしろさをぜひ体感してください。

佐藤　孝宏（さとう　たかひろ）　**▶第16章**
弘前大学農学生命科学部准教授。京都大学大学院農学研究科博士後期課程修了。博士（農学）。専門は熱帯農学，国際農業開発論。主な業績に*Sustainable Development in India: Grounwater irrigation, Energy Use, and Food Production*（共著，Routledge, 2020），『生存基盤指数――人間開発指数を超えて』（共編著，京都大学学術出版会，2012年）など。
メッセージ▶アジアから多くの人たちが様々な目的で日本を訪問するようになりました。かれらの出身地を訪問することで，かれらが日本社会をどのようにみているか，どうすればかれらと共生する社会を作ることができるかなど，様々なことを考える契機になると思います。

知足　章宏（ちあし　あきひろ）　**▶第17章**
フェリス女学院大学国際交流学部准教授。立命館大学大学院国際関係研究科博士後期課程修了。博士（国際関係学）。専門は環境経済・政策学，環境ガバナンス。主な業績に『中国環境汚染の政治経済学』（単著，昭和堂，2015年），*Environmental Policy and Governance in China*（共著，Springer，2017）

など。

メッセージ▶環境問題はアジア共通の課題で，協力できることがたくさんあります。問題の構造を広く認識し，アジアの人々と話し合い，改善のために行動しましょう。

宇根　義己（うね　よしみ）　▶**第18章**

金沢大学人文学類准教授。広島大学大学院文学研究科博士課程後期修了。博士（文学）。専門は経済地理学。主な業績に『ようこそ南アジア世界へ』（共編著，昭和堂，2020年），『経済地理学への招待』（共著，ミネルヴァ書房，2020年）など。

メッセージ▶私の場合，初めて訪問する街では，とにかくあちこちを歩き回って街を観察し，地元客で賑わっている店で食事します。行き交う車・動物や治安（スリなど）に気を付けつつ。そうすると，その街全体が私を受け入れてくれた気になるんです。あなたもぜひ！

北　邦弘（きた　くにひろ）　▶**第19章**

神戸国際大学経済学部教授。関西学院大学経済学部卒業。株式会社JTB，大阪国際大学国際教養学部教授を経て現職。専門は観光事業論，国際観光。主な業績に『北河内観光ハンドブック』（共著，週刊大阪日日新聞社，2018年），『国際学入門』（共著，法律文化社，2015年）など。

メッセージ▶観光は見知らぬ人と人とをつなぐツールです。あなたもアジアの国々を訪れ，アジアの人々と交流を深めてみませんか。

山根　健至（やまね　たけし）　▶**第20章**

福岡女子大学国際文理学部准教授。立命館大学大学院国際関係研究科博士後期課程修了。博士（国際関係学）。専門は東南アジア政治論，国際関係論。主な業績に『フィリピンの国軍と政治』（単著，法律文化社，2014年），『セキュリティ・ガヴァナンス論の脱西欧化と再構築』（共著，ミネルヴァ書房，2018年）など。

メッセージ▶可能であれば複数の国や地域，1か国であれば首都だけではなく複数の都市と地方，農村部を訪れるなど，アジアの多様性や共通性を感じることのできる旅にしてもらいたいと思います。

福田　円（ふくだ　まどか）　▶**第21章**

法政大学法学部教授。慶應義塾大学大学院政策・メディア研究科後期博士課程単位取得退学。博士（政策・メディア）。専門は東アジア国際政治史，現代中国・台湾論。主な業績に『中国外交と台湾――「一つの中国」原則の起源』（単著，慶應義塾大学出版会，2013年），『香港の過去・現在・未来――東アジアのフロンティア』（共著，勉誠出版社，2019年）など。

メッセージ▶似ているようで多様なアジアを，まずは五感をフル活用して感じてください。そうして感じ取ったことが，どうして似ているのか，違うのか，その背景を少し立ち止まって調べたり，考えたりしてみるとおもしろいと思います。

松村　博行（まつむら　ひろゆき）　▶**第22章**

岡山理科大学経営学部准教授。立命館大学大学院国際関係研究科博士後期課程満期退学。博士（国際関係学）。専門は国際政治経済学。主な業績に『米中経済摩擦の政治経済学』（共編著，晃洋書房，2022

年），『安全保障の位相角』（共著，法律文化社，2018年）など。
メッセージ▶実はアメリカ研究が専門のため，アジアには片手で数えられるくらいしか訪れていません。それでも街の活発な雰囲気や土地ごとのおいしい料理は忘れられない思い出となっています。

クロス　京子（くろす　きょうこ）　▶第24章

京都産業大学国際関係学部准教授。神戸大学大学院法学研究科博士課程後期課程単位取得退学。博士（政治学）。専門は国際関係論，紛争解決学。主な業績に『移行期正義と和解——規範の多系的伝播と受容過程』（単著，有信堂高文社，2016年），“The Pursuit of Justice, Truth, and Peace: Reflections on 20 Years of Imperfect Transitional Justice in Timor-Leste”（単著，*Asian Journal of Peacebuilding*, 9 (1), 2021）など。
メッセージ▶アジアの多様性をぜひみて感じて体験してください。日本とは違う新たな発見が得られると同時にちょっと懐かしい気持ちが味わえます。

井原　伸浩（いはら　のぶひろ）　▶第25章

名古屋大学大学院情報学研究科附属グローバルメディア研究センター准教授。メルボルン大学大学院社会政治科学研究科博士課程修了。Ph.D.（Social and Political Sciences）。専門は国際政治学，情報学。主な業績に「シンガポールの『脆弱性』をめぐる諸議論とPOFMA」（単著，『グローバル・ガバナンス』7，2021年），「プラットフォームガバナンスとしてのオンライン虚偽情報および情報操作防止法」（単著，『マス・コミュニケーション研究』99，2021年）など。
メッセージ▶以前は，ネットと現実は異なるから海外旅行して現地に足を運ぶべき，といわれることが多かったですが，現在は，ネット社会の論理や価値規範が現実世界に浸透する現象がみられるようになりました。ネットのアジアも，現実のアジアも，その相互関係も体験してみてください。

外山　文子（とやま　あやこ）　▶第26章

筑波大学人文社会系准教授。京都大学大学院アジア・アフリカ地域研究研究科博士課程修了。博士（地域研究）。専門はタイ政治，比較政治学。主な業績に『タイ民主化と憲法改革——立憲主義は民主主義を救ったか』（単著，京都大学学術出版会，2020年），『21世紀東南アジアの強権政治——「ストロングマン」時代の到来』（共編著，明石書店，2018年）など。
メッセージ▶21世紀もアジアは活気あふれるエネルギッシュな地域です。特に東南アジアは欧米，中国，インド，日本などからの歴史的，文化的影響が幾重にも重なっており，興味が尽きません。若い人だけではなく，大人の方々にもぜひ訪れていただきたく思います。

詫摩　佳代（たくま　かよ）　▶第27章

東京都立大学法学部教授。東京大学大学院総合文化研究科博士課程単位取得退学。博士（学術）。専門は国際政治学，国際機構論。主な業績に『人類と病——国際政治から見る感染症と健康格差』（単著，中央公論新社，2020年），『国際政治のなかの国際保健事業』（単著，ミネルヴァ書房，2014年）など。
メッセージ▶アジアの国は近く，気軽に訪れることができますが，文化や気候，政治体制，流行しやすい感染症に至るまで，実に多様性に満ち溢れています。ぜひ，その多様性を肌で感じてきてください。

上野　友也（かみの　ともや）　▶**第28章**
岐阜大学教育学部准教授。東北大学大学院法学研究科博士課程後期修了。博士（法学）。専門は国際政治学，国際機構論，国際人権・人道論。主な業績に『膨張する安全保障――冷戦終結後の国連安全保障理事会と人道的統治』（単著，明石書店，2021年），『戦争と人道支援――戦争の被災をめぐる人道の政治』（単著，東北大学出版会，2012年）など。
メッセージ▶アジアのなかでもおすすめの場所は，タイ・バンコクのヤワラート中華街です。アジアの混沌が味わえると思います。タイ語と中国語の看板がひしめき合い，金の取引所（金行）が軒を並べ，屋台でお腹を満たしている人もいます。ぜひとも行ってみてください。

小林　知（こばやし　さとる）　▶**第29章**
京都大学東南アジア地域研究研究所教授。京都大学大学院アジア・アフリカ地域研究研究科博士課程修了。博士（地域研究）。専門は東南アジア地域研究，文化人類学。主な業績に『カンボジア村落世界の再生』（単著，京都大学学術出版会，2011年），『現代アジアの宗教――社会主義を経た地域を読む』（共著，春秋社，2015年）など。
メッセージ▶同じ場所を，違う季節に何度か訪問することも，おもしろい旅のスタイルです。その場所の空気感が季節によっていかに移ろうかを知れば，地域の本当の貌（かお）が理解できたような気になります。食材も季節で変わりますし，おいしい驚きもあるはず。

虫賀　幹華（むしが　ともか）　▶**第30章**
日本学術振興会特別研究員PD。アラハバード大学文学部博士課程修了。博士（文学）。専門はヒンドゥー教史。主な業績に「ヒンドゥー教の無縁供養――ガヤーの祖霊祭における供養マントラの分析から」（単著，『宗教研究』400，2021年），“Authorisation by Using ‘the Past’: The Development of the Gayā Pilgrimage Programme”（単著，*Indian Historical Review*, 47（1），2020）など。
メッセージ▶個人的なおすすめは，アジアの国々を訪れる前に信用できるガイドブック類を熟読しておくこと。気をつけるべきポイントを十分におさえたうえで，実際に訪れた際には五感を研ぎ澄ましてありのままを観察し人々とふれ合い，自分の常識がぶっ壊れる感覚を楽しむこと！

宮脇　聡史（みやわき　さとし）　▶**第31章**
大阪大学大学院言語文化研究科教授。東京大学大学院総合文化研究科博士課程修了。博士（国際社会科学）。専門はフィリピン地域研究，宗教社会学。主な業績に『フィリピン・カトリック教会の政治関与』（単著，大阪大学出版会，2019年），『はじめての東南アジア政治』（共著，有斐閣，2018年）など。
メッセージ▶アジアは，古来の伝統の継承のみならず，外来のものを積極的に受容し，巧みに暮らしのなかで自分たちの新たな伝統を仕立て上げてきました。その視点から日本と近隣諸国の伝統を共にみていくことで，日本を含めたアジアの姿がよりよくみえるのではと思います。

渡邉　暁子（わたなべ　あきこ）　▶**第32章**
文教大学国際学部准教授。京都大学大学院アジア・アフリカ地域研究研究科博士課程修了。博士（地域研究）。専門は東南アジア研究，文化人類学，移動研究。主な業績に『アジアに生きるイスラーム』（共著，イースト・プレス，2018年），『湾岸アラブ諸国の移民労働者』（共著，明石書店，2013年）など。

メッセージ▶日本で得たアジアに関する知識や情報，日本で培った価値観や優越の基準などをいったん取り下げて，ニュートラルな姿勢で現地を訪れ，見聞きし，感じてください。何度訪れても，学ぶことや気づかされることは多いと思います。

笠井　敏光（かさい　としみつ）▶**第33章**

大阪国際大学国際教養学部教授。大阪大学大学院言語文化研究科博士後期課程単位取得退学。修士（言語文化学）。専門は考古学，文化政策学。主な業績に『京都・観光文化への招待』（共著，ミネルヴァ書房，2012年），『入門・文化政策』（共著，ミネルヴァ書房，2008年）など。

メッセージ▶地理的に近いアジアですが，知らないことも多いです。ことば・音楽・食など，文化を手がかりに身近なアジアにしましょう。

小西　公大（こにし　こうだい）▶**第34章**

東京学芸大学教育学部准教授。東京都立大学大学院社会科学研究科博士課程修了。博士（社会人類学）。専門は社会人類学，南アジア地域研究，変人類学。主な業績に『インドを旅する55章』（共編著，明石書店，2021年），『人類学者たちのフィールド教育——自己変容に向けた学びのデザイン』（共編著，ナカニシヤ出版，2021年）など。

メッセージ▶いつも自分の殻を破ってくれて，新しい世界をみせつづけてくれるアジアの世界。アジアで出会うヒト・モノ・コトは，いつも私たちの世界認識のちょっと斜め上をいっていて，とても刺激的です。頭を空っぽにして，何が起こるかワクワクしながら歩きましょう！

岩谷　彩子（いわたに　あやこ）▶**第35章**

京都大学大学院人間・環境学研究科准教授。京都大学大学院人間・環境学研究科博士後期課程修了。博士（人間・環境学）。専門は文化人類学。主な業績に『夢とミメーシスの人類学——インドを生き抜く商業移動民ヴァギリ』（単著，明石書店，2009年），『現代インド4 台頭する新経済空間』（共著，東京大学出版会，2015年）など。

メッセージ▶距離を取りたくても取らせてくれない，そうこうしているうちに引っ張り込まれている，それがアジアです。人ごみにもまれているうちに，自分の世界が大きく広がっていることに気づかされます。そうなるともう，アジア世界はあなたのもうひとつの故郷です。

【編者紹介】

佐藤 史郎（さとう しろう）　東京農業大学生物産業学部准教授

石坂 晋哉（いしざか しんや）　愛媛大学法文学部准教授

現代アジアをつかむ
―― 社会・経済・政治・文化 35のイシュー

2022年3月31日　初版第1刷発行

編　者――佐藤史郎・石坂晋哉
発行者――大江道雅
発行所――株式会社 明石書店
〒101-0021　東京都千代田区外神田6-9-5
電話 03（5818）1171　FAX 03（5818）1174
https://www.akashi.co.jp/

装　幀　明石書店デザイン室
組　版　朝日メディアインターナショナル 株式会社
印刷・製本　日経印刷 株式会社
ISBN 978-4-7503-5321-0
（定価はカバーに表示してあります）

エリア・スタディーズ183

インドを旅する55章

宮本久義、小西公大 編著

悠久の歴史が流れる広大で多様なインド。本書は、長年インドに深く関わってきた方々が、これまではほとんど紹介されてこなかった「ディープ・インド」ともいうべき、多様で深遠なインド世界に読者を誘い、新たなインドを見つける一冊である。

四六判／並製／384頁 ◎2000円

内容構成

第Ⅰ部 旅に出よう 夢のインド・現実のインド ほか
第Ⅱ部 インドの不思議都市を歩く デリー／コルカタ／ゴア ほか
第Ⅲ部 多様な宗教を旅する ヒンドゥー聖地を巡礼する ほか
第Ⅳ部 さまざまな人に出会う ブラーフマンの世界に交わる ほか
第Ⅴ部 乗り物を楽しむ 路線バス・乗合自動車の旅 ほか
第Ⅵ部 インドを泊まり歩く ヘリテージホテルに泊まる ほか
第Ⅶ部 インドを食べ歩く インドの食事作法は哲学である ほか
第Ⅷ部 世界遺産を旅する インダス文明を歩く ほか
第Ⅸ部 インドの伝統文化を旅する カラリパヤットゥに出会って ほか
第Ⅹ部 インドの現代文化を旅する インド映画の世界を楽しむ ほか
第Ⅺ部 旅のおみやげ 染織布を味わう／西インドの骨董巡り ほか
旅のおわりに
インドをより深く知り、旅を面白くするための基本図書

カーストから現代インドを知るための30章
エリア・スタディーズ108 金基淑編著 ◎2000円

現代インドを知るための60章
エリア・スタディーズ67 広瀬崇子、近藤正規、井上恭子、南埜猛編著 ◎2000円

現代ネパールを知るための60章
エリア・スタディーズ178 日本ネパール協会編 ◎2000円

現代ブータンを知るための60章【第2版】
エリア・スタディーズ47 平山修一著 ◎2000円

バングラデシュを知るための66章【第3版】
エリア・スタディーズ32 大橋正明、村山真弓、日下部尚徳、安達淳哉編著 ◎2000円

スリランカを知るための58章
エリア・スタディーズ117 杉本良男、高桑史子、鈴木晋介編著 ◎2000円

モルディブを知るための35章
エリア・スタディーズ186 荒井悦代、今泉慎也編著 ◎2000円

中央アジアを知るための60章【第2版】
エリア・スタディーズ26 宇山智彦編著 ◎2000円

〈価格は本体価格です〉

21世紀東南アジアの強権政治

「ストロングマン」時代の到来

外山文子、日下渉、伊賀司、見市建 編著

■四六判／上製／264頁 ◎2600円

近年東南アジア諸国では、民衆により選挙で選ばれたにもかかわらず、非常に強権的な統治スタイルをもつ政治指導者たちが誕生している。それはなぜなのか。タイ、フィリピン、マレーシア、インドネシアの事例からその背景を分析し、民主化への影響を考察する。

●内容構成●